ISBN 978-0-331-21349-2
PIBN 11029043

MONATLICHE
CORRESPONDENZ
ZUR BEFÖRDERUNG
DER
ERD- UND HIMMELS-KUNDE.

Herausgegeben

vom

Freyherrn F. VON ZACH,

Herzoglichen Sachsen-Gothaischen Oberhofmeister.

XXI. BAND.

GOTHA,

im Verlage der Beckerschen Buchhandlung.

1810.

MONATLICHE
CORRESPONDENZ
ZUR BEFÖRDERUNG
DER
ERD- UND HIMMELS-KUNDE.

JANUAR, 1810.

I.

Bemerkungen über einen Bericht der Herrn *Hauy Lelièvre* und *Cuvier*, von C. W. und E. F. L. Marschall von Bieberstein.

In den Denkschriften der Classe der mathematischen und physischen Wissenschaften des französischen Nationalinstituts vom Jahr 1807 S. 128 bis 145 ist ein Bericht der Herrn *Hauy*, *Lelièvre* und *Cuvier* über ein Werk des Herrn *André* betittelt: Theorie der gegenwärtigen Oberfläche der Erde.

Die Berichtsteller suchen darin auszuführen, dass im jetzigen Zeitpuncte die Erdkunde noch lange nicht weit genug vorgerückt sey, um Systeme über die Bildung der Erde gründen zu können.

Wir kennen, sagen sie, nicht nur die Natur und Einrichtung des Innern der Erde, sondern selbst die — ihrer alleräussersten Rinde nicht. — — Die Untersuchungen verschiedener Naturforscher haben zwar mehrere schätzbare, wiewohl noch nicht ganz unbestrittene allgemeine Thatsachen über die Urgebirge entdeckt, allein die Gebirgsarten späterer Bildung (*Terrains secondaires*) welche den schwierigsten Theil der Aufgabe ausmachen, sind kaum aufgeritzt, die wichtigsten Puncte, wovon hauptsächlich die Erforschung der Ursachen abhängt, sind noch im Zweifel. Zum Beweis hievon werden verschiedene Beyspiele gegeben, und der Schluss geht dahin, dass im jetzigen Zustande die Urheber geologischer Systeme solche Leute seyen, welche die Gründe von Thatsachen aufsuchen, die sie nicht kennen; dass sie also Luftschlösser bauen, die wie leere Phantome zerfliessen, während das festere Gebäude der Thatsachen und der Induction sich zu erheben anfängt.

Wir sind mit den berühmten Berichtstellern vollkommen überzeugt, dass der Weg der genauen Untersuchung der Thatsachen, welchen sie nach einem sehr wohl durchdachten Plane vorschreiben, zu Erweiterung der Geologie der richtigere, sichere, und weit der verdienstlichere sey. Nur versuchen wir es, hier mit wenigem zu zeigen, dass die Vorwürfe, welche sie allen geologischen Systemen machen, dasenige nicht treffen können, welches wir in unsern Unter-

Untersuchungen über den Ursprung des Weltgebäudes aufgestellt haben.*)

Die bisherigen Urheber geologischer Systeme haben ihre Hypothesen blos auf die Bildung der Erde beschränkt, und haben zu deren Begründung nur die gröſstentheils noch unsichern und häufig bestrittenen Thatsachen zu Hülfe genommen, welche von den Beobachtern über die Structur unseres Erdballes aufgestellt sind. Wir hingegen gehen von einem höhern Gesichtspunct aus; wir ketten unser System an die allgemein anerkannten ewigen Gesetze der Natur, die alle Theile der Materie durch die ganze Unendlichkeit des Weltraumes umfassen. Wir dehnen unsere Untersuchungen auf die frühern Zustände aller Weltkörper und ihrer Systeme aus, und wir machen, ehe wir den Weg der Erfahrung betreten, die Frage an uns: wie hat sich nach allgemeinen Naturgesetzen der Weltbau, so wie er ist, entwickeln müssen?

Bey Erörterung dieser Frage legen wir nur Eine hypothetische Voraussetzung zum Grund, welche darin besteht, daſs die Materie einst in dem Zustande gröſserer Zerstreuung als jetzt sich befunden habe, und daſs jeder Weltkörper allmählig durch Zusammensetzung der Theile, aus welchen er jetzt besteht, gebildet worden sey.

Es ist sichtbar, daſs diese Voraussetzung ihre hinlängliche Ursache hat. Wir befinden uns hinsichtlich

*) Untersuchungen über den Ursprung und die Ausbildung der gegenwärtigen Anordnung des Weltgebäudes 1802.

lich des Erdballs den wir bewohnen, in derselben Lage, wie ein ephemerisches Geschöpf hinsichtlich der Pflanze, oder des kleinen Körpers, worauf es lebt. Stellen wir uns dieses mit Vernunft begabt vor, denken wir uns, dass es während des kurzen Zeitraumes seines Daseyns die Entstehung ganz kleiner Körper durch allmählige Zusammensetzung noch kleinerer Theile beobachte, so werden wir ihm wohl Recht geben, wenn es analogisch schliesst, dass die Körper, die bereits vor ihm da waren, nicht plötzlich vollendet, aus den Händen der Allmacht hervor gegangen, sondern in verhältnissmässig längern Zeiträumen allmählig entstanden seyen. Es ist daher durchaus nichts ganz unwillkührliches in unserer Theorie, sondern ihre Fundamente ruhen auf den allgemeinen Naturgesetzen.

Erst nachdem auf diese Art das Gebäude aufgeführt ist, vergleichen wir dasselbe mit den einzelnen Erscheinungen, und bey dieser Untersuchung haben wir vor andern Gründen geologischer Systeme den grossen Vortheil, dass wir an das unsrige seiner Allgemeinheit wegen nicht blos die Erfahrungen über den Bau unseres Erdballs, der nur ein Punct in der grossen Schöpfung ist, sondern vorzüglich auch die auf sichern und unbestrittenen Thatsachen beruhenden Haupterscheinungen in dem Bau unseres Sonnensystems, in den Bewegungen seiner Weltkörper, ja selbst, das, was über den Bau anderer Sonnensysteme und ihre Verbindungen unter einander bekannt, oder mehr wahrscheinlich ist, anreihen können. Die Beobachtungen, welche zum Probiersteine unserer Theorie dienen, sind daher grösstentheils

sicherer,

sicherer, mannichfaltiger, und haben ein unendlich ausgebreiteteres Feld, als diejenigen, die zu Aufstellung solcher Hypothesen dienen können, welche blos auf die Entstehung des Erdballs beschränkt sind.

Wir werden nicht zu weit gehen, wenn wir folgende Thatsachen als sicher und unbestritten annehmen.

A) Den Bau unseres Sonnensystems betreffend.

a) Die Weltkörper unseres Sonnensystems sind an Grössen, Dichtigkeiten und Massen äusserst verschieden.

b) Es hat sich darin ein herrschender Weltkörper gebildet, der allen übrigen an Masse weit überlegen ist.

c) Alle Planeten, Nebenplaneten und Cometen unseres Sonnensystems, deren Beobachtung uns möglich ist, haben fortschreitende, gravitirende Bewegungen.

d) Alle diese Bewegungen sind an Richtung und Schnelligkeit eben so mannichfaltig, als die beobachteten Korper selbst.

e) Doch haben alle Bahnen derjenigen Nebenkörper, welche im Raume ihren Hauptkörpern nahe bleiben, eine schwache Neigung gegen die Aequatorsebene des Hauptkörpers und eine geringe Excentricität.

f) Auch haben die fortschreitenden Bewegungen dieser Nebenkörper mit den Achsendrehungen ihrer Hauptkörper die Richtung nach eben derselben Seite.

g) Die

g) Die unter e und f angeführten Regelmäſsigkeiten finden ſich nicht bey den Bahnen der Cometen, dieſe Bahnen haben jede Richtung und ſind ohne Ausnahme ſehr excentriſch.

h) Es fehlt in unſerem Beobachtungskreiſe an Mittelbahnen zwiſchen ganz geringer und ſehr groſser Excentricitat. (?)

i) Die Perturbationen in den Bewegungen unſeres Planetenſyſtems ſind, ſo weit ſie von der wechſelſeitigen Einwirkung dieſer Weltkorper auf einander abhängen, blos periodiſch, und es ſchwankt daher um einen mittleren Zuſtand, von dem es ſich nie weit entfernt.

B) Den Bau unſerer Erde betreffend.

a) Die meiſten mineraliſchen Korperarten an unſerer Erdoberflache ſind ſchichtenartig gebildet.

b) Ihre Schichten ſind an ſehr vielen Orten, beſonders in Gebirgen, nicht horizontal, und nahern ſich bald mehr bald weniger der ſenkrechten Lage.

c) Die Maſſen dieſer Schichten wechſeln haufig, ruckſichtlich ihrer Beſtandtheile, ſchnell und plötzlich mit einander.

d) Sie zeigen vielfaltige Spuren groſser und weit umfaſſender Zertrummerungen. Dieſe Spuren ſind in den gröſsern Gebirgen der Erde am ſichtbarſten.

e) Viele Erſcheinungen, beſonders aber die Beſchaffenheit der Gebirgsgänge, der Trummerſteine und Breccien beweiſen, daſs jene Zertrummerungen in verſchiedenen oft weit von einander entfernten Zeitpuncten auf einander gefolgt ſind.

f) In

f) In vielen Gegenden der bekannten Erdoberfläche liegen Trümmersteine und Blöcke, deren Masse dem Boden, worauf sie sind, ganz fremd ist.

g) Man findet häufig in allen bekannten Welttheilen, mitten im festen Lande und in ungeheuern Gebirgshöhen, die Reste von Conchilien und Seethieren.

h) Diese Reste sind an einigen Orten noch in der Lage, in welcher die Seethiere, denen sie angehörten, gelebt haben, an andern Orten in der grössten Unordnung unter einander geworfen.

i) An verschiedenen Orten wechseln Schichten mit Seeproducten und solche, wo Landproducte sind, öfters mit einander. *)

k) Die Reste mechanischer Wesen des Pflanzen- und Thierreichs, verschuttete Wälder, Steinkohlen, Land- und Seethiere, sind in grosser Menge unter der Erdoberfläche, in vielen Gegenden aller Welttheile und in allen Tiefen, welche man erreichen kann.

l) Diese Reste sind, meistens in ihrer Organisation, von den uns bekannten jetzt lebenden Thierarten verschieden.

*) Herr *Cuvier* selbst hat dieses von den Umgebungen von Paris bewiesen, und schliesst aus seinen Beobachtungen, dass das Meer diese Gegenden wenigstens zweymal in verschiedenen Perioden bedeckt habe, ja er hält es selbst für wahrscheinlich, dass es ein drittesmal über denselben gestanden habe. *Analyse des travaux de la classe des sciences mathématiques et physiques de l'institut national pendant l'année 1808 Partie physique. Moniteur* von 1809 Stück 6.

m) In allen Ländern kann man durch nähere Betrachtung und Zergliederung der unter ihren Oberflächen vorhandenen organischen Producte wahrnehmen, dass einst in langst verflossenen Zeiträumen die Oeconomie der organischen Natur daselbst von der jetzigen sehr verschieden war.

n) Die grössern Gebirge der Erde haben in ihrer Länge eine weit grössere Ausdehnung, als in der Breite, und theilen sich in Ketten.

o) Auch andere Planeten, die zunächst von uns beobachtet werden können, haben Gebirge, die sich in langen Strichen über ihre Oberflächen ziehen.

Alle diese Thatsachen lassen sich aus unserer Theorie, welche die Bildung der Weltkörper und den Ursprung ihrer jetzigen Bewegungen aus allmähligen, durch die Gravitation bewirkten Vereinigungen und Zusammenstürzen kleinerer Körper herleitet, leicht und natürlich erklären, ja die merkwürdigsten Erscheinungen, auf welchen der Bau des Sonnensystems beruht, stellen sich durch scharfe mathematische Schlüsse, als nothwendige Folgen jener Begebenheiten dar. Durch sie werden die, dem ersten Anblick nach, heterogensten Erscheinungen mit einander in die engste Verbindung gesetzt; durch sie stehen die Schichtungen der mineralischen Körper, ihre grossen und häufigen Zertrümmerungen, die Spuren des langen Aufenthaltes der Meere über dem festen Land, die Merkmale der Veränderungen der organischen Natur in verschiedenen Perioden auf unserm Erdball, mit der Anordnung unseres Sonnensystems und den Bewegungen seiner Weltkörper in nothwendigem Zusammenhang, und so bewährt sich der erhabne Charakter der Natur, dessen Erkenntniss dem menschlichen Geiste der grösste und reinste Genuss ist; die Einfachheit der Ursachen in der Mannichfaltigkeit der Wirkungen. Wir geben übrigens vollkommen zu, dass um die besondere Geschichte eines bestimmten Theils unserer Erdoberfläche, welche sich an die allgemeine Geschichte der Anordnung des Weltgebäudes anschliesen muss, zu erforschen, noch lange, vielleicht durch Jahrhunderte fortgesetzte Beobachtungen nöthig seyen, weil hier in das einzelne der dahin gehörigen Erscheinungen die jenem Theile eigen sind, vorerst eingegangen werden muss, ehe man eine Theorie über die besondern Begebenheiten aufstellen kann, auf welcher sein jetziger Naturbau beruht. Aber zur Gründung einer allgemeinen Theorie über die Bildung des Weltalls, ist unseres Erachtens nur eine Kenntniss der ersten und rauhesten Umrisse desselben nöthig, und sie kann und muss den besondern Theorien über die Bildung einzelner Theile desshalben eben so voran gehen, wie in der Natur selbst die Formung der Grundstoffe des Ganzen der feinern Ausbildung seiner einzelnen Theile vorangehen musste.

Endlich bemerken wir noch, dass es gewiss dem unbefangenen Beobachter nützlich ist, wenn er in dem Chaos der Erscheinungen welche die Structur der Erdrinde ihm darbietet, einen Leitfaden findet, der ihn in den Stand setzt, dieselben zu würdigen, den Zusammenhang in ihnen zu entdecken, das Wichtigere vom Unwichtigeren zu unterscheiden, jenes mit grösserer Aufmerksamkeit zu verfolgen,

und

seine Fragen an die Natur so zu machen, dass ihre Antworten wichtig und entscheidend seyn müssen. Bisher sind in allen Zweigen der Naturwissenschaft die Theorien einem großen Theile der Erfahrungen vorgeeilt, und haben in der Folge wesentlich dazu beygetragen, diese zu berichtigen, und den Weg vorzuzeichnen, auf welchem sie zu erweitern und zu vervollkommen sind. So bieten Theorie und Erfahrung zu Erweiterungen der Wissenschaften einander wechselseitig die Hand.

II.

II.

Über die erforderliche Genauigkeit der Rechnungs-Elemente bey Vergleichung beobachteter Planeten-Örter mit den Tafeln.

Bey den meisten astronomischen Rechnungen ist es von bedeutender Wichtigkeit, den Grad von Genauigkeit zu kennen, der bey irgend einem gesuchten Resultat erforderlich ist, und in wiefern dieser durch die gebrauchten Formeln und durch die darinnen vorkommenden Elemente erreicht werden kann. Der Rechner wird dadurch in den Stand gesetzt, theils zu beurtheilen, in wiefern dieser oder jener analytische Ausdruck zu einem gewissen Behuf brauchbar oder nicht brauchbar ist, und dann auch mit Sicherheit bey Berechnung der Elemente zu verfahren, um da keine Grösse, die Einfluss haben kann, zu vernachlässigen, dann aber auch nicht mit vergeblichem Zeitverlust die Genauigkeit weiter zu treiben, als es gerade zu dem beabsichtigten Zweck nothwendig ist. Durch Einführung der trigonometrischen Differentiale ist diese Bestimmung ungemein erleichtert worden, und sie ist so wichtig, dass jetzt nicht leicht irgend eine neue Methode, für eine Aufgabe der practischen Astronomie gegeben wird, ohne nicht zugleich die relativen Aenderungen der darinnen vorkommenden Elemente zu bestimmen. Jeder der viel rechnet, lernt bald in den meisten gewöhnlichen

lichen astronomischen Rechnungen, den Grad von Scharfe kennen, der in diese oder jene Elemente gelegt werden muss; allein für Anfanger dürfte es vortheilhaft seyn, einige allgemeine Vorschriften darüber zu geben, und dies ist der Zweck des vorliegenden Aufsatzes. Zu eignem Gebrauch haben wir uns über einige in der practischen Astronomie häufig vorkommende Rechnungen, wie Reduction von Planeten-Ortern, parallactische Rechnungen, Breiten- und Längenbestimmungen etc. allgemeine Regeln gesammelt, und so wenig neu diess alles dem Astronomen ist, so schmeicheln wir uns doch, dass dem angehenden Rechner durch deren Mittheilung ein angenehmer Dienst erwiesen werden wird. Wir beschranken uns diesmal auf die gegenseitige Reduction heliocentrischer und geocentrischer Planeten-Örter, um hier den relativen Einfluss der darinnen vorkommenden Elemente als, heliocentrische Länge und Breite, Radius vector, geocentrische Länge und Breite des Planeten, Sonnen-Ort und Distantia Solis a Terra zu bestimmen. Der Zweck dieser Untersuchung ist, zu bestimmen, wie genau man die Elemente fur diese Rechnungen suchen muss, um in den Resultaten nie mehr als 0,"5 (in so fern man die Beobachtungen und die Tafeln als richtig annimmt) zu irren. Bey den Rechnungen, von denen hier die Rede ist, sind hauptsächlich zwey Fälle zu unterscheiden;

1. Man reducirt die aus den Tafeln berechnete heliocentrische Länge und Breite mit Zuziehung des Sonnen-Ortes auf den geocentrischen Ort, oder

2. Man

2. Man bringt die beobachtete geocentrische Länge und Breite, mit Zuziehung der Sonnenlänge und der Distanzen des Planeten und der Erde von der Sonne auf den heliocentrischen Ort.

Durch das erste Verfahren bekömmt man den geocentrischen, durch das letztere den heliocentrischen Fehler der Tafeln, den man bekanntlich, sobald von Correction der Planeten-Elemente die Rede ist, hauptsachlich sucht.

Die hierher gehörigen Ausdrücke sind zu bekannt, als daſs wir sie hier wiederholen sollten, und wir beschranken uns daher blos darauf, die Differential-Formeln zu geben, in denen die relativen Aenderungen jener Elemente enthalten sind.

Sey

γ = Commutation	r = Dist. ♁ a ☉.
η = Elongation	D = Dist. Plan. a ☉
β = heliocentr. Breite	b = geocentr. Breite
p = jährliche Parallaxe	☉ = Longit. ☉
λ = helioc. Lange d. Plan.	l = geoc. Lange d. Plan.

Für die Reduction des heliocentrischen Ortes auf den geocentrischen, sind die hierher gehörigen Differential-Formeln folgende: man hat

$$l = ☉ - \eta, \text{ hiernach } d.l = d☉ - d\eta$$

die geocentrische Länge des Planeten, wird also theils unmittelbar durch die Sonnenlange, theils durch das Differential der Elongation afficirt; diese letztere hangt von D, γ und r ab, und durch partielle Differentiale hat man:

$\frac{d\eta}{dD}$

$$\frac{d\eta}{dD} = \frac{\sin.\gamma}{1 + D^2 - 2D.\cos.\gamma}$$

$$\frac{d\eta}{d\gamma} = \frac{D(\cos.\gamma - D)}{1 + D^2 - 2D.\cos.\gamma}$$

$$\frac{d\eta}{dr} = -\frac{D.\sin.\gamma}{1 + D^2 - 2D.\cos.\gamma}$$

Die Distantia Solis a Terra ist hier durchgängig $= 1$ angenommen. Die geocentrische Breite ist Function von D, r, γ und β und die relativen Aenderungen zwischen diesen Grössen, werden durch folgende Ausdrucke gegeben:

$$\frac{db}{d\beta} = \frac{\cos.^2 b}{\cos.^2 \beta} \cdot \frac{D}{(1 + D^2 - 2D.\cos.\gamma)^{\frac{1}{2}}}$$

$$\frac{db}{dD} = A.(1 - D.\cos.\gamma.)$$

$$\frac{db}{dr} = -A.D$$

$$\frac{db}{d\gamma} = -A.D^2\sin.\gamma$$

$$A = \frac{tg.\beta.\cos.^2 b}{(1 + D^2 - 2D.\cos.\gamma)^{\frac{3}{2}}}$$

Aus diesen Formeln lasst es sich nun, wie wir sogleich durch numerische Entwickelungen zeigen wollen, leicht beurtheilen, in welche Grenzen die Werthe von dD, dη, dβ und dr, eingeschlossen seyn mussen, um auf die geocentrische Lange und Breite keinen Einfluss von 0,"5 haben zu konnen. Wir nehmen hierbey D als mittlere Distanz des Planeten von der Sonne an, und beschränken uns diesmals auf die altern Planeten, da fur die neuen

neuen die Annahme der curtirten Distanz als mittleren, durch deren grosse Neigungen und Excentricitaten, nicht ganz zulässig wird. Zur bessern Ubersicht lassen wir hier den Einfluss, den Aenderungen in D, γ, ρ auf λ und β, für verschiedne Puncte der Bahnen haben, in kleinen Tafelchen folgen:

A. Mercur.

Für geocentr. Länge.

γ	dD	dr	dγ
1"	0,0000517	0,0001335	0,"8
45	0,0000021	0,0000053	2, 4
89	0,0000027	0,0000070	4, 0
135	0,0000058	0,0000149	2, 0
179	0,0002646	0,0006886	1, 8

Fur geocentr, Breite.

β	dβ	dr	dD	dγ
1°	1"	0,0001665	0,0000888	126"
4	1	0,0000415	0,0000222	32
7	1	0,0000237	0,0000126	18

Diese Tafeln geben also an, was für Grössen man für verschiedene Werthe von γ, und β, in D, r, γ vernachlässigen kann, ohne dadurch in der geocentrischen Lange und Breite mehr als 0,"5 zu irren.

B. Venus.

Für geocentr. Länge.

γ	dD	dr	dγ
			"
1°	0,0000106	0,0000146	0,2
45	0,0000017	0,0000023	21,4
89	0,0000036	0,0000030	1,5
135	0,0000086	0,0000119	1,2
179	0,0004084	0,0005777	1,2

Für geocentr. Breite.

a. γ = 45°

β	dβ	dD	dr	dγ
1°	0,"5	0,0000996	0,0000673	27,"5
2	0, 5	0,0000498	0,0000337	13, 7
3	0, 5	0,0000332	0,0000224	9, 1

b. γ = 135

β	dβ	dD	dr	dγ
1°	1,"1	0,0003700	0,0007732	316"
2	1, 1	0,0001850	0,0003865	158
3	1, 1	0,0001232	0,0002576	105

C. Mars.

Für geocentr. Länge.

γ	dD	dr	dγ
1°	0,0000378	0,0000248	0,"2
45	0,0000039	0,0000026	0, 4
89	0,0000078	0,0000053	0, 7
135	0,0000186	0,0000122	0, 8
179	0,0008757	0,0005748	0, 8

Für geocentr. Breite.

a. γ = 45°

β	dβ	dD	dr	dγ
1°	0,"4	0,0022443	0,0001139	22"
2	0, 4	0,0011218	0,0000569	11

b. γ = 135°

β	dβ	dD	dr	dγ
1°	0,"8	0,0008791	0,0011985	232"
2	0, 8	0,0004394	0,0005991	116

D. Jupiter.

Für geocentr. Länge.

γ	dr	dD	dγ
1°	0, 000467	0, 002427	1,"2
45	0, 000013	0, 000070	1, 2
89	0, 000012	0, 000067	1, 0
135	0, 000023	0, 000120	1, 0
179	0, 001017	0, 005288	0, 6

Für geocentr. Breite,

a. γ = 45°

β	dD	dr	dγ	db
45'	0,006444	0,003320	188"	0,"4
1°30'	0,003214	0,001660	94	0, 4

b. γ = 135°

β	dD	dr	dγ	db
45'	0,008265	0,007437	421	0,"6
1°30'	0,004132	0,003718	211	0, 6

E. Saturn.

Für geocentr. Länge.

γ	dD	dr	dγ
1°	0, 010023	0, 001051	0,"4
45	0, 000266	0, 000028	0, 5
89	0, 000220	0, 000023	0, 5
135	0, 000358	0, 000037	0, 6
179	0, 015270	0, 001638	0, 6

Für geocentr. Breite.

a. γ = 45°

β	dD	dr	dγ	dβ
1°	0,01668	0,01004	310	1,"1
2	0,00852	0,00502	155	1, 1

b. γ = 135°

β	dD	dr	dγ	dβ
1	0,01927	0,01564	482	0,"9
2	0,00963	0,00781	241	0, 9

F.

F. *Uranus.*

Für geocentr. Länge

γ	dD	dr	dγ
1°	0, 045460	0, 002370	1."1
45	0, 001160	0, 000060	1, 1
89	0, 000884	0, 000046	1, 0
135	0, 001344	0, 000070	1, 0
179	0, 056018	0, 002920	0, 9

Für geocentr. Breite.

β	dr	dD	dβ	dγ
a. γ = 45°				
1°	0,04536	0,06926	1,"1	697
2	0,02268	0,03462	1, 1	348
b. γ = 135°				
1	0,05658	0,07452	0, 9	867
2	0,02828	0,03725	0, 9	434

Soll aber umgekehrt der beobachtete geocentrische Ort auf den heliocentrischen reducirt werden, so erhalt man folgende Differential-Ausdrücke:

es ist $\lambda = l \pm p$, hiernach $d\lambda = dl \pm dp$.

Nimmt man also die beobachtete Länge fur richtig an, so hängt die heliocentrische Länge von der jährlichen Parallaxe ab, und diese ist Function des Radius Vector der Elongation und der Distanzen des Planeten und der Erde von der Sonne. Hiernach ist:

I. Für heliocentrische Länge:

$$\frac{dp}{dr} = \text{tg. } p$$

$$\frac{dp}{dD} = \frac{\text{tg. } p}{D}$$

$$\frac{dp}{d\gamma} = \frac{(1 - D^2.\ \sin^2 p)^{\frac{1}{2}}}{D.\ \cos.\ p}$$

II. Für heliocentrische Breite:

$$\frac{d\beta}{dD} = -\frac{B\,(1 - D.\ \cos.\ \gamma)}{D^2}$$

B:

$\frac{d\beta}{dr}$

$$\frac{d\beta}{dr} = \frac{B(1 - D.\cos.\gamma)}{D};$$

$$\frac{d\beta}{d\gamma} = B.\sin.\gamma;$$

$$\frac{d\beta}{db} = \frac{\cos^2\beta}{\cos^2 b} \cdot \frac{(1 + D^2 - 2D.\cos.\gamma)^{\frac{1}{2}}}{D}$$

$$B = \frac{\cos^2\beta.\text{tang}.b}{(1 + D^2 - 2D\cos.\gamma)^{\frac{1}{2}}}.$$

Um nicht zuviel Zahlen auf einander zu häufen, überlassen wir die hier zu machenden numerischen Entwickelungen unsern Lesern.

III.

III.

Auflöſung der im September-Hefte der Monatl. Correſp. gegebenen Aufgabe *) von Hrn. Doctor *Schumacher* in Altona.

Für den Wendungspunct der vorgegebenen Curve, deren Ordinaten die Höhen, Abſciſſen die Azimuthe ſind, findet bekanntlich unter den dazu gehörigen Coordinaten, die Gleichung

$$\frac{d\,d.h}{d.A^2} = 0$$

ſtatt, wo h die Höhe, A das Azimuth bedeutet. Bezeichnen wir ferner die Polhöhe mit ϕ, die Declination mit δ, ſo ziehen wir aus der Gleichung,

$$\cos. A = a.\ \text{tang.}\ h - b.\ \sec.\ h$$

(wo

*) Zur beſſern Ueberſicht dieſer Auflöſung halten wir es für zweckmäſsig, unſern Leſern jene Aufgabe hier ins Gedächtniſs zurückzurufen; es war folgende:
„Für den Horizont eines Ortes, deſſen Polhöhe 53° 34'
„iſt, hat man den Tage-Kreis eines Geſtirnes, deſſen
„nördliche Abweichung 25° 0' iſt, durch eine krum-
„me Linie dargeſtellt, zu der die Azimuthe die Abſciſ-
„ſen, die Höhen die Ordinaten abgeben, ſo daſs offen-
„bar der Meridian die Curve in zwey gleiche Theile,
„aber von entgegengeſetzter Lage theilt. *Es ſollen die*
„*Stunden-Winkel, wie auch die Azimuthe und die Höhen*
„*beſtimmt werden, denen in der Curve die zwey Wendungs-*
„*puncte entſprechen.*"

v. L.

(wo $a = \text{tg.}\,\varphi$, $b = \dfrac{\sin.\,\delta}{\cos.\,\varphi}$) durch Differentiation

$$\frac{d.\,h}{d.\,A} = \frac{\sin.\,A.\cos^2 h}{b.\,\sin.\,h - a}$$

Setzen wir nun der Kurze wegen

$$\sin A.\ \cos.^2 h = x$$

$$b\ \sin.\ h - a = y$$

so ist für den Wendungspunct

$$y.\,dx - x\,dy = o;$$

Es ist aber

$$dx = -\,2.\sin.\,A.\,\cos.\,h.\sin h.\,dh + \cos.^2 h.\cos.\,A.\,dA,$$

$$dy = \quad b.\cos.\,h.\,dh,$$

also

$$-\,2\,b\ \sin A\ \cos.\,h\ \sin^2 h.\ dh + b.\,\sin.\,h.\cos^2 h\ \cos.\,A\ dA$$
$$+\,2\,a.\,\sin A.\ \cos\ h.\ \sin.\,h\ dh$$
$$-\,a.\cos^2 h.\ \cos A.\ d\,A. - b.\ \sin.\ A.\ \cos.^3 h.\ dh = o;$$

dividirt man mit $\sin.\,A.\,\cos.\,h.\,dh$, so erhält man:

$$2\,a.\sin h - b\,(1+\sin^2 h) + (b.\sin h.\cos.\,h - a.\cos.\,h)\frac{\cos.\,A.\,d\,A}{\sin.\,A.\ d.\,h} = o;$$

Nun ist

$$\frac{\cos\ A}{\sin.\ A} = \frac{(a.\,\text{tg.}\,h - b.\,\sec\ h)\ \cos.^2 h.\,d\,A}{(b.\,\sin.\,h - a).\,d\,h}$$

$$\frac{d.\,A}{d\,h} = \frac{b.\,\sin.\,h. - a}{\sin.\ A.\ \cos^2 h}$$

Also:

$$2.\ a.\ \sin.\ h - b\,(1+\sin.^2 h)$$

$$+\,(b.\sin.\,h - a)^2\,(a.\,\sin.\,h - b)\frac{1}{\sin.^2 A.\ \cos.^2 h} = o;$$

es ist aber

$$\sin.^2 A.\cos.^2 h = (1 - b\,b) + 2\,ab.\,\sin.\,h - (1 + a\,a)\sin.^2 h$$

also

alſo erhalten wir endlich nach gehöriger Reduction, für den Sinus der dem Wendepuncte zugehörigen Höhe, die Gleichung

$$\sin.^4 h - M. \sin.^3 h + M'. \sin.^2 h + M'' \sin. h - M''' = 0;$$

$$\text{wo}\quad M = \frac{\sin.\ \phi}{\sin.\ \delta}.(2 + \sin^2 \delta)$$

$$M' = 3.\ \sin.^2 \phi$$

$$M'' = \frac{\sin.\ \phi}{\sin.\ \delta}.(2 \cos.^2 \delta - \sin.^2 \phi)$$

$$M''' = \cos^2 \delta.$$

In den Zahlen der Aufgabe ($\phi = 53° 34'$, $\delta = 25°$) iſt

$$M = 4{,}147464$$

$$M' = 1{,}941895$$

$$M'' = 1{,}895137$$

$$M''' = 0{,}821394$$

und die Gleichung hat folgende vier Wurzeln

$$+ 0{,}945495$$

$$+ 0{,}395635$$

$$- 0{,}637596$$

$$+ 3.443930$$

Die beyden letzten Wurzeln fallen gleich weg, da die eine zu einer negativen Höhe (unter dem Horizont) gehört, die andere ein unmöglicher Sinus iſt. Wir muſſen alſo zwiſchen den erſten entſcheiden, da aber die erſte der Sinus von 70° 59' iſt und ein Geſtirn, deſſen Declination = 25° unter einer Polhöhe = 53° 34' keine gröſsere Höhe als

$$25° + 90° - 53° 34' = 61° 26'$$

errei-

erreichen kann, so fällt auch diese aus, und es bleibt nur die zweyte, als die gesuchte Wurzel übrig. Es ist also

$$\text{Sin. h} = 0{,}395635.$$

Also h = 23° 28′ 20,″3.

Nach bekannten Formeln findet man den zu dieser Hohe gehorigen Stunden-Winkel und das entsprechende Azimuth,

Stunden-Winkel = 5^h 36′ 16,″5

Azimuth . . . = 101° 1′ 29,″5.

Da die Curve in Hinsicht auf den Meridian symmetrisch ist, so gelten die hier gefundenen Werthe auf beyden Seiten des Meridians.

IV.

IV.

Voyage *d'Alexandre de Humboldt* et *Aimé Bonpland.* Quatrième partie, Aſtronomie et Magnetiſme. Recueil d'obſervations aſtronomiques, d'opérations trigonométriques et de méſures barométriques par *Jabbo Oltmanns.* Troiſième livraiſon.

Wir haben uns bey Anzeige der beyden erſten Hefte dieſes intereſſanten Werks (*Mon. C.* Jun. 1808) über deſſen Tendenz und uber die Art der Reduction ſo umſtandlich erklart, daſs wir jetzt unmittelbar auf den Inhalt ſelbſt ubergehen können. Dieſe dritte Lieferung beſchäftigt ſich nicht wie die beyden vorhergehenden mit aſtronomiſchen Langen- und Breitenbeſtimmungen, ſondern ausſchlieſslich mit Hrn. v. Humboldts barometriſchen Nivellement im neuen Continent, und führt daher den beſondern Titel: *Nivellement barométrique, fait dans les régions équinoxiales du nouveau continent*, en 1799, 1800, 1801, 1802, 1803, 1804, *par A. de Humboldt.*

Der Beytrag, der dadurch zu der phyſiſchen Geographie des neuen Continents geliefert wird, iſt äuſserſt wichtig, und nach unſrer individuellen Anſicht, würden wir ſehr geneigt ſeyn, die hier dargeſtellten Reſultate unter die intereſſanteſten Früchte der beynahe alle Zweige der Naturwiſſenſchaft umfaſſenden Humboldt'ſchen Reiſe anzuſehen. Drey Gegen-

Gegenstände werden uns hauptsächlich bey der Anzeige des vorliegenden Heftes beschaftigen.

1) Die von Hrn. *Oltmanns* nach *La Place's* Formel aus Humboldts Beobachtungen berechneten Höhenbestimmungen, die wir am Ende unsern Lesern im Auszug mittheilen.

2) Die von Hrn. *Oltmanns* nach *La Place* entworfenen und hier abgedruckten *Tables hypsométriques, où tables auxiliares pour le calcul des hauteurs à l'aide du baromètre d'aprés la formule de* LA PLACE.

3) Das am Schluſs befindliche Memoire von Hrn. *v. Humboldt: Sur les mésures des hauteurs, faites a l'aide du baromètre pendant le cours du voyage aux régions équinoxiales du nouveau continent.*

In einer kurzen Einleitung von Oltmanns entwickelt dieser die barometrische Formel von *La Place*, die bey allen nachherigen Berechnungen benutzt wurde. Da Humboldt bey den meisten seiner barometrischen Beobachtungen die Stunde zugleich mit angegeben hat, so hat es Oltmanns nicht unterlassen, die aus des erstern vielfaltigen Beobachtungen constatirten taglichen barometrischen Oscillationen am Aequator, mit in Rechnung zu nehmen. Eine kleine, zu diesem Behuf angehangte Tafel gibt den „*État approximatif du baromètre sur les bords de l'Océan équinoxial à chaque heure du jour.*“ Als Probebeyspiel wird die barometrische Höhenbestimmung des *Guanxuato*, mit dem ganzen Rechnungs-Detail hier gegeben, und zugleich eine Vergleichung anderer barometrischen Formeln dabey angestellt.

Da

Da solche Vergleichungen zu Würderung der Güte dieser oder jener Methode interessant sind, so lassen wir die für die Höhe des *Guanxuato* aus verschiedenen Formeln erhaltenen Resultate hier folgen:

Höhe des Guanxuato:

Nach	*La Place*	2084,33	Mètres
—	*Trembley*	2080, 4	—
—	*Deluc*	2035, 7	—
—	*Schuckburgh*	2090, 2	—
—	*Roy*	2090, 1	—
—	*Mon. Corr.* B. XI. p. 515	2084, 6	—
—	*Mail. Ephem.* 1788 . . .	2081, 5	—

Erwünscht war es uns, dass die Formel, die wir am angezeigten Ort in der *Mon. Corr.* vor Bekanntwerdung der La Placeschen Formel gegeben hatten, genau das Resultat wie jene giebt.

Die ganze Zahl der von Humboldt während seines mehrjährigen Aufenthalts in den Tropen-Ländern gemachten Höhenbestimmungen, beträgt 453, die hier in der Ordnung, wie sie vom Verfasser auf seinen verschiedenen Reisen gemacht wurden, dargestellt sind. Die Ausdehnung dieses barometrischen Nivellements übertrifft alles, was noch in dieser Art geleistet worden ist, und selbst in unserm cultivirten Europa, giebt es hauptsächlich in den östlichen Gegenden grosse Districte, wo wir bey weitem nicht die orographischen Data haben, die wir dem Verfasser für jenes neue, seither in physisch-geographischer Hinsicht so wenig bekannte, Continent verdanken. Wir übergehen gegenwärtig die Resultate dieser baro-

rome-

rometrischen Beobachtungen, mit denen der Verfasser eine Menge interessanter, wenn auch kurzer geographisch-geologischer Notizen verbunden hat, ganz mit Stillschweigen, da diese, wie wir schon oben bemerkten, am Schluss der Anzeige mitgetheilt werden sollen.

Was nun die von Oltmanns entworfenen und hier mit abgedruckten Tafeln zu Behuf der Höhenbestimmungen aus barometrischen Beobachtungen anlangt, so glauben wir, dass eine kurze Vergleichung dieser Tafeln, mit den kurzlich vom Herrn *von Lindenau* herausgegebenen *Tables barométriques*, nicht unangenehm seyn wird. Merkwurdig ist es, dass schon lange solche Tafeln gewunscht wurden, und dass diese nun ganz gleichzeitig von zwey Verfassern geliefert worden sind.

Beyde Verfasser sind bey Construction ihrer Tafeln von dem Gesichtspunct ausgegangen, logarithmische Tafeln dadurch zum Behuf jener Berechnungen entbehrlich zu machen. Da solche Tafeln denn doch immer hauptsachlich fur Reisende und Liebhaber der Geographie und Mathematik, und nur weniger fur eigentliche Rechner, bestimmt sind, so glauben wir auch allerdings, dass die Erreichung jenes Zwecks mit als ein hauptsächliches Erforderniss solcher Tafeln anzusehen ist, indem das Mitsichfuhren und der Gebrauch logarithmischer Tafeln denn doch nur die Sache der wenigsten Reisenden ist. Nennt man t, T, h, Temperatur der Luft, Temperatur des Quecksilbers und Barometerhöhe in der untern Station, t′, T′, H′ dasselbe fur die obere, ψ geographische Breite, so ist die Formel, die

den

den Oltmannſchen Tafeln zum Grunde liegt, folgende;

$$z = \log \frac{h'}{H} \cdot 9407.7 \left(1 + \frac{(t'+t)}{500}\right) \cdot$$

$$(1 + 0.002837 \cdot \cos. 2\psi) \left\{ \frac{t + \log. \frac{h'}{H} + 0.868589}{327} \right\}$$

wo

$$H = h + h. \left(\frac{T' - T}{5412}\right)$$

Zum Behuf der Tafel-Conſtruction hat Oltmanns dieſe Formel in folgende Glieder zerlegt:

I) $\log h'. \overset{t}{9407.7} - (\log. h. \overset{t}{9407.7} + \Delta \log. h\ 9407.7) = A$

Dieſen Werth, oder die erſte approximirte Höhe, wo durch das Δ log. h 9407, 7 die Correction, wegen Differenz der Temperatur des Queckſilbers eingeführt wird, giebt die erſte Tafel in zwey Columnen. Aus der erſten Tafel wird die Gröſse 9407, 7 log. $\frac{h'}{H'}$ erhalten, und zwey hinten beygeſetzte Columnen, geben mit dem Argument T' — T die Correction des Logarithmus, wegen Differenz der Temperatur,

II) $\frac{t + t'}{500} . A = A'.$

Correction der genäherten Höhe, wegen Differenz der Temperatur der freyen Luft an beyden Stationen, folgt aus Taf. II. die zu Argumenten Differenz der Temperatur von 0 — 30° und von hundert zu hundert Toiſen, von 100 — 3000 Toiſen genäherte Höhe hat.

III)

III) 0.002837. cos. 2ψ (A + A') = A''

Correction wegen Aenderung des barometrischen Coefficienten unter verschiedenen Breiten.

$$\text{IV)}\ \frac{\frac{A}{9407.7} + 0.368589}{327}(A + A' + A'') = A'''$$

Correction wegen Abnahme der Schwere im Sinn der Verticale. Die Hohe wird daher aus diesen Tafeln eben so genau wie aus *La Places* Formel erhalten, wenn man die Werthe von A, A', A,'' A''' aus Tafel I — IV. rechnet, wo man dann hat

$$Z = A + A' + A'' + A''';$$

Bey den Tafeln des Herrn *von Lindenau* liegt dagegen folgende Formel zum Grunde:

$$z = 9442\left(1 + \frac{t + t'}{400} - \frac{(v - t')^2}{4(200)^2}\right)\log: \frac{h - (T - 10)\frac{h}{4329.6}}{h' - (T' - 10)\frac{h'}{4329.6}}$$

Durch die Art, wie der barometrische Coefficient in dieser Formel durch Bedingungs-Gleichungen bestimmt worden ist, wird fur Höhen, die nicht 16 — 1800 ubersteigen, die Einfuhrung einer Correction, wegen variabler Schwere auf verschiedenen Puncten der Oberfläche der Erde entbehrlich. Das in der *La Placeschen* Formel nicht mit befindliche Glied $\frac{t + t'}{4(200)^2}$ ist, durch die vom Herrn *von Lindenau* gemachte Annahme, dass die Wärmeabnahme in einer harmonischen Progression Statt finde, eingefuhrt worden. Der Werth der obigen Formel wird

aus

aus drey Tafeln erhalten. Die erste giebt die Logarithmen der Grössen,

$$h - (T - 10)\frac{h}{4329.6} \text{ und } h' - (T' - 10)\frac{h}{4329.6}$$

und eine zweyte und dritte Tafel, die Correctionen,

$$\frac{t + t}{400} \text{ und } \frac{t - t'}{4(200)^2}$$

Für alle Höhen, die nicht 1200 Toif. übersteigen, kann das zweyte Glied, $\frac{t - t'}{4,(200)^2}$ unbedenklich vernachlässiget werden, so dass dann die Rechnung nur zwey Operationen erfordert.

In den meisten Fällen werden beyde Tafeln sehr nahe dieselben Resultate geben, und nur bey sehr grossen Höhen wird die Differenz durch die der letzten Formel zum Grunde liegenden Annahme einer harmonischen Wärme-Abnahme, etwas bedeutender werden. Wahrscheinlich wird aus den dermahlen vorhandenen Beobachtungen ein solches Gesetz allerdings; allein in wiefern es wirklich gegrundet ist, das müssen erst künftige Erfahrungen entscheiden.

Will man Logarithmen mit einführen, so wird der Gebrauch der Tafeln und deren Volumen noch bedeutend verkurzt. Oltmanns hat auch solche logarithmische Hulfsgrössen hier gegeben und deren Anwendung gezeigt, allein wir halten uns nicht dabey auf, da wir nach der schon oben gemachten Bemerkung fur den allgemeinen Gebrauch es für zweckmässiger halten, durch solche barometrische Tafeln

Tafeln die Anwendung von Logarithmen entbehrlich zu machen.

Eine Menge interessanter Bemerkungen enthält die am Schlusse dieses Heftes befindliche Abhandlung von Humboldt, über die Art seiner barometrischen Höhenbestimmungen im neuen Continente. In einem Zeitraum von fünf Jahren ward dieses grosse Nivellement, welches zwey Meere verbindet, zwischen 12° — 21° nördl. Breite und 76 — 140° westl. Länge von Paris vollendet. Zu den von Humboldt selbst gemachten (453) sind hier noch die frühern von *Condamine*, *Bouguer* und *Caldas*, nebst einigen Höhen-Messungen in den vereinigten Staaten von Nord-Amerika hinzugefügt worden, so dass die Summe der bekannten Höhen im neuen Continente die Zahl von Fünfhundert erreicht; ein schöner Grund für die Orographie dieses neuen Continents, und weit mehr als alles, was wir in dieser Hinsicht für Asien besitzen, wo trotz dem, dass dort so lange schon und so ausgebreitete europäische Niederlassungen Statt finden, doch kaum 50 verbürgte Höhenmessungen zusammen gesammelt werden können. Doppelt erfreulich ist es daher für uns und für jeden, der sich lebhaft für physische Geographie interessirt, wenn wir aus mehrern öffentlichen Aeusserungen Humboldts mit Bestimmtheit die Hoffnung fassen können, dass in kurzem auch die physische Geographie des ältesten Continentes ihm Aufklärung verdanken wird.

Jeder, der nur einige Erfahrungen mit dem Barometer auf Reisen zu machen Gelegenheit hatte, wird gewiss ganz dem Verfasser beystimmen, wenn

er

er hier sagt, dass von allen seinen, während seiner Reise bey sich gehabten astronomischen und physischen Instrumenten keines mehr Sorgfalt erfordert und keines ihm mehr Kummer und Sorge gemacht habe, als das Barometer; *Seetzen* hielt auf seiner langen Reise den Transport des Barometers für so schwierig, dass er es ganz aufgeben zu müssen glaubte; ein Umstand, den wir schon oft bedauert haben, da dadurch eine Menge interessanter Resultate, die er über die Orographie von Klein-Asien, Arabien und Afrika während seinen Reisen hätte sammeln können, verlohren gehen. Von allen zeither vorgeschlagenen Reise-Barometern, giebt der Verfasser den Ramsdenschen den Vorzug, und gewiss wird dieses Urtheil sehr gerechtfertigt, wenn man hier liest, dass Er mit demselben Barometer und mit derselben Röhre in Salzburg, Paris, Marseille, Perpignan, Mont-serrat, Madrid, Cumana, Curracao und an den Quellen des Orenocko beobachtete. Was für einen ungeheuern District hat dieser Barometer durchlaufen, und wie viel verdanken wir ihm! Erst auf der Schiffahrt im Cassiquiari, wo bey den heftigen Aequatorial-Regengüssen das Barometer in einem engen Kahn nicht hinlänglich für Nässe geschützt werden konnte, zerbrach die Röhre späterhin durch Schwinden des Holzes. Beyde Barometer von Ramsden, welche der Verfasser mitnahm, wurden in Paris sorgfältig von Bouvard, mit denen auf der Sternwarte verglichen, und so sehr genau ihr eigentliches Punctum comparationis festgesetzt.

Jetzt zieht Humboldt ein tragbares Barometer von dem bekannten Pariser Künstler *Fortin* vor, so wie es in dem *Programm d'un Cours de Physique*, *de Mr. Hachette pl. I. fig.* 1 — 7 abgebildet ist, und was allerdings schon dadurch eine grosse Empfehlung erhalt, dass Ramond bey seinen grossen barometrischen Untersuchungen, in den Pyrenaen sich dessen bediente.

Sehr empfehlungswerth ist hier die Art, wie der Verfasser die grössere oder kleinere Zuverlässigkeit seiner barometrischen Hohen-Bestimmungen selbst angiebt; nur der Beobachter selbst kann hier, über ein Urtheil fallen, da dem Rechner bey dieser Art von Datis gar kein Mittel zu Geboth steht, uber deren Werth oder Unwerth zu urtheilen. Auf mehreren der interessantesten Puncte in Quito und Peru, wurden die Beobachtungen zweymal gemacht, und dadurch den Resultaten eine grosse Zuverlassigkeit verschafft.

Möchte doch die hier gemachte Bemerkung, dass *Ramond* aus einer Reihe von 3300 zu Clermont gemachten Beobachtungen eine mittlere stundliche Oscillation des Barometers von ungefahr einem Millimétre gefunden hat, mehrere europaische Beobachter veranlassen, ihre barometrischen Beobachtungen auf diesen Endzweck hinzurichten, um, durch eine grossere Summe von Erfahrungen das Dunkel, was noch jetzt über dieser interessanten Erscheinung schwebt, wenn möglich aufzuhellen. Aus Humboldts Beobachtungen folgen diese Oscillationen am Aequator 2,'5 Millimètre. Zuerst scheint diese Erscheinung zu Surinam im Jahr 1722 wahrgenommen worden zu seyn. Nach einer Erklarung, die wir uber diesen Gegenstand entworfen haben, und

und die wir in einem der nächsten Hefte dieser Zeitschrift beybringen werden, ist es hauptsächlich wunschenswerth, dass Beobachtungen daruber unter sehr weit entfernten Meridianen gemacht werden mögen. Die Vergleichung der in Calcutta hieruber gemachten Beobachtungen mit den Humboldtschen würde sehr interessant seyn; allein unglucklicherweise sind uns die Details der erstern, die einen Prufstein unserer Hypothese hatten abgeben können, nicht bekannt.

Als Beyspiel, wie in einem Tableau eine Menge für die physische Geographie eines Orts interessante Notizen zusammen gestellt werden konnen, gibt der Verfasser eine solche Uberficht fur acht Puncte des neuen Continentes, die wir hier folgen lassen.

Ort der Beobachtung	Zeit	Breite	Westliche Länge	Absolute Höhe
Cumana. Provinz neu Andalusien	August 1779.	10° 27′ 49″ N.	66° 30′ 0″	met. 6
Atures. Wasserfall des Orenocko	April 1800	5° 38′ 31″ N	70° 19′ 21″	met. 170 zweif.
Santa Fe de Bogota.	August 1801	4° 35′ 48″ N	76° 32″ 38″	met. 2661
Quito Neu Grenada	Februar 1802	0° 14′ 0″ S	81° 5′ 30″	met 2908
Ayavaca. (Peru)	August 1802	4° 37′ 48″ S.	82° 2′ 0″	met. 2742
Tomependa. Amazonenflufs	August 1802	5° 31′ 28″ S.	80° 52′ 39″	met. 403
Mexico.	December 1803	19° 25′ 45″ N.	101° 25′ 30″	met. 2274
Guanaxuato. Neu-Spanien	August 1803	21° 0′ 15″ N.	103° 15′ 0″	met. 2084

Hätten wir für viele Puncte der Oberfläche unserer Erde solche Angaben wie die vorstehenden sind, so wurde dann von einer eigentlichen wohlbegründeten physischen Geographie der Erde die Rede seyn konnen. Allein freylich gehort dazu eine andere Art zu reisen, als meistentheils zeither geschah; lange Seefahrten, Reisen um die Welt, konnen wohl interessante Resultate uber Nautik, uber Geographie der Kusten u. s. f. liefern; allein zu einer eigentlich bessern Kenntnis unserer Erde können sie nicht führen.

Die

Magn Abweichung östlich	Magnetische Neig nördl.	Intensität der magnet. Kraft. Oscillat. in 10'	Mittlere Temperatur	Beschaffenheit der Gebirge und der Gewächse
4° 13' 45"	Gr. 47.75	230	25°	Grès à ciment calcaire Sesuvium avicennia. Allionia incarnata
nicht beob	Gr. 32.25	223	26°	Granite Schiste micace. Bignonia chica.
7° 35' 0"	Gr. 27.15	226	16,°5	Pierre calcaire qui repose sur du grès Brathys juniperina.
9° 24' 0"	Gr. 14 85	218	15,°8	Laves lithoides. Pierre ponce Spermacocce Nierembergia repens.
nicht beob	Gr. 3,85	213	17,°4	Porphyre à base de trapp Budleja pan
nicht beob	Gr. 3.55	213	23°	Pierre calcaire alpine Bougainvillia peruviana. Laurus boso
8° 8' 0"	Gr. 46.85	242	17°	Omygdaloide poreuse Piqueria trin. Yucca Lopezia rac.
8° 48' 12"	Gr. 48.75	234	16,°8	Schiste primitif, souvent de porphyre. Quercus ferrea Bonpl,

Die zum Theil schon im Atlas zu der Statistik von Mexico erschienenen Profil-Durchschnitte im neuen Continente, beruhen auf des Verfassers barometrischen Messungen; und sehr wünschenswerth wäre es, dass für Europa, wo zum Theil die Data davon vorhanden sind, etwas ähnliches geliefert, und so zum Exempel die Wege von München über den Brenner nach Verona, von Stuttgardt über den St. Gotthardt und die Bocchetta nach Genua, von Lyon nach Turin u. s. w. in solchen Erd-Durchschnitten dargestellt werden möchten.

Die

Die letzten Seiten dieser Abhandlung beschäftigen sich theils mit der Untersuchung über die Genauigkeit barometrischer Messungen überhaupt, theils mit der Frage, in wiefern derselbe barometrische Coefficient unter allen Breiten anwendbar ist.

Wir stimmen dem Verfasser völlig bey, wenn er hier sagt, dass es schwer ist, zu entscheiden, welche Methode, ob die trigonometrische oder die barometrische den Vorzug verdient. Nehmen wir an, dass bey beyden Beobachtungen die gehörige Sorgfalt angewandt worden ist, so würden wir für kleine Höhen der trigonometrischen, für Höhen aber, die 1200 übersteigen, der barometrischen Methode den Vorzug einräumen, da für den letztern Fall der Einfluss einer ungewissen terrestrischen Refraction bedeutender seyn kann, als der, den das noch etwas unbestimmte Gesetz der Wärme-Abnahme auf die barometrische Messung hat.

Für den reisenden Beobachter ist übrigens die Anwendung beyder Methoden unumgänglich nothwendig, indem ausserdem nur in den allerwenigsten Fällen absolute Höhenbestimmungen, d. h. Höhen über der Meeresfläche erhalten werden könnten. In Amerika, wo sich über hohe Plateaus von 2000 — 3000 Mètres. Seehöhe wieder eben so hohe Gipfel erheben, wird die Höhenbestimmung der erstern durch andere als barometrische Mittel beynah unmöglich.

Was nun endlich die Frage anlangt, in wiefern der barometrische Coefficient, für verschiedene Zonen einer Modification bedarf, so ist dies ein Gegenstand, der erst seit kurzem zur Sprache gebracht worden ist, und für dessen Entscheidung bey unsern

jetzi-

jetzigen atmosphärischen Kenntnissen noch nicht hinlängliche Data vorhanden sind. Der Verfasser glaubt, dass, da die chemische Mischung der Luft überall dieselbe sey, dann auch nach *La Place* Theorie Wasserdämpfe nur unbedeutend auf Refractionen influiren, es auch sehr wahrscheinlich sey, dass die atmosphärischen Modificationen sich für alle Zonen gleich bleiben. Da wir aber es theils für unentschieden halten, ob nicht der hygrometrische Einfluss der Atmosphäre anders auf Refractionen, als auf barometrische Messungen wirkt, und wir dann durch eine bedeutende Menge eigner und fremder Beobachtungen fast *die Überzeugung* erhalten haben, dass die mittlern Refractionen für Höhenwinkel unter 12° nicht allein unter verschiedenen Zonen, sondern auch für denselben Ort, bey verschiednen Jahreszeiten verschieden, und sonach sehr wahrscheinlich Functionen der mittlern Temperaturen sind, so glauben wir jener Behauptung, über die gleichförmige Constitution der Atmosphäre auf der ganzen Oberfläche unserer Erde, jetzt nicht bestimmen zu können.

In einem Anhang liefert Oltmanns noch aus Beobachtungen von *Caldas*, *Bouguer*, *Condamine* und *Jonathan Williams*, einige Höhenbestimmungen in Popayan, Quito und den vereinigten Staaten von Nord-America, wodurch die Zahl der oben angegebenen Höhenbestimmungen von Fünfhundert erfüllt wird.

Wir lassen nun die Resultate der Humboldtschen barometrischen Beobachtnngen selbst folgen.

Baro-

Barometrische Höhenbestimmungen in Sudamerica.

Von Humboldt.

Ort der Beobachtung. *)	Höhe üb. d. Meeresfl.
	Teis.
I. *Provinz Neu-Andalusien, oder Cumana.*	
A. Reise auf die Berge von Cocollar, im Sept. 1799.	
Cumana. Hafen	3
Casa de la Polvora (poste milit.) auf dem nordl. Abhang des Cerro del Impossibile	246
Cime del Impossibile	297
Camanacoa Stadt	104
Cerro del Cocollar	408
B. Reise ins Kloster von Caripe und in die Höhle von Guacharo.	
San Antonio. Indianisches Dorf	216
Guanaguana. Indianische Mission	219
Caripe Haupt-Niederlassung der Missionen der Chaymes-Indianer (Br. 10° 10' 14") Länge 4h 24' 55")	412
Eingang in die Hohle von Guacharo	506
Guardia de San Augustin (Poste milit.)	533
Santa-Cruz. Indianisches Dorf	160
Catuaro. Indianisches Dorf	189
Cariaco. Kleine Stadt.	5
II. *Provinz Venezuela, oder Caracas.*	
A. Reise von Guaira nach Caraccas. Januar 1800.	
La Guaira. Hafen.	4
Maiqueti Dorf.	18
Venta Grande. Gasthof auf halbem Wege von Caraccas n. Guaira	606

Fuenta

*) Ganz isolirte unbedeutende Puncte haben wir hier weggelassen.

Ort der Beobachtung.	Höhe üb. d. Meeresfl. Toif.
Fuente de la Cuchilla. Festungswerke zur Vertheidigung der Hauptstadt	807
Venta chica de Sanchorquitz, Gasthof auf dem südl. Abhang der Sierra de Aoda	763
Venta chica de la Cruz, zwey Meilen von Caraccas	760
Caraccas. Stadt. (a la Santissima Trinid)	454
Au Pied de la Silla, im Thal von Caraccas	500
Thal zwischen den beyden Pics de la Silla	1179
Cime de la Silla de Caraccas, höchster Gipfel der Sierra de Aoda	1350
Colline de Buenavista	835
San Pedro. Kleines Dorf	584
La Victoria. Stadt	269
Nueva Valencia. Stadt	234
Guacara. Indianisches Dorf	269
Guigue, Dorf am östlichen Ufer des See von Valencia	222
Villa de Cura. Stadt	266
San Juan. Kleines Dorf	194
Parapara, Dorf	86
Calaboro. Stadt mitten in den Llanos	94
Guayaval. Dorf	24
San Fernando de Apure. Dorf	34
III. *Province de la Guiane.*	
Maypures. Missionsdorf an den grossen Cataracten des Orenocko	93
San Fernando de Atabapo. Dorf.	122
Javita. Indianische Niederlassung	166
Esmeralda, Oestlichste Niederlassung der Spanier in Guiana	177
San Carlos del Rio Negro, Sudlichste Niederlassung der Spanier in Guayana	127
IV. *Konigreich Neu-Granada.*	
Turbaco. Dorf. (Br. 10° 13' 5". Länge 5h 10' 47")	187
Mompox. Stadt am Ufer des Magdalenen-Flusses, zwey Toisen über dessen mittl. Wasserstand.	66
Morales. Dorf (Breite 8° 15 3' Länge 5h 5' 25')	71
Honda. Stadt am Ufer des Rio Guali.	178
Alto de las Cruces. Am östl. Abhang d. Berges Sergento	423
Salto del Fraile. Ebendaselbst	785

El

Ort der Beobachtung.	Höhe üb. d. Meeresfl.
	Tois.
El Sergento. Spitze des Berges	860
Guaduas. Stadt	590
Villeta. Stadt	557
Mave Isolirte Häuser	767
El Guayaval	881
Alto de Gascas	908
El Asperadero	1316
Alto del Roble, nahe bey der Bocca del Monte, beym Aufang des grossen Plateau von Bogota	1388
Capilla de N. S. de la Guadalupe. Kapelle am westlichen Abhang der Cordillere von Chingasa.	1688
Capilla de N. S. de Montserrate. Ebendaselbst	1650
Capilla de N. S. del Egypto	1440
Capilla de N. S. de Belem	1365
Santa Fee de Bogota	1365
Suacha. Dorf auf dem Wege von Santa Fee	1341
Salto de Tequendama Felsen von dem sich der Fluss Bogota herabstürzt.	1266
Am Fuss der Cascade von Tequendama	1095
Puerta Grande, Einzelne Häuser auf dem Plateau von Bogota	1348
Fusagasuga. Dorf. (Br. 4° 20' 21". Länge 5h 7' 14")	940
Pandi oder Mercadillo, Indianisches Dorf	517
Natürliche Brücke von Icononzo	459
Cerro del Porta - Chuelo. Spitze des Berges	956
Cuesta de Quelamana. Indianische Hütte.	231
Passo de la Guayanaca, im Niveau des Magdalenen-Flusses	189
Contreras. Wohnung d. D. Luis Caisedo.	305
Ibague. Stadt im Thal von Combeima	703
Pic de la Cuesta de Tolima.	700
La Pamilla, Station des Cargadores	1129
El Moral. Wohnung von Metis	1065
Passo del Nachin	1031
Alto de las Sepulturas	1377
Los Galiegos	1382
Quebrada de Tochacito	1350
Los Volcanoitos am Fusse des Nevado, de San Juan	1638
La Garita del Paramo. Hochster Punct der Passage von Quindiu. Wasserscheidung	1799
El Inciensal	1237
Quebrada de Boquia	920
El Porta Chuelo de Quindiu	1044

Cartha-

Ort der Beobachtung.	Höhe üb. d. Meeresfl.
	Toif.
Carthago. Stadt	494
Tulua	499
Buga Stadt	499
Quillichao. Dorf	565
Venta de Pindamoñ. Ifolirter Gafthof am öftlichen Ufer des Rio-Cauca	1013
Popayan. Hauptftadt	911
Puracé. Dorf am Fufs des Vulcans	1356
Volcan de Puracé	2275
Vallée de Cucunuco	1212
Poblaron. Landhaus des Hrn. Arboleda	1211
Alto del Proble, bey Popayan	967
Alto de Quilquafe	1005
Vallée du Rio de Quilquafe	700
La Horquetta	928
Vallée du Rio Smita	589
Vallée du Rio Guachicon	482
La Afcenfion. Indianifches Dorf	1045
Vega de S. Lorenzo. Dorf.	1143
Panfitara. Indianifches Dorf	1382
Almaguer. Stadt	1164
Vallee du Rio Ruir	831
Vallée du Rio San Jorge	677
Alto de Pitatumba	1478
Vallée du Rio Xago	1119
Mamendoy, vallée du Rio Mago	1076
Rio Mago. Deffen Wafferftand bey dem Dorfe S. Pablo	1032
Village de la Cruz	1174
Montanna de Paraguay. Gipfel des Paramo	1473
Vallée du Rio Yacanacatu	773
Vallée du Rio Juanambu	760
Village de Voifaco	1046
Alto de Aranda	1599
Pafto. Stadt	1349
Vallée du Rio Guaitara	854
Santa Rofa	1339
Vallée du Rio Sapuyes	1471
Guachucal. Dorf auf dem Plateau des Paftos	1614

IV. *Königreich Quito.*

Tulcan. Dorf	1583 Paramo

Ort der Beobachtung.	Höhe üb. d. Meeresfl.
	Tois.
Paramo del Poliche	1798
Tusa. Dorf	1518
Alto de Pucara	1626
Pont de Chota, in dem mehr als 760 Toisen perpendiculär tiefen Thal von Chota	827
Villa de Ibarra	1184
Guallabamba. Dorf	1148
Quito. (Plaza mayor)	1030
Javirac Gipfel des Panecillo	1609
Vallée de Lloa Chiquito	1661
Llano de Verdecuchu } am Vulcan Pichincha	2174
Llano de Altarcuchu } am Vulcan Pichincha	2256
Arête de Tablahuma } am Vulcan Pichincha	2356
Los Ladrillos } am Vulcan Pichincha	2403
Gipfel des Rucu-Pichincha, der östlichste der drey Felsen, die thurmartig den Crater umgeben	2491
Cascade d'Ichubamba	1375
San Antonio de Lulumbamba. Dorf unter dem Aequat.	1275
Hacienda de Antisana	2105
Cueva d'Antisana Höhle nahe an der untern Grenze des ewigen Schnees	2494
Westlicher Abhang des Vulcan d'Antisana	2338
El Tambillo, Pächterey des D. Juaequin Sanches	1500
Mulalo, hacienda du marquis de Millaflores	1599
Pansache, la Casa del Paramo, am südl. Abhang des Vulcan Cotopaxi	1888
Alto de Sunigaicu	2263
Llactacunga	1482
Hambato	1385
Pelileo. Dorf	1317
Riobamba nuevo	1483
Penipe Dorf	1308
Rio Puebla	1241
Cuchilla de Guandisava	1658
Calpi. Dorf	1621
Oestlicher Abhang des Chimborazo. Der höchste Punct, wo je Beobachtungen gemacht worden sind, der von Humboldt, Bonpland und Carlos Montufar den 23. Junius 1802 erreicht wurde	3016
Tambo de Guamote	1599
Alausi Stadt, nahe bey dem berühmten Cerro Quello	1248
Pomallacta Dorf	1499
Cerro de Sitzan	1937

Hochster

Ort der Beobachtung.	Höhe üb. d. Meeresfl.
	Tois
Höchster Punct des Weges von Assuay.	2428
Los Paredones. Ruinen des Pallastes des Inca Tulpagupangi	2074
Tambo de Burcay	1551
Cuenca (grande place)	1351
Cumbe. Dorf.	1418
Nabon. Dorf am Ufer des Rio Leonguaicu	1424
Rio Uduchapa	1136
Ona. Dorf	1260
Vallée du Rio Saraguru	1154
Alto de Pulla	1565
Loxa. Stadt	1050
Gonzanama. Dorf am Rio Cata mayo	1073
Ayavaca. Grosses peruanisches Dorf, zwey Meilen südlich von den interessanten Ruinen des Pallastes des Inca zu Suqchubamba	1407
Lit du Rio Cutaco	757
Gualtaquillo; peruanisches Dorf am Flusse Cachiyacu	654
Paramo de Chulucanas	1365
Paramo de Guamani	1714
Guancabamba Grosses indianisches Dorf.	1028
Sondorillo. Indianisches Dorf der Provinz Jaen	1005
Zaulaca. Meierey.	681
San Felipe. Dorf	982
Paramo da Yamoca	1389
Ingatambo. Meierey, südlich vom indianischen Dorf Pomahuaca.	557
Passo de Pucara. Fuhrt im Rio de Chamaya	503
Las Huertas, Meierey, berühmt durch ihre vortrefflichen Orangen	495
Passo de Matara } im Flusse Chamaya	432
Passo de Cavico } im Flusse Chamaya	350
Passo de Chamaya } im Flusse Chamaya	259
Ausfluss des Rio de Chamaya im Amazonen-Fluss	225
Tomependa Dorf am Rio Chincipe	207
Amazonen-Fluss, am linken Ufer der Cataracte von Rentema gegenüber.	194

(*Die Fortsetzung folgt im nächsten Heft.*)

V.

JOSEPH PIAZZI,

Professor der Astronomie und Director der königlichen Sternwarte zu Palermo.

Wenn eine freundlichere Natur, ein schöneres Clima dem Bewohner des Sudens eine lebhaftere Einbildungskraft, einen hohern aufbrausenden Eifer für anerkanntes Gute, mehr Enthusiasmus, mehr Gefühl und Sinn für Kunst, und alles was das Gepräge von Harmonie und Schönheit an sich trägt, als dem nordischen Geschlechte gab, so wird doch der Jenem nicht mit Unrecht gemachte Vorwurf eines Mangels an Thatigkeit und Ausdauer oft wieder die Waagschale wissenschaftlicher Verdienste zu unserm Vortheil niedersinken lassen. Wahrend der Südländer durch eine rasche Anstrengung, durch einen Feuereifer, der ihn momentan ergreift, Riesenschritte vorwärts thut, gleichen unsere Arbeiten mehr des rastlos fallenden Tropfens sicher stetem Wirken, was Knoten nicht zerhaut, doch auflöst, und so selbst das Unmögliche zur Möglichkeit erhebt; zum Ziel kann beydes fuhren; schneller bey kurzerer Bahn *jenes*, sicherer bey weit entferntem Ziel, *dieses*. Grosses kann nur durch Vereinigung vieler Talente gelingen. Wenn des Einen Thätigkeit und ruhige Ausdauer sich verbindend mit des Andern schnellerm Blick und regerm Eifer unaufhaltsam lim vorwärts schreitend, Schwierigkeiten überwindet, nicht überspringt, dann ist der Zeitpunct da, wo die Wissenschaft einer schönen Epoque, einer höhern Ausbildung entgegen sieht. Aber je seltner in *einem* Wesen sich vereinigt findet, was die ausgleichende Natur durch Clima und Lebensweise entfernten Völkern als charakteristisch aufprägte, je mehr verdient dies seltne, wenn es zur Menschheit Bestem thätig wirkend, in schöner Wirklichkeit erscheint, gewürdigt zu werden. Zwar selbst belohnend ist Verdienst, nicht Mittel, Zweck ist Wissenschaft dem Edlen; der Gegenwart, der Zukunft, wahrhaft nützend, bedarf Er der Monumente nicht, sich selbst bewusst des regen Thuns, ist ihm des Ziels Erreichen der schönste Lohn, einzudringen in der Dinge Elemente, im labyrinthischem Gange der Natur das Urgesetz zu fassen, Wahrheit aufzufinden, zu ergründen, das ist des edlen Geistes höchster Zweck, und ihn erklimmend fühlt er sich frey von körperlicher Hülle Schwächen, einzig beseelt von reinen Strebens hochherzigem Gefühl. Doch zu umfassen so seltner Männer ausgedehntes Wirken, kann nur des Eingeweihten Sache seyn, nur wer des Wissens Stufen selbst betreten, und selbst die eigne, wenn auch schwache Hand an das Gebäude angelegt, was sich durch jener Auserwählten hohe Kraft zum mächtigen Colosse hub, vermag der Schöpfung Grösse im wahren Licht zu sehen. So wie dem ungeübten Blicke oft nicht durch wahre Grösse das Grelle gross und mächtige doch schon verschmolzene Formen täuschend im mindern Maßstab erscheinen, so wie in jenem Urlicz früherer Kunst und

Macht,

Macht, in der Gottheit schönstem Tempel, durch seltne Kunst und Harmonie des Ganzen das ungeheuer Grosse, dem uberrascht anstaunend erwartungsvollem Auge, als klein sich darstellt; so ist's auch mit dem intensiven Willen, wo oftmals das, was tief verborgen lag, und erst nach labyrinthischen Umwegen in edler Einfachheit sich zeigt, dem fern Beschauenden, der nun am Ziele stehend, nicht ahndet des Erfindens verwickelte Bahn, als mühlos leicht erscheint. Darum wird es Pflicht, die ganze Masse von Arbeiten jener kleinen Zahl von Männern, die unbekümmert um fremdes Lob in Einsamkeit einzig den Wissenschaften leben, auch zur Kenntniss der grössern Menge, die an Wissenschaften Antheil nimmt, zu bringen, und dadurch sowohl dem Verdienst verdiente Wurdigung als jungen aufkeimenden Talenten, Reitz und Aufmunterung zum Emporstreben, zu geben. Und so glauben wir mit Sicherheit auf unserer Leser Dank Ansprüche zu erwerben, wenn wir hier einige biographische Notizen von einem Manne liefern, der den regsten Eifer fur seine Wissenschaft mit einer seltnen ausdauernden Thatigkeit verbindet, und im gereiften Mannes-Alter noch mit jugendlicher Kraft fortwirkt.

Eine glänzende Entdeckung hat *Piazzi's* Nahmen in der ganzen Welt beruhmt gemacht; allein weniger allgemein sind seine grössern ewig dauernden Verdienste um die eigentlich practische Astronomie bekannt, und da uns schon öfterer der Vorwurf gemacht wurde, dass wir diese, jener uns heiligen Wissenschaft gewidmete Zeitschrift, zu sehr mit hieroglyroglyroglyphischen nur dem Eingeweihten verständlichen Zeichen anfüllten, so sollen dagegen diese Blätter, die wir dem Leben eines Mannes weihen, der eine Epoque in der beobachtenden Astronomie bezeichnet, mehr dem Freunde als dem Kenner der Astronomie bestimmt seyn. *Piazzi* in Italiens nördlicher Zone gebohren, an die Südspitze unseres Welttheils versetzt, auf unfruchtbarem Boden Sternkunde zur schönsten Bluthe bringend, ist mit Ausnahme von *Tobias Mayer* der erste eigentlich practische Astronom, dessen Biographie wir hier liefern. Sonderbar genug waren fast alle Manner, denen wir ein Denkmahl in dieser Zeitschrift errichteten, mehr für theoretische als für practische Astronomie thatig, *Melanderhielm*, *Rumovsky*, *Burkhardt*, *Bürg*, *St. Jaques de Silvabelle*, waren und sind der practischen Astronomie nicht ausschliesend gewidmet. Anders ist es mit dem Manne, dessen Bildniss diesem Hefte zur Zierde dient; was in des vergangenen Jahrhunderts erster Halfte *Bradley* und *Mayer*, jetzt *Maskelyne* und *Zach* fur England und Deutschland sind, das ist *Piazzi* für Italien; er gehort in die Reihe der grösten Beobachter des vergangenen und jetzigen Jahrhunderts, ihm verdankt fast jeder Theil der Astronomie neue Entdeckungen, neue Bestimmungen; er erweiterte die Kenntniss unseres Sonnen-Systems, berichtigte die Elemente der Erde, bestimmte des Lichtstrahles vielfach gebrochene Bahn, gab uns eine Geschichte des gestirnten Himmels — doch wir brechen ab, um dem Laufe unserer Darstellung und der historischen Folge seiner Arbeiten nicht vorzugreifen.

 Von

Von der Geschichte seiner Jugend, von seinen ersten Übungen und Fortschritten im Gebiete der Wissenschaften, von der frühen Entwickelung seiner Talente, ist uns leider weniger bekannt, als es bey einem Manne von *Piazzi's* Werth wünschenswerth wäre. Oft und vielfach verräth die Kindheit den Mann, und interessant ist es bey merkwürdigen Männern den Keim aufzufinden, der die künftige Laufbahn verräth und bestimmte. Dem Geburtsort nach könnte die deutsche Nation mit Ansprüche auf unsern *Joseph Piazzi* machen, da er sich aus dem früher zu Graubünden gehörigen *Ponte* im Veltlin herschreibt, wo er den 16. Julius 1746 geboren wurde. Sein Vater, *Bernardo Piazzi*, und seine Mutter, *Antonia Anteriä*, stammten aus adelichen Geschlechtern. Bis in sein siebzehntes Jahr wurde er im Hause seiner Eltern erzogen, und erhielt seinen ersten Unterricht in den Schulen der Jesuiten. Er widmete sich da dem geistlichen Stande, und erhielt ein von seiner Familie gestiftetes Beneficiat in der Collegiatkirche zu *Sondrio*.*) Doch nur kurze Zeit

*) *Sondrio*, die Hauptstadt im Veltlin an der Adda, 7 Meilen südöstl. von Chiavenna. Die Physiognomisten behaupten, dass die Bewohner dieses Thals, da wo die Luft durch Sümpfe und stehende Wasser nicht verdorben ist, bis an den Ort *Villa*, ganz reguläire griechische Profile und Gesichtsbildungen haben; allein von da an zeigen sich deutsche Physiognomien, woraus man die Vermuthung herleitet, dass die erstern aus *Insubrien* die letztern aus *Rhétien* gekommen sind, um dieses Thal zu bewohnen. *Veltlin* ist ein eilf Meilen langes, und drey

Zeit hielt er sich hier auf, sondern gab schon im Jahre 1764 sein Beneficiat auf, und trat in Como in den Theatiner-Orden, wo er im darauf folgenden Jahre seine geistlichen Gelübde ablegte. Von diesem Zeitpunct an war es, wo er sich den Wissenschaften, und hauptsächlich den mathematischen widmete. Er wurde erst nach Turin und dann nach Rom geschickt, wo er mit dem vortrefflichen Mathematiker und besonders durch seine Herausgabe von *Newtons Principia philosophiae naturalis*, bekannten Minoriten *Franc. Jacquier* in Verbindung kam, was ihm denn eine vortreffliche Gelegenheit darbot, sich unter einem solchen Meister in seinen mathematischen

Wissen-

drey und eine halbe Meile breites Thal, ist äusserst fruchtbar, und vorzüglich reich an Weinbau. Die Südseite ist mit Weinbergen, die Nordseite mit Castanienbäumen bedeckt. Aus den häufig dort gezogenen Lorbeerbäumen wird Lorbeer-Oel (*Olio laurino*) bereitet, was nebst der Seidenzucht, einen bedeutenden Ausfuhr-Artikel bildet. Aus den zahlreichen Wäldern dieses Thals wird vieles Holz auf der Adda bis in den Lago di Como geflöst, und von da weiter nach Mailand geschafft. In frühern Zeiten gehörte dieses Thal den Herzogen von Mailand, die es im Jahre 1512 nebst den Grafschaften *Chiavenna* und *Bormio* an die Graubündner abtraten, was auch bald nachher im Jahre 1515 als *Franz* I. wieder im Besitz von Mailand gekommen war, von diesem bestätiget wurde. Die italienische Sprache und katholische Religion ist durchgängig herrschend, indem die früher dort befindlichen Protestanten im Jahre 1620 theils ermordet theils vertrieben wurden. Im Jahr 1798 kam es zu Italien.

Wissenschaften auszubilden. Doch liess ihn seine Vorliebe für Mathematik auch die übrigen ihm als Ordensgeistlichen nothwendigen Wissenschaften nicht vernachlässigen, indem er zuerst in Genua und nachher in Rom den Lehrstuhl der Philosophie und Theologie begleitete. Erst im Jahre 1770 rückte er seiner eigentlichen Bestimmung näher, als der Grossmeister der Malthefer, *Emanuel Pinto*, *Jacquier* als Professor der Mathematik nach Maltha berief, dieser aber den Ruf ablehnte und *Piazzi* statt seiner vorschlug, der auch wirklich nach Maltha abgieng und dort eine geraume Zeit Mathematik lehrte, bis mit dem Tode des Grossmeisters diese Stelle wieder eingieng. *Piazzi* kehrte nun wieder nach Italien zurück, und trat zu Ravenna, wo die öffentlichen Schulen von den Theatinern besorgt werden, das Amt eines Professors der Philosophie an, was er aber nur bis zum Jahre 1781 verwaltete, wo er als Professor der Astronomie an die Universität von Palermo berufen wurde. Erst von hier an kann die Laufbahn gerechnet werden, die uns jetzt hauptsächlich beschäftigen wird. Die ersten fünf und dreyssig Jahre seines Lebens waren blos Vorbereitung zu den grossen Arbeiten, denen er nachher zum Besten der Astronomie seine ganze Zeit widmete. Als *Piazzi* seine dortige Stelle antrat, lag Astronomie ganz darnieder, und es blieb ihm weiter nichts übrig, als sich entweder auf seine vielleicht unbesucht bleibenden Vorlesungen zu beschränken, oder durch eigne Kraft und Anstrengung die Sternkunde in Sicilien wieder zum Aufleben zu bringen.

Lange

Lange hatte Astronomie auf dieser Insel, durch schönes Clima ganz besonders zum Beobachten geschickt, in Vergessenheit gelegen, und vergessen waren die frühern Zeiten, wo Sicilien die Wiege berühmter Mathematiker war. *Empedocles*, 600 Jahre vor unserer Zeitrechnung zu Agrigent gebohren, muss als der erste sicilianische Astronom angesehen werden. *Nicetas* von Syracus sprach mit mehr Bestimmtheit von der Rundung und Bewegung unserer Erde, als es selbst in neuern Zeiten geschah, und der Ruf der Sicilianer in diesen Wissenschaften war damals so allgemein verbreitet, dass die Griechen, und selbst *Plato*, sich ihres Raths bedienten. *Aristarch* von Samos ist bekannt, als einer der ersten Begründer wahrer Astronomie; ihm folgte übertreffend, der berühmte *Archimed*, der im Dienste seiner Wissenschaft und seines Vaterlandes, das Leben verlohr. Mit dem Fall von Syracus und der Römer Herrschaft, hörte die schöne Epoche der Astronomie für Sicilien auf. Ein Jahrtausend verstrich, während in dunkler Nacht die Wissenschaft dort ganz darnieder lag. Erst im sechzehnten Jahrhundert erneuerte der berühmte *Maurolyco* Siciliens astronomischen Ruf. Seine *Cosmographie de forma situ numeroque coelorum*, ward in der ganzen damaligen literarischen Welt mit Beyfall gelesen. Dass auch er ganz im Sinne des Ptolomäischen Systems schrieb, mit Enthusiasmus an den Krystall-Sphären hieng, und in seinen *Opusc. mathem.* auf eine unwürdige Art *) das

*) *Opuscul. math. Venet.* 1575 *pag.* 26 heisst es: *Toleratur et Nicolaus Copernicus, qui solem fixum ac terram in gyrum*

das damals bekannt gewordene Copernicanische Weltsystem angreift, muss weniger ihm, als dem damahligen durch theologischen Bigotismus verschriebenen Zeitgeist zugerechnet werden, und allemal bleibt ihm das Verdienst, durch seine Schriften Liebe zur Astronomie allgemein verbreitet zu haben. Wir übergehen einige minder bekannte sicilianische Astronomen, *Ant. Giuffa*, *Scipio di Lorenzo*, *Caspar Catalano* u. m. um hauptsachlich *Hodierna* zu nennen, der sich durch Herausgabe seiner nur mit Beyhülfe eines schlechten Fernrohrs und einer noch schlechtern Uhr verfertigten Jupiterstrabanten-Tafeln*) beruhmt machte. Wahrhaft berühmte Astronomen hatte seit dieser Zeit Sicilien nicht aufzuweisen, und seit dem Jahre 1728 wo *Maria Castrone*, ein Dominicaner, und *Gabriele Bonkoma*, ein Minorite, über die Gnomonik schrieben, hat alle astronomische Literatur in jener Insel ganz darnieder gelegen; denn *Leonardo Ximenes*, zwar von Geburt ein Sicilianer, wirkte nur ausserhalb seinem Vaterlande thätig fur Hydraulik und Astronomie.

Man verzeihe uns diese kurze Abschweifung über die Geschichte der Astronomie auf Sicilien, die wir

ram circumverti posuit; et ferutica potius, aut flagello, quam reprehensione dignus est.

*) Diese Tafeln kamen zuerst in Palermo unter dem Titel: *Menologiae Jovis Compendium, seu Ephemerides Medicaeorum in usuductionem. Pars Prima* im Jahre 1656 heraus, und wiewohl sie sehr unvollkommen waren, so gebuhrt dem *Hodierna* doch die Ehre der ersten Unternehmung und Ausfuhrung einer auch noch jetzt schwierigen Arbeit.

wir aus einem von *Piazzi's* Werken entlehnt haben, und deren Erwähnung aus dem Grunde hier zweckmäſsig ſchien, um unſere Leſer mit dem Zuſtand dieſer Wiſſenſchaft bey *Piazzi's* Antritt ſeines aſtronomiſchen Lehramtes auf jener Inſel bekannt zu machen. Despotismus und Aberglaube beherrſchten dieſe ſchöne Inſel; Aufklärung war verhaſst, und es war ſelbſt gefährlich, mehr Kenntniſſe als der groſsere Haufe zu verrathen. Man glaubte in der Aſtronomie hinlänglich zum Behuf des bürgerlichen Lebens erfahren zu ſeyn, und hielt aus eben dem Grunde Anlegung von Sternwarten, Anſchaffung von Inſtrumenten, Anſtellung von Aſtronomen, für eine ganz unnöthige Geldverſchwendung. Es bedarf wohl unſerer Bemerkung nicht, wie höchſt ungünſtig bey dieſer Lage der Dinge und bey dem dort herrſchenden fanatiſchen Geiſte, die Ausſichten für Emporkommen practiſcher Aſtronomie in Sicilien waren, und nur dem regen Eifer für die Wiſſenſchaft und der raſtloſen Thätigkeit eines Mannes wie *Piazzi*, konnte es gelingen, die Erbauung einer Sternwarte zu veranlaſſen, dieſe in kurzer Zeit mit vortrefflichen Inſtrumenten auszurüſten, und in einer noch kürzern Periode, einen Schatz der wichtigſten Beobachtungen damit zu ſammeln.

Das Intereſſe der Groſsen für eine Wiſſenſchaft zu gewinnen, iſt eine eigenthümliche Kunſt, und zum Glück für Aſtronomie beſaſs *Piazzi* dieſe. Nur ſelten geſchieht und kann es geſchehen, daſs Regenten, oder deren Führer, ſo vertraut mit den ernſten Wiſſenſchaften werden, um an deren wahren Fortſchreiten ſelbſt lebhaften Antheil zu nehmen; aber

wie

wie überall, so giebt es auch in der Astronomie gewisse *brillante* Seiten, die das ununterrichtete Auge blenden, wenn auch gerade nicht erleuchten, und die dazu gemacht sind, auch diesen abstracten Wissenschaften Eingang und Geschmack in höhern Zirkeln zu verschaffen. Und gleich viel, welche Ursache zur Unterstützung der guten Sache beytrug, wenn nur das Gute selbst geschah, so hat denn allemal der, der es that, und der es bewirkte, gerechten Anspruch auf der Nachwelt Dank. Nicht erster Grund der Handlung, sondern hauptsächlich Zweck und dann Erfolg ist es, der ihren Werth bestimmt.

Ohne höhere Unterstutzung, wie hätte *Piazzi* irgend etwas in Sicilien zum Besten der Astronomie zu wirken vermocht; allein lebhaft wusste er für diese den damahligen Vice-König *Principe Caramanico*, der lange neapolitanischer Gesandter in England gewesen war, zu interessiren, und ihm den Wunsch zu Erbauung einer Sternwarte in Palermo einzuflössen. Der König von Neapel genehmigte den gethanen Vorschlag, und *Piazzi* erhielt damals den Auftrag zu reisen, um europäische Astronomen und Sternwarten zu besuchen, und in England bey den berühmtesten Kunstlern Instrumente fur die neu zu errichtende sicilianische Sternwarte zu bestellen. Der erste Schritt war nun gethan; die nöthigen Fonds fur die Reise und Erkaufung der Instrumente waren bewilligt, und es kam nun auf deren Auswahl und wirkliche Herbeyschaffung an; ein Geschäft, was bey der bekannten Langsamkeit englischer Kunstler, Geduld und Betriebsamkeit erfordert. Practische Astronomie war bis dahin *Piazzi's*

noch

noch gröfstentheils fremd geblieben, da alle von ihm begleitete Lehrämter ihm keine Gelegenheit dazu dargeboten hatten, und unter *La Lande's* Anleitung, zu dem er Ende Jan. 1787 kam, machte er seine ersten Ubungen in dem Theile der Sternkunde, worinnen er bald nachher seinen Lehrer weit hinter sich zurück liefs. Sonderbar genug war gegen das Ende des vorigen Jahrhunderts, *Paris* und *La Lande* der Ort und der Lehrer, den sich die meisten jungen angehenden Astronomen zu ihrer Ausbildung in pracscher Astronomie erwählten, da es doch ziemlich anerkannt ist, dafs beobachtende Astronomie eben so wenig die brillante Seite der französischen Sternkunde ist, als *La Lande* selbst als ein vorzüglicher Beobachter gelten konnte. Auch scheint *Piazzi's* hellem Blick dieser Misgriff nicht entgangen zu seyn, indem er späterhin bey seiner Anwesenheit auf der Mailänder Sternwarte, und bey Anblick der dortigen zahlreichen und prächtigen Instrumente, es lebhaft bedauerte, diese nicht fruher gesehen, und da seine ersten practischen Ubungen vorgenommen zu haben. Im Jahre 1788 gieng er nach London, und bestellte hier bey *Ramsden* seinen fünffufsigen Meridiankreis. Die glückliche Wahl dieses Instruments zeigt hinlänglich, wie vertraut schon damals *Piazzi* mit dem ganzen Umfange der practischen Astronomie war, und wie richtig sein Blick in Beurtheilung der zweckmäfsigsten Instrumente; ein Gegenstand der hier um deswillen bemerkt zu werden verdient, weil jenes Instrument damals noch auf keiner Sternwarte vorhanden war, und Piazzi sich von dessen Vorzüglichkeit also nur durch eignes Nach-

Nachdenken überzeugt haben konnte. Noch merkwürdiger aber wird es gewiſs allen ſeyn, die mit jenem groſsen einzigen Kunſtler, dem nun verewigten *Ramsden* in perſönlicher oder wegen Inſtrumenten-Beſtellung in Geſchäftsverbindung ſtanden; daſs *Piazzi* ſchon im Jahre 1789 jenes groſse ſo ſehr complicirte und kunſtvolle Inſtrument vollendet erhielt, während andere auf weit unbedeutendere Stucke viele Jahre, ja ſelbſt der engliſche General *Roy*, auf ein bloſses Augenglas, länger als ein Jahr warten muſste.*) Zweymal hatte *Ramsden* die Bearbeitung dieſes Kreiſes angefangen, allein eben ſo oft wieder liegen laſſen, und erſt im Januar 1788 vermochte *Piazzi* den Kunſtler die Arbeit noch einmal vorzunehmen. Leicht möglich, daſs auch diesmal das Inſtrument unvollendet geblieben wäre, hatte nicht *Piazzi* ſich dem Kunſtler beliebt zu machen geſucht, ſeine Lebensbeſchreibung geſchrieben, und ſo perſonliches Intereſſe fur ſich erweckt, und dadurch ſehr weſentlich zur Vollendung des

*) Bey groſsen Talenten ſcheint dieſer Künſtler die ſonderbare Schwäche gehabt zu haben, keine abſchlägliche Antwort geben zu wollen, alle Beſtellungen angenommen und naturlich die allerwenigſten erfüllt zu haben. Ein vornehmer Ruſſe, den wir noch kürzlich darüber ſprachen, der *Ramsden* genau perſonlich gekannt, und oft bey ihm in ſeiner Werkſtätte geweſen war, verſicherte uns, daſs *Ramsden* ohne Schwierigkeit jede Beſtellung angenommen und in ein Buch eingeſchrieben habe, was zur groſsen Hälfte angefüllt, während *Ramsden* noch mit Ablieferung der auf der erſten Seite verzeichneten Inſtrumente beſchaftiget geweſen ſey.

des ganzen Kreises beygetragen. Absichtlich haben wir uns etwas umständlicher über die Bestellung und Vollendung dieses Instruments verbreitet, da wir diesem die vortrefflichen Resultate verdanken, mit denen späterhin *Piazzi's* Fleiss das ganze Gebiet der practischen Astronomie vermehrt hat. Im August 1789 war das Instrument vollkommen beendiget, und *Piazzi* trat nun nach Erreichung des Hauptzwecks, der ihn nach England geführt hatte, seine Rückreise nach Sicilien wieder an. Wie vertraut er während dieser Zeit mit *Ramsdens* Werkstätte, und mit den ganzen Arbeiten dieses Künstlers sich gemacht hatte, zeigt ein Brief, den er im *Journal des Savans* für 1788 (S. 745) einrückte, und den späterhin *La Lande* in seiner Übersetzung der Beschreibung von *Ramsdens* Theilmaschine wieder abdrücken liess, hinlänglich. Die genaue Bekanntschaft mit der Construction der Instrumente, und selbst mit den nothwendigsten Handgriffen zu Herstellung kleiner Mängel, ist dem practischen Astronomen unentbehrlich, theils um in dem Laufe seiner Beobachtungen nicht durch Kleinigkeiten gehemmt zu werden, theils um die mancherley bey astronomischen Instrumenten vorkommenden Rectificationen mit Sicherheit bewerkstelligen zu können. Eine Abhandlung von *Piazzi* über die Sonnenfinsterniss von 1788 in den *Philosophical Transact.* für 1789 (*Result of calculations of the observations made at various places of the eclipse of the sun which happened on June 3. 1788 pag. 85*) deren Resultate späterhin *Méchain* in die *Connoissance d. t.* für 1793 aufnahm,

zeigt

[illegible] von der Fertigkeit, die er sich schon damals [illegible] solchen Rechnungen erworben hatte.

Bey seiner Rückkunft aus England nach Frankreich, kam Piazzi gerade zu der Zeit nach Calais, wo die drey von der Regierung beauftragten Astronomen Cassini, Méchain und Le Gendre mit der bekannten trigonometrischen Verbindung der beyden Sternwarten Paris und Greenwich beschäftigt waren, wozu man sich französischer Seits des Bordaischen Multiplications-Kreises, eines damals noch ganz neuen und wenig bekannten Instruments bediente. Sehr wünschte Piazzi jener Operation beywohnen zu dürfen, allein die oben genannten drey französischen Astronomen glaubten diesen Wunsch nicht gewähren zu dürfen, und Méchain übernahm den Auftrag, ihn unter dem Vorwand, dass jene Operation eine von dem Gouvernement veranstaltete sey, zu der man keinen Fremden zulassen durfe, zurück zu weisen. Die Empfindlichkeit die bey Piazzi auch späterhin wegen dieses sonderbaren Benehmens gegen Méchain zurückblieb, war wohl sehr natürlich, da man es sich wirklich nicht recht erklären kann, was die französischen Geometer veranlasste, ihre zur Publicität bestimmten Operationen für einen fremden Astronomen zu verheimlichen. War es Misstrauen gegen sich selbst und gegen ihre Operationen, oder der Wunsch, die Construction des Bordaischen Kreises für einen Fremden zu verbergen — beydes zu unwahrscheinlich, als dass wir den eigentlichen Grund ihres unfreundlichen Verfahrens gegen Piazzi darinnen suchen möchten.

Als

Als *Piazzi* im September (4. Sept.) 1789 wieder nach Sicilien mit dem zu Errichtung einer Sternwarte nothwendigen Instrumenten zurückkehrte, war weder ein Platz zu deren Erbauung bestimmt, noch auch die Autorisation des Königs dazu ausgewirkt. Auf einem alten sehr festen Thurme des königl. Pallastes zu Palermo fand *Piazzi* den schicklichsten Platz zu deren Erbauung; und wiewohl der schon oben erwähnte damalige Vice-König in Sicilien, *Principe di Caramanico*, jenen Pallast selbst bewohnte, so unterstützte dieser doch, und mit eigner Aufopferung, die neue astronomische Anstalt auf das wirksamste, so dass trotz den Schwierigkeiten, die man allenthalben dagegen zu erheben bemüht war, den 1. Julius 1790 die königl. Erlaubniss aus Neapel zu Erbauung einer Sternwarte und einer Wohnung für den Director im königl. Pallast, ankam. So leicht *Piazzi*, in der Einleitung zu einem Werk, was wir bald näher erwähnen werden, über die Hindernisse die man der Errichtung einer Sternwarte im Weg legte hinweggleitet, so sind doch die gehässigen Spuren von Fanatismus und Unwissenheit, die dieses Unternehmen zu vereiteln suchten, unverkennbar, und aus einer bey *La Lande's* Geschichte der Astronomie für 1790 befindlichen Anmerkung sieht man, dass selbst *Piazzi's* hoher Gönner, der *Principe di Caramanico*, nur mit Kampf und Anstrengung das von ihm begünstigte Unternehmen durchsetzte. Dass wissenschaftlichen Unternehmungen vom grössern Haufen Schwierigkeiten im Weg gelegt werden, das ist fürwahr eine so alltägliche Erscheinung, dass sie unsere Verwunderung nicht

mehr

mehr erregen darf. Der Geist der Zeit bringt es so mit sich; das Wahre, Ernste kann nur lieben wer es kennt, und so — wird es verwiesen aus höhern Zirkeln. Dafs jene vom Schicksal blindlings auserwählten Erdensöhne auf Erbauung von Opernhäuser, Anlegung englischer Gärten, auf Reitpferde und Geschenke an Günstlinge und Maitressen, auf Phantasien endlich Hunderttausende verwendet, dafs dagegen nutzliche Anstalten ins Stocken kommen, uralte ehrwürdige Institute beeinträchtiget werden, nützlicher Staatsdiener spärliche Besoldung saumselig bezahlt wird u. s. w. das findet man natürlich alltäglich; aber dafs Phönixe von Fürsten auf Bücher, Karten, Instrumente u. dgl. einen Theil ihrer Revenüen verwenden, *das* erregt *Verwunderung!!*

Ohne Aufschub ward nun der Bau der Sternwarte in Palermo begonnen, und im Februar 1791 auch glücklich vollendet. Der Thurm am königl. Pallast, der zur Sternwarte benutzt wurde, wird gemeiniglich der Thurm von *St. Ninfa* genannt. Einige noch daran befindliche Verzierungen zeigen von sarazenischer Bauart, und nach einem späterhin aufgefundenen arabischen Codex, war dieser Thurm das erste Wohngebäude, was die Sarazenen ihrem Grofs-Emir auffuhrten. Dieser Thurm, der höchste in Palermo, war durch seine grofse Festigkeit, ganz vorzuglich zu Erbauung einer Sternwarte geeignet; er ruhte auf lebendigem Fels und seine untern Grundmauern sind 17 Fufs stark. Die eigentliche Sternwarte besteht aus zwey Zimmern und einer Gallerie. In dem einen ist das Mittagsfernrohr aufgestellt, in dem andern der ganze Kreis, und die 52 Fufs lange

Gallerie

Gallerie in der Mitte, ist zu Vorlesungen in der practischen Astronomie und zu Aufbewahrung der übrigen Instrumente bestimmt. Die hier befindlichen Instrumente waren mit Ausnahme des fünffüssigen ganzen Kreises weder zahlreich noch groſs, und wir halten uns daher bey deren Aufzählung um so weniger auf, da uns dies zu weit von dem eigentlichen Zweck abführen würde. Nur jener ganze Kreis von dem doch vielleicht nicht alle unsere Leser eine deutliche Idee haben, und der durch den Gebrauch, den *Piazzi* davon gemacht hat, für die ganze Astronomie so wichtig geworden ist, soll uns noch ein Paar Augenblicke beschäftigen, ehe wir auf *Piazzi's* Arbeiten selbst übergehen. Das kreisförmige Zimmer, worin dieses Instrument aufgestellt ist, wird durch acht in der Direction der Hauptwinde stehende marmorne 8 Fuſs hohe Säulen begrenzt, die ein Hauptgesimse von Marmor tragen, dem das runde bewegliche Dach aufliegt. In der Mitte dieses tempelartigen Zimmers, erhebt sich ein viereckigtes steinernes Postament, in dem ein anderes cylinderförmiges von $3\frac{1}{2}$ Fuſs im Durchmesser und $1\frac{1}{2}$ Fuſs Höhe eingemauert ist, was eigentlich das ganze Instrument trägt. Eine umständliche detaillirte Beschreibung des ganzen Instruments würde hier zu weitläuftig werden, und wir müssen uns daher nur darauf beschränken, dessen Hauptbestandtheile anzuführen. *) Das Instrument besteht vorzüglich aus einem Horizontal- oder Azimuthalkreis und einem Vertical- oder Höhenkreis; der letztere ist zwischen vier senkrechten metal-

*) Hindenburg Archiv der reinen und angewandten Mathematik. B. I. S. 488 f.

metallenen Säulen an einer Axe aufgehängt, die sammt diesem Kreis sich um den Mittelpunct des Azimuthalkreises herum bewegen lassen. Diese vier Säulen, welche 6 Fuss 6 Zoll Höhe, und 3,6 Zoll im Durchmesser haben, stehen auf einer viereckigen, dicken, 2 Fuss ⅓ Zoll langen und 1 Fuss ⅛ Zoll breiten Platte von Prinzmetall; eine ähnliche Platte hält sie oben zusammen, nur mit dem Unterschiede, dass die obere etwas in der Mitte ausgeschnitten ist, um ungehindert nach dem Zenith sehen zu können. Zwischen diesen zwey Platten und den vier Säulen ist der eigentliche Stand des Hohen-Kreises; die untere Platte mit den darauf stehenden Säulen und dem Höhen-Kreis sitzt auf der grössern Grundfläche eines abgekurzten Kegels, der 14½ Zoll im Durchmesser hat. Die untere Fläche dieses Kegels hat nur 5 Zoll im Durchmesser, und an diese ist der Azimuthal-Kreis mittelst zehn Speichen befestiget. Dieser Kreis hat drey Fuss im Durchmesser, ist von 180 zu 180° und jeder Grad von 10 zu 10 Minuten abgetheilt. Dieser ganze Apparat bildet die Vertical-Axe des Instruments, die zugleich Axe des Azimuthal-Kreises ist. Der untere Pol dieser Axe, worauf sich das ganze Instrument dreht, ist unter dem Mittelpunct des Azimuthal-Kreises befindlich, und endigt sich in eine Spitze von gehärtetem Stahl, die sich in einer metallenen Pfanne dreht. Die Befestigung des obern Pols des Instruments ist auf folgende Art erhalten: An der obern Platte, die an die Kapitäle der vier erwähnten Säulen fest gemacht und ausgeschnitten ist, ist in der Mitte ein Ring befestiget, der ½ Zoll über die Platte hinausreicht und gleichsam eine Röhre bildet,

bildet, auf dessen Oeffnung der Gegenpol der verticalen Axe trifft. Vier messingene Säulen, 7 Fuss hoch und vier Zoll dick, sind zu rechten Winkeln um das Instrument gestellt, unten mit Bley in Stein eingegossen, oben tragen sie vier Bogen übers Kreuz gespannt, die in der Mitte mittelst eines Ringes verbunden sind. In diesen Ring passt jener, der an der Platte festsitzt, sehr genau, und bewegt sich sanft in demselben, wenn das ganze Instrument auf seinem untern Pol im Kreis herum gedreht wird. Die Theilungen werden durch Mikroscope abgelesen und ein äusseres Mikrometer giebt einzelne Secunden. Das Fernrohr ist achromatisch, mit doppeltem Objectiv, hat 5 Fuss Focal-Länge und drey Zoll Oeffnung. Es ist gut, aber keins von den besten, die aus Ramsdens Werkstätte gekommen sind. Die Berichtigungen dieses Instruments, ehe es im eigentlich beobachtungsfähigen Zustande ist, sind ziemlich mannichfaltig, doch schätzt *Piazzi*, selbst bey den ungünstigsten Umständen, dessen Fehler auf nicht mehr als drey Bogen-Secunden. Eine vollständigere Beschreibung dieses vortrefflichen Instruments, enthält hauptsächlich das Piazzische Werk selbst, und dann das in einer Note angezeigte Hindenburgische Magazin, worauf wir verweisen müssen, um nun auf *Piazzi's* eigne Arbeiten über zu gehen.

Bald nach seiner Ankunft in Sicilien, i. J. 1790 gab *Piazzi* eine kleinere Abhandlung: *Discorso del P. D. Giuseppe Piazzi. C. R.* (*Canonico regol.*) hauptsächlich über Geschichte der Astronomie heraus; allein noch vor völliger Beendigung der Stern-

[illegible]

[illegible]

[illegible]

[illegible]

[illegible] lumina, [illegible]

[illegible]

[illegible]

vierter Grösse, nebst einigen der fünften und
ısten Grösse, nebst verschiedenen Planeten-Beob-
:ungen bestehen, und einen Raum von hundert
io-Seiten einnehmen. Schon diess waren Vor-
ıifungen zu den grossen Arbeiten, die er später
über Fixstern-Positionen lieferte. Die genaue
sbestimmung der Lage des Beobachtungs-Ortes
eins der wichtigsten Geschäfte des practischen
onomen, da hierauf der grössere Theil aller an-
ı Bestimmungen beruht, und Piazzi beschäftiget
damit sehr umständlich im vierten Buch, wo er
Breite seiner Sternwarte sowohl aus Circumpo-
als Zenithal-Sternen mit grosser Schärfe herlei-
Dies führt ihn zugleich auf die Bestimmung
mittlern Refractionen, die er für 45° etwas klei-
, als *Bradley* findet. Noch reicher an Resulta-
ist der zweyte Band, oder das fünfte Buch die-
Werks. Mit der Entdeckung eines Cometen, des-
Beobachtung und Berechnung fängt es an. *Piaz-*
Gehulfe *Cariotti* sah ihn am 10. Jan. 1793 zu-
; er wurde an demselben Tage von *Méchain* zu
cellona und von *Rittenhouse* in Philadelphia be-
chtet. Sehr interessant sind die Resultate, die
Verfasser hier aus einer grossen Menge der vor-
flichsten Beobachtungen für Aequinoctien, Schie-
ler Ecliptik und Sonnen-Durchmesser herleitet.
r werden auf die beyden ersten Bestimmungen
ıher noch einmahl zurückkommen, da *Piazzi*
terhin besondere Abhandlungen darüber in den
morie di Società italiana hat abdrucken lassen.
nn folgen die Originalbeobachtungen sammtlicher
neten, nebst ihrer vollständigen Reduction und

Vergleichung mit den neuesten Tafeln. Wünschenswerth ist es, dass die Art, wie *Piazzi* hier seine Planeten-Beobachtungen giebt, von allen Astronomen angenommen werden möge, da es hier sogleich übersehen werden kann, in wiefern bey etwa veränderten Elementen eine neue Reduction erforderlich wird. Neue Untersuchungen über die Länge und Breite der Sternwarte, Bestimmung der mittlern Strahlenbrechung für Palermo von 0—90° und Declinationen der 34 Sterne des Maskelyneschen Catalogs beschliessen diesen reichhaltigen Band.

Von der Bekanntmachung dieses Werkes an verstrich ein Zeitraum von mehrern Jahren, ehe *Piazzi* in einem neuen grössern Werke die Resultate seiner fernern Beobachtungen darlegte; rastlos mit der Verfertigung eines Stern-Catalogs beschäftigt, der nach des Verfassers Willen alle vorhandne an Genauigkeit und Ausdehnung übertreffen sollte, blieb ihm keine Zeit zu andern Untersuchungen übrig. Sein ganzer Kreis, das vorzüglichste Instrument in Europa,*) setzte ihn in Stand, Declinationen und gerade Aufsteigungen mit einer Schärfe zu beobachten, wie sie auch der vortreflichste Mauer-Quadrant nicht zu gewähren vermag. So hatte *Piazzi* schon seit einem Zeitraum von 6 bis 8 Jahren mit ununterbrochener Thätigkeit an dem grossen Werke gearbeitet, als ihm noch vor dessen Vollendung und Bekanntmachung

*) Soviel uns bekannt ist, existirt zwar ein ähnliches, und sogar noch grösseres Instrument in Edinburg oder Oxford, allein noch zur Zeit ist auf dem Continent keine einzige damit gemachte Beobachtung erschienen.

chung für die vieljährige Anstrengung eine Entdeckung belohnte, die unstreitig unter die schönsten und wichtigsten des angehenden Jahrhunderts gezählt werden muss. Gewiss jeder unserer Leser wird es errathen, dass wir nun an die fur *Piazzi's* astronomische Laufbahn und fur die Astronomie uberhaupt gleich wichtige Epoche der Entdeckung eines neuen Planeten gelangen. Langst hatte man aus analogischen Grunden die Existenz eines Planeten zwischen Mars und Jupiter als sehr wahrscheinlich vermuthet; allein alle Bemuhungen, diesen Himmelskörper aufzuspuren, waren im vergangnen Jahrhundert vergebens gewesen. Die Kleinheit der Planeten, die diesen Platz ausfüllen, macht diese Erscheinung sehr erklärlich. Wie Sterne 6 — 8 — 10 Grosse erscheinend, unterscheiden sie sich durch nichts von den umgebenden Fixsterngruppen, und auf die Art wie *Herschel* durch blosse Anschauung den Uranus als Planet bestimmte, ward hier eine Entdeckung unmöglich, da vielleicht ofterer jener Himmelsbeschauer einen der neuen Planeten im Felde seiner Riesen-Telescope hatte, ohne im Mindesten einen Planetismus ahnden zu können. Nur Ortsbestimmung und Beobachtung der Ortsveränderung konnte hier zu Entdeckungen fuhren, und bey der Seltenheit, mit welcher Sterne unter 6ter Grosse wiederholt beobachtet werden, war es also gar kein Wunder, dass jene kleinen Himmelskörper so lange verborgen blieben.

Merkwurdig bleibt es, dass gerade mit Anfang des neuen Jahrhunderts eine so lange gesuchte Entdeckung gelang. Am 1. Jan. 1801 war es, wo *Piazzi*, als

als er Nro. 87 *Tauri* beobachten wollte, einen andern kleinen voransgehenden Stern 8ter Grofse sah, bey dessen erstem Erscheinen er anfangs nicht den mindesten Verdacht hegte. Glücklicherweise hatte es sich *Piazzi* zum Gesetz gemacht, bey Verfertigung seines Fixstern-Verzeichnisses, nie bey einer Beobachtung stehen zu bleiben, sondern diese immer vier, sechs und mehreremal zu wiederholen. Dadurch ward ihm hier die schöne Entdeckung. Denn als in den darauf folgenden Abenden jener Stern nicht mehr am alten Platze war, sondern sich nach gerader Aufsteigung und Abweichung merklich verändert hatte, so blieb kein Zweifel übrig, dass dieses ein wandelnder Himmelskorper sey. An *Bode* theilte *Piazzi* die erste Nachricht von seiner Entdeckung mit; allein wiewohl er da den neuen Himmelskörper als einen Cometen zu betrachten scheint, so ergab sich doch in der Folge, dass er gleich vom Anfang an den Planetismus des Wandelsterns geglaubt hatte. Bis zum 11. Febr. beobachtete ihn *Piazzi* und sein Gehulfe *Cariotti* ununterbrochen in der Mittagsfläche, theils am Kreise, theils am Passagen-Instrument, und als er sich weiterhin der Sonne zu sehr naherte, versuchte es zwar *Piazzi* ihn im Azimuth zu verfolgen; allein eine schwere Krankheit machte ihm dies unmöglich. Kann dem beruhmten verdienstvollen Entdecker, bey der Auffindung dieses neuen Himmelskörpers, nicht mit Unrecht ein Vorwurf gemacht werden, so ist es der, allzukarg in Mittheilung seiner ersten Beobachtungen gewesen zu seyn. Lange bestand alles, was er daruber an andere Astronomen communicirte in zwey noch dazu durch Schreibfehler etwas entstellten Beobachtungen, die also durchaus nicht dazu geeigenschaftet seyn konnten, diesen kleinen unbekannten Himmelskörper aufzufinden. Späterhin schickte er an *La Lande* eine grössere Reihe von Beobachtungen, machte es jedoch dabey zur ausdrücklichen Bedingung, keinen öffentlichen Gebrauch davon zu machen, und erst lange, nachdem die Epoche der damaligen Sichtbarkeit des neuen Planeten vorüber war, theilte er dem Herausgeber dieser Zeitschrift seine sämmtlichen Beobachtungen mit. Zwar ist eine solche Zurückhaltung wichtiger Entdeckungen in der Geschichte der Astronomie gerade nicht neu; denn als i. J. 1759 *Messier* den so sehnlich erwarteten *Halley'schen* Cometen auffand, verbot ihm der bey diesen Beobachtungen anwesende *de l'Isle* auf das strengste, irgend etwas von dieser Entdeckung laut werden zu lassen; allein lobenswerth ist ein solches Verfahren nie, da es zum grössten Nachtheil der Wissenschaft gereichen kann. Wirklich hatte, wie wir sogleich sehen werden, dieser Fall bey dem *Piazzi'schen* Gestirn eintreten können, da dessen Wiederauffindung nicht ohne Schwierigkeiten gelang, die vielleicht weit geringer gewesen seyn würden, hätte *Piazzi* bald nach der ersten Entdeckung seine Beobachtungen andern Astronomen mitgetheilt, wo vielleicht schon damals der Planet auf andern Sternwarten aufgefunden, und mit Aequatorial-Instrumenten oder Kreis-Mikrometern länger verfolgt, und so mehr Data zur sichern Bahnbestimmung erhalten worden wären.

Das

Das Daseyn eines neuen Planeten, den Piazzi aus gerechter Dankbarkeit gegen seinen König, als den Stifter der Sternwarte, den Namen *Ceres Ferdinandea* beylegte, war nun constatirt; allein seine Sichtbarkeit war für das Jahr 1801 vorüber, und die Schwierigkeit des Wiederauffindens eines so atomenartigen Gestirns um so grösser, da ein und vierzig tägige geocentrische Beobachtungen, nach allen bekannten Methoden, zu einer nur genäherten Bahn-Bestimmung nicht hinreichend waren, und hiernach nach Verlauf von 7 bis 8 Monaten, wo der neue Planet wieder aus den Sonnenstrahlen heraustrat, seine Ortsbestimmung äusserst misslich blieb. Das Bedürfniss, aus einer kleinen Zahl geocentrischer nahe aneinander liegender Beobachtungen, die elliptische Bahn eines Planeten zu bestimmen, war bis jetzt noch nicht da gewesen; eine Methode dazu war also auch nicht vorhanden, und sowohl der Entdecker als mehrere andere der berühmtesten Astronomen, *Olbers*, *Zach*, *Oriani* berechneten zum Behuf der nächsten Beobachtungen, die Ceres in einer Kreisbahn. Schwerlich, oder wenigstens nur nach langem Umherirren und grossem Zeitverlust, würde die Wiederauffindung nach diesen Elementen gelungen seyn; allein wie fast immer ein ausserordentliches Bedürfniss ein ausserordentliches Mittel oder ein eigenthümliches Talent weckt, so war es auch hier. Das Interesse der neuen Entdeckung, die Bemühung aller Astronomen, den Weg der Wiederauffindung zu erleichtern und zu sichern, erregte die Aufmerksamkeit eines jungen, damals in den Jahrbüchern der Astronomie noch nicht bekannten Geome-

Geometern. *Gauſs*, mit einem hohen Talent für Analyſe begabt, und bis dahin faſt ausſchlieſsend mit den ſchwerſten Problemen der unbeſtimmten Analytik, der Theorie der Zahlen u. ſ. w. beſchaftiget, fand ſich durch die Entdeckung eines neuen Himmelskörpers gereizt, einige gerade damals über Kegelſchnitte angefangene Unterſuchungen, auf deſſen Bahnbeſtimmung in Anwendung zu bringen. Mit welchem Erfolg dieſes geſchah, iſt zu bekannt, als daſs wir deſſen hier umſtändlicher zu erwähnen brauchten. Die vortreſſliche Art, wie ſeine elliptiſchen Elemente die ganze Reihe der Piazziſchen Beobachtungen darſtellten, erwarb dieſen bald das gerechte Vertrauen aller Aſtronomen, und mit Hülfe dieſer Elemente war es, daſs nicht unter Italiens oder Frankreichs ſchönem Himmel, ſondern in unſerer nördlichen umwölkten Zone, die Wiederauffindung des Piazziſchen Geſtirnes in den lezten Tagen des Jahres 1801 dem *Freyherrn von Zach* und in den erſten Tagen des folgenden Jahres dem Dr. *Olbers* in Bremen gelang. Mehrere Grade gaben die elliptiſchen Elemente den Ort der Ceres verſchieden von dem in der Kreisbahn berechneten, und ohne jene würde Ceres gewiſs erſt weit ſpäter, und bey dem damals eintretenden höchſt merkwürdigen Ereigniſs der Entdeckung eines zweyten neuen Planeten, vielleicht nie wieder aufgefunden worden ſeyn. Nur wenig Grade von der Ceres entfernt, und mit derſelben rückläufigen Bewegung, ward zu jener Zeit *Pallas* von unſerm *Olbers* entdeckt. Hätte die Gauſsiſche Ellipſe nicht den Ort der Ceres in enge Grenzen eingeſchloſſen, hätte man zu deren Aufſuchung einen

einen grössern Raum durchsuchen müssen, wäre vielleicht schon da der Beobachter auf den zweyten neuen Planeten gestossen, gewiss alle Astronomen würden in diesem die Ceres gesehen, und die wahre ferner aufzusuchen vernachlässiget haben. Was für eine ungeheuere Verwirrung wäre entstanden, wenn man es versucht hätte, die ersten Piazzischen Beobachtungen mit den spätern Pallas-Beobachtungen in einer Ellipse darzustellen. Beyde Planeten wurden wieder verschwunden, und ihre Wiederauffindung, mit den durch jene Verwechslung entstellten Elementen, vielleicht unmöglich geworden seyn. Welch ein Triumpf für die Widersacher der Astronomie überhaupt und besonders für die Antagonisten der Meynung, dass ein Planet zwischen Mars und Jupiter existire. Aber zu der Wissenschaften Glück vereinigte sich hier tiefe Theorie mit Thätigkeit und Ausdauer, um die schönste Entdeckung des neuen Jahrhunderts zu constatiren.

So muss immer der Theoretiker und der practische Astronom vereinigt vorwärts schreiten. Der leztere sammelt Thatsachen. der erstere ordnet sie, stellt sie zusammen, schätzt den Grad ihrer Zuverlässigkeit, und gestützt auf der Analyse irrungslosen Weg, bestimmt er auf Ewigkeiten die Bahn, die der Beobachtungen kurzer Bogen kaum ahnden lässt. Mit Recht hat man eine Astronomie *a priori* verworfen; allein eine blos practische Astronomie ist nicht minder ein Unding. Die ersten Bestimmungsstücke muss die Beobachtung geben, allein die Form der Gleichungen, die Dauer der Perioden, Säcular-Aenderungen, das kann nur durch Theorie erhalten werden.

den. Wenn es darauf ankömmt, beynahe tausendjährige Perioden planetarischer Störungen zu bestimmen, wenn aus einem kleinen durch Beobachtung gegebenen geocentrischen Bogen, die ganze heliocentrische Bahn eines neuen Planeten gefunden werden soll, dann muss der blos rechnende Astronom zum Geometer seine Zuflucht nehmen, der durch höhere Analyse den Irrstern in seine Bahn verkettet. —

Ehe wir im wissenschaftlichen Leben des berühmten Planeten-Entdeckers vorwarts schreiten, sey es uns vergönnt, die naturliche Veranlassung, die der Gegenstand selbst darbietet, zu ergreifen, und eine Frage zu beruhren, die wir zu unserm Unwillen schon öfterer horen musten. *Was nutzt die Entdeckung dieses neuen Planeten, warum legt man auf die Auffindung dieses atomenartigen Gestirnes, das nur dem bewaffneten Auge des Astronomen sichtbar ist, einen so hohen Werth?* — So hörten wir selbst Unterrichtete fragen — und so schwer es ist, denen, die eine Wissenschaft nicht ganz ubersehen, den Nutzen einleuchtend darzustellen, den eine scheinbar isolirte Entdeckung auf das Ganze hat, so wollen wir es doch in gedrängter Kurze versuchen, auch blossen Freunden der Sternkunde zu zeigen, wie wichtig für das ganze Gebiet der Astronomie jene Entdeckung war, welche Fortschritte wir ihr verdanken, und wie dankbar jeder, der sich für jene hohe Wissenschaft interessirt, unserm *Piazzi* seyn muss.

Erkenntniss unseres Sonnen-Systems! giebt es eine höhere eine schönere fur den Menschen, fur das

das Wesen, was mit seinem Geiste das Unendliche umfasst; wer darinnen einen Schritt vorwärts thut, erwirbt der Gegenwart der Zukunft Dank. Einen solchen that *Piazzi*. Analogien liessen einen Planeten zwischen Mars und Jupiter vermuthen, und die Vermuthung ward zur Wahrheit durch die Entdeckung. Aber so gern will der menschliche Geist vorwarts eilen, Grenzen, Gesetze bestimmen wollend, der unbestimmbaren, nur in der Ursache einfachen, in der Ausfuhrung mehr als labyrinthischen Natur. Auch hier wie oft, ahndend nicht existirende Gesetze, fuhrte das Wahrscheinliche zum Irrthum. Bestimmte Verhältnisse glaubte man in der Planeten Abständen vorhanden, in eine begrenzte Zone unseres Systems irrende Bewohner eingeengt; der Träumereyen dieser Art gab es weit mehr, leerer Köpfe Spiel sind diese, zu träumen, zu vermuthen, Analogien zu schmieden ist leichter, als aufzufinden, zu berechnen. —

In kurzer Folge entdeckten unseres Vaterlandes fleissige Astronomen noch drey neue Bewohner des Sonnensystems; Wohl moglich, dass diese auch ohne *Piazzi's* Entdeckung aufgefunden worden wären; allein allemahl bleibt es unleugbar, dass dieser die nächste Veranlassung dazu war: und wollen wir gerecht seyn, so muss *Piazzi* als der *Columbus* dieser neuen planetarischen Welt gelten. —

Jene Träumereyen, jene Quelle von Irrthümern — sie sind vernichtet; die Kenntniss unseres Sonnensystems erweitert — *Piazzi's* Werk beydes; — Gewinn der Wahrheit, Zuwachs unsrer erhaben-

benften Kenntniſſe, iſt das nicht ſchon unendli-
er Gewinn fürs Ganze? . . .

Doch nicht einzig in unſerm objectiven Wiſſen,
ch in der Theorie lieſs die Entdeckung der neuen
aneten Rieſenſchritte vorwärts thun. Nur das Be-
ırfniſs ſchafft neue Mittel, und ſo ward jene himm-
che Entdeckung zur Fuhrerin im wahren Geiſt
r Elemente ihrer Bahnen. Des Uranus langſame
wegung und unmerkliche Excentricität, machte
m leichten Spiel die Beſtimmung ſeiner Elemente,
ıd die Nothwendigkeit aus einem kleinen geocen-
ſchen Bogen die heliocentriſche Bewegung zu
twickeln, war noch nie vorhanden geweſen, als
s es jetzt zum dringenden Bedürfniſs ward, aus
nen ſparſamen Datis den Ort der Ceres auf acht
onate voraus zu beſtimmen, um dieſe nach einem
langen Zeitraum am Himmel wieder aufſuchen
ı können. Das hohe Intereſſe des Gegenſtandes
izte eines jungen damals anders beſchaftigten Geo-
eters Geiſt. Mit der höhern Analyſe feinſten Faden
nig vertraut, griff er das ſchwere noch nicht be-
ındelte Problem an; ſeiner Anſtrengung entgieng
e Auflöſung nicht, und ſo entſtand unter ſeinen
änden ein neues Syſtem des intereſſanteſten Theils
r Theorik, was nach des Verfaſſers eignem Ge-
ändniſs ohne der neuen Planeten Entdeckung un-
ıtwickelt geblieben wäre. So verdanken wir alſo
ıs Werk, was eine Epoche in der theoretiſchen
ſtronomie bezeichnet, neue Wege in dieſe eröff-
et, — *Piazzi's Entdeckung.*

Unvollkommen waren unſere Darſtellungen des
eſtirnten Himmels, in allen auch den neueſten und
beſten

Sternkarten fehlten alle Sterne unter fechſter Gröſse faſt ganz. Schon früher war bey Cometen-Beobachtungen dieſer Mangel den Aſtronomen oft ſehr fühlbar; allein nothwendiges Bedürfniſs wurde es nun bey Auffuchung der neuen Planeten. Mehrere tauſend kleiner Sterne, theils aus andern Stern-Verzeichniſſen zuſammen zu ſuchen, theils ſelbſt von neuem zu beſtimmen, in Karten einzutragen, und deren Configuration mit dem Himmel ſelbſt zu vergleichen, dieſs war fürwahr keine kleine Arbeit, und nur Ueberzeugung von dem hohen Nutzen einer ſolchen Arbeit, konnte zum Unternehmen des mühſamen lang dauernden Geſchäfts ermuntern. Dem berühmten Entdecker der *Juno*, dieſem mit dem geſtirnten Himmel innigſt vertrauten Aſtronomen, verdanken wir die ausgedehnte Bearbeitung des Himmels, und die erſte ſchon ſeit einem Jahre erſchienene Lieferung ſeiner Sternkarten, hat die geſpannteſten Erwartungen aller Aſtronomen auf das vollkommenſte befriediget, — und wer will es leugnen, daſs wir auch dieſes wichtige Hülfsmittel für die ganze beobachtende Aſtronomie, hauptſächlich *Piazzi's Entdeckung* verdanken. Schon das aufgezählte, *der* Zuwachs unſerer Kenntniſſe, der durch die Entdeckung der neuen Planeten ſchon jetzt in der Wirklichkeit erhalten wurde, iſt gewiſs hinreichend, jene zur wichtigſten des Jahrhunderts zu machen; allein unabſehbar iſt der Einfluſs, den jene neuen Himmelskörper auf den ganzen Zuſtand unſerer Wiſſenſchaft noch in der Folge haben können.

Die numeriſche Entwickelung unſerer Perturbations-Rechnungen, ſchon jetzt, wo der ältern

Plane-

Planeten, Bahnen Dimensionen, Vernachläſsigung ler hohern Potenzen und Producte der Neigungen ınd Excentricitaten erlauben nicht wenig muhſam nd weitlauftig würde bey den neuen Planeten, wo ıne Glieder keineswegea vernachläſsiget werden urfen, endlos werden, und es iſt zu erwarten, daſs urch die Nothwendigkeit dieſe Störungen vollſtan-ig zu berechnen, eine neue Bahn in dieſer wichti-en Theorie gebrochen werden wird. Wie ſchwie-g und wie wünſchenswerth die Bearbeitung die-s Gegenſtandes ſey, zeigt die ſchon ſeit zwey Jah-en von dem Pariſer Inſtitut, uber die Storungen er Pallas aufgegebene und bis jetzt noch immer nbeantwortet gebliebene Preisfrage.

Eben ſo verſpricht uns die Beobachtung und heoretiſche Bearbeitung dieſer neuen Planeten, die richtigſten Aufſchluſſe über die Maſſen der alten laneten. Die genaue Beſtimmung der Planeten-Iaſſen, iſt fur die ganze Aſtronomie eben ſo noth-vendig, als ſie noch bis auf dieſen Augenblick un-uverlaſſig iſt. Ein Paar Worte mögen dieſes erlau-ern. Durchmeſſer eines Planeten, verbunden mit inem Abſtand von der Erde, giebt ſein Volumen; llein die Maſſe hängt zugleich mit von der Denſitat es Planeten oder von dem Product des Volumen n das Gewicht ab. Nicht einmal bey der Erde ver-nögen wir dieſe unmittelbar und noch vielweniger ey andern Planeten zu beſtimmen; nur dadurch, aſs alle Planeten im Verhältniſs ihrer Maſſen gegen inander gravitiren, konnen dieſe ſelbſt beſtimmt, nd hier Urſache aus der Wirkung gefunden wer-en. Mit Sicherheit kann dies aber nur dann ge-

ſche-

schehen, wenn die Einwirkung des einen Planeten auf den andern groſs iſt, ſo daſs eine fehlerhafte Maſſe bey poſitiven und negativen Einfluſs ſehr merkbar wird. Allein von allen planetariſchen Störungen, werden die der vier neuen Himmelskörper durch Jupiter, Saturn und Mars die allerſtärkſten ſeyn, und ſonach am allervortheilhafteſten zu einer ſichern Beſtimmung der Maſſen jener ältern Planeten angewandt werden können, und ſo weſentlich zur Verbeſſerung unſerer Planeten-Tafeln dienen.

So iſt unſere Wiſſenſchaft unendlich verkettet; eine Entdeckung führt die andere herbey. So war ſchon jetzt *Piazzi's* Entdeckung hoher Gewinn für das ganze Gebiet der practiſchen und theoretiſchen Aſtronomie, und was noch alles Folge davon ſeyn kann und wird, das wagen wir nicht ſchon jetzt begrenzend anzudeuten. Daſs die Auffindung eines atomenartigen Geſtirns eine neue Bearbeitung der theoretiſchen Aſtronomie, eine vollſtändige Darſtellung des geſtirnten Himmels veranlaſſen wurde, daſs dadurch die Maſſen Millionen Meilen entfernter Planeten beſtimmt, dadurch unſere Planeten-Tafeln berichtigt werden können, daſs dadurch dem in dunkler Nacht ungewiſs umher irrenden Schiffer, das Mittel einer ſichern Ortsbeſtimmung gewährt, dadurch das Leben von Hunderten gerettet, das Eigenthum von Tauſenden geſichert werden kann — das glauben, das ahnden freylich nur wenige, aber gewiſs, jeder Freund der Wiſſenſchaften, der dies zu überſehen vermag, der wird *Piazzi* zu ehren, des menſchlichen Verſtandes Macht, der aus Erſcheinungen *ſolche* Folgen entwickeln kann, zu bewundern

dern wissen, und sich glücklich fühlen, jene Götterfunken, *Kraft* und *Geist* und *Willen* in sich zu besitzen und damit das höchste erreichen zu können.

Mögen unsere Leser die kleine Abschweifung verzeihen, die ihren Zweck ganz erreichen würde, wenn es uns dadurch gelänge, schnelles Aburtheilen über den Werth oder Unwerth von Erfindungen, deren wahre Würdigung oft so schwer ist, zurückzuhalten.

Kurz eilen wir nun über die fernere Entdeckungs- und Beobachtungs-Geschichte des neuen Planeten weg, da diese nur in Hinsicht auf *Piazzi* hierher gehört. Hauptsächlich um Sicilien und seine Landsleute mit der Entdeckung, Beobachtung und Bahn des neuen Gestirns bekannt zu machen, schrieb *Piazzi* damals zwey kleine Schriften: "*Risultati delle osservazioni della nuova stella scoperta il I. di Gennajo all osservatorio reale di Palermo. Da Giuseppe Piazzi. Ch. R. Direttore del medesimo. Presentati alla suprema generale diputazione degli studi. In Palermo 1801.*" Und dann späterhin: "*Della scoperta del nuovo pianeta Cerere Ferdinandea ottavo tra i primari del nostro sistema solare. Palermo 1802.*" Beyde Schriften sind nach *Piazzi's* eigner Bemerkung aus dieser Zeitschrift entlehnt, und enthalten also für unsere Leser nichts neues. Die erste Abhandlung schliesst der Verfasser in Hinsicht der Benennung des neuen Gestirns, mit den lateinischen Versen:

Telluris patriae ductura a Principe nomen
Astra inter siculis fulsit ab axe Ceres.

 Nicht

Nicht unerwähnt darf es bleiben, daſs der König von Neapel *Piazzi's* Verdienst durch eine Gehaltsvermehrung von funfzig Louisd'or, und durch Bewilligung einer Summe zu Ankaufung eines längst von jenem gewünschten Aequatorial-Instrumentes, belohnte. Zu einer Medaille auf die Entdeckung der Ceres war anfangs die letztere Summe bestimmt; allein *Piazzi's* Vorstellungen gelang es, diese auf eine nutzlichere dauernde Art fur die Sternwarte benutzen zu durfen.

Kurze Zeit nach dieser glänzenden Entdeckung, die *Piazzi's* Namen, verbunden mit seinen frühern Arbeiten, in der ganzen literarischen Welt berühmt machte, gab ihm ein ehrenvoller Ruf Veranlassung, seine Liebe fur Sternkunde und seine Dankbarkeit gegen das Gouvernement, was ihn in Stand setzte, so wichtige astronomische Arbeiten zu liefern und zu unternehmen, auf das glänzendste beurkunden. *Oriani*, dieser ausgezeichnete Astronom und Geometer, der fur theoretische Astronomie in Italien das ist, was *Piazzi* für die beobachtende, hatte im Jahre 1802 von dem Gouvernement den Auftrag erhalten, die wissenschaftlichen Anstalten in Bologna zu untersuchen, und in dem Bericht, den er über diesen Gegenstand an den Vice-Prasidenten erstattete, trug er darauf an, *Piazzi'n* als ersten Astronomen und Director der Sternwarte nach Bologna zu berufen, da man versichert seyn könne, daſs dieser die in jener Stadt fast erloschne Sternkunde wieder zum Aufleben bringen werde. So reizend fur *Piazzi* dieser mit wesentlichen Vortheilen verknüpfte Ruf in sein Vaterland und auf die älteste beruhmteste

Stern-

Sternwarte Italiens seyn musste, so lehnte er ihn doch ab; allein die Gründe, die ihn zur abschläglichen Antwort bestimmten, sind, wie schon damals *Oriani* sagte, so edel und eines gelehrten und ehrlichen Mannes so würdig, dass sein Brief, worinn er diese auseinander setzt, hier nicht fehlen darf.

" *So sehr mich*, schrieb *Piazzi* unterm 24. Dec. 1802 an *Oriani einer Seits Ihr verbindlicher Brief vom 29. Nov. erfreut hat, so sehr hat er mich auf der andern Seite mit Betrübniss erfüllt. Sie zeigen mir die schönste Gelegenheit und anlockendste Aussicht, meine Tage auf die ruhigste, glücklichste und ehrenvollste Weise, im Schoosse meines Vaterlandes zu verleben. Ja, theuerster Freund, ich fühle ganz das Ruhmvolle, und alle die Vortheile, die mir ein solcher Ruf gewähren wird, und ich erkenne hieraus die Grösse Ihrer mir schätzbaren Freundschaft; allein aus Pflicht und aus Dankbarkeit muss ich Ihnen, wiewohl mit schwerem Herzen, eine abschlägliche Antwort geben. Die Palermer Sternwarte ist mein Werk; es ist aber noch lange nicht zu seiner Vollständigkeit gediehen, denn ich erwarte aus London einen Aequatorial-Sector, und aus Paris einen Bordaischen Kreis. Verlasse ich meine Sternwarte, so ist alles verlohren, und vielleicht die Astronomie in Sicilien auf immer dahin; denn diese Wissenschaft hat hier zu Lande noch keine tiefen Wurzeln geschlagen. Auf der andern Seite hat der König mich stets ausgezeichnet, geehrt und belohnt. Ich will Ihnen nur einen Zug von ihm erzählen, der unvertilgbar aus meinem Herzen seyn wird. Als der König ganz unversehens aus*

Neapel hierher kam, so wurde Jedermann ohne Ausnahme, selbst der Vicekönig, aus dem Palais zo delogirt. Ich allein behielt meine Wohnung, und alle Stuben, die ich bewohnte, auf seinen ausdrücklichen Befehl. Wie sollte ich je eine solche Behandlung vergessen, mit Undank vergelten, und sie meinen eignen Vortheilen aufopfern können .... und so lehnte *Piazzi* jenen so ehrenvollen Ruf ab. Nur reiner Eifer fur das Beste seiner Wissenschaft konnte ihn zu dieser Entsagung vermögen; allein, wer einmal von diesem Gefuhl beseelt ist, kennt andere Rucksichten nicht; und wohl möglich dafs wir partheyisch urtheilen; allein das Studium des Himmels, das Eindringen in das Unendliche, das Unermessliche, das Umfassen des Universum, ist mehr wie jede andere Wissenschaft dazu geeigenschaftet, des Menschen Geist zu isoliren, nur auf einen Brennpunct, auf einen Zweck hinzufuhren. Allein dieses rucksichtlose Handeln, dieser unabänderliche Plan des Lebens, dieses ausdauernde angestrengte Wirken, ist das nicht des Mannes Zierde? Gerade nicht allen, die sich dem Himmel weihten, gelang es, irdischen Verhältnissen ganz zu entsagen; allein, sind nicht Männer, wie ein *Newton*, der fast während einem ganzen Jahrhundert mit bürgerlichen Verhältnissen fremd, in Abgeschiedenheit nur der Wissenschaft lebte, ein *Oriani*, der vom grofsen Kaiser zu den ersten Staatswurden berufen, sie ausschlug, um nur Astronom zu seyn und zu bleiben, ein *Piazzi*, der einem ehrenvollen Ruf, einer sichern angenehmen Zukunft entsagte, um ein angefangenes Werk fortsetzen zu können, sind nicht

diese

diese Männer ehrwürdiger als jene, die, wenn auch mit seltnen Talenten begabt, doch nur die edle Wissenschaft als Mittel, nicht als Zweck dienen lassen? —

Fast jedes Jahr von *Piazzis* astronomischem Leben ist durch eine nützliche Arbeit bezeichnet; allein besonders wichtig für die ganze Sternkunde wurde das Jahr 1803, wo er die Resultate einer zehnjährigen Arbeit, in einem grossen Stern-Catalog unter dem Titel: "*Praecipuarum stellarum inerrantium positiones mediae, ineunte seculo XIX ex observationibus habitis in specula Panormitana ab anno 1792 ad annum 1802 Panormi 1803*" herausgab. An Grösse, Ausdehnung und Genauigkeit, vorzüglich in Hinsicht der Declinationen, lasst dieser Stern-Catalog alle andern weit hinter sich zurück. Die *La Landeschen* Verzeichnisse enthalten zwar noch eine grössere Anzahl von Sternen, allein eines Theils sind sie noch nicht sämmtlich reducirt, dann auch oft nur durch eine einzige Beobachtung bestimmt, wahrend *Piazzi's* Angaben, durchgangig auf den genau reducirten Resultaten aus mehrern Beobachtungen beruhen. Es ist und wird vielleicht das grösste astronomische Werk bleiben, was das gegenwartige Jahrhundert aufzuweisen hat. Die Zahl der darinnen enthaltenen Stern-Positionen belauft sich auf 6748. Von diesen kommen 4118 in *Wollastons* und 969 in *La Landes* Stern-Verzeichnissen vor, die ubrigen sind ganz neu bestimmt. Die Einleitung zu diesem Werk enthält interessante Erorterungen uber alle altere und neuere Stern-Verzeichnisse, eine Untersuchung über Pracession, uber scheinbare Grösse der Sterne, Vergleichungen seiner Sternbestimbestimmungen mit denen früherer Astronomen, und besonders eine sehr lehrreiche Darstellung aller Vorzuge und Mängel des hauptsachlich zu Entwerfung dieses Stern-Verzeichnisses gebrauchten funffüsigen Kreises. Das sehr prächtig und wahrscheinlich auf Kosten des vormaligen Konigs von Neapel gedruckte Stern-Verzeichniss selbst enthält allemahl auf zwey Folio-Seiten 20 Sterne, die nach ihren geraden Aufsteigungen geordnet sind. Fur jeden Stern sind sechszehn Rubriken vorhanden. Die eine Seite enthält in neun Columnen, Namen, Buchstaben und Grösse der Sterne, dann gerade Aufsteigung in Zeit und Bogen, Abweichung, jahrliche Aenderung in Æ und Declin. und Zahl der Beobachtungen, wodurch der Sternort bestimmt wurde. Die zweyte Folio-Seite in sieben Rubriken, giebt die Vergleichung der *Piazzischen* Bestimmungen in Æ und Declin. mit *Flamsteeds*, *de la Caille* und *Mayers* Stern-Verzeichnissen, und in einer besondern Columne verschiedne Bemerkungen über Doppel-Sterne, eigne Bewegung u. s. w. Ein Supplement enthält Untersuchungen uber vermisste Sterne und eigne Bewegung nebst Rectificationen früherer Bestimmungen. Wir haben diese den Astronomen längst bekannten Details aus dem Grunde ausgehoben, um unsern Lesern einen Begriff von der ungeheuern Arbeit zu geben, die dieses Werk gekostet haben muss. Bessere Ausbildung und Fortschritte in unserer Sonnen- Monds- und Planeten-Theorie, werden wir zum grössern Theil diesem Werke verdanken, geographische Ortsbestimmungen werden dadurch gesichert und erleichtert; nicht leicht wird ein heller

Abend

Abend vergebens, wo der Beobachter nicht in diesem Werk Hülfe und Rath suchen musste, und man kann mit Recht behaupten, dass durch dieses Sternverzeichniss, was dem Astronomen noch unentbehrlicher, als logarithmische Tafeln ist, *Piazzi* sich und der sicilianischen Astronomie ein wahrhaft unvergängliches Denkmal gestiftet hat. — Nur die wenigsten Freunde der Wissenschaften, die gerade nicht selbst an numerischen Rechnungen eignen Antheil nehmen, ahnden es, was für eine Masse von Arbeiten in einem Werk enthalten ist, was wie das vorliegende Sternverzeichniss nichts als End-Resultate enthält, und in der Ueberzeugung, dass es diesen angenehm seyn muss, eine solche Arbeit richtig würdigen zu können, wollen wir es versuchen, das Detail einer Sternbestimmung in gedrängter Kürze hier anzugeben. Die Bestimmung zerfällt in Beobachtung und Rechnung. Der Ort eines Sterns wird erhalten durch gerade Aufsteigung und Abweichung. *Piazzi* beobachtete die erstern am Mittags-Fernrohr, die letztern am Kreis. Da alle Bestimmungen nicht auf einer, sondern auf wiederholten Beobachtungen beruhen, so wollen wir annehmen, dass jedes Resultat auf fünf Beobachtungen beruhte. Jede Beobachtung am Passagen-Instrument, erfordert ausser der Bezeichnung des Sternes noch das Aufschreiben von 12—16 Zahlen, die Decl. 8—10. Wegen atmosphärischer Correction der Refraction muss ferner Baro- und Thermometer-Stand notirt werden, und wir können daher ohne Hinsicht auf die zu absoluter Zeitbestimmung zu Berichtigung des Instrumentes u. s. w. erforderlichen andern Beobachtungen annehnehmen, dafs jede isolirte Sternbeobachtung wenigstens einen Zeitraum von vier Minuten, und hernach die fünfmahlige Beobachtung 20 Minuten erfordert. Die unmittelbare Beobachtung allein aller 6748 Sterne nahm also einen Zeitraum von 2250 Stunden weg. Rechnet man ferner die mit Stellen des Instrumentes, mit Ablesen, und während der nothwendigen Beobachtungs-Intervalle verbrachte Zeit, so kann sehr füglich für die ganze zu Beobachtung jener Sterne erforderliche Zeit das dreyfache oder 6748 Stunden angenommen werden. Mehr als 180 beobachtungsfähige Nächte können im mittlern Durchschnitte auf ein Jahr nicht gerechnet werden, und macht man dann die gewifs starke Annahme, dafs jede Nacht fünf Stunden beobachtet werde, so erforderte die blofse Beobachtung der in jenem Stern-Catalog enthaltenen 6748 Sterne, eine ununterbrochene Arbeit während 1350 heitern Tagen, die also nach der obigen Voraussetzung nur in einem Zeitraum von beynahe acht Jahren vollendet werden konnte. Noch zeitraubender sind die zu Verfertigung eines solchen Stern-Verzeichnisses erforderlichen Rechnungen. Die Beobachtung giebt nur den scheinbaren Ort, das Verzeichnifs den mittlern, und jener mufs daher auf diesen mittelst Anbringung der gehörigen Correctionen wegen, Vorrückung der Nachtgleichen, Abirrung des Lichtes und Schwanken der Erd-Axe reducirt werden. Da für nahe aneinander liegende Beobachtungen dieselbe Reduction beybehalten werden kann, so wollen wir annehmen, dafs für jeden Stern diese zweymal zu rechnen ist. Zu den vorher erwähnten Reductio-

nen

nen kömmt noch Correction der Decl. wegen Refraction hinzu; und rechnet man ferner alle die Untersuchungen, die bey jedem Stern durch die oben angegebenen 16 Rubriken nothwendig werden, und endlich die unvermeidlichen Rechnungs-Irrungen, Stern-Verwechslungen u. s. w. hinzu, so ist die Annahme, dass für jeden Sternort, völlig so reducirt und verglichen, wie er in jenem Sternverzeichnisse angegeben ist, ein und eine halbe Stunde erforderlich gewesen ist, gewiss noch zu gering. Hiernach erforderte die Reduction aller 6748 Sterne über 10000 Stunden; und nehmen wir, da für die Beobachtung täglich fünf Stunden gerechnet wurden, für die Rechnung deren sechs täglich an, so konnte die Arbeit nur in einem Zeitraum von beynahe fünf Jahren vollendet werden. Nach einem sehr massigen Ueberschlag finden wir, dass die ganze Bearbeitung dieses Stern-Verzeichnisses wenigstens das Niederschreiben von 30 Millionen Zahlen gekostet haben muss.

Wer lernt nicht bey dieser kurzen Uebersicht, die wir von *Piazzi's* Arbeit gegeben haben, dessen Werk bewundern? Tage, Wochen, einen Monat lang angestrengt arbeiten, das können alle Menschen; aber Jahre lang mit rastloser ununterbrochener Thätigkeit seine ganze Zeit immer nur einer und derselben Arbeit weihn, das erfordert mehr Kraft und Enthusiasmus für die Wissenschaft, als dem grössern Theil des Menschengeschlechts gewöhnlich zu Theil zu werden pflegt.

Dass übrigens *Piazzi's* Stern-Verzeichniss nicht allein das vollständigste ist, was bis jetzt existirt, sondern

sondern auch vorzüglich in Hinsicht der Abweichungen die genauesten Resultate enthalt, darüber sind alle Astronomen einverstanden, so dass diese bey jeder Bestimmung eines andern Himmelskörpers als Haupt-Autorität gelten.

Wenn auch während eines neunjährigen Zeitraums der grösste Theil von *Piazzi's* seltner literarischer Thätigkeit, auf die Bearbeitung jenes Stern-Verzeichnisses verwendet wurde, so wusste er doch immer auch noch Stunden fur andere wichtige astronomische Beschäftigungen zu gewinnen. In jenen Zeitraum fiel die Entdeckung der *Ceres*, die ihn zu den zwey oben erwahnten Schriften veranlasste, und denn vergieng auch, wie wir nachher zeigen werden, beynahe kein Jahr, wo *Piazzi* nicht in academische Schriften eine wichtige astronomische Abhandlung einrucken liess. Wir verlassen jetzt die Zeitfolge, und ubergehen jene kleinen Abhandlungen, um uns sogleich mit dem im Jahr 1806 erschienenen *Libro sesto del Reale Osservatorio di Palermo* zu beschaftigen, da dieses in unmittelbarem Zusammenhang mit *Piazzis* Stern-Verzeichniss steht, und es zweckmasig scheint, dessen ganze Arbeiten uber denselben Gegenstand in einer Folge darzustellen. Das eben genannte Werk ist als der dritte Theil der in den Jahren 1792 und 94 erschienenen ersten zwey Bande anzusehen, ist aber unstreitig wichtiger, als jene, da es eigentlich die Grundlagen zu Fixstern-Verzeichnissen enthalt, und wir halten uns um so mehr verbunden, hier, wo ausschliessend von *Piazzi's* Arbeiten die Rede ist, eine gedrängte Inhalts-Anzeige davon zu geben, da wir bis jetzt von diesem

sem wichtigen Werke noch keine detaillirte Notiz in diesen Blättern geliefert haben. Es zerfällt in zwey wesentlich verschiedne Theile: der erste enthält die Bestimmung absoluter Stern-Ascensionen, der zweyte, die aus eignen Beobachtungen bestimmten Elemente der Sonnenbahn. Früher hatte *Piazzi* die von *Maskelyne* bestimmten absoluten geraden Aufsteigungen bey seinem Stern-Verzeichniss zum Grunde gelegt; allein da er späterhin Differenzen fand, je nachdem er verschiedene Sterne des *Maskelyn*schen Verzeichnisses verglich, so hielt er es für nothwendig, das mühsame Geschäft der unmittelbaren Vergleichung der Sterne mit der Sonne selbst zu übernehmen. Seinem thätigen und geschickten Gehülfen *Cacciatore*, überliess er die Beobachtungen am Passagen-Instrument, während er selbst die Zenith-Distanzen von Sonne und Sternen am Kreis nahm. Zu Fundamental-Sternen, deren gerade Aufsteigungen unmittelbar bestimmt wurden, wählte *Piazzi* den *Procyon* und *Atair*, und fand aus den beobachteten Nachtgleichen von 1803, 1804 und 1805 für den Anfang von 1805,

AR	*Procyon*	112°	16'	17,"7
	Atair	295	19	0, 00

Beyde im Mittel um 2" grösser, als *Maskelyne* sie gibt. Wurden nun alle andern Sterne mit diesen beyden verglichen, so waren die Resultate sehr befriedigend; allein desto sonderbarer die Erscheinung, dass bey der Reduction auf einerley Epoche, sich doch wieder Differenzen von 4 — 9" zeigten. Noch merkwürdiger sind die periodischen Abweichungen, die *Piazzi* beym *Aldebaran* fand,

und

und die fich durch keine der herkömmlichen Correctionen wegfchaffen liefsen. Es ift hier nicht der Ort, in eine nahere Erörterung diefes höchft wichtigen Gegenftandes einzugehen, allein fo viel fcheint uns ausgemacht, dafs wir in unfern Beftimmungen von Praceffion, *motus proprius*, und Parallaxe der Fixfterne noch bey weitem nicht aufs Reine find; fehr wunfchenswerth ift es aber, dafs jeder Beobachter feine Beobachtungen mit allen Anomalien, fo wie *Piazzi* geben, und nicht etwa Refultate, die nicht paffen, wir wollen gar nicht fagen ändern, denn das wird kein gewiffenhafter Aftronom thun, aber etwa als fehlerhaft unterdrucken möge, da nur dadurch nach und nach das Gefetz jener Anomalien entdeckt werden kann. Die Präceffion beftimmt *Piazzi* hier zu 50,"39; gröfser als alle zeitherige Annahmen, und fehr naturlich weichen die hierauf gegründeten Angaben uber eigne Bewegung der Sterne, von den in andern Stern-Verzeichniffen angegebenen ebenfalls merklich ab, da Praceffion und *motus proprius* gegenfeitig von einander abhängen, und ihre Wirkungen nur fehr fchwer mit Sicherheit von einander zu trennen find. Die intereffantefte Ausbeute in diefem erften Bande, ift unftreitig das auf *Procyon* und *Atair* gegründete Stern-Verzeichnifs von 220 Sternen, was fowohl in Hinficht der Sorgfalt der Beftimmungen, als auch der Menge der dabey zum Grunde liegenden Beobachtungen einen ausgezeichneten Werth hat. Die Epoche des Verzeichniffes ift der Anfang von 1805, und es enthalt in 17 Columnen folgende Rubriken: Name und Gröfse der Sterne, mittlere Æ in Zeit, mittlere

re Praecession, eigne Bewegung, jährliche Aen-
rung, AR im Bogen, Praecession, eigne Bewegung,
gne Bewegung nach andern Astronomen, jährliche
nderung, Zahl der Beobachtungen, Abweichung,
aecession, eigne Bewegung (*in Decl.*) Verglei-
ung mit andern Angaben, jährliche Aenderung
d Anzahl der Beobachtungen.

In Deutschland ist dieses wichtige Stern-Ver-
ichniss durch dessen Abdruck in *Bode's* Jahrbuch
r 1811 bekannt geworden.

Schneller eilen wir über den zweyten Theil des
iazzischen Werkes hinweg, was sich hauptsäch-
h mit Bestimmung der Sonnen-Elemente beschäf-
get, die wir schon früher unsern Lesern mitge-
eilt haben, (*Monatliche Corresp.* B. XVI. S. 185)
d die sehr nahe mit denen harmoniren, die
n *Zach* und *Delambre* in ihren neuesten Sonnen-
afeln zum Grunde gelegt haben. Nur ein Paar in-
ressante bey Bestimmung der Schiefe der Erdbahn
rkommende Bemerkungen heben wir aus. Die
hrliche Abnahme dieses Elements bestimmt *Piazzi*
0,"44 etwas kleiner, als es aus manchen andern
ründen wahrscheinlich wird; vorzüglich müsste
an bey dieser Annahme die Venus-Masse auf eine
t vermindern, die mit unsern Sonnen-Beobach-
ngen nicht zu harmoniren scheint. Die Differenz
r Resultate aus den Sommer- und Winter-Solsti-
n, die schon so viele Hypothesen veranlasst hat,
ss *Piazzi*, geleitet durch eine physische Erklärung
r Brechbarkeit des Lichtes versuchen, in wiefern
elleicht die Strahlenbrechung für Sonne und Ster-
verschieden seyn könne, und wirklich fand er
aus

aus 300 zur Zeit der Nachtgleichen mit der Sonne verglichenen Beobachtungen des Polaris, dass für 38° Zenith-Distanz, die Brechung des Sonnenlichts die der vom Sterne zu uns gelangenden Strahlen um 0,"78 übertreffe. Dass Sonnenstrahlen starker als die lichtartigen Stern-Emanationen gebrochen werden, ist ganz *Piazzi's* Annahme, dass die Menge der zu unserm Auge gelangenden Strahlen *im Verhaltniss der Entfernungen* ist, gemäss und nähme man jene Differenz fur grössere Zenith-Distanzen progressiv an, so wurden sich dadurch allerdings die Winter- und Sommer-Solstitien besser vereinigen lassen, indem *Piazzi* seine mittlere Refraction aus Sternen bestimmt hat. Allein so sinnreich *Piazzi's* Hypothese ist, so stimmen wir doch ganz des Verfassers eigner Aeusserung bey, dass eine durch Beobachtung wahrscheinlich werdende Differenz von 0,"78 allzu unbedeutend ist, als dass man darauf irgend eine Folgerung bauen dürfte. Die Discussion, in die der Verfasser hier über alle Sonnen-Elemente eingeht, ist fur alle Astronomen äusserst interessant; allein wir mussen sie, um die Grenzen dieser Blatter nicht allzu sehr zu uberschreiten, mit Stillschweigen ubergehen, und nur im Allgemeinen bemerken, dass man hier fur die ganze Theorie der Erdbahn einen Schatz von Beobachtungen und Bemerkungen findet, die fur Jahrhunderte wichtig bleiben werden.

Diess sind *Piazzi's* Hauptwerke; allein nicht minder interessant sind die isolirten Abhandlungen, die er in academischen Sammlungen der astronomischen Welt mittheilte.

Analog

Analog mit den eben erwähnten Untersuchungen, sind folgende zwey Abhandlungen:

Dell' Obliquità dell' Eclittica Memoria di Giuseppe Piazzi. Tom. IX. memorie di mathematica e Fisica della Societa italiana

und dann

Della misura dell' anno tropico solare Memoria del P. D. Giuseppe Piazzi, Tom. XIII.

wo er, wie wir schon oben bemerkt haben, beyde Elemente aus seinen Beobachtungen bestimmt.

Zwey andere Abhandlungen

Ricerche di Giuseppe Piazzi su la Parallasse annua di Alcune delle Principali Fisse. Tom. XII. Memor. di Soc. ital.

und

Saggio sui movimenti proprii delle Fisse. Memorie dell' Instituto nazionale italiano. Classe di Fisica e Matematica. Tom. I. Parte I. Bologna 1806

stehen mit seinen andern Arbeiten über Stern-Positionen in näherer Verbindung.

Aus zehnjährigen Declinations-Beobachtungen versucht es *Piazzi* in der ersteren Abhandlung zu bestimmen, in wiefern die Existenz einer Fixstern-Parallaxe wahrscheinlich wird oder nicht. Leider entscheidet auch diese muhsame sorgfältige Untersuchung diese problematische Frage keineswegea, indem der beruhmte Verfasser es selbst einräumt, dass dazu noch eine grössere Menge und besser harmonirender Beobachtungen gehöre. *Aldebaran*, *Sirius* und

und *Procyon* zeigten eine Parallaxe von 2 — 4". an, während dagegen *Capella*, *Arcturus*, *α Lyrae* und *α Aquilae*, theils durchaus gar keine Parallaxe anzeigten, theils deren Existenz ganz ungewiss liessen.

Auch eine Gradmessung wollte *Piazzi* in Sicilien veranstalten und ungemein interessant würde diese Operation für die Theorie der Erde geworden seyn, da eine solche für das Parallel von 38° noch nicht Statt fand, und unter *Piazzi's* Leitung und Ausführung die genauesten Resultate erwarten liess. Ein neunzehnzolliger Bordaischer Multiplications-Kreis und ein Meter waren längst in Paris durch *La Lande* bestellt; allein wahrscheinlich wurden jene Instrumente bey der Trennung, in der das Continent sich jetzt schon länger mit Sicilien befindet, nicht abgeliefert, und jenes Vorhaben noch nicht ausgeführt.

Ein anderes Werk von *Piazzi* über die Constitution des Mondkörpers, haben wir wahrscheinlich noch zu erwarten, da *Piazzi* schon unterm 29. Dec. 1799 bey Erwähnung der Bearbeitung seines Stern-Catalogs an *Oriani* schrieb: "*Ich habe jetzt ein anderes Werk unter der Feder, über die leuchtenden Puncte, welche sich auf der dunkeln Mondscheibe zeigen. Ich glaube, dass sie von einem wirklichen Feuer herkommen; ich habe sie in fünf verschiedenen Neumonden so deutlich gesehen, dass man sie unmöglich für zurückgeworfenes Licht von der Erde halten kann, wie ich ehmals selbst der Meinung war.*" Wohl möglich, dass die transparentere sicilianische Atmosphäre Erscheinungen mit Bestimmt-

heit

heit wahrnehmen läfst, die für unsern nördlischen Himmel verborgen bleiben.

So hätten wir denn *Piazzi's* astronomisches Leben bis zum Jahr 1806 unsern Lesern in gedrängter Kurze dargestellt; von allen seinen Arbeiten konnte nur eine Uebersicht gegeben werden, denn ein ganzes Buch würde es erfordert haben, hätten wir in ein näheres Detail eingehen wollen; was seit dem Jahre 1806 die Fruchte seines astronomischen Fleisses waren, das wissen wir leider nicht, allein gewiss mit uns werden es alle Freunde der Wissenschaften auf das lebhafteste wunschen, dass Siciliens veränderte Verhältnisse, seine folgenreiche Thatigkeit nicht gestört haben möge.

Wer erstaunt nicht über die Masse von Arbeiten, die *Piazzi* in einem funfzehnjährigen Zeitraum lieferte, und wer überzeugt sich nicht da, dass dieses Mannes ganze Zeit einzig dem Besten der Wissenschaft gewidmet war, dass nur eine seltne ununterbrochene Thätigkeit und Anstrengung, eine völlige Abgeschiedenheit und Entsagung auf alles, was die Welt Erhohlung und Vergnugen nennt, ihm die Erreichung seiner höhern Zwecke möglich machte. Im schönsten Sinne des Worts ist *Piazzi* das, was der practische Astronom seyn soll. Das ganze Gebiet seiner Wissenschaft ubersehend, weiss er immer das wichtigste, und zur Ausführung das beste Mittel zu wählen.

Der Himmel ist ihm sein Alles, da ist seine Welt, Fremdling ist er auf Erden. Erforschung des Himmels ist sein höchster Zweck und rucksichtlos wirkt er auf dessen Erreichen hin. So wiess einst *Piazzi*, eben

eben im Begriff eine Beobachtung zu machen, den mit schallenden Complimenten auf ihn eindringenden neapolitanischen Prinzen ..... im gerechten Unwillen lebhaft mit den laut gesprochenen Worten "*che non mi secchi*" zuruck.

Und so muss sich der Beobachter über Verhältnisse erheben. Nicht für neugierige Beschauer, sondern fur der ernsten Wissenschaft Fortschritte sind Sternwarten da.

Zwar muss jedem, der den Zweck der höhern Bestimmung in sich fuhlt, die Zeit ein Kleinod seyn; aber mehr denn allen ist sie dem Astronomen kostbar. Wieder fassen lasst sich fast immer in des Lebens Kreise der abgerissene Faden, aber für ewig ist verlohren der Augenblick am Himmel; hat da einmal unbeachtet des Mittags-Fernrohrs Raum durchlaufen die entfernte Welt, so kann keine Macht der Erde, nicht des Weltalls grosser Geist, des Vergangenen Verlust ersetzen. Darum muss frey bleiben von Verhaltnissen der Astronom; dem Himmel gehört jeder seiner Augenblicke, keiner der Erde; wer sich dem Himmel geweiht, muss fremd mit dem irdischen seyn; keine Bande muss ihn fesseln, frey muss sein Geist am Firmamente ruhn, frey muss er seyn von allem, was burgerliches Leben, als Conventionen drückend auferlegt. —

Wenn Entsagung der grössern Menge das isolirte Leben, Anstrengung des Himmels Studium scheint, so ist diess dem, der einmal in des Weltalls Tiefen eingedrungen, der reizendste Genuss. Nur diese Wissenschaft kann reine Wahrheit geben, und das Gefuhl das Wahre zu entwickeln aus sich selbst; darweiss

weiſs im wahren Werth nur der zu ſchätzen, dem dies gelang.

Der Aſtronom lebt nur in Raum und Zeit, er iſt des Weltalls Meiſter, der Irrthum iſt ihm unterthan. Dem Firmament giebt er Geſetze, in tranſcendente Linien ſind der Planeten wirrige Bewegungen gefeſſelt, des vielgebrochnen Lichtſtrahls Bahn und Schnelligkeit iſt uns bekannt, in Perioden iſt der groſsen Axe, und der Erdbahn Schiefe Schwanken eingeſchloſſen, aus eines untern Planeten Erſcheinen auf der Sonnenſcheibe des Weltalls Maſsſtab entwickelt, aus fernen Welten wird der Erde Theorie beſtimmt, der Meeres Fluthen Fallen und Anſteigen, der Atmosphäre Ströhmung, berechnen wir aus Mondes - Maſſe und Sonnenort. — So dringt mit ſicherm Schritt des Aſtronomen Geiſt ins Unendliche, und wenn auch Täuſchung durch unſres objectiven Wiſſens fünfgeröhrten Urquell möglich, ſo kann doch dieſe vor der Seele intenſiver Kraft nur momentan beſtehn.

In ſtiller Nacht, bey düſterm Lampenſchein, in tiefer Einſamkeit, wo ſich in weiter Schöpfung nichts um ihn ruhrt, als des zuſammengeſetzten Pendels, gleichförmig leiſes Schlagen, da ſammelt er des Weltalls Elemente. Das Geſtirn tritt in des Fernrohrs Feld, geſpannt muſs mit zwey Sinnen-Paaren der Aſtronom zwey Elemente, Zeit und Raum umfaſſen; aus dem Geſichtskreis entrückt es der Erde tägliche Bewegung ſchnell, doch der Moment wo das Geſtirn den Mittagsfaden beruhrte, iſt bemerkt, die Beobachtung vollbracht, und ſo des Himmelskörpers Ort beſtimmt. Folgenreich iſt der Moment, denn verkettet iſt mit der iſolirten Erſcheinung das G a n z e.

INHALT.

MONATLICHE
CORRESPONDENZ
ZUR BEFÖRDERUNG
DER
ERD- UND HIMMELS-KUNDE.

FEBRUAR, 1810.

VI.

Beyträge zu einer Theorie der Atmosphäre.

Kenntniſs der Conſtitution unſerer Atmoſphäre iſt unſtreitig einer der intereſſanteſten Gegenſtände für phyſiſch-mathematiſche Unterſuchungen, und dieſe Kenntniſs hat auf eine Menge anderer Zweige der Naturlehre einen ſo weſentlichen Einfluſs, daſs deren Ergründung gewiſs ſehr erwünſcht iſt.

Ungemein vereinfacht würde die ganze Theorie der Atmoſphäre werden, wäre Wärme in ihrer ganzen Höhe, und auf der ganzen Erde gleich; allein gewiſs würde auch dadurch ein groſser Theil des

 Inter-

... ... ias diese Untersuchungen mit sich ...
... ... gehen. Eins der wichtigsten ...
... ... dem fast alle andern atmosphärischen ...
... ... modificirt werden, ist unstreitig ...
... ... Wärme-Abnahme in höhern Räum...
... ... ist die eigentlich sorgfältige Bearbeit...
... Gegenstandes noch zu neu, als dass ein ...
... Resultat darüber bis jetzt erhalten wor...
... Auf barometrische Höhenmessungen und ...
...hlenbrechung hat dieses Gesetz den wesentli...
...en Einfluss, und gehört daher unter diesem ...
...tspunct in das Gebiet der Geographie und As...
...omie, so dass wir also auch glauben, eine Erö...
...rung darüber werde in diesen Blättern nicht am ...
...rechten Orte seyn.

Wir werden daher in diesem und ein Paar ...
folgenden Hefte einige Untersuchungen über ...
eben erwähnten Gegenstand, dann über den m...
leren Barometerstand am Aequator und die dorti...
täglichen barometrischen Oscillationen, und hau...
sächlich über die tägliche und jährliche Wärme ...
ter verschiedenen Breiten und in der südlichen u...
nördlichen Halbkugel, mit Hinsicht auf Strahl...
brechung liefern. Wir geben hier nur die Hau...
Resultate dieser Erörterungen, die eigentlich für ...
besonderes Werk "*Beyträge zur Theorie der Atm...*
sphäre" bestimmt sind, an dessen Ausarbeitung ...
aber bis jetzt durch andere Arbeiten gehindert w...
den.

Bey der fragmentarischen Untersuchung, ...
wir zuerst über das Gesetz der Wärme-Abnah...

gebe...

geben, werden uns hauptsächlich folgende zwey Fragen beschäftigen:

1) *Was ist die zweckmässigste Form für die Gleichung, die das Gesetz der Wärme-Abnahme ausdruckt?*

2) *Ist es nach der Theorie und nach den vorhandenen Erfahrungen wahrscheinlich, dass dieses Gesetz für alle Zonen und Temperaturen constant bleibt?*

Ueber den ersten Gegenstand fehlt es uns an sichern Erfahrungen ganz, da sie bestimmt auf diesen Endzweck nie gerichtet waren, und genau betrachtet, beschränkt sich hier alles auf hypothetische Annahmen. Zuerst nahm man für die Wärme-Abnahme eine arithmetische Progression an; *Euler* substituirte dafür eine harmonische, und dieser Annahme traten mehrere berühmte Geometer, und namentlich *Oriani*, in seiner classischen Abhandlung *über Refraction* bey. Späterhin hat *La Place* eine etwas verwickelte, zwischen arithmetischer und geometrischer Progression inne liegende, Form dafür angenommen und die Coefficienten darinnen durch Horizontal-Refraction bestimmt. Das für diese Methode in der *Mécanique céleste* T. IV. S. 262 entwickelte Verfahren ist unstreitig sehr sinnreich; allein die numerische Entwickelung für stark verschiedene Horizontal-Refractionen führt auf Schwierigkeiten, die Zweifel über die absolute Richtigkeit der daraus folgenden Resultate übrig lassen, und eine kleine Modification der Elemente

 noth-

nothwendig machen. Hätten wir genaue Beobachtungen über die *successiven* Thermometerstände von hundert zu hundert bis etwa 2000 Toisen, so würde sich daraus das wahre Gesetz der Wärme-Abnahme leicht abstrahiren lassen; allein an solchen Erfahrungen fehlt es uns ja gerade noch ganz; auch würden sich diese anders als auf Luftfahrten schwerlich mit Sicherheit sammeln lassen, da außerdem bey kleinen Höhen Local-Einflüsse die Thermometerstände zu sehr afficiren würden. So hat man denn bis jetzt meistentheils aus der obern und untern Temperatur einer sehr grossen Luftsäule, auf die der inne liegenden Luftschichten geschlossen, indem man die Reihe arithmetisch annahm, und diese Bestimmung fast allen heutigen barometrischen Höhenmessungen zum Grund gelegt. Bey allen Bestimmungen, die man zeither aus Erfahrungen für das Gesetz der Wärme-Abnahme hergeleitet hat, scheint man immer mehr nur den Zweck gehabt zu haben, gemachte Beobachtungen, durch eine willkührliche Annahme darzustellen, als dass man es versucht hätte, durch einen algebraischen Ausdruck sich der Constitution der Atmosphäre selbst zu nähern. Die interessantesten Erfahrungen und Beobachtungen über diesen Gegenstand, die manche wichtige Aufschlüsse gewähren, verdanken wir Herrn *von Humboldt*; allein auch dieser berühmte Naturforscher, hat bey dieser Untersuchung den eben bemerkten Weg befolgt, und durchaus eine arithmetische Reihe zum Grund gelegt, wiewohl seine eignen Beobachtungen, wie wir gleich zeigen werden, ein anderes Resultat sehr wahrscheinlich machen.

Uns

Uns schien es, als biete das, was wir mit Bestimmtheit von der Constitution der Atmosphäre kennen, einen Weg dar, um die Form der Gleichung bestimmen zu können, wodurch die Wärme-Abnahme in höhern Räumen ausgedruckt wird; die Constanten dieses Ausdrucks muss naturlich die Beobachtung geben.

Die Sonnenstrahlen als Grund aller Wärme angenommen, so muss eben so deren reflectirte als unmittelbare Wirkung offenbar für jeden Punct der Atmosphäre im Verhaltniss der Warme-Receptibilität und Erhöhung uber der Erdflache seyn. Man kann die Erwarmungsfahigkeit den Dichtigkeiten proportional setzen, und da eben auch hierdurch die Wirkung der reflectirten Warme bedeutend modificirt wird, so folgt, dass die Warme der successiven Luftschichten von den Densitaten abhängt und hiernach fur verschiedne Hohen nicht im gleichen Massstab abnehmen kann.

Hieraus scheint mir die natürliche Folgerung zu fliessen, dass man richtig verfahren werde, wenn man die Wärme-Abnahme den Densitaten selbst, oder mit andern Worten den Barometer-Standen proportional annimmt.

Nennt man h Barometer-Stand im Niveau des Meeres, n Zahl der successiven Barometer-Höhen bis zu einer Hohe x, z beobachtete Wärme-Differenz zwischen x und der untern Station, m Coefficient der Wärme-Abnahme, so wird man nach unserer Annahme haben

$$z = \frac{x}{m} \cdot \frac{h \ldots [h - (n - 1)]}{n. h.}$$

wor-

woraus denn bey einem gegebenen z und x, m bestimmt werden muſs. Nimmt man für n Zahl der Linien an, um die ſich in einer arithmetiſchen Reihe erſter Ordnung der Stand des Barometers vom Niveau des Meeres bis zu der Hohe x mindert, ſo hat man

$$z = \frac{x}{m} \cdot \frac{2h + 1 - n}{2h};$$

und dann fur jeden Barometer-Stand,

$$m' = m. \frac{2h}{2h + 1 - n};$$

Iſt dieſe Annahme der Conſtitution der Atmoſphäre wirklich gemäſs, ſo muſſen die aus den zeitherigen Beobachtungen durch Vorausſetzung einer arithmetiſchen Progreſſion gezogenen Reſultate, in der Art von einander verſchieden ſeyn, daſs der Coefficient m deſto gröſser wird, je gröſser die zu deſſen Beſtimmung benutzte Luftſaule iſt. Und wirklich zeigt ſich dieſes Reſultat in den Beobachtungen, die *Humboldt* zu ſeiner Beſtimmung des Coefficienten m benutzt hat ſehr deutlich. In ſeinem *Eſſai ſur les réfractions aſtronomiques dans la Zone torride* fuhrt er S. 23 acht Beobachtungen an, die zu dem gegenwartigen Zweck vorzüglich ſchicklich ſind, und findet aus allen fur 1° Réaumur die Warme-Abnahme 122,t 6 = m. Da ſich aber in den einzelnen Reſultaten doch Differenzen von 14 Toiſ. finden, und durchgängig die höchſten Berge die langſamſte Warme-Abnahme, und umgekehrt die kleinern Berge die ſchnellſte Wärme-Abnah-

me

geben, ſo wollen wir dieſe Beobachtungen ihrer Höhe nach in zwey Claſſen abtheilen.

Namen der Berge	Höhe	Differenz der obern und untern Temperatur	Abnahme für 1° Réaumur
Coffre de Perotte	4047 metr	22,°1 therm. centigr.	7,3 Toiſ.
Silla de Carracas	2673	13, 7	12[illegible] —
Fuerte de la Cuchilla	1512	8, 5	114,[illegible] —
Guadalupe	3287	16, 8	124,3 —
Pic de Teneriffa	3704	20, 1	118,3 —
I. mittl Reſultat	3050	13,°0 Réaum.	119,1 Toiſ.
Nevado de Toluca	4619	23, 2	128,1 —
Pichincha	4679	23, 7	126,3 —
Chimboraſo	5876	20, 1	129 4 —
II mittl. Reſultat	5058	20, 1	127,9 —

Die Differenz der Wärme-Abnahme für 1° Réaumur beträgt hier, für 3050 und 5058 Métr. Höhe, 8,8 Toiſ. und ganz dem gemäſs, was wir oben bemerkten, gab die kleinſte Höhe *Fuerte de la Cuchilla*, das kleinſte, und die gröſste Höhe, der *Chimboraſo*, das gröſste Reſultat für das Geſetz der Wärme-Abnahme. Allein nehmen wir dieſe Beobachtungen nach unſerm vorherigen Ausdruck in Rechnung, ſo folgt aus Nro. I. Abnahme für 1° Réaum. vom Niveau des Meeres an 102,6 Toiſ. und aus Nro. II. 100,9 Toiſen, was als vollkommen übereinſtimmend angeſehen werden kann, und für die von uns angenommene Form der Gleichung beweiſst.

Eben ſo ſtimmen auch die in dem *Eſſai ſur la Géographie des plantes* S. 81 befindlichen Angaben über mittlere Temperatur in verſchiedenen Höhen, mit dieſer Annahme überein. Denn wenn auch die dortigen Thermometer-Stände zum Theil etwas anomaliſch erſcheinen, ſo ergiebt ſich doch vorzüglich aus den Maximis und Minimis der angegebenen Temperaturen ſo viel, daſs die Wärme-Abnahme ſchneller in kleinern Höhen als in gröſsern geſchieht.

Auch

Auch *Bouguer* Refractions-Beobachtungen in verschiedenen Hohen begunstigen diese Annahme. Wir fugen eine kleine Tafel fur die successive Vergrösserung von m fur niedere Barometer-Stände hier bey.

m = 100 Toisen

fur 28 Zoll Barometer-Stand

Barometer-Stand	Höhe fur eine Warme-Abnahme von 1° Réaumur	Barometer-Stand	Hohe für eine Wärme-Abnahme von 1° Réaumur
27 Z.	101,7 Tois	17 Z.	124,1 Tois.
26	103,5	16	126,9
25	105,4	15	129,8
24	107,5	14	132,8
23	109,6	13	136,0
22	111,7	12	139,4
21	114,0	11	142,9
20	116,3	10	146.6
19	118,8	9	150,4
18	121,4	8	154,6

Die Vergleichung dieser Resultate und des dabey zum Grunde liegenden Verfahrens mit der zu diesem Behuf vorgeschlagenen Methode von *La Place*, die im Wesentlichen darauf hinaus lauft, aus der durch Horizontal-Refraction gegebenen Densität, die durch das Gesetz der Warme erzeugte Modification, und hiernach dieses selbst zu bestimmen, erfordert eine umständlichere Erorterung, welche hier nicht Platz finden kann.

Der eben aus *Humboldts* Beobachtungen hergeleitete Werth fur m gilt fur den Aequator, oder bestimmter, fur eine mittlere Temperatur von + 20° Reau-

Réaumur, und wir kommen daher nunmehr auf die Untersuchung der zweyten im Eingang aufgestellten Frage: In wiefern es nach der Theorie und nach den vorhandenen Erfahrungen wahrscheinlich sey, dass sich dieses Gesetz für alle Zonen und Temperaturen gleich bleibe? Schon früher haben wir in einem hierher gehörigen Aufsatz (*Monatl. Corresp.* B. XVII. S. 3 ff.) ganz im Allgemeinen unsere Gründe dargestellt, warum wir uns schon a priori für überzeugt halten, dass die Räume zu denen eine gleiche Wärme-Abnahme statt findet, vom Pol nach dem Aequator abnehmen müssen, und wahrscheinlich war es dieser Aufsatz, der Herrn *von Humboldt* in seinem vortrefflichen *Memoire sur les réfractions dans la zone torride* zu der Aeusserung veranlasste (S. 20) dass ein Astronom *séduit par la comparaison des refraction observées par Piazzi et Maskelyne, a tenté de prouver recemment a priori, que le décroissement du calorique doit être plus rapide dans les climats chauds et que par consequent la réfraction horizontale doit augmenter en raison inverse de la temperature moyenne des lieux. Cette assertion si elle embrasse les observations faites pendant l'été, est demeutie par un grand nombre d'expériences que j'ai eu occasion de faire, pendant le cours de mon expédition à l'équateur.*

Da jedoch in dem oben erwähnten Aufsatz immer nur davon die Rede war, dass das mittlere Gesetz der Wärme-Abnahme Function der mittleren Temperatur sey, so scheint der berühmte Verfasser unsrer Meinung ganz beyzutreten, wenn er S. 29 desselben Memoire sagt: *Nous prouverons plus bas*

que

que le decroissement de la chaleur dans l'air est fonction de la température moyenne des plaines. En considerant le decroissement moyen de toute l'année on le trouve aussi plus rapide dans la région équinoxiale que dans la zone plus voisine du pole.

Nehmen wir denselben Weg wie oben, und versuchen es vorerst ohne Hinsicht auf vorhandne Erfahrungen, in wieferne es aus der Constitution der Atmosphäre selbst wahrscheinlich wird, dass für verschiedne Temperaturen, das Gesetz der Wärme-Abnahme constant oder variabel ist, so können folgende Betrachtungen zu dem beabsichtigten Zweck führen.

Bekanntlich ist die Dichtigkeit der Atmosphäre im umgekehrten Verhältniss der Temperatur, folglich vom Aequator nach den Polen zunehmend. Die Erwärmungsfähigkeit ist im Verhältniss der Dichtigkeit und die Wärme die unmittelbar der Atmosphäre durch Einsaugung der Sonnenstrahlen mitgetheilt werden kann, wird also auch diesem Verhältniss folgen. Durch die grössere Wärme-Absorbirung in der Atmosphäre, wird die Summe der wärmenden Kraft des Erdbodens vermindert, und das Verhältniss der unmittelbaren Erwärmung zur reflectirten, wird daher am Aequator grösser, als in nördlichen Breiten seyn. Da aber offenbar das Verhältniss der Temperatur in den obern und untern Luftschichten abhängt von dem Verhältniss wie diese durch reflectirte und directe Wirkung der Sonnenstrahlen erwärmt werden, so folgt, auch dass die Differenz der Temperatur in höhern und niedern Räumen grösser am Aequator, als in nördlichern Breiten seyn muss.

Eine

Eine andere Betrachtung, die ebenfalls durch die Constitution unserer Atmosphäre selbst an die Hand gegeben wird, führt ganz auf dasselbe Resultat. Jetzt, wo kein Physiker mehr an ein Central-Feuer glaubt, muss Differenz der Sonnenhöhe und der Tagebogen, als Hauptursache der Verschiedenheit der Temperaturen unter verschiedenen Breiten angesehen werden. Vermöge dieser Art, wie unsre Atmosphäre erwärmt wird, kann die Erwärmung nur bey einer gewissen Dichtigkeit statt finden. Die Verschiedenheit der Wirkung wird daher bey gleicher Ursache sehr abweichend seyn können, und nicht allein von dieser, sondern hauptsächlich von der Art abhängen, wie eine gegebene Kraft auf verschiedne Gegenstände wirken kann. Wird das Resultat verschiedner Kräfte im Verhältniss ihrer Ungleichheit gemindert, so wird die Wirkung selbst, bey ganz ungleicher Ursache, doch gleich seyn können. Die Anwendung dieser Sätze auf den vorliegenden Gegenstand ist klar. Die Differenz der Temperaturen unter verschiedenen Zonen für eine gleiche Höhe der Atmosphäre, kann nur dann bedeutend seyn, wenn die Luftschicht vermöge ihrer Densität und Nähe an der Erdfläche einer beträchtlichen Erwärmung fähig ist. Abnehmende Differenz der Densität muss daher auch die Differenz der Wirkung mindern, und bey der bekannten Schnelligkeit, mit der die Wärme in höhern Räumen abnimmt, und der einen gewissen Grad nicht übersteigenden Verschiedenheit der mittlern Temperaturen auf unserm Erdkörper, muss es offenbar in einer gewissen Höhe der Atmosphäre einen Punct geben, wo die Wirkung der Sonnenstrah-

len

len in einem solchen Vielfachen gemindert ist, dass deren urspüngliche Verschiedenheit verschwindet, und hiernach unter allen Zonen in jener Höhe gleiche Temperatur statt finden muss. Nimmt man diesen Satz, der durch die einzige Erfahrung, die wir darüber aus *Gay-Lussacs* Luftfahrt haben, bestätiget wird, als ausgemacht an, so folgt bey der anerkannten Differenz der mittlern Temperaturen unter verschiedenen Breiten, dass das Gesetz der Wärme-Abnahme ebenfalls verschieden ist, und hätte man den Punct, wo, nach dem Vorhergehenden, die Temperatur überall gleich ist, so würde man damit und mit Zuziehung der Differenz der mittlern Temperaturen die Modification jenes Gesetzes für diese leicht herleiten können. Allein unglücklicherweise hängt die Bestimmung jenes Punctes gleicher Temperatur und des Gesetzes der Wärme-Abnahme in einer Function der mittlern Temperaturen eben so von einander ab, wie es zwischen jenem und der Horizontal-Refraction der Fall ist, so dass es schwer, wenn nicht unmöglich ist, aus den bekannten Eigenschaften der Atmosphäre, beyde theoretisch bestimmen zu können. Es würde also hier darauf ankommen, welche Grösse man als bekannt annehmen will, um die andere daraus herzuleiten. Will man sich nicht in ganz willkührliche Hypothesen über die Erwärmungsfähigkeit höherer Luftschichten einlassen, so kann jener Punct der überall gleichen Temperatur nur aus der bekannten Aenderung des Gesetzes der Wärme-Abnahme hergeleitet werden. Eine Grösse hypothetisch annehmen, um die andere darnach zu bestimmen, wäre freylich ein logischer ische Kreis, allein man vermeidet diesen, da einmal die Temperatur in gleichen Höhen durch die berühmte Luftfahrt von *Gay-Lussac* sehr wahrscheinlich wird, dann aber mehrere Erscheinungen schon wirklich beobachtet sind, die über die Abhängigkeit der Wärme-Abnahme von der mittlern Temperatur fast keinen Zweifel übrig lassen. Abgerechnet die vorher in dieser Hinsicht dargestellten theoretischen Gründe, glauben wir unter die vorhandenen Beobachtungen die dasselbe beweisen, hauptsächlich folgende zählen zu müssen.

1. *Horizontal-Refractionen.*

Eine genaue Discussion der Beobachtungen von *Bouguer*, *Maskelyne* und *Humboldt* hat uns überzeugt, dass für die Aequatorial-Gegenden die Horizontal-Refraction auf höchstens 30 — 31' angenommen werden kann, während aus allen nördlichen Beobachtungen, und namentlich aus denen von *Bradley* und unsern eigenen, eine mittlere Horizontal-Refraction von 35 — 36' folgt. Eben so sind wieder die Horizontal-Refractionen in Italien und dem südlichen Frankreich, merklich kleiner als die unsrigen. *Le Gentils* Beobachtungen haben wir unberücksichtigt gelassen, indem sie trotz ihrer guten Uebereinstimmung unter sich, zu viel anomalisches darbieten, um mit Sicherheit darauf bauen zu können. Nimmt man diese Horizontal-Refractionen nach der von *La Place* gegebenen Methode in Rechnung, so folgt für den Aequator 81 Toisen, und für unsere Zone 111 Toisen für eine Wärme-Abnahnahme von 1° Réaumur, woraus sich denn der Factor für die Modification des Gesetzes der Wärme-Abnahme unter verschiedenen Breiten herleiten lassen wurde. Dass *Gay-Lussacs* und *Saussure's* unmittelbare thermometrische Beobachtungen ziemlich dasselbe Resultat wie die Humboldtischen geben, kann gegen Refractionen nichts beweisen, da dort nicht die ganze Luftsäule, wie bey den Horizontal-Refractionen in Rechnung kam, was allerdings von wesentlichem Einflusse ist.

2. *Verschiedenheit der Strahlenbrechung im Winter und Sommer.*

Wenn nach Anbringung der gehörigen thermometrischen Correctionen, zwischen den Sommer- und Winter-Refractionen eine constante Verschiedenheit übrig bleibt, so kann diese nicht anders als durch ein verschiednes Gesetz der Wärme-Abnahme erklärt werden, was durch die Differenz der Temperaturen herbeygeführt wird. Leider sind Beobachtungen hieruber selten; allein eines Theils zeigt die so bekannte Differenz zwischen den Resultaten der Sommer- und Winter-Solstitien, dass die Winter-Refractionen einer Vergrosserung bedürfen; denn wird dies ebenfalls aus einigen von uns berechneten *Maskelyneschen* Beobachtungén sehr wahrscheinlich; und endlich vereinigen sich auch unsere sämtlichen eignen Beobachtungen dahin, dass für Zenith-Distanzen zwischen 80 — 90° die Strahlenbrechung nach Anbringung aller atmosphärischen Correctionen im Winter grösser, als im Sommer ist. Für Zenith-

[illegible] betrug diese con-
[illegible] Es war noch
[illegible] selbst mit Bestimmtheit be-
[illegible] die Abends und Morgens.
[illegible] Thermometerstand, beob-
[illegible] constante Verschieden-
[illegible] am Morgen erhaltenen immer
[illegible] Erscheinung ist unserm Systeme
[illegible] offenbar, wenn auch durch
[illegible] eine gleiche Temperatur
[illegible] angezeigt wird, doch die
[illegible] Masse, die auf die Brechung
[illegible], aus dem Grunde Abends
[illegible] gleiche Temperatur haben kann.
[illegible] der Atmosphäre nicht [illegible]
und verschiedene Temperaturen
[illegible] eintreten können. Die [illegible]
[illegible] aller Luftschichten, muss [illegible] sehr
[illegible] den Morgens niedriger als Abends
[illegible] Thermometerstände bey beyden
[illegible], so folgt natürlich für den Mor-
[illegible] Wärme-Abnahme und eben
[illegible] Strahlenbrechung, als am Abend.
[illegible] Entwickelung dieser Erscheinung, die
[illegible] leicht selbst machen werden, kann hier
[illegible] nden.

[illegible] der unmittelbaren thermometrischen [illegible] für Sommer und Winter aus Saussure's Beobachtungen.

[illegible] Beobachtungen fand Saussure [illegible] 1° Reaum. 112 Toisen, im Winter aber

139 Toisen. Da die *Saussur'schen* Beobachtungen hauptsächlich im Parallel von Genf gemacht sind, so kann man die Temperatur dieser Stadt dabey supponiren, und darnach wurde die Differenz jener Bestimmungen fur eine Differenz von 16° Réaumur in der Temperatur beyder Beobachtungszeiten gelten.

Nun sind wir zwar weit entfernt, diese Differenz analog mit der zu beurtheilen, die wir eben aus Horizontal-Refractionen fur mittlere jährliche Temperaturen hergeleitet haben, da bey einem kleinen Nachdenken, die grofse Verschiedenheit zwischen Differenz mittlerer jährlichen Temperaturen und der verschiedenen Jahrszeiten einleuchtend ist; allein allemal beweist, so wie die vorhergehenden, auch diese Erscheinung, dafs das Gesetz der Wärme-Abnahme von Verschiedenheit der Temperatur wesentlich modificirt wird.

In Gemäsheit des Gesagten hatten wir uns von der Nothwendigkeit uberzeugt, das Gesetz der Wärme-Abnahme zur Function der mittlern jährlichen Temperatur zu machen. In wiefern es auch für verschiedne Jahreszeiten desselben Ortes einer Modification bedarf, mag für diesmal noch unerörtert bleiben.

Setzt man mit *Humboldt* die mittlere Temperatur am Aequator $= + 20°$ Réaumur, die mittl. Temperatur für eine ändere Breite $= T$, den aus *Humboldts* Beobachtungen für den Aequator bestimmten Coefficienten der Wärme-Abnahme $= m$, so wird er allgemein seyn

$$= [1 - (T - 20°) A] m$$

wo

wo A den Corrections-Factor für andere Temperaturen bedeutet. Die jetzigen Data sind noch nicht hinreichend, um diesen Factor mit Sicherheit bestimmen zu können, und wir geben daher aus den darüber gemachten Berechnungen auch nur Gränzen dafür an, die wir auf 0,015 — 0,035 bestimmen.

Verbindet man den eben gegebenen Ausdruck mit dem oben für verschiedene Höhen entwickelten Corrections-Factor, so wird der generelle Ausdruck für das Gesetz der Wärme-Abnahme seyn

$$= [1 - (T - 20^\circ) A]\, m. \frac{2h}{2h + 1 - n}$$

Mit Hülfe dieses Ausdrucks läfst sich nun auf die Bestimmung des Punctes übergehen, wo unter allen Breiten dieselbe Temperatur statt finden muss. Nennt man t, T, die mittlern Temperaturen zweyer Orte, X die Höhe der gleichen Temperatur, so muss dies aus der Gleichung

$$(\varphi)\ \left(t - \frac{X}{[1-(t-20^\circ)A]\,m} \cdot \frac{2h+1-n}{2h}\right) -$$
$$- \left(T - \frac{X}{[1-(T-20)A]\,m} \cdot \frac{2h+1-n}{2h}\right) = 0;$$

entwickelt werden.

Nennt man den Barometerstand für X = h', so ist n = h — h' + 1,*) und also offenbar Function von X, und muss daher entweder durch die gesuchte Höhe, oder X durch n ausgedrückt werden, um die

*) h und h' müssen in Linien ausgedrückt seyn.

die Gleichung (♀) auflösen zu können. Wollte m eine der unbekannten Grössen durch die Gleichun

$$\frac{Q.\log. h - X}{Q} = \log. (h' - n)$$

entwickeln, wo Q den barometrischen Coefficient bedeutet, so würde dies ungemein weitläuftig we den. Allein, da es als bekannt angesehen werd kann, dass X grösser als 3000 Toiss. ist, so wird m eine sehr leichte Approximation erhalten, wenn i Gemässheit der Gleichung zwischen Höhe und Bar meterstand

$$n = \frac{X}{20}$$

angenommen wird. Hiernach wird

$$X^2 - 20.(2h+1).X + 40. \frac{h.g.Q}{m.A.} = 0;$$

und hieraus

$$X = 10(2h+1) \pm \sqrt{[10(2h+1)]^2 - 40 \frac{h.g.Q}{m.A.}}$$

wo

$$g = [1 - (t - 20°) A] m$$
$$Q = [1 - (T - 20°) A] m$$

oder

$$X = \text{tg.} \tfrac{1}{2} A. \sqrt{20.(2h+1)}$$

wenn der Bogen A bestimmt wird durch die Glei- chung

$$\sin. A = \sqrt{\frac{40.h.g.Q}{m.A.}} : 10.(2h+1)$$

Legt

nan nun die oben aus Horizontal-Refractio-
ır den Aequator und das Parallel von 50°
nen Resultate für die gegenwärtige Bestim-
zum Grunde, so wird

t = + 9° Réaum. T = + 20°

m = 81 A = 0,0336

ermit ferner

X = 5693 Toisen,

nit andern Worten, in einer Höhe von 5693
ist die Temperatur unserer Atmosphäre un-
n Zonen dieselbe. Natürlich ist dieser Werth
wegen der dabey zum Grunde liegenden
etwas problematischen Elemente nur appro-
, allein wir glauben doch, dass er sich gerade
veit von der Wahrheit entfernen wird. Kenn-
aber diesen Werth genau, so liessen sich dar-
d aus den bekannten mittlern Temperaturen
edener Orte, die Aenderungen im Gesetz der
-Abnahme mit ungemeiner Leichtigkeit her-

(Die Fortsetzung folgt.)

VII.

Geographische Ortsbestimmung des Schneeberges im Fichtelgebirge und einiger andern Orte.

Diese interessanten Ortsbestimmungen, die theils Frau *Baronesse von Matt*, theils Herr Prof. *Burg* machten, wurden von Ersterer uns mit folgenden Zeilen übersandt: "Ich schicke Ihnen in der Beylage unsere Beobachtungen in den Jahren 1807 und 1808; sie sind sämmtlich von Herrn Prof. *Burg* berechnet; sie betreffen die Bestimmung vom Schneeberg im Fichtelgebirge, dann die zwey Jahre nach einander, beynahe um dieselbe Zeit und an demselben Ort gemachten von Engelhaus und Marie-Culm, und zuletzt eine von Carlsbad und Franzensbrunnen. Die Veranlassung dazu war eine Reise, die ich mit Prof. *Burg* nach Carlsbad und Eger machte. Aus Gefälligkeit gegen mich, entschloss sich letzterer und *David*, jener zu einer Reise auf den Schneeberg, dieser in das Schödel-Wirthshaus. Diese ihre beschwerliche Gebirgsreise gab mir Gelegenheit zu mancher angenehmen kleinen Nebenreise, wodurch mir das sonst so einförmige Bade-Leben recht interessant ward. So gewährte mir z. B. der Aufenthalt in Culm viel Vergnügen, indem ich von den Höhen daselbst einen grossen Theil Böhmens übersehen konn-

konnte. Ich, und im Jahre drauf Prof. *Bürg*, stellten unsere Beobachtungen im Stifte, das den Kreuz-Herrn gehört, an demselben Orte, am Fuſse des Kirchthurms, nämlich auf einem Gottesacker an. Die Einsamkeit und die Ruhe, welche dort herrschte, war uns willkommen, obgleich uns der Ort selbst nicht der angenehmste seyn konnte, denn wir befanden uns hart an einem Beinhause und nahe bey einer Capelle, die als Denkmal an demselben Platz errichtet ward; wo früher sich eine Räuber-Höhle befand. Doch verdient mitten in der Capelle ein Stein auf dem Fuſsboden bemerkt zu werden, der mit zwey Kreuzen bezeichnet ist, und den Eingang zu einem unterirdischen Gange verschlieſst, welcher nach Aussage der dortigen Geistlichen bis an den Fluſs Eger leiten, gegenwärtig aber schon an mehrern Stellen verfallen seyn soll. Die Geschichte, welche davon die Annalen des Stiftes erzählen, würde unsern Romanen-Schreibern trefflichen Stoff liefern." . . . .

Wir eilen, diese Beobachtungen zur Kenntniſs des astronomischen Publicums zu bringen, da die mit Zuziehung der neuesten Elemente von dem Hrn. Prof. *Burg* daraus hergeleiteten Resultate, theils als neu, theils wegen ihrer vorzüglichen Genauigkeit als Berichtigung älterer Angaben gelten müssen.

I. *Geographische Position des Schneeberges.*

Durch dreytägige Beobachtungen des Hrn. Professor *Burg* am 11. 12. und 13. Aug. 1807 wurde die

Lage

Lage dieses Berges bestimmt. Die Länge des Schneeberges folgte aus der chronometrischen Bestimmung 38′ 1,″1 östlich von Paris. Die Zeit und Breitenbestimmung ward mit einem Reflexions-Kreis von *Baumann* erhalten. Die Rechnungs-Elemente wurden aus *Delambre's* Sonnentafeln entlehnt.

1. *Zeitbestimmung.*

Am 12. Aug. wahr. Mittag am Chron. .	0h	20′	50
— — — — Mitternacht . .	12	20	46
Am 13. Aug. wahr. Mittag	0	20	43

2. *Breitenbestimmung aus Circummeridian-Höhen der Sonne am 12. Aug.*

Barom. 26,z70 engl. + 17° Reaum.

20fache Mittagshöhe	1103°	36′	59,″2
einfache Höhe	55	10	51, 0
Refraction nach *Delambre* . .		—	34, 5
Parallaxe		+	4, 9
wahre Mittagshöhe	55°	10′	21,″4
90° + Declinat. . .	105	13	3, 2
Breite des Schneeberges	50°	2′	41,″8

Breitenbestimmung am 13. Aug.

Barom. 26,z765 engl. + 20°25 Reaum.

12 fache Mittagshohe . . .	658°	33′	43,″3
einfache	54	52	48, 6
Refraction		—	34, 6
Parallaxe		+	5, 4
wahre Mittagshohe	54°	52′	19,″0
90° + Declin. . .	104	55	3, 5
Breite des Schneeberges	50°	2′	44,″5

Hier

Hiernach im Mittel.

Breite des Schneeberges auf dem Fichtelgebirge:

$= 50° \; 2' \; 43,"1.$

Die zum Behuf der Längenbestimmung auf der Anhöhe von Marie-Culm auf Veranstaltung der Frau *Baronesse v. Matt* gegebenen, und von Herrn Professor *Burg* auf dem Schneeberg beobachteten Pulver-Signale folgen nacher.

Noch wurden zu Bestimmung der Höhe von Weissenstadt und dem Schneeberg von *Burg* an beyden Orten folgende barometrische Höhen beobachtet:

Weissenstadt,*)	11. Aug.	17^h 45'.	Barom.	26,Z299 Par.
			Therm. Réaum.	+ 17,°3 —
	12. Aug.	18^h 20'.	Barom.	26,Z282 —
			Therm.	+ 19°.
Schneeberg,	11. Aug.	21^h 44'.	Barom.	25,Z088 Par.
			Therm. Réaum.	+ 18,°75
	12. Aug.	3^h 20'.	Barom.	25,Z050 —
			Therm.	+ 17,°5
	12. Aug.	22^h 7'.	Barom.	25,Z120 —
			Therm.	+ 23,°5
	13. Aug.	4^h 30'.	Barom.	25,Z099 —
			Therm.	+ 20,°5.

II. *Cor-*

*) Diese barometrischen Beobachtungen auf dem Schneeberg, dem höchsten Gipfel des Fichtelgebirges, sind interessant, weil wir, so viel uns bekannt ist, noch keine einzige constatirte Höhenbestimmung für die beyden höchsten Puncte dieses Gebirges, den Schneeberg und Ochsenkopf, haben; alle frühern Angaben sind unbestimmt, und es war uns nicht möglich die Quellen aufzufinden, aus

II. Correspondirende Beobachtungen in Marie-Culm von der Frau Baronesse von Matt, mit einem Sextanten und Quecksilber-Horizont mit einem Glasdach, beydes von Troughton.

1. *Zeitbestimmung.*

12. Aug. wahrer Mittag an der Uhr	23h	59'	47,"9
Mitternacht	11	59	48,6
Mittag am 13. August	23	59	48,4

2. *Brei-*

aus denen sie sich herschreiben. *Schulz* in seinem Werk *über den allgemeinen Zusammenhang der Höhen*, giebt den Schneeberg 3682 und den Ochsenkopf 3617 Fuss Höhe über der Meeresfläche. In dem Gothaischen Hofkalender befinden sich dieselben Angaben, und in dem Blatt des Reichs Anzeigers (Beyträge N. 102) worauf dort verwiesen ist, befindet sich ebenfalls eine nähere Nachweisung über die Quelle und Art der Bestimmung nicht. Die Resultate, die wir mit Zuziehung unserer *Tables barometr.* aus diesen Beobachtungen hergeleitet haben, waren folgende:

1. *Correspondirende Beobachtungen in Weissenstadt und auf dem Schneeberg.*

Aus der Beobacht. am 11. Aug. folgt der Schneeberg höher als Weissenstadt	212,2 Tois.
am 12. Aug.	211.8 –
im Mittel Höhe d. Schneeberges üb. Weissenstadt	212,0 Tois.

Sehr wünschenswerth wäre es, dass man an einem ... dessen Höhe bekannt ist, correspondirende Beobachtungen fände, um dadurch auch die absolute Höhe vom Schneeberg und Weissenstadt herleiten zu können. Wir haben diese in Ermangelung anderer mit den gleichzeitigen Pariser Beobachtungen versucht. Nach den im

Jour-

Breitenbestimmung am 12. Aug.

Mittagshöhe der Sonne	55°	4′	48,″6
Refraction	—		35, 3
Parallaxe		+	5, 9
wahre Mittagshöhe	55°	4′	18,″3
90° + Declinat.	105	13	1, 2
Breite von Marie Culm	50°	8′	42,″9

Die

Journal de Physique befindlichen Baro- Thermometer-Angaben war für das arithmetische Mittel aus den dreytägigen Beobachtungen auf dem Schneeberg, der correspondirende Stand auf dem *Observatoire imp. de Paris* 27 z 10,l 5 Barom. und + 18° Reaumur, und hiernach Höhe des Schneeberges über Paris 487,4 Tois. Höhe der kaiserl. Sternwarte über der Meeresfläche finde ich 46,2 Toisen, und folglich Höhe des Schneeberges über dem Meere 533,6 Tois. Da dieses Resultat von den zeitherigen Annahmen so sehr abweicht, so versuchten wir es, aus den isolirten Beobachtungen auf dem Schneeberg dessen absolute Höhe herzuleiten, was hier um so eher angeht, da die viermaligen Barometer-Angaben eine Art von mittlern Stand geben. Der mittlere Barometer-Stand auf dem Schneeberg ist 25z 1,l 07 und +20,° 06 Réaumur, und hiernach mit Anwendung unserer *Tables barométriques*

Höhe des Schneeberges über der Meeresfläche

nach Tab. IX	537 Tois.
Tab. X	541 —
aus der Vergleichung mit den Pariser Beob. .	533,6 —
mittleres Resultat	537,2 Tois.

ein Resultat, was die Höhe dieses Berges um 459 Fuss niedriger, als die zeitherigen Annahmen giebt. Bey der schönen Uebereinstimmung der Resultate, die aus den correspon-

Die zu Bestimmung der Längen-Differenz zwischen dem Schneeberg und Marie-Culm gegebenen Pulver-Signale waren folgende:

	Mittl Zeit in Marie-Culm	Mittl Zeit auf dem Schneeberg	Mittags-Unterschied	
	h ′ ″	h ′ ″	′ ″	
12 Aug	8 5 23,5	8 2 39,9	2′ 43,6	Im Mittel 2′ [illegible]
	8 39,5	5 55,4	44,1	
	14 5,5	11 21,9	43,6	
	17 8,5	14 24,4	44,1	
13. Aug.	8 7 57,8	8 5 13,1	2 44,7	2′ [illegible]
	11 12,8	8 27,6	45,2	
	13 49,8	11 4,1	45,7 ::	
	17 2,3			
	Schneeberg westlich von Marie-Culm			2′ [illegible]

Nach correspondirenden zweytägigen Beobachtungen für die Höhen-Differenz zwischen Schneeberg und Weissenstadt erhalten werden, und vorzüglich auch bey der grossen Sorgfalt und Genauigkeit, die, wie wir aus mehrfältiger Erfahrung wissen, Herr Prof. *Bürg* in alle seine Operationen und Beobachtungen legt, sind wir sehr geneigt, die ältere Bestimmung ganz zu verwerfen, und diese als die richtige anzunehmen. Die Rechnungsmethode, die wir dazu angewandt haben, kann nach unserer Ueberzeugung nicht über 10 Toisen fehlen. Die Höhe des Ochsenkopfs können wir aus der des Schneeberges auf folgende Art herleiten. Auf Veranlassung des französischen Gouvernements war ich im Jahre 1808 mit einer Verbindung der Sternwarte Seeberg mit den trigonometrischen Operationen in der Pfalz beschäftigt, wozu denn der Ochsenkopf hauptsächlich mit benutzt werden musste. Erst Anfangs October konnte ich meine Beobachtungen auf dem Ochsenkopf anfangen und höchst ungünstige Witterung erlaubte die Beendigung der beabsichtigten Operationen damals nicht. Ungeachtet eines

*) Nach der Bemerkung des Herrn Prof. *Bürg* sind die Signale am 13. August in Schneebergzeit etwas zwei-

nes ziemlich beschwerlichen achttägigen Aufenthaltes auf dem Ochsenkopf, während dem die nicht ohne Mühe bis auf den höchsten Gipfel (da wo der Ochsenkopf eingehauen ist) hinauf geschafften Kasten des Borda'schen Kreises zweymal ganz eingeschneyt wurden, erhielt ich nur wenige Beobachtungen, worunter sich denn auch ein Paar Höhenwinkel des Schneeberges befanden. Ich beobachtete von der höchsten nördlichen Spitze des Ochsenkopfs (auf der ich damals ein Signal errichten liels, da das früher auf der südlichen Spitze befindliche demolirt war) den höchsten Punct des Schneeberges; wahrscheinlich denselben grossen Granit-Block, wo Herr Prof *Bürg* beobachtete, und fand diesen 53 Fuss höher, als den Ochsenkopf, so dass hiernach Höhe des Ochsenkopfs über der Meeresfläche = 3170 Fuss folgt. Aus ein Paar andern Beobachtungen, verbunden mit den mir gütigst von Herrn Professor *Schiegg* gemachten Mittheilungen, wird es mir vielleicht gelingen, die Höhe des Ochsenkopfs über einen andern bekannten Punct in Franken herzuleiten, wodurch denn die gegenwärtigen Resultate eine Controle erhalten würden.

Wer übrigens jene Berge selbst bestiegen hat, und das mühsame fast gefährliche kennt, vorzüglich mit Instrumenten über die ungeheuern ordnungslos herum liegenden Granitblöcke hinweg zu klettern, wird das Verdienstliche astronomischer oder barometrischer Beobachtungen auf diesen Puncten zu schätzen wissen.

Noch verdient die grosse Höhe des Weissenstädter See's bemerkt zu werden. Da, soviel wir uns erinnern, das Posthaus zu Weissenstadt nur wenig über den dortigen Wasserspiegel erhaben ist, so kann man sehr füglich

zweifelhaft. Er mufste die Secunden am Chronometer selbst zahlen, und konnte wegen eingetrete-
ner Dunkelheit die Secundenstriche auf dem Uhrblatt
schwer, zuletzt gar nicht mehr erkennen, so dass
denn auch das letzte Signal unbeobachtet blieb. Die
gefundenen Mittags-Unterschiede wurden um 0,"5
weniger von einander unterschieden seyn, wenn der
Gang der Uhr in Marie-Culm blos aus den beyden
Mittagen genommen wurde. Das mittlere Resultat
bleibt aber immer dasselbe. Die von dem Hrn. Astronom *David* auf dem Schlofsberge in Engelhaus gegebenen und beobachteten Signale geben für die

mittl. Beob. Zeit im Schödelwirthshaus	8h	27'	37,"8
mittl. Zeit in Marie Culm	8	25	55, 7
Marie-Culm westl. vom Schödelwirthsh.		1	42, 1
der Schneeberg v. Marie-Culm		2	44, 5
mithin der Schneeb. westl. v. Schödelw.		4	26, 6
das Schödelwirthshaus westl. von Prag		5	48, 3
der Schneeberg von Prag		10	14, 9
hiernach d. Schneeberg von Wien (westl.)		18	- 4, 9
der Chronomet. gab Carlsbad westl. vom Schödelwirthshaus			20, 6
nach dem Chronometer ist der Schnee-berg westl. von Carlsbad		4'	2,"5

Mithin Schödelwirthshaus 4' 23,"1 östl. v. Schneeberg, was der vorigen Bestimmung 4' 26,"6 ziemlich nahe kömmt.

Im

lich die Höhe des Sees über der Meeresfläche zu 1900
Fufs annehmen, und sonach gehört jener See unter die
höchsten Puncte, wo in Deutschland grofse Wasserflä-
chen angetroffen werden.

v. L.

Im Jahre 1808 wurden die Beobachtungen im Schödelwirthshause und Marie - Culm wiederholt; erstere übernahm Frau *Baronesse von Matt*, letztere Herr Professor *Burg*. Die Zeitbestimmung in Marie-Culm war folgende:

7. Aug. wahre Mittern. am Chronom.	12ʰ	2′	30,″2
8. Aug. wahr. Mittag	0ʰ	2′	34,″7
9. Aug. wahr. Mittag	0	2	41, 7

Breitenbestimmung von Marie-Culm am 7. Aug.

Mittagshöhe der Sonne	56°	18′	21,″4
Refract. nach *Delambr.*			— 34, 9
Parallaxe			+ 4, 8
wahre Mittagshöhe	56°	17′	51,″3
90° + Declinat.	106	26	43, 5
Breite von Culm	50°	8′	52,″2

Baromet. 26Z 11 Par. M. + 22° Réaum.

Am 8. Aug.

Mittagshöhe der Sonne	56°	1′	26,″9
Refract. nach *Delamb.*			— 35, 3
Parallaxe			+ 4, 3
wahre Mittagshöhe	56°	0′	55,′0
90° + Declinat.	106	9	48, 2
Breite von Mar. Culm	50°	8′	52,″3

Im Jahre 1807 fand Frau *Baronesse von Matt* die Breite von Marie-Culm = 50° 8′ 42,″9.

Gleichzeitige Beobachtungen mit den vorstehenden machte Frau *B. von Matt* im Schödel - Wirthshause.

Zeitbestimmung am 7. Aug.

Wahr. Mittag a. d. U. 23ʰ 6′ 9,″7 Mittern. 11ʰ 6′ 7,″8

8. Aug. wahr. Mittag 23 5 55, 1

Brei-

Breitenbestimmung.

7. Aug.	Mittagshöhe der Sonne	56°	15′	28,″0
	Refraction		—	34, 6
	Parallaxe		+	4, 8
	wahre Mittagshöhe	56°	14′	58,″2
	90° + Declinat.	106	26	44, 7
	Breite vom Schödel-Wirthsh.	50°	11′	46,″5

Diese Bestimmung der Frau *Bar. von Matt* harmonirt vortrefflich mit der des Hrn. Prof. *Bürg*, der im Jahre 1807 für diese Breite 50° 11′ 47,″1 fand.

Die am 8. August auf der Ruine zu Engelhaus gegebenen, und in Marie-Culm und im Schödel-Wirthshaus beobachteten Signale gaben folgende Resultate:

	h	′	″	h	′	″	h	′	″
mittl Z der Signale im Schödelwirthsh	7	42	33,0	7	47	54,0	7	53	53,3
— — — in Marie-Culm	7	40	50,2	7	46	10,7	7	52	11,7
Unterschied		1	42,8		1	43,3		1	41,6

Also ist Culm westlicher als das Schödel-Wirthshaus	1′	42,″9
Das Schödelwirthsh. westl. als Prag	5	48, 3
Prag westlicher als Wien	7	50
mithin Marie Culm westl. v. Wien .	15′	21,″2
die Beobachtung vom Jahre 1807 gab	15	20, 4
mittleres Resultat	15′	20,″8

Durch die am 24. Aug. auf Marie-Culm gegebenen, und von der Frau *Baronesse von Matt* in Franzensbrunnen bey Eger und von Hrn. Professor *Burg* in Carlsbad beobachteten Pulver-Signale, wurde die Langen-Differenz dieser beyden Orte auf folgende Art bestimmt:

	h	′	″	h	′	″	h	′	″	h	′	″
mittl. Beob, Z in Franzbr	7	2	13,8	7	7	13,8	7	12	14,3	7	17	14,5
Carlsbad	7	4	19,9	7	9	19,9	7	14	19,8	7	19	20,3
Unterschied		2	6,1		2	6,1		2	5,5		2	5,8

Hier-

Hiernach

Franzensbr. westl. v. Carlsbad	2'	5,"9	
Carlsb. westl. v. Schodlwiths		20, 6	(v. oben)
Schödelw. westl. von Prag	5	48, 3	(nach *David*)
Prag westl. von Wien	7	50, 0	
hiernach			
Franzensbr. westlich v. Wien	16'	5"	
nun ist			
Sternw. Seeberg west. v. Wien	22	35	
also Franzbr. östl. v. Seeberg	6	30	

Freyherr von Zach (Mon. Corresp. Julius 1802) fand durch chronometr. Bestimmung 6' 35".

Breitenbestimmung von Franzensbrunnen bey Eger.

2. Sept. 1808 wahr. Mittaghöhe der ☉	47°	49'	4,"2
Refraction	—		48, 8
Parallaxe	+		5, 9
wahre Mittagshöhe	47°	48'	21,"3
90° + Declinat.	97	55	26, 6
Breite von Franzensbrunnen	50°	7'	5,"4
nach *Freyh. v. Zachs* Bestimmung *)	50	7	2, 0

VIII.

*) *Monatl. Corresp.* Jul. 1802 S. 49.

VIII.

Über einen Zweifel des Hrn. Paſtor *J. H. Fritſch* gegen die Genauigkeit einiger Cometen-Beobachtungen, von *Jabbo Oltmans.*

Ich beobachtete den Cometen von 1807 mit Herrn *von Humboldt* zu Berlin. Wir bedienten uns dabey des Hadleyſchen Sextanten, mit welchem Abſtände zwiſchen dem Cometen und wohlbekannten Sternen gemeſſen wurden. Der Verſuch gluckte uns vollkommen. Jedoch am 14ten Oct. 4 Stunden vor dem Vollmond, gaben zwey Sextanten Differenzen, die bisweilen auf 40″ gingen, da Prof. *Tralles* nämlich mit einem vierzolligen, Hr. *v. Humboldt* und ich hingegen mit einem achtzolligen Sextanten beobachteten. Wir waren in einem Garten unter *freyem Himmel* bey ſtarkem Mondſchein, den beyde Beobachter indeſs nicht vortheilhaft für ihre Meſſung fanden. — So weit unſer Journal.

Ich ſandte das Reſultat unſerer Bemühungen an Herrn *von Lindenau*, und bemerkte den Umſtand, daſs an jenem 14. October, ohngeachtet des ſtarken Mondenſcheins, die Angaben beyder Sextanten nicht über 40″ giengen, und ſuchte dadurch den Gebrauch ähnlicher Werkzeuge bey Cometen-Beobachtungen *denjenigen* zu empfehlen, welche ſich keiner vollkommnern Inſtrumente bedienen können. Der

Red.

Redacteur der *Monatl. Corresp.* trat meiner Meynung bey. (*Mon. C.* 1807 Nov. S. 488.)

Wider meine Erwartung fand ich späterhin in *Bode's Jahrb.* fur 1810 S. 147 dass meine alltägliche Aeusserung, in Betreff des Mondscheins, bey Cometen-Beobachtungen dem Hrn. Pastor *Fritsch* Gelegenheit zu einem Aufsatz uber den Werth des *Mondscheins* gegeben hat, in welchem mich das Citat der *Mon. C.* interessirte, wodurch die Genauigkeit unserer Beobachtungen verdächtig gemacht werden könnte, weil wir bey vom Mondlicht begünstigten Umständen, gerade am meisten und noch dazu um keine Kleinigkeit von 40" fehlen sollten.

Im November-Hefte der *Mon. Corr.* beruhrt Herr P. *Fritsch* diesen Gegenstand zum zweytenmal, weswegen ich die Leser der *Monatl. Corresp.* mit diesen Zeilen behelligen muss, die ausserdem dem Zweck dieser Zeitschrift nicht recht entsprechen. Ich kann den scheinbaren Verdacht des Mangels an Genauigkeit jener Beobachtungen nicht besser vernichten, als wenn ich zeige, dass die Aeusserung in Betreff des Mondenlichtes bey Cometen-Beobachtungen, unter die ganz gewöhnlichen zu rechnen ist, weil alsdann die Abweichungen von vierzig Secunden keinen *Astronom* befremden wird. Wir haben dazu gar keine grosse Belesenheit nöthig; ich schreibe die Citate aus den ersten besten Buchern ab, die gerade auf meinem Pulte liegen. Z. B.

"Ich denke ihn (den Cometen von 1807) noch "bis zum nächsten *Mondschein* zu beobachen. *Jahr*"*buch* 1811 S. 124. *Olbers.*"

 "Die

"Die beyden letzten Beobachtung
"Dämmerung und des *Mondscheins*
"wenig *schwierig*. *Jahrb*. 1809 S. 13
"Am 12. heiterte es sich auf. D.
"Cometen bey dem fast vollen Mond
"*Mühe*, aber an eine Beobachtung
"zu denken. Auch den 13. Sept.
"*bey dem starken Mondschein kaum*
"Ein- und Austritte am Kreis-Mic
"mehr geschätzt, als wirklich g
"*v. Zach Monatl. Corresp.*"

"Der Comet von 1807 war b
"*etwas unkenntlicher*. Am 15. er
"*beym Mondschein sehr schwach*.
"S. 166."

"*Bey heiterer Luft kann m*
"*Beobachtungen (Distanzen-Me*
"*ten) bis auf* 15—30" *verlassen*
"ger Luft oder bey *Mondschein*,
"heiten von 45—60" zurück.
"S. 133."

"*The Comet appeared ver*
"*though a very fine night*, o
"*Maskelyne Observ*. 1799."

"*La clarté de la lune n'ap*
"*cles*. (Comet von 1807.)"

"*La clarté croissante de la*
"*la poursuivre*. — *Vidal. Corr*

J'ai eu assez de peine
(er nahm Abstände) *à cause*
clair de la lune. *Cheseaux*
"*the 18. April I saw*

"*clear, without a cloud, and I was only obstructed*
"*by the great light of the moon which had past the*
"*full on the 12th at one in the afternoon. The*
"*moonlight still prevented ascertaining his real*
"*size. Messier Philos. Transact. 1765.*" — *Jam satis!* Klagen der gröfsten Astronomen genug, über den Mondschein, wobey die unsrigen wohl hätten verhallen können, da sie sehr natürlich und sehr gewöhnlich waren. — So weit meine Antwort, auf das was *mich* betraf; nun glaube ich bemerken zu dürfen, dafs Herr *Fritsch* im Gange seines Auffatzes, die Cometen-Beobachtungen, etwas zu weit aus den Augen verliert und nicht bedenkt, dafs ich vom *Sextanten*, er hingegen vom *Kreis-Micrometer* spricht, was zwey ganz verschiedene Werkzeuge sind. Bey diesem wünscht man den Stern am Rande zu sehen und nicht in der Mitte, bey jenem hingegen in der Mitte und nicht am Rande, wie allen *Astronomen* bekannt ist. Ob der Mondschein bey astro-physikalischen Beobachtungen vortheilhaft oder nicht sey, davon konnte in jener Stelle gar nicht die Rede seyn, weil ja diese mit Sextanten-Fernröhren nicht zu machen sind. Uebrigens habe ich Gelegenheit gehabt, mehrjährige Journale verschiedener Astronomen zu sehen, und häufige Klagen über den Mondschein bey gewöhnlichen currenten Beobachtungen darinnen gefunden. Bey den Verfinsterungen der ♃ Satelliten wünscht man den Mond gerade nicht uber dem Horisont zu haben; *Aura serena sed* ☾ *vicina* heist es oft in den *Wiener Ephemeriden*, wo das *sed* an den verringerten Werth der Beobachtung erinnern soll, und bey Stern-

 bede-

bedeckungen wäre es gar was herrliches, w
unser Trabant gar kein Licht hätte. Aus allem
hervor, dass der Werth des Mondscheins bey a
nomischen Beobachtungen seine Grenzen habe.

Uebrigens hat mir der schnelle Empfang
Monatl. Correspondenz nie mehr Freude gem
als gerade jetzt, weil er mich eine Nachlässigkei
setzen läst, nämlich die, demjenigen die Data
Würdigung unserer Kometen-Beobachtungen
geben, welcher sie vielleicht zu einem oder
andern Endzweck mit benutzen will.

IX.

Nachrichten von dem Negerlande Móbba und einigen Nachbarländern. Von *U. J. Seetzen* in Kahira 1808.

Dieſe Notitzen wurden mir von dem Neger *Abd-Allah* mitgetheilt, aus dem Lande Móbba, welches die Einwohner von Dar Fûr, Bárgu, die Araber aber Dar Szeléh nennen. Er war etwa dreyſsig Jahr alt, hatte eine breite platte Naſe, und eine unebene Geſichtshaut, welche vielleicht von den Blattern gelitten haben mochte, die nicht ſelten mit groſser Heftigkeit unter den Negern wüthen. In Hinſicht ſeiner natürlichen Fähigkeiten ſchien er einem Weiſsen keineswegee nachzuſtehen.

Móbba wird von einem Sultan beherrſcht, welcher dem mächtigen Sultan von Bárnu unterworfen iſt. Der jetzige Sultan heiſt Szabûn Ibn Száleh Ibn Dſchódeh; den jetzigen Sultan von Bárnu nennte er Mohámmed Kadjih-Kadjih. Bárnu ſoll nach ihm ſechzig Tagereiſen von Móbba entfernt ſeyn. Er verſicherte, die Reſidenzſtadt des Sultans von Móbba ſey dreymal gröſser als Bulák bey Kahira, habe zwey Thore und eine Mauer aus Holz und Leimen gebaut. In der Stadt giebt es einige Leimhäuſer; aber auf dem Lande überall runde Rohrhütten mit koniſchem Dache. Drey Tagereiſen weſtwärts von dieſer

dieser Stadt soll ein grosser Fluss seyn, breiter als der Nil, von Suden nach Norden laufend, und, so wie der Nil, zu gewissen Zeiten seine Ufer überschwemmend. Man nenne ihn in seiner Sprache: En'gy (das Wasser.) Ausser diesem nannte er mir noch die Flusse: Báhher Bóreh, Bahher el Gasál und Báhher el Chàra. Sie kommen alle von Weiten und laufen von Suden nach Norden.

Der Sultan von Barnu ist der mächtigste von allen Sultanen, und ihm sind alle unterliegenden Länder zinsbar, wovon er unter andern Kótko, Táma; Bagirme und Phelláta nannte. Ausser diesen gab er mir auch noch eine Menge Namen an, welche nach seiner Versicherung theils Namen von ganzen Ländern, theils von bedeutenden Städten sind. Ich setze sie hieher, damit meine Leser aus den vervielfältigten Aussagen sich von der wirklichen Existenz derselben überzeugen, und sie auf diese Art gleichsam einzuladen, mit mir das geographische Chaos der innerafrikanischen Lander zu studiren, obgleich ich leider! noch nicht im Stande bin, die Lage eines jeden Orts anzugeben. Vielleicht können sie einst europäischen Reisenden in diesem Welttheile zu einem Winke dienen; und so wäre doch Etwas gewonnen.

Kórrowâdena, Gim'mir, Ora, Massalit, Mána, Téti, Chare, Kádschi, Kuddéy, Nj'olu, Maméy, Árrandár, Kúko, Suárr, Schullú, Kúrundál, Árankûl, Kúbal, Say, Mamúnj', Cháro, Djuéh, Dajébbal Árafendâr, Dúksa, Koból, Schalóh, Fafá, Millit, Menacher, Téga, Kammár, Fifár, Fingar, Szúla, Vadey, Titih, Medòp, Koró, Njáma, Telgóna, Egi-

Egitehátir, Szaphey, Dar Kobka, Kúbaléh, Bender Sleiman, Bender Osmàn, Schaphán, Mammey gúrrumbá, Onjóske, Sua, Tuéscha, Saffren'g, Karawándja, Biö'ahasó, Schaphá, Mamámendá, Korúm U'ndeda, Kúrmandey, Odsjo, Litikfiritikána, Mandásenih, Ojuttschappaférrafèrra, Sumrey, Kúchey, Mandákhaná, Odsjnkána, Dúlipiaséh, Suêr, Iàma, Hakùr, Kálendùr, Kúknr, Kùkarey; Jenkrèa, Tabgó, Taugá, Dschamá, Chrêscha, Tuégá, Húabá, Kodoy, Endagóáddaná, Kúrbul, Dumá, Súma, Kakérra, Térma, Robbok, Áha, Gúrundá, Tschaphán, Gérmandùl, Szaszey, Tàrohádená, Susey, Mandà'kalá, Vára, Kuscherre, Hubbal, Szö'la, Tuphá, Kadsjá, Kará, U'rumba, Subá, Arámda, Tärésusá, Pháphéy, Schémma, Kósseléh, Kódeléh, Djúmma, Sáma, O'phumá, Kérendá, Saśáwoddená, Nagèb, Kirrindál (vielleicht Kurundal), Jalà, Tusay, Sugá, Djaró. In allen diesen Stadten soll man Schwefel, Seide, Kupfer, Glaskorallen, Köhhel u. s. w. als Handelswaaren finden.

Báran ist von allen den genannten Städten die ansehnlichste. Die dortigen Häuser sind von Steinen und Leimen gebaut, wie hier in Kahira. Es gibt dort viele Moscheen, aber ohne Thürme. Baran hat eine Mauer und 180 eiserne und drey metallene Kanonen, welches ich im hohen Grade bezweifele. Etliche Tagereisen ostwärts von der Stadt ist der Berg Tafá, auf dessen Gipfel ein kuppelförmiges Bethaus ist, neben welchem man in einiger Entfernung eine Abbildung von Noah's Schiff auf einem Steine findet.

Die

Die geographische Ausbeute, welche man durch Erkundigungen bey Negern erhält, ist manchmal sehr gering; denn manche von ihnen werden schon sehr jung aus ihrer Heimath fortgeführt, und vergessen so nach mehrern Jahren das Bild desselben, welches z. B. der Fall mit Abdallah war, wie er nachher gestand. Manche von ihnen lebten vielleicht auch in einsamen Gegenden auf dem Lande, beschäftigten sich mit Viehzucht und Ackerbau, und verliessen ihre Heimath nie; von diesen kann man also mit eben so wenig Recht wichtige geographische Nachrichten von jenen ungeheuer grossen inner-afrikanischen Staaten erwarten, als von einem westphälischen Heidebauer, oder von einem Köhler auf dem Harz, dem Schwarzwalde oder dem Riesengebirge, wenn man ihn um die Geographie von Europa befragen wollte.

Mit dem Neger, welchen man mir am folgenden Tage brachte, hatte ich Ursache zufriedner zu seyn, als mit Abd Allah, dessen Landsmann er war. Er hiess Hassan, mochte etwa 27 Jahre alt seyn, und zeichnete sich durch ein gesetztes und gefälliges Betragen aus. Er schien von einer sehr sanften Gemüthsart zu seyn, und, was mich ihn schätzen machte, war seine Aufrichtigkeit und Wahrheitsliebe. Seine Farbe war zwar schwarz, aber doch nicht so dunkel, als man sie bey vielen Negern findet; seine Nase auch weniger breit und platt, und seine Lippen weniger aufgeworfen. Er war von mittler Statur und mager, und hatte wenige und kurze Barthaare. Vor etwa funfzehn Monaten hatte er nebst zwey und dreyssig von seinen Landsleuten

seine

seine Heimath verlassen, um als Pilger nach Mekka und Medina zu wallfahrten. Bloss mit einem weissen Baumwollenhemde, welches in seinem Vaterlande gemacht war, bekleidet, ein weisses Käppchen auf dem Haupte, worum er ein Stückgen Baumwollenzeug gewickelt hatte, und ohne einen Para Geldes bey sich zu führen, trat er diese lange beschwerliche Reise an, überzeugt, dass er überall so viele Mildthätigkeit antreffen würde, um sich bey seinen wenigen Bedürfnissen nirgends verlassen zu sehen. Ich glaube, dass es interessant seyn werde, ihn auf seinem Wege zu verfolgen.

Der Ort, wo Hassan wohnte, lag auf der Grenze von Mobba oder Dar Szeleh, und war nur eine Tagreise von dem Gebiet von Dar Fûr entfernt, bis dahin sie einen Berg übersteigen mussten. Der erste Ort, den die Pilger in Dar Fûr antrafen, hiess Dúmtir; die erste Stadt aber Tine. Von dort berührten sie nach einander in der genannten Ordnung folgende Städte: Bedá, Kabkabiga, Djélle, Kóbe, Tendélty, wo nach seiner Versicherung der Regent von Dar Fûr residirt. Von hier gieng es nach Dgidèdel Szäl, Gubba und Ökku, welche Stadt auf der Grenze dieses Landes liegt. Jetzt hatten sie einen sehr beschwerlichen Weg durch eine ungeheuere Wüste vor sich, welche Dâr Kâb heisst, welchen sie innerhalb funfzehn Tagen zurücklegten, und worauf sie die Grenze von dem Lande Kúrdofân (Dar Kurdofân) erreichten. Der Sultan davon hält sich in der Stadt Ibbejid auf, die er aber nicht sahe, indem sie auf ihrer Reise gewöhnlich die Städte ohne einzukehren, vorbeyzogen. Weiterhin kamen sie an den

sehr

sehr breiten Fluss, Báhher Ilês, oder Bahher Abbiad, dessen Wasser sehr weiss seyn soll, wo sie einige kleine Fahrboote antrafen, welche den Schullûk angehören, heidnischen Negern, welche ganz nackt gehen. Die Schullûk halten auch höher hinauf viele kleine Boote auf dem Bahher el Abbiad, so wie man auch dergleichen bey Sennâr auf dem Nil antrifft. Nachdem die Schullûk sie ubergesetzt, begaben sie sich nach Sennâr. In der Absicht von hier nach Sanâkem am arabischen Meerbusen zu reisen, und sich von dort mit einer Schiffs-Gelegenheit nach Dschidda zu begeben, gingen sie zuerst nach Dindir, einem nur eine Tagereise von Sennâr entfernten Ort. Von dort ging es nach Ganjârá vier Tagreisen; nach Râs el Fil, eine Tagreise; denn nach Eyey, welche beyden letztern Oerter zu dem Gebiete von Makada oder Habbesch gehören. Ferner nach Ségg gedéh eine Tagreise; Táka vier Tagreisen. Jetzt hatten sie noch funfzehn Tage bis nach Sanákem. Ob vielleicht durch die Beschwerlichkeit des noch bevorstehenden Weges, oder durch sonst einen Grund bewogen, den ich nicht erfuhr, trennten sich Hassan und einer von seinen Gefährten, von der übrigen Gesellschaft und entschlossen sich, nach Kahira und von dort über Sues nach Dschidda zu reisen, welches gewiss ein ungeheurer Umweg war. In dieser Absicht gingen sie von Táka nach Bérber innerhalb funfzehn Tagen, indem sie immerwährend dem Laufe des aus Habbésch kommenden Flusses folgten. Ferner nach Takkáky, Sánará, Muggrátt, Schaggije, Dúngalà, Dar Mahâss, Dar Szokkût, Ambokôt, Vady Hálphe, Ebrîm, Dirr, welches eine ziemliche

liche Stadt ſeyn ſoll, Vady Árab, Vady Kenûs und Aſſuân, die erſte Stadt Egyptens von dieſer Seite, von wo er ſich endlich hieher begab, nachdem er ein Jahr und drey Monate auf dieſer Reiſe zugebracht. Seine Abſicht war, nach Beendigung des Monats Ramadàn und des darauf folgenden Bairam-Feſtes ſeine Reiſe nach Mekka fortzuſetzen und in der Folge uber Dschidda, Sanákem und Sennâr wieder in ſeine Heimath zurück zu kehren. Obgleich dieſe Negerpilger nur ſehr kleine Tagereiſen, oft nur von einer oder zwey Stunden machen: ſo muſs man doch geſtehen, daſs ein ſehr hoher Grad von Religioſität dazu gehören muſs, um ſie zu einer ſo langen und beſchwerlichen Wanderung zu bewegen.

Das Land Móbba oder Dar Szeléh iſt dem mächtigen Regenten von Bárnu zinsbar, und liegt in ſudweſtlicher Richtung von Dar Fùr. Die Reſidenz des Sultans von Móbba heiſt Vara, eine anſehnliche Stadt. Der jetzt regierende Sultan fuhrt den Namen, welchen mir Abd Allah angab. Sein Saráy hat einen weiten Umfang, und iſt von Ziegelſteinen und Leimen gebaut, beſteht aber nur aus einem Erdgeſchoſs. Obgleich er geſetzmäſsig nur vier Weiber haben darf, ſo giebt es doch eine groſse Menge von Weibern und Mädchen, welche alle Arbeiten in ſeinem Saráy verrichten, und welche immer zu ſeinen Befehlen ſtehen. In demſelben iſt die einzige Moſchee, welche man in Vára findet; indeſſen findet man auſser derſelben mehrere Bethäuſer, welche Sánwijeh heiſſen, und welche man mit unſern Kapellen vergleichen könnte. Blos in der Moſchee brennen etliche gläserne Oel-Lampen, welche man sonst nirgends in diesem Lande findet, indem die Einwohner ihre Häuser blos durch angezundete Feuer erleuchten, wenn sie des Lichts bedurfen. Es halten sich hier etliche Furische Kaufleute (Dgelláby) auf, welche gleichfalls in Häusern wohnen, die von Steinen und Leimen gebaut sind. Alle übrigen Bewohner dieses Landes in den Städten sowohl als auf dem platten Lande wohnen in runden Hütten, welche auf folgende Art bereitet werden. Man schlägt etliche zehn bis zwölf Fuss lange Pfähle in die Erde, und verschliesst die Zwischenräume mit Wänden von einer Art festen Schilfröhrs. Auf diesen Wänden ruhet ein flach-konisches Schilfdach. Den Schilf befestiget man mit Stricken, welche man aus der Rinde des Charrubenbaums bereitet. Besondere Abtheilungen giebt es nicht darin, weswegen man in ihrer Sprache auch keinen Namen für *Kammer* findet.

Das Land besteht aus Bergen, Thälern und Ebenen. Es gibt dort keine eigentlichen Flüsse, sondern blos zwey Regenbäche, welche aber sehr ansehnliche Teiche zurück lassen, wenn sie sonst zur trocknen Jahrszeit gröfstentheils versiegen. Zwischen Móbba und Bagírma ist ein vorzüglich grosser Regenbach, welcher Báhher el Zafál genannt wird. Merkwürdig ist es, dass nach seiner Versicherung alle Wasser von Kúrdofân, Dar Fûr, Móbba, Bagírma u. s. w. sich nicht in den egyptischen Nil ergiessen, sondern westwärts laufen. Zwar hatte er gehört, dass es westwärts einen grossen Strom gäbe; allein er wusste seinen Namen nicht. Ich vermuthe, dass seine Versicherung nur zum Theil richtig

tig sey. Denn da das Land Kurdofân an den Bähher el Abbiad zu stossen scheint: so ist es ja höchst wahrscheinlich, dass sein Regenwasser in dasselbe, und nicht westwärts fliesse. Sollte etwa die beträchtliche Wüste, auf der Westseite von Kurdofân, welche Dar Kâb heist, die Scheidung zwischen den ost- und westwärts fliessenden Gewässern ausmachen?

Man findet im Lande Mobba Natron, welchen man Atrûnn nennt, und der nach Kahira geführt wird, wo man sich desselben unter andern zur Bereitung des Schnupftabaks bedient, welcher aber mit der Zeit das Gesicht sehr schwächen und die Augen thränend machen soll. Man gräbt dort überdem Steinsalz von mehrern Farben, welches verschiedne Namen führt. Die rothe Art heisst Dâme; die weisse Musky; eine bittere Art Tûkkru; eine süsse und gute Art Phânsan. Noch eine andere Art ist unter dem Namen von Abukesch bekannt. Ausser diesem Steinsalz gibt es noch ein Salz, welches aus der Erde wittert, Szâbbagâ oder Engéllekeh heisst, und gleichfalls gut seyn soll. Alles Salz wird von den dortigen Arabern gegraben und gesammelt und zum Verkauf herum geführt. Die Zahl dieser Araber soll sehr ansehnlich seyn; sie sind nicht schwarz, sondern braun, wie die Bewohner von Ober-Egypten; einige halten viele Kameele, andere Schaafe und Ziegen. Es sind wandernde Nomaden, welche ihre Hütten aus Zweigen der thebaischen Palme (Dôm) und einer andern Palmart, die Dellèb heisst, bereiten.

Man sammelt hier ein Eisenerz in dem Bette der Regenbäche, welches sich daselbst unter zweyerley

Form

Form findet, als Sand nämlich, und als Steine. Erstere Art heisst Kádsjam, die zweyte Mókku. Die Eisenschmiede schmelzen sie und verarbeiten das Eisen zu Messern, Handscharren, Nadeln u. dgl. Kupferschmiede gibt es nicht. Edle Erze findet man dort nicht, und sie sind auch nicht im Gebrauch. Doch soll man von etlichen Thalern Ohr- und Fingerringe verfertigen. Kalkstein ist selten, und Feuersteine findet man gar nicht. Man bereitet irdene Wasserkrüge und grössere Gefässe zur Aufbewahrung des Trinkwassers.

Bäume gibt es viele in Móbba: Hassan nannte mir folgende Arten: Mállak (*arab.* Heglik); Kótne (*arab.* Nebk); Kon'sjih (*arab.* Ardép, Tamarhindy); Kittir (*arab.* Szannt; die Mimosa nilotica L.); Tanjik (*arab.* Harâs); Onróck (Oschar *arab.*, welches die Asclepias gigantea L. ist); Sycomoren; Burtú (*arab.* Saciáll; etwa Mimosa Senegal?); Tirrîk (*arab.* Hebbîl); Mússobúck (*arab.* Árradey); Lilik; Njimtik; Mahádscherija; Murráy (*arab.* Giddèm); Lámba; die graue Palme Dillêb; Njaláh; viele thebaische Palmen; Njimtetinjik; Gundó. — Die Nuss des Dellêb hält oft einen Fuss im Durchmesser; ihr faustgrosser essbarer Kern heisst Kûr. Aus den Blättern dieser Palme werden viele Fussmatten bereitet.

Hühner, Tauben und wilde Gänse gibt es in Menge, ingleichen viele Scorpione und Heuschrecken, welche leztere als eine geschätzte Speise angesehen werden, indem man sie entweder röstet, oder mit andern Speisen kocht. An Bienen fehlt es nicht, wovon eine Art Honig in der Erde bereitet;

Wachs

Wachs aber kennen sie nicht. Krokodile gibt es viele in den grossen Teichen, welche im Bette der Regenbäche zurückbleiben; imgleichen Pferde, Hunde, Katzen, wilde Büffel und Gasale. Auch hier bereitet man aus den Häuten der grossen Thiere Peitschen. Indessen sollen die dicksten und längsten Peitschen von Båhhar Åbbiåd oberhalb Sennâr kommen, und aus der Haut des Nilpferdes bereitet werden.

Bey weitem die grösste Einwohnerzahl von Móbba besteht aus Negern, welche eben sowohl, als die dortigen Araber Mahomedaner sind. Hassan versicherte, dass einige von den Negern im Lesen und Schreiben des Arabischen unterrichtet werden. Das wenige erforderliche Pápier erhält man von Kahira. Die dortigen Araber sprechen zwar auch die Landessprache, haben aber unter sich die arabische Sprache beybehalten, und da sie in genauer Verbindung mit den schwarzen Bewohnern dieses Landes stehen: so sollen auch letztere meistentheils das Arabische verstehen und sprechen. Die Sprache, wovon Hassan mir ein Wörter-Verzeichniss mittheilte, wird im ganzen Lande verstanden. Ausserdem soll es daselbst aber noch viele andere Sprachen geben, welche folgende Namen fuhren: Kad'schen'jáh, Updérrák, Alih, Mingôn, Mårarit, Mássalît, Szongôr, Kúka, Dådschu, Bándaláh, Másmajáh, Njórga, Démbe, Málangá, Mimi, Kórnboih, Dschelláb, Gonûk, Kábka, und Gúrrangûk. Ich vermuthe indessen, dass dies zum Theil nicht sowohl verschiedne Sprachen, als vielmehr blosse Dialekte seyn. Die Sprache Dschellába ist die der Kaufleute von Dar Fûr, welche in Wárá ansässig sind.

Hassan

Hassan gab hier folgende grosse Städte (so nannte er sie) in Móbba an: Wára, Nimróh, Tem'be, Démbe, Kórnboih, Duká, Szissibá, Málángá, Tára, Dáhher el Tòr, Ettuloh, Schàn, Abu Kóngde, Kádschengáh, Dschémbo, Kitjimérráh, Dárna, Schòchiá, Hadjérlebbén, Gúngurúng, Nem'gurún, Wúllad Dárba, Fógger umbán, Is'chganih, Ardáih, Tarbóh, Naná, Schimeh, U'ptagijeh, Waw'iladál, Kúnfurú, Ngórrangorra, Billingih, Njàbadá, Aráis, Urrngún, Ombúrtunnung, Ábkar (welcher Ort aus zwey Stadten besteht), Kornay, Hámiáh, Ambálnja, Húkkunéh, Kúrungádriasse, Wake, Ossúla, Schugúrr, Másmajá und Helelàll.

Die Breite Móbbá's von Süden nach Norden soll drey Monat-Reisen; und die Lange davon von Osten nach Westen, seitdem das Reich Bagírma damit verbunden ist, sechs Monat-Reisen betragen. Ich finde diese Angabe höchst übertrieben, falls man auch eine Tagereise als sehr klein annehmen wollte. Um den Reise-Masstab ungefahr kennen zu lernen, wornach Hassan rechnete, so fragte ich ihn: Wie weit von hier nach Assuàn sey? Seine Antwort war: Zwey Monate.

Die Regenzeit dauert in Móbba 7 bis 8 Monate, die trockne Jahrzeit also nur 4 bis 5. Eis ist dort eine ganz unbekannte Sache; aber bisweilen fällt etwas Schnee, der aber auf der Erde kaum sichtlich wird, und sehr grauer Hagel. Erdbeben kannte er nicht, und es soll in den Negerländern nie Statt finden. Von Schneebergen hatte er nie gehört.

Garten gibt es dort nicht. Die landwirthschaftlichen Arbeiten scheint man sich sehr leicht zu machen.

chen. Statt des Pfluges, den man nicht kennt, bedient man sich einer Hacke, womit man zur Regenzeit kleine Löcher in gewissen Entfernungen von einander in der Erde macht, worin man einige Getraidekörner wirft. Zum Dreschen des reifen Getraides bedient man sich blos eines starken Stockes. Durra und Hirse werden am häufigsten angebaut; Weitzen und Bockshorn gibt es wenig; Gerste, Linsen, Kichern und Platterbsen gar nicht. Baumwolle gewinnt man in Menge, Flachs aber ist unbekannt. Zuckerrohr ist nicht vorhanden, und man kennt nicht einmal den Zucker. Oelbäume und Weinreben, Sennesblätter, Melanzanäpfel, Kolokasien, Bananen, Citronen, Granatäpfel, Lupinen, Steckrüben und Klee sind gleichfalls nicht vorhanden. Reis wächst wild in grosser Menge, und die Mimosenbäume, welche das arabische Gummi liefern, sind häufig. Tabak ist nicht unter den Negern in Gebrauch, sondern blos bey den dortigen arabischen Nomaden, welche ihn Tabà nennen.

Man bereitet in Móbba zwey Arten von berauschenden Getränken, aus Durra nämlich und aus Hirse. Jenes Getränk wird durch blossen Aufguss bereitet und heisst Njangá; dieses aber macht man am Feuer; es heisst Bilbil, und ist berauschender als jenes. — Ausgehöhlte Kürbis-Schalen dienen ihnen zum Wasserschöpfen und zum Trinken; man nennt sie Angak. — Kaffee ist ihnen eine ganz unbekannte Sache und selbst ihr Sultan trinkt keinen. — Handmühlen sind nicht vorhanden, und man bedient sich statt derselben eines flachen Steins, worauf man das Getraide vermittelst eines andern

Steins zerreibt. Diese rohe Maschine heisst On
jüh. — Kisten, Dosen, Münzen, Böte, Scheere
Löffel, Siebe, Pistolen, Essig, Zunder und Feu
stahl, Glas (ausgenommen kleine Spiegel), Seid
Taschen, Henna (zum Färben der Finger), Bri
u. s. w. sind alles unbekannte Sachen. Für Woche
tage haben sie keine besondern Namen, sondern
bedienen sich der arabischen.

Sowohl Knaben als Mädchen werden bey ihn
beschnitten. Die Weiber gehen unverschleiert. D
Mundkuss ist nicht im Gebrauch; wollen die Neg
ihren Weibern ihre Liebe zu erkennen geben, so kü
fen sie den Vorderarm derselben. Das Schwärz
der Augen durch Köhhel ist auch bey den Negeri
nen im Gebrauch.

Schuhe sind höchst selten bey ihnen. Gewöh
lich gehen sie mit nackten Füssen, oder bediene
sich der Sandalen. Bettler gibt es nicht, aber Rä
ber genug, und öffentliche Mädchen, die man fü
ihre Gunst statt allen Lohnes mit einem reichliche
Mahl bewirthet. Ein Bad ist nicht vorhanden; doc
sollen die Weiber den Gebrauch haben sich biswe
len zu Hause mit warmen Wasser zu waschen.

Die Waffen dieser Neger bestehen aus Flinten
Säbeln, Lanzen, Schildern, Pfeilen und Bogen
Die Flinten, deren es aber sehr wenige gibt, erhäl
man von Kahira, so wie auch Pulver und Bley. Di
Schilder sind von Leder, und werden von den do
tigen arabischen Nomaden bereitet. Panzer sind
eben so selten, als die Flinten, und werden auch
von Kahira dahin gebracht.

Die

Die herrſchaftlichen Abgaben, welche dort unter dem Namen von Sekga bekannt ſind, werden alle in Natura abgetragen. Es ſcheint eine Art von Zehnten von Feldfrüchten und Hausthieren zu ſeyn. —

Sie kennen kein anderes Maaſs, als ein Getraide-Maaſs, welches Mit heiſst, und eine Waage iſt eine ganz unbekannte Sache.

Die Peſt kennt man nicht, allein an den Blattern ſterben viele, und viele tragen die Narben davon. Veneriſche Krankheiten ſollen häufig genug ſeyn. Sowohl das Aderlaſſen als das Schröpfen iſt bey ihnen im Gebrauch.

Ihre muſikaliſchen Inſtrumente beſtehen aus Pauken, Hand-Pauken, zwey Arten von Geigen und einem Blas-Inſtrument, welches man aus dem Horn eines Gaſal-ähnlichen Thieres, Erriéll genannt, eine halbe oder dreyviertel Elle lang bereitet. Rohrflöten ſind nicht im Gebrauch.

Auſser geiſtlichen Geſangen haben dieſe Neger auch ihre Volkslieder, welche indeſſen einen triftigen Beweis von der niedrigen Kulturſtufe abgeben, worauf ihre Volksdichter ſtehen. Als eine Seltenheit ſetze ich zwey Lieder, die mir Haſſan mittheilte, und woraus man ſieht, daſs ſie den Reim kennen.

1.	A'nduriggo njaáh	Wer ruft mich? Woher? Freund! komm'!
	Lébbenik Karáh	Tank' Durrabier!
	Njangáh njangáh	
2.	Wára kamáni	Von Wàra gehen wir, zu Gaſte gehen wir,
	Zeringéa máni	Nach Tummáng gehen wir.
	Tummáng máni.	

 Tum-

Tummang ist der Ort, wo die Sultane begral werden.

Ich erkundigte mich bey Hassan nach der L der Nachbarländer. Folgende kleine Karte ist Resultat seiner Aussagen. Man sieht daraus, dass von Marokko gehört hatte, welches er Fâs nann aber auch zugleich, dass er sich in der Entfern desselben sehr irrte, obgleich sonst die Richtung nigermassen zutrifft.

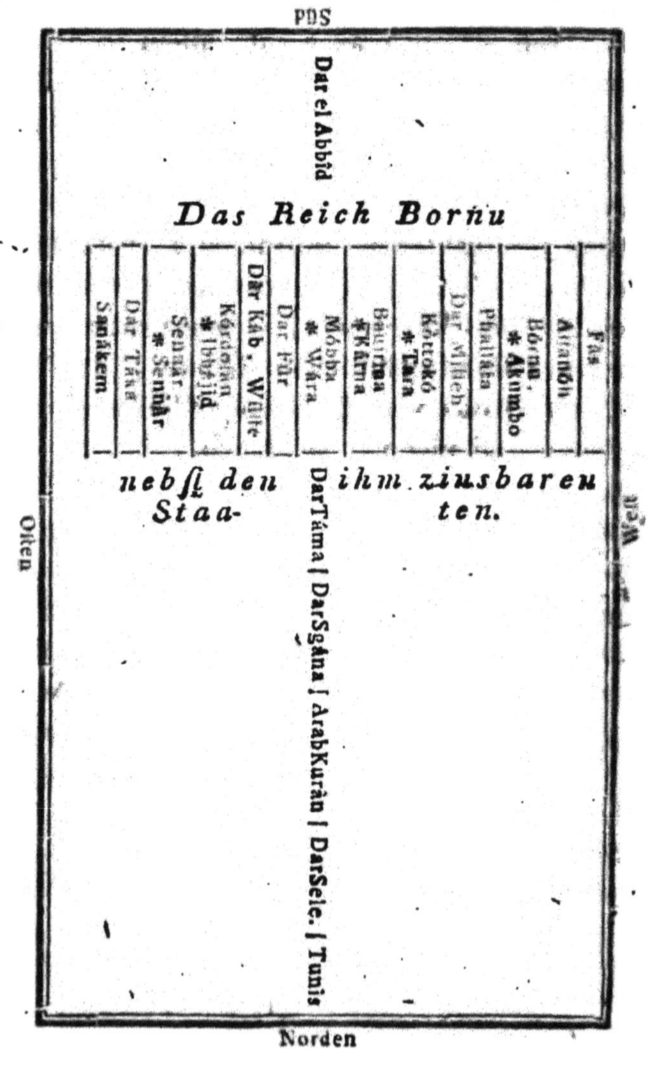

Von Móbba nach Bagírma sind dreyssig Tagreisen; von Bagirma nach Kotko funfzehn; von dort nach Dar Milleh zwanzig; von dort nach Dar Phalláta vierzig, und von dort nach Bárnu sind zwey Monate. Sonach betruge die Entfernung von Móbba nach Bárnu 165 Tagereisen oder funf Monate und funfzehn Tage. Wie unbestimmt diese Angabe sey, sahe ich aus dem, was er mir nachher sagte. "Von Wara in Móbba nach Kárna in Bagirma sind drey Monate; von Karna nach Tára der Residenzstadt in Kóttokó zwey Monate; von Tára nach Dar Milleh ein Monat; von dort nach Philláta zwey Monate; von dort nach Bárnu drey Monate; im ganzen also eilf Monate!" Wie weit Assanóh von Bárnu entfernt ist, wusste er nicht. Hassan versicherte, dass er Bárnu besucht, und dass er auf der Hin- und Ruckreise vier Jahre zugebracht habe. Die Residenz des machtigen Regenten von diesem Lande heisst Akúmbo. Von Kurdofàn immer westwarts traf er die namliche Bauart an, als in Mobba; nur in Bagirma baut man viele Leimenhauser, weil der Leimen dort im Ueberflusse ist. Er sah auf diesem Wege nirgends einen so grossen Strom, als den Nil, aben viel kleine Flusse, welche zur trocknen Jahrszeit leicht durchwatbar sind.

Bagirma hatte er vor vier Jahren besucht, und zwar mit einer Armee seines Sultans. Die Veranlassung zu diesem Zuge ist zu merkwurdig, als dass ich sie hier ubergehen durfte. Der Sultan von Bagirma hatte eine leibliche Schwester, welche sich durch ihre Schönheit auszeichnete, und ihren Bruder dadurch so an sich fesselte, dass er sie zum Weibe

zu

zu nehmen beschloss. Dies geschah. Das Gerücht von dieser ungewöhnlichen und religionswidrigen That kam bald zu den Ohren des Sultans von Barnu, welcher darüber aufs höchste aufgebracht wurde. Er fertigte sogleich ein Schreiben an denselben etwa folgenden Inhalts ab: "Wie? seyd ihr denn schon so weit in euerm Frevel fortgerückt, dass ihr aus einem Muslim zum Kaffer werdet? Denn wie könnte man sich sonst d e That erklaren, die ihr zu unternehmen wagtet? Erkennt sogleich die Grösse eures Vergehens und gebt diese schändliche Verbindung auf; oder furchtet die Rache Allah's und des Gesetzes!" — Der Sultan von Bagirma liess sich durch diese Drohung nicht abschrecken, sondern schrieb auf der Ruckseite des Briefes: "Seine Schwester zum Weibe zu nehmen, war vor dem Propheten gewöhnlich; ich sehe daher keinen Grund, warum es auch nicht nach ihm erlaubt seyn sollte?"

Diese lakonische Antwort eines Vasallen brachte den Sultan von Bárnu in Wuth. Er schickte sogleich einen Befehl an den Sultan von Móbba, Bagirma zu befehden, und drohte ihm, ihn im Weigerungsfalle für seinen Ungehorsam zu zuchtigen. Sultan Szabùn sammelte also seine Truppen, und zog mit ihnen nach Bagirma, dessen Sultan besiegt und gefangen nach Móbba gefuhrt wurde. Das fernere Schicksal desselben wusste Hassan mir nicht anzugeben. Seit vier Jahren also ist Bagirma mit Móbba vereinigt.

Das auf der kleinen Karte nach Süden angegebene Land Dar el Abid, dessen Grenzen völlig unbekannt

kannt sind, soll vierthalb Monat-Reisen von Móbba entfernt seyn. Dies Land ist sehr gebirgigt und voll von Flüssen. Diese Neger sind Heiden, wahre Wilde, und gehen völlig nackt. Ihre runden Leimhutten errichten sie auf zwölf Fuss hohen Pfählen, und steigen auf einer Art von schlechten Treppen zu denselben hinauf. Der Sultan von Mobba macht häufige Streifzüge in ihr Gebiet, und lässt von den Gefangenen neue Dörfer in seinem Lande anlegen, indem er dies für nützlicher hält, als sie an Sklavenhändler zu verkaufen. Man nennt diese Neger in Móbba Djúngumb, welches so viel als Unglaubige heisst.

X.

Untersuchungen über den Ursprung und die Bedeutung der Sternnamen. Ein Beytrag zur Geschichte des gestirnten Himmels; von *Ludwig Ideler*, Astronom der königlich-preussischen Academie der Wissenschaften und Correspondenten der Göttinger Societät, Berlin 1809.

Unsere Leser erinnern sich noch der interessanten, *historischen Untersuchungen über die astronomischen Beobachtungen der Alten* von Herrn *Ideler*, wovon wir in dieser Zeitschrift (*Monatl. Corresp.* B. XV. S. 130 ff.) eine umständliche Anzeige geliefert haben. Dort war es des Herrn Verfassers Absicht, einzelne Puncte der griechischen Astronomie, besonders in den verschiedenen Zeitrechnungen und in dem Werk des *Ptolomäus* aufzuhellen. Mit gleichem Fleiss und Geschicklichkeit untersucht er hier den Ursprung und die Bedeutung der Sternnamen, und wir lernen ihn auch dabey als einen des Arabischen kundigen Astronomen kennen, von dem sich also in diesem wenig untersuchten Theil unserer astronomischen Litteratur, noch manche neue und wichtige Aufschlüsse erwarten lassen. Herr *Ideler* nennt seine Untersuchungen einen *Beytrag zur Geschichte des* gestirn-

gestirnten Himmels, weil sie alle Sternnamen und Sternbilder ohne Unterschied in sich fassen sollen; hauptsächlich beziehen sie sich jedoch auf die arabischen. Ein Codex von des Persers *Zakaria Ben Mahmud El Kazwini* arabisch geschriebenen Natur-Wundern, auf der königl. Bibliothek zu Berlin, gab wahrscheinlich die Veranlassung zu gegenwärtiger Schrift. Aus dieser übersetzte Herr *Ideler* die Gestirnbeschreibung, und verglich damit noch einen andern Codex auf der Dresdner Bibliothek, der ihm von Herrn Hofrath *Dassdorf* mitgetheilt wurde. Da die meisten unserer Sternnamen arabischen Ursprungs sind; so muss dem Astronomen daran gelegen seyn, darüber hinlängliche Auskunft zu erhalten. Zwar haben wir hier schon einige Vorarbeiten von *Scaliger* und *Grotius*, aber seit der Zeit ist dieser Gegenstand fast ganz unbearbeitet geblieben. Wie viel hier noch zu thun übrig war, zeigt fast jedes Blat der gegenwärtigen Schrift. *Scaliger*, *Bayer*, *Lach* und andere werden häufig berichtiget und befriedigende Aufschlüsse über die arabischen Benennungen der Gestirne gegeben. Ueberall zeigt sich die sorgfältige Critik und der Fleiss des Verfassers. Er wurde dabey von einigen kenntnissreichen Orientalisten unterstützt. Herr Kanzleyrath *Tychsen* zu Rostock gab ihm über manche dunkle Stellen des Codex Auskunft, theilte ihm eine Zeichnung des *borgianischen* Globus mit, sah die Abschrift der darauf vorkommenden Sternnamen noch einmal durch und berichtigte diese. Herr Leg. Rath *Beigel* in Dresden übersandte Hrn. *Ideler* eine Liste von Namen, welche sich auf der von ihm im astronomischen

schen Jahrbuche 1808 beschriebenen arabischen Himmelskugel zu Dresden befinden, und fügte dieser noch eine Reihe interessanter und lehrreicher Bemerkungen bey, welche der Verfasser, so wie die ihm von Herrn Prof. *Buttmann* mitgetheilten Notizen, bey Ausarbeitung seines Werkes benutzte. Diese letztern verrathen einen Mann, der mit seinen schon ruhmlichst bekannten Sprachkenntnissen, auch Astrognosie verbindet.

Eine umständliche Critik dieser Schrift, in welcher das meiste auf philologischen Grundsätzen beruht, liegt ausser dem Plane der *monatl. Correspondenz*. Wir mussen uns daher nur auf eine Inhalts-Anzeige beschranken, da ohnedem jeder litterarische Astronom das Werk selbst lesen wird und dem Verfasser für seinen Fleiss wenn er auch gerade nicht allen Resultaten beystimmt, dankbar seyn wird. Herr *Ideler* schickt eine Einleitung auf 72 Seiten voraus, worinnen er zeigt, dass schon die ältesten griechischen Dichter *Homer* und *Hesiod*, verschiedene Stern-Gruppen und einzelne Sterne gekannt hätten, und einen ähnlichen Ursprung lege man gewöhnlich den übrigen Sternbildern, und besonders denen des Thierkreises bey. Der Verfasser erklärt sich hier fur die Hypothese, dass diese Anordnungen frühzeitig von der chaldaischen oder indischen, in die griechische Sphäre ubergegangen seyen, gegen diejenigen, welche sich auf das Zeugniss des [illegible]nius berufen, dass manche Gruppen des Thierkreises später entstanden wären, setzt aber seine Gründe dafür nicht weiter auseinander. Mit Recht sagt der Verfasser, dass die Epoche, wo sich bestimmtere Nachrichten

richten vom Zuſtand des griechiſchen Himmels herſchreiben, mit der Zeit des *Eudoxus* und *Aratus* anfange. Ueber das bekannte Gedicht des letztern werden nun umſtändliche litterariſche Notizen beygebracht, dabey *Cicero's* und *Germanicus* Ueberſetzung und der Paraphraſe des *Avienus*, durch Scholien erwähnt, und endlich eine eigenthümlich ausgearbeitete Inhalts-Anzeige des Gedichtes, mit kurzen erklärenden Bemerkungen geliefert. Hr. *Ideler* kömmt alsdann auf *Eratosthenes* Werkchen von den Sternbildern, zur alexandriniſchen Schule überhaupt, und auf die Verdienſte derſelben um die practiſche Sternkunde; es werden hier die Arbeiten des *Timocharis*, *Ariſtyllus*, *Hipparch Ptolomäus*, *Geminus* aufgezählt, dann auf die römiſchen und endlich auf die arabiſchen und neuern Schriftſteller, *Grotius*, *Scaliger*, *Bayer* und *Lach* übergegangen. Dabey führt er die wenigen Notizen an, welche wir von *Kazwini* haben. Nach des Hrn. *Silveſtre de Sacy Chreſtomathie Arabe* ſtarb *Kazwini* den 6. April 1283 unſerer Zeitrechnung. Man hat von ihm zwey ſchätzbare Werke, das eine führt den Titel: *Regionum mirabilia*, und enthält eine hiſtoriſch-geographiſche Beſchreibung der muhammedaniſchen Länder in Aſien und Afrika, die zuverläſſiger, als alle andern ſeyn ſoll. Er hatte alle dieſe Länder ſelbſt durchreiſet, und endigte dieſes Buch im Jahre 1262 nach C. G. In der Escurial-Bibliothek findet ſich noch eine Handſchrift davon, und zwar eine der wichtigſten der ganzen Sammlung. Das zweyte Werk führt den Titel: *Mirabilia rerum creatarum et eorum quae in omnibus rebus ſunt memoran-*

moranda. Es ist cosmographisch-naturhistorischen Inhalts. Der erste Theil handelt von den entferntesten Gegenstanden, vom Himmel, den Gestirnen, den Meteoren; der andere liefert mehr eine Beschreibung der Erde, und beschaftiget sich mit den Metallen, den Pflanzen, Thieren u. s. w. Es sind bis jetzt nur einige Fragmente daraus erschienen, die wir dem Herrn *Silvestre de Sacy* verdanken, der die Abschnitte von den Mineralien, Bäumen, Pflanzen, den Menschen, vierfussigen Thieren und Insecten, im ersten Bande seiner Chrestomathie hat abdrucken lassen. Auch Hr. *Wahl* hat in seiner arabischen Anthologie einige andere Stucke daraus geliefert, namentlich die Beschreibung der beyden Bären, des Cepheus, des Perseus und der Plejaden. Den Abschnitt uber die beyden Baren hat auch Herr *Beigel* mit trefflichen Anmerkungen, in seiner Abhandlung *uber die arabische Himmelskugel mit kufischer Schrift* (*astr. Jahrb.* 1808 S. 917) begleitet.

Aus Herrn *Idelers* Untersuchungen folgt, dass der Berliner Codex von allen bisher bekannten der wichtigste ist, und desto schatzbarer ist daher auch in dieser Hinsicht seine Arbeit. Nach dieser Einleitung gibt der Verfasser die Uebersetzung des *Kazwini* mit Anmerkungen und Nachträgen, theils von sich selbst, theils von H. H. *Beigel* und *Buttmann.* Alsdann folgen die acht und zwanzig Mondsstationen und die Data ihres Aufgangs nach *Kazwini.* Diesen Untersuchungen fugt Herr *Ideler* auch die neuern Sternbilder bey, damit jeder Leser ein vollstandiges Verzeichniss aller Sterne erhalte, und um der Geschichte willen auch noch die Versuche von

Schi-

Schikard und *Weigel*, die alten Sternbilder in andere, aus der Bibel und der Heraldik genommene, zu verändern. Die Resultate des ganzen Werks fasst er endlich in einer eignen Abhandlung über die Gestirne der Araber zusammen. Diese zeigt deutlich das Bestreben eines jeden Volks, und das Bedürfniss, die einzelnen Sterne in Gruppen zusammen zu stellen, um sich an dem Himmel zu orientiren, und dem Gedächtniss zu Hülfe zu kommen. Von den arabischen Namen drucken einige die griechischen Sternbilder selbst aus, wie *El-dschediain*, *die beyden Böckchen*, *Elmalef*, *die Krippe*. Diese sind also blosse Uebersetzungen. Dahin gehören auch die Benennungen einiger Sterne, wie *Kulb el ased*, *das Löwenherz*; *el sumbela*, *die Aehre*. Andere bezeichnen ebenfalls einzelne Sterne oder Stellen derselben, sind aber ganz arabischen Ursprungs, wie *Râs el-tinnin*, *Kopf des Drachen*; *Râs el-hhauwa*, *Kopf des Schlangenmanns*; *Dseneb Kaitos*, *Schwanz des Wallfisches* u. s. w.

Ausser diesen kommen nun noch eine beträchtliche Zahl anderer Namen vor, welche die Araber, ohne Rücksicht auf die griechischen Bilder, einzelnen Sternen oder Gruppen derselben gegeben haben. Einige sind Namen von Thieren. So hat der Stern γ *Cepheus* den Namen eines *Hirten*, ϱ *Ceph.* ist dessen *Hund*, α, β, η und andere kleine Sterne dieses Sternbildes sind eine Heerde *Schaafe*. β und γ im kleinen Bären *zwey Kälber*. τ im grossen Bären eine *Ziege*. Es gehören noch ferner dazu ein Ziegenbock, vier Kameel-Mütter, ein Kameel-Füllen, und ein einzelnes weidendes Kameel. Um diese

Heer-

Heerde schleichen sich zwey Schakale τ und η im Drachen, die besonders den Kameelfüllen nachstreben, eine männliche und mehrere weibliche Hyänen (β, γ, δ, μ *Bootis*) mit ihren Jungen (ϑ, ν, κ, λ) und noch andere in diesem Sternbilde.

In der Nähe der beyden Schakale führen noch zwey besondere Sterne (ω und f im Drachen) den Namen ihrer Klauen. Fast in derselben Gegend weidet ein anderer Hirt (α *Ophiuchi*) seine Schaafe, und hat sie nach den genannten Hyänen zu durch zwey *Horden* geschützt, welche durch eine Reihe von Sternen im Hercules und im obern Theile der Schlange ausgedrückt werden. Die Milchstrafse stellt man sich als einen Fluss vor, in dessen Gegend wieder Thiere und Hirten vorkommen. Eben so findet man noch Gazellen, Spuren oder Sprünge derselben, Hunde, Frösche, Aften, Strausse und ihre Nester u. s. w. Andere dieser Namen drücken wirkliche Bilder aus, meistens von leblosen Gegenständen, die aus dem häuslichen Leben der Araber genommen sind. Die Sterne λ, μ, σ des Fuhrmanns, sind das auf drey Stützen ruhende Zelt; die vier Hauptsterne des Raben machen vier solcher Stützen aus. Ausser diesen finden wir noch einen Topf (im Cepheus und Schwan), einen hölzernen Quirl (die Hyaden), die Wagbalken (Gürtel und Schwerd des Orion), die Krippe (der Becher), das Reisezelt, der Kahn u. s. w. Eine dritte Classe drückt blos gewisse Verhältnisse aus. Der kleine Stern über dem mittlern im Schwanze des grossen Bären, heisst *El-Suha*, der *Vergessene*, weil ihn nur ein scharfes Auge bemerkt.

emerkt. *Arctur* der Hüter des Himmels, weil er ch nie ganz in den Strahlen der Sonne verbirgt; *Capella*, der Wächter der Pleiaden u. ſ. w.

Dieſe Beyſpiele werden hinreichend ſeyn, unſere Leſer mit dem Plane und dem Inhalt dieſer intereſſanten Schrift bekannt und auf dieſelbe aufmerkſam zu machen, die gewiſs kein Aſtronom ohne Belehrung aus den Händen legen wird.

XI.

Vaterländische Blätter für den östreichischen Kaiserstaat, von mehrern Geschäftsmännern und Gelehrten. Zweyter Jahrgang. Erster Band. Wien, in der Degenschen Buchhandlung 1809. 228 Seiten in 4.

Auch in der Anzeige dieses Bandes beschränken wir uns, so wie bey den vorhergehenden, auf die geographischen und naturhistorischen Aufsätze.

Nro. I. und II. *Charakteristik der Bewohner Mährens, mit Rückblicken in die ältere und älteste Geschichte. Von Johann Jacob Heinrich Czikann in Brünn.* Wir heben folgende Nachrichten aus. Man findet nur noch wenig charakteristische Züge jener alten Slaven in Mähren, welche die Byzantiner und andere geschildert haben. Im Laufe der Zeit theilten ihnen die Deutschen gröfstentheils ihre Sitten, Cultur und Vorurtheile mit. Die Sitten der heutigen Mährer sind eben so, wie ihre Abstammung, verschieden; von Strecke zu Strecke ändert sich Sprache, Tracht, Wachsthum und Gewohnheit in diesem Lande so sehr, dafs der Reisende sich stets unter einer andern Nation zu befinden wähnen mufs. Ortschaften und Städte zeichnen sich durch Feinheit der Sitten, durch ein gebildetes und humanes Betragen aus. Unter den Tugenden des mährischen Volkes

kes leuchtet vorzüglich seine Ergebenheit gegen den Landesfursten hervor. Zu seinen ubrigen sittlichen guten Eigenschaften gesellet sich die Liebe zum guten Ruf. Die Geselligkeit und Gastfreundschaft leidet durch die Verschiedenheit der Abkunft nur wenig Abbruch.

Ausbreitung der Seiden-Cultur in der k. k. Militär-Grenze. Sehr erfreulich ist fur den östreichischen Staatsmann und Statistiker die Vermehrung und Verbesserung der Seiden-Cultur in den östreichischen Staaten, besonders in den hierzu vorzüglich geeigneten ungarischen Provinzen. Die k. k. Militärgrenz-Provinzen liefern in dieser Rucksicht hoffnungsvolle Resultate. Im J. 1806 wurden in den Grenz-Provinzen erzeugt 546 Ctr. 5¼ Pf Gallet. Seide, und dafur gelöst 35744 Guld. 5¼ Kr.; im Jahr 1807 wurden erzeugt 1066 Ctr. 69¾ Pfd. Galleten Seide, und dafür gelöst 91816 Gulden 35 Kr. Im Jahr 1808 wurden erzeugt 1430 Ctr. 93½ Pf. Galleten.

Bemerkungen über die Unverbrennlichkeit des menschlichen Korpers, bey Veranlassung der Vorstellungen des Nicolaus Ysida Roger in Wien.

Übersicht der vom 1. November 1807 bis Ende Octobers 1808 in die Stadt Wien zur Verzehrung gebrachten Artickel, in Vergleichung des Vorjahres.

Berichtigung zu dem Aufsatze: " Territorial- und Nationalgrösse des östreichischen Kaiserstaats in in Nro. LIII. und LIV. der vaterländischen Blätter. Von Benigni."

Eine gründliche Zurechtweisung des Hrn. *Rohrer* in Ansehung der von ihm angegebenen Grösse und Bevölkerung Siebenbürgens. Der Flächen-Inhalt von Siebenbürgen besteht nicht, wie Hr. *Rohrer* angibt, in 1109$\frac{80}{100}$ □ Meilen, sondern nur in 734 □ Meilen. Die Bevolkerung Siebenbürgens gab Herr *Rohrer* fur das *Provinziale* auf 1,500,000, in der *Militargrenze* auf 138,420 Seelen an, sie besteht aber in dem *Provinziale* in 1,458,559, in der *Militärgrenze* aus 134354, mithin im Ganzen aus 1,592,913 Seelen. Nach dieser richtigen Berechnung kommen daher auf eine □ Meile 2176 Einwohner.

Ubersicht der Bauernschaft im östreichischen Kaiserstaate. Fortsetzung von Rohrer.

Handelt von der Bauernschaft in Siebenbürgen, in der Militärgrenze und in Gallizien. Laut der Josephinischen Conscription im Jahr 1786 fanden sich in Siebenburgen 12550 Bauern. Damals war jeder eilfte Kopf der ganzen Volksmenge Siebenbürgens ein Bauer, indess um jene Zeit in Ungarn jeder dreyzehnte Kopf unter die Zahl der wirklichen Bauern gehörte. Vergleicht man die Zahl der aufgezeichneten siebenburgischen Bauern mit jener der in demselben Jahre verzeichneten Kleinhausler, Innleute u. s. w. (155474), so zeigt sich das Verhältniss wie 1 zu 1,238. In Siebenburgen ist noch kein Urbarium geltend gemacht worden, wie es zu grossem Glucke in Ungarn besteht. Noch herrscht in Siebenbürgen ungemessener Robot, aber wenigstens ist dies bereits

etzielt,

erzielt, dass die persönliche Leibeigenschaft mit Einwilligung der Landstände aufgehoben, und das Freyzügigkeitsrecht dem Bauer von einer Herrschaft zur andern unter eilf Bedingungen und gesetzlichen Einschränkungen im letzten Jahre des achtzehnten Jahrhunderts eingeräumt worden ist. — In den Militärgrenz-Ländern widmet sich fast alles, was nicht unmittelbar in den freyen Communitäten lebt, oder den militärischen Dienst thun muss, dem Feldbau. Die neuesten Staatsgrundsätze für die Grenzländer entwickeln die Rechte und Verbindlichkeiten umständlich, welche für die Zukunft den Grenzbauern ankleben sollen. — Im Jahre 1807 zahlte man in Ostgalizien 366157 Bauern, in Westgalizien 109372. Im Durchschnitte war von der ganzen Volksmenge Ostgaliziens jeder zehnte Kopf, Westgaliziens jeder eilfte Kopf ein Bauer. Unter *Joseph* II. ward in Ostgalizien die persönliche Leibeigenschaft aufgehoben und das Robot-Patent geltend gemacht. Ein ganzer Bauer soll nicht mehr als drey Tage in der Woche Frohndienste leisten. Allein leider ist noch bis heutigen Tages beynahe fast ganz unerörtert, wer denn eigentlich in Galizien als Bauer überhaupt, und als ganzer Bauer insbesondere anzusehen sey. Die Vertheilung der Bauergründe, die in Ostgalizien ins Unendliche geht, schadet dem Wohlstande der Bauern sehr. In Westgalizien (jetzt zum Herzogthum Warschau gehörig) steht es noch schlechter um den Wohlstand der Bauern. Hier herrscht noch ungemessener Robot, wie in Siebenbürgen.

Übersicht der einheimischen Bevölkerung des Königreichs Böhmen im Jahre 1807.

Über

Ueber den Leinwandhandel der Stadt Trautenau in Böhmen, mit allgemeinen Rücksichten auf die umliegende Gegend. Von Hoser. Ein für den Statistiker sehr wichtiger Aufsatz, aus welchem wir folgende Notizen ausheben. *Trautenau* mit seiner Gegend verdient in dem böhmischen Commerz- und Industriefache eine ganz besondere Betrachtung. Es ist die Haupt-Passage für Reisende und für Frachtgüter zwischen Böhmen und Schlesien. Es ist der Punct, wo der böhmische und schlesische Leinwandhandel sich wechselseitig durchkreuzt; dies belebt den Ort ungemein. Jeder findet da leicht seinen nöthigen Unterhalt, und eben deswegen enthält *Trautenau* eine Anzahl wohlhabender, und selbst wahrhaft reicher Einwohner. Fast jedes Jahr lassen sich fremde Familien da nieder, weswegen die Zahl der Menschen dort immer wächst, und sowohl in den Vorstädten als in den Dörfern alle Jahr mehrere neue Häuser gebaut werden. Der Feldbau ist in dieser gebirgigten Gegend zwar ziemlich gut, aber nicht hinreichend die Volksmenge zu ernähren; ausgebreiteter ist dagegen die Hornviehzucht. Dem Mangel des Getraides und andern Nothwendigkeiten hilft also der eigne Wohlstand der Trautenauer Gegend und das tiefere Land ab, welches wöchentlich zweymahl, am Montage und Donnerstage, als eigends dazu bestimmten Wochenmarkten alles im Ueberflusse hieher zuführt, weil es einen sichern und baaren Absatz seiner Producte hier findet. Die vorzuglichste Quelle des Erwerbs und des Wohlstandes für Trautenau und seine Gegend ist der Leinwandhandel, ihn kann man als die Haupttriebfeder aller

hier

hier herrschenden Thätigkeit betrachten. Der Landmann verwendet einen Theil seines Fleisses auf den Anbau des Flachses, die Armen und Schwachen verlegen sich fast ausschliessend aufs Spinnen und Weben; jenes ist vorzugsweise wieder die Beschäftigung der Weiber und Kinder, dies die Verrichtung der Hausväter und ihrer erwachsenen Söhne. Allein weder der einheimische Flachs noch das Garn, würde zur Unterhaltung einer so ungeheuern Menge von Webern hinreichen. Es muss also das erforderliche Garn tiefer aus den böhmischen Gebirgen, und selbst aus Mähren zugeführt werden. Die böhmische Weberschaft erstreckt sich von der sächsischen und schlesischen Grenze bis zur Grenze von Ober-Schlesien und Mähren in einer Kette fort, nimmt einmal eine Breite von ungefähr fünf Meilen ein, und dringt mit jedem Jahre tiefer in das Land ein.

Die Trautenauer Gegend ist unstreitig in ganz Böhmen diejenige, welche die mehrsten, besten, und im gemeinen Leben brauchbarsten Leinwand-Gattungen für jede Menschenclasse, und sowohl für das Ausland, als auch zum Gebrauch des innländischen Handels liefert. Der Verfasser führt die verschiednen Leinwand-Gattungen an, die zu Trautenau und in der umliegenden Gegend verfertiget werden.

Die einzige Stadt Trautenau setzt jährlich im Durchschnitte ab: Im innländischen Handel nach Böhmen selbst, und in andre östreichische Staaten ungefähr 6654$\frac{18}{24}$ Stücke für 95316 Gulden 48$\frac{7}{8}$ Kr., nach preuss. Schlesien 29679$\frac{23}{24}$ Stück pr. 354990 Guld. 55$\frac{1}{4}$ Kr., ins weitere Ausland 6292 $\frac{21}{24}$ St. pr. 115031 Gulden

den 57½ Kr. Im Ganzen also 426263 St. pr. 378333 Gulden 57½ Kr.

Verschönerungen von Wien unter Franz dem Ersten, östreichischem Kaiser. Von Pezzel. Unter Kaiser *Franz* dem Ersten erhielt Wien bedeutende Verschönerungen, die der Verfasser aufzählt.

Zaleszczyky (Zalaszczyk) in *Ostgalizien*; Aus dem Reise-Tagebuche des Superintendenten *Bredeczky* in Lemberg. Enthält manche interessante Reisenachrichten. Die Gegend um Zaleszczyk erklärt der Verfasser für die interessanteste in Ostgalizien. Das Städtchen an sich ist unbedeutend, obgleich es sich von den gewöhnlichen Judenstädten des Landes unterscheidet. Hübsche Häuser sieht man darinnen wenige. Das Kreisamt befindet sich in einem unbedeutenden Hause. Zaleszczyk zählt 360 Häuser. Die Zahl der Einwohner gibt der Verfasser unrichtig auf 1603 an; sie betrug nach einer andern richtigern Angabe in den vaterländischen Blättern im Jahr 1808 laut der Conscription 5416 Seelen. Der Zaleszczyker Kreis grenzt östlich an Russland, namentlich an den District, in welchem Kamienic Podolsky liegt; auch berührt der Zaleszczyker Kreis die Grenze des türkischen Reichs, besonders Choczimer Raja. Der Zaleszczyker und der Tarnopoler Kreis liegen in dem ehemaligen Podolien und sind die fruchtbarsten Districte Galiziens, obgleich selbst in dem Zaleszczyker Kreise unbebaute Plätze liegen. Jede Gattung von Getraide wuchert in üppiger Kraft; vorzüglich gedeiht hier Mais. Eine beynahe ausschliesslich diesem Kreise gehörige

Frucht

Frucht ist der Anies, welcher in die übrigen Theile
Galiziens zum Behuf des Brantweins verführt wird.
Der Handel mit dem Getraide wird, zum Theil nach
Lemberg, zum Theil nach Drohobicz getrieben.
Von dem letztern Ort verführt man das Getraide nach
Ungarn. Ist in Ungarn Mangel an Getraide, so ist
der Handel nach Drohobicz bey weitem ergiebiger
als nach Lemberg, wo es besonders darauf ankommt,
ob die Concurrenz gross oder unbedeutend ist. Als
besondere Erzeugnisse des Zaleszczyker Kreises dürfen die hier trefflich gedeihenden Zucker- und Was-
ser-Melonen, so wie auch der Spargel, nicht übersehen werden. Merkwürdig ist das Streichen der
Gebirge, welche die Ufer des Dniesters bilden. Die
ganze Strecke, welche der Dniester durch den Stryer
und Stanislawower Kreis durchschneidet, ist sein
linkes Ufer grösstentheils bergigt. Diese Bergkette
zieht sich bis an die Kreisstadt Zaleszczyk; hier macht
sie einen halben Bogen östlich, und nähert sich eine
Viertelmeile unter Zaleszczyk abermals dem Dniester; wo jene Gebirgsreihe den Fluss verlasst, da
erhebt sich am rechten Ufer desselben ein ziemlich
hoher Bergrücken, welcher in Gestalt eines halben
Mondes sammt dem Dniester die Kreisstadt ein-
schliesst. Zaleszczyk befindet sich auf einer förmli-
chen Erdzunge, welche von dem Dniester gebildet wird. Das rechte Ufer dieses Flusses besteht aus
perpendiculair stehenden Gebirgswänden, die am-
phitheatralisch Zaleszczyk von drey Seiten umgeben.
Zum Theil stehen sie nackt, zum Theil sind sie mit
Vegetation bekleidet, und machen die Ansicht um
so mahlerischer, als diese Abwechslung dem Auge
des

Beobachters gefallen muss. Der Dniester fliesst hier still und ruhig, und hebt dadurch den Reitz dieser Landschaft. In der Felsenwand, welche das rechte Ufer des Dniesters bildet, kann man dreyerley Strata unterscheiden: die oberste Lage ist Gyps, unter derselben ist Kalk mit seiner verschiedenartigen Abänderung, darauf kommt ein röthlicher Schieferstein in horizontal streichenden Lagen. Die schönste Partie gewährt das in den Felsen südlich von Zaleszczyk gebaute griechische Kloster. Die Aussicht von diesem Kloster ist reizend. Der jetzige Besitzer dieses Klosters, Herr *Mokrzansky* hat hier ein wichtiges Knaben-Institut gestiftet.

Übersicht, wie viel ganze Stücke Leinwand die Stadt Trautenau in den letzten 24 Jahren von 1784 bis incl. 1807 in und ausser Landes verkaufet hat, mit dem beygesetzten Geldbetrage. Von Hoser.

Das Kuhländchen. Beendigt in der folgenden Nummer. Das sogenannte Kuhländchen liegt zwischen Mähren und Schlesien, gehört grössentheils zu ersterem, ist ein kleiner und ungefähr 5 □ Meilen grosser Strich Landes, welcher nicht sowohl durch natürliche und politische Grenzen, als durch die Fruchtbarkeit seines Bodens, seine zahlreichen Heerden, und durch die Ordnung, Munterkeit, Offenheit, Gutmüthigkeit, Betriebsamkeit und den eignen Dialect seiner fast durchaus deutsch sprechenden Bewohner bezeichnet wird. Das Kuhländchen hat vier Städte: Neutitschin, die Hauptstadt Fulneck, Oderau in Mähren, Wagstadt in Schlesien;

43 Ortschaften, wovon 33 in Mähren, 10 in Schlesien liegen. Die sämmtliche Bevolkerung beträgt 39,589 Seelen, welche auf diesen 5 □ Meilen wohnen. Es kommen also 7918 Seelen auf eine Quadratmeile, welches ganz gewiss die stärkste Bevölkerung irgend eines Erdfleckens (mit Ausnahme grosser Städte) in Europa ist. Wäre ganz Mähren so bevölkert, so hätte es uber drey Millionen Menschen. Die Sprache ist im Kuhländchen, einige wenige Dörfer ausgenommen, wo slawisch gesprochen wird, durchaus deutsch in einem eignen Dialect, der von einem Fremden anfänglich schwer verstanden wird. Der Religion nach sind die meisten Kuhländer katholisch; nur das Dorf Zauchtel ist gröfstentheils protestantisch-augsburgischer Confession, so wie einige Einwohner der Dörfer Mankendorf und Kunewald; ihr Protestantismus trägt aber, da sie Abkömmlinge der ehmahligen mährischen und böhmischen Brüder sind, merklich das Gepräge des Geistes der letztern. Beyde Religions-Partheyen leben in der höchsten Verträglichkeit und Harmonie neben einander. Die Bewohner des Kuhländchens zeichnen sich in Rücksicht ihrer Sitten und Gebräuche in mancherley Stücken aus. Merkwürdig sind z. B. nebst der ausgezeichneten weiblichen Tracht die ganz eigne Form und Etikette ihrer Hochzeit- und Kirchgang-Gebräuche, die ganz eignen Verhältnisse des Beysammenlebens verheyratheter Söhne oder Töchter, so wie die Eltern mit dem Ausgedinge, mit der Haushaltung des eigentlichen Wirthes auf dem Gute u. s. w. Diese verschiedenen Gebräuche schildert der Verfasser umständlich. ...

Schutz-

Schutzpocken-Impfung in Böhmen.

K. K. Taubstummen-Institut zu Wien. Eine ausführliche Geschichte und Beschreibung dieses menschenfreundlichen und trefflichen Instituts.

Die Tropfsteinhöhle zu Blankenstein. Von *Caroline Pichler*, geb. *von Greiner*. Eine sehr mangelhafte und für den Naturforscher unbefriedigende Beschreibung der Tropfsteinhöhle zu Blankenstein, einem Palfyschen Gute in der Presburger Gespannschaft. Diese Grotte ist nur eine Meile weit von Wien entfernt, und doch ist ihre Existenz nur wenigen bekannt. Der Berg, in dessen Schoosse diese Grotte ist, ist nicht hoch, ungefähr wie der bey Mödling in dem sogenannten Brühl. Am Fusse des Berges ist der Eingang; der Weg ist geebnet; sicher geht oder steigt man in engen Gängen zwischen seltsam geformten Massen von Tropfstein durch, und gelangt bald in eine geräumige Höhle, bald wieder in enge Schluchte. Kleine in den Felsen eingepasste Leuchter, hier und dort sogar an weitern Stellen eine Art von Kronleuchtern, zerstreuen die Finsterniss und erhellen gleichmässig und deutlich die wunderbar geformten Gemächer und Abtheilungen der Höhle, und auf leichten Treppen steigt man in den übereinander liegenden Grotten auf und nieder, und kann sehr gemächlich alle Spiele der Natur bewundern. Nach den verschiedenen Formen, in welchen die Stalactiten und Stalagniten sich entweder zu luftigen Pfeilern und Säulen verbinden, oder als Trümmer von alten Gebäuden wild unter einander liegen, oder umgekehrten Pyramiden gleich von der

Decke

Decke herab in kühnen Massen hängen, hat die Einbildungskraft fernere oder treffendere Aehnlichkeiten gefunden, und die verschiedenen Abtheilungen und Gemächer der Höhle, Saal, Theater, Capelle u. s. w. benannt. Es ist in dieser Grotte, so wie in andern Tropfsteinhöhlen, ein ewiges Bilden und Schaffen der Natur.

Ueber die richtigste Angabe des Flächen-Inhalts und der bewohnten Oerter von Ungarn. Noch nicht beendigt. Der Verfasser untersucht in diesem Aufsatze, aus welchen Quellen die verschiedenen Angaben über die Arealgröfse Ungarns in geographischen und statistischen Büchern geschöpft sind, und welchen Werth die Quellen selbst haben, wornach sich der Grad der Richtigkeit, der jeder Angabe nach den Regeln der Critik zukommt, bestimmen läst.

Ueber die Naturschönheiten des östreichischen Kaiserstaats. Von Dr. *Franz Sartori* in Wien. Aus diesem gründlichen Aufsatze heben wir folgende interessante Notizen aus. Die östreichische Monarchie hat vor vielen andern Ländern den Vorzug, einen grossen Reichthum an Naturschönheiten zu besitzen. Nicht blos das durch Reisende beruhmt gewordene Salzburg und Berchtesgaden, auch Oestreich ob und unter der Ens, Kärnthen und Steyermark, haben Gegenden aufzuweisen, die man selbst in der Schweiz und Italien noch preisen würde. Der Verfasser hat im Herbst 1807 Oestreich ob und unter der Ens, Steyermark, Salzburg, Berchtesgaden und Kärnthen mit aufmerksamen Auge bereiset, und in diesen Ländern

dern Naturschönheiten gefunden, die man blos darum nicht schatzte, weil man sie nicht kannte; oder die verkannt wurden, weil die Oestreicher zu bescheiden sind, von den Merkwürdigkeiten dieser Länder viel Aufhebens zu machen. Der Verfasser fuhrt mehrere dieser Naturschonheiten Oestreichs an. Der Konigs- oder Bartholomaus-See in Berchtesgaden trägt den Character des Schauerlich-Erhabenen an sich, das zum Theil durch einen Anflug des Schönen gemildert wird. Die steilen schroffen Wände, der herrliche grun-blaue Spiegel des Sees, das einzige Schlösgen St. Bartholomäi auf einer Halbinsel, und die namenlose Ruhe, die auf dem Felsen, auf den leicht spielenden Wellen des Sees, auf den Bäumen und Pflanzen umher ruht, leihen diesem See ihren Reitz. Das nahe an diesem See gelegene Thal der Eiskapelle ist ebenfalls schauerlich; aber es trägt diesen Charakter lebendiger, ausgebildeter und unvermischter an sich, als jede andere Gegend, man mag die hohen Felswande des Watzmann hinan sehen, von dem sich Felsen und Steingerölle herabsturzen, oder die Verwüstung betrachten, welche in diesem Thale die Giessbäche und die Ströme anrichteten, die von Zeit zu Zeit durch dieses Thal hausten. In Steyermark gleicht diesem Thale einigermassen der Weichlelboden im nordlichen Theile des Landes. Pflanzen und Thiere, selbst Färbung der Landschaft und Luftton geben dieser Gegend einen eignen Character; vor allen verdankt sie ihre Eigenthumlichkeit aber den Formen der Berge, die ohne die gewohnlichen Vorgebirge beynahe senkrecht vom Boden zur Hohe steigen, und der verwüsten-

ßenden Sulza, die das Thal durchrauscht. Wie der Traunsee bey Gmunden, so ist der Attersee bey Kammern, freundlich und schön, und die lieblichen Ufer beleben den See. Aber wie man weiter hinauf gegen Weissenbach zukommt, werden die Ufer steiler, Gebirge drängen sich heran, und die Umgebungen des Sees nehmen einen erhabnen, ja sogar einen etwas melancholischen Charakter an. Den nämlichen Character hat der Verfasser bey dem Mond-See in Oestreich ob der Ens, dem Altaussee und dem Leopoldsteiner-See in Steyermark bemerkt, welcher letztere jedoch durch einen romantischen Anstrich gemischt ist. Das Lavanthal in Kärnthen ist durch seine Gebirge, die in grossen Massen da stehen, geeignet, erhabne Eindrucke hervorzubringen, aber diese Erhabenheit wird durch die ausserordentliche Fruchtbarkeit des Thals und durch die gefälligen Partien mit einem feinern Teint bekleidet, und es gefallt auf diese Art weit mehr, weil sich das Angenehme mit dem Grossen verbindet. Erhaben ist nicht minder die Strecke Landes von Salzburg hin gegen den Untersberg. Aber nicht leicht wird eine Gegend erhabnere Gefuhle erregen, als man auf mehrern Puncten um und an dem Oetscher in Oestreich unter der Ens hat. Besonders ist dies der Fall auf der Riffel, einem Bergsattel zwischen dem grossen und kleinen Oetscher, von dem man die nördliche und die südliche Seite des Oetschers übersieht; die herrliche Aussicht, der reinste Aether, die stolzen Gebirge von nah und von fern, die Ruhe die den betrachtenden Wanderer umgibt, alles wirkt harmonisch zusammen, um das erhabne Bild

zu

vollenden. Eine Scene anderer Art ist der Waldbachstrub bey Hallstadt in Oestreich ob der Ens. Die Gegend Echern, durch die man zu diesem Wasserfalle kommt, ist äusserst romantisch. Aber romantischer noch ist der Wasserfall selbst, der aus einer schwarzen Schlucht hervordonnert. Ungemein reich an Wasserfällen von auffallender Gestalt ist der Radstadter Taurn, uber den man von Salzburg aus in das Lungau fährt. Er ist nicht allein sehr hoch, sondern die Strasse, die uber ihn weg führt, auch ungemein reich an seltnen Naturscenen. Schauerlich sind die Gebirgsthaler der Salza von Mariäzell an bis Eisenerz in Steyermark. Enge, finstere Schluchten, in welchen sich der Strom fortwalzt und der Strasse nur einen schmalen Raum gewahrt, ziehen sich zwischen himmelhohen Felswänden hindurch, und die senkrecht zu sturzen scheinenden Steinkolosse machen einen traurigen Eindruck auf den durchziehenden Wanderer. Unter den Gegenden, die sich durch Eleganz und Pracht auszeichnen, verdienen in Steyermark vorzuglich drey diesen Namen. Wer die gefalligen Reize des Ensthals in Ober-Steyermark, wer die mit Villen besaete Hugelreihe des Rosenberges bey Gratz, und wer das herrliche Weingebirge Luttenberg nicht gesehen hat, der weiss nicht, was die deutsch-östreichischen Erblande fur einen Schatz von Naturschönheiten aufzuweisen haben. Prächtig ist auch die Aussicht von dem Mönchsberge auf die Gegend von Salzburg. Einen sehr lebendigen Eindruck macht auf den Reisenden durch seinen romantischen Anstrich das Märzthal in Steyermark und der Weg von Lilienfeld nach Turnitz in Oestreich.

reich. Die Waldpartien wechſeln, Bäume und Geſträuche durchſchneiden Wieſen und Aecker, die März und die Traſe durchſchlangeln die Thäler, und das Verſchieben und Hervortreten der Berge erregt ein romantiſches Gefühl, das noch bey dem Märzthale durch die alten Ritterburgen erhöht wird, die von den Bergen herab den beobachtenden Wanderer anblicken.

Bemerkungen auf einer Reiſe ob und unter der Ens, Salzburg, Steyermark, Karnthen, Krain, Görz und Trieſt. Fortſetzung. Sehr intereſſant, aber keines Auszugs fähig.

XII.

Auszug aus einem Schreiben von Hrn. *Bugge*, Director der königl. Sternwarte zu Copenhagen.

Copenhagen, am 23. Dec. 1809.

Ich nehme mir die Freyheit, Ihnen hier beyfolgend einige meiner vorjahrigen astronomischen Beobachtungen mitzutheilen, deren Bekanntmachung ich ganz Ihrem Gutdunken uberlasse.

1. Sternbedeckung und Jupiters Satelliten-Finsternisse.

1808	6. Jul.	1 μ ♐	immers. . . .	10h	49′	49″	wahr. Zeit
	22. —	1 Sat. ♃	immers. . . .	10	12	15	zweifelh.
	29. —	1 Sat. ♃	immers. . . .	12	6	25	gut
	27. Aug.	3 Sat. ♃	immers. . . .	11	11	35	zweifelh.
	18. —	2 Sat. ♃	immers. . . .	9	47	20	
	12. Sept.	2 Sat. ♃	emers.	9	44	56	gut
	16. Nov.	1 Sat. ♃	emers.	8	26	48	zweifelh.
	9. Dec.	1 Sat. ♃	emers.	8	35	41	gut

2. *Oppo-*

2. Oppofition des Jupiters.

1808	Mittl. Z. in Copenhagen			AR. app. ♃			Declin. appar. auftr.			Longitudo appar.				Latit. appar. auftr.		
	h	′	″	°	′	″	°	′	″	s	°	′	″	°	′	″
31 Auguft	12	22	17	345	31	14	7	47	24	11	13	40	8	1	28	33
1 Septbr.	12	17	52	345	24	22	7	50	47	11	13	32	9	1	28	53
4 —	12	4	37	345	2	21	8	0	3	11	13	8	26	1	29	2
5 —	12	0	11	344	55	2	8	3	9	11	13	0	33	1	29	6
15 —	11	16	1	343	41	58	8	33	32	11	11	42	6	1	29	26
16 —	11	11	37	343	34	52	8	36	21	11	11	34	32	1	29	21
17 —	11	7	13	343	27	49	8	39	21	11	11	26	57	1	29	28
18 —	11	2	49	343	20	52	8	42	7	11	11	13	32	1	29	24
19 —	10	58	25	343	13	57	8	44	54	11	11	12	9	1	29	22
21 —	10	49	39	343	0	18	8	50	29	11	10	57	37	1	29	14
24 —	10	36	32	342	40	27	8	58	15	11	10	36	27	1	29	6

Hiernach Zeit des Gegenfcheins

aus der Beob. vom 5. Sept. 9h 12′ 50,″5
4. — 9 12 37, 5

im Mitt. ☍ ♃ ☉ 1808 5. Sept. 9 12 44, 0 mittl. Z. i. Copenh.

Tag	Länge ♃ in der ☍				Breite in der ☍			
4 Sept.	11s	13°	1′	27,″1	1°	29′	4,″9	auft.
6 —	11	13	1	28, 2	1	29	5, 6	—
im Mittel	11	13	1	27, 95	1	29	5, 2	—

3. Oppofition von Mars.

1808	Mittl. Z. in Copenhagen			AR. app. ♂			Declin. appar. auft.			Longitudo appar.				Latit. appar. bor.		
	h	′	″	°	′	″	°	′	″	s	°	′	″	°	′	″
5 April	12	21	58	199	20	7	5	30	1	6	19	55	33	2	28	52
6 —	12	16	37	198	58	41	5	23	8	6	19	33	10	2	27	13
7 —	12	11	44	198	36	56	5	16	10	6	19	10	29	2	25	30
9 —	12	0	29	197	53	47	5	2	24	6	18	25	8	2	21	51

1809	Mittl. Z. in Copenhagen	AR. app. ♂	Declin appar. auft.	Longitudo appar.	Latit. appar. bor.
	h ′ ″	° ′ ″	° ′ ″	s ° ′ ″	° ′ ″
12 April	11 44 18	196 47 23	4 42 0	6 17 16 26	2 15 41
15 —	11 28 9	195 41 58	4 21 58	6 16 8 29	2 9 15
20 —	11 1 32	193 57 20	3 51 21	6 14 20 18	1 57 18
21 —	10 56 17	193 37 28	3 45 43	6 13 59 49	1 54 50

Hiernach Zeit des Gegenfcheins:

aus der Beobacht. am 7 Apr 1809	8 Apr.	13h 59′	20,″5	
. . . . 9 Apr.	— —	13 59	11, 2	
im Mittel ☍ 1809 8. April		13 59	15, 8	mittl. Z.

Tag	Länge ♂ in der ☍	Breite in der ☍
	s ° ′ ″	° ′ ″
7 April	6 18 46 0,4	2 23 35,4
9 April	6 18 46 1,5	2 23 28,8
im Mittel	6 18 46 0,9	2 23 32,1 bor.

4. *Oppofition von Uranus.*

1809	Mittl. Z. in Copenhagen	AR. app ♅	Declin. appar. auft.	Longitudo appar.	Latit. appar. bor.
	h ′ ″	° ′ ″	° ′ ″	s ° ′ ″	° ′ ″
30 April	11 47 32	215 20 37	13 35 35	7 7 32 42	0 28 36
3 Mai	11 35 15	215 13 9	13 33 11	7 7 25 3	0 28 31
4 —	11 31 10	215 10 47	13 32 19	7 7 22 36	0 28 25
6 —	11 22 58	215 5 54	13 30 41	7 7 17 34	0 28 25
9 —	11 10 41	214 58 30	13 28 18	7 7 10 0	0 28 19
12 —	10 58 25	214 51 24	13 25 56	7 7 2 42	0 28 19
17 —	10 38 0	214 32 58	13 22 12	7 6 50 58	0 28 12

Hiernach Zeit des Gegenfcheins:

aus der Beobacht. vom 30 Apr 1809	27 Apr,	22h	34′	34″	m. Z.
. . . . 3. Mai		22	42	46	—
im Mittel 1809 27. Apr.		22	38	40	—

Die Beftimmung der Zeit für den Gegenfchein des Uranus ift fehr zweifelhaft, da ungünftige Witterung Beobachtungen in deren Nähe vereitelte.

Tag

Tag	Länge ♅ in der ☍				Breite in der ☍		
	s	°	′	″	°	′	″
30 Apr.	7	7	39	13,2	0	28	30,4
3 Mai	7	7	39	12,3	0	28	30,3
im Mittel	7	7	39	12,7	0	28	30,35 bor.

5. *Oppoſition des Saturn.*

1808	Mittl. Z. in Copenhagen			AR. app. ♄			Declin. appar. auſt.			Longit. appar.				Latit. appar. bor.		
	h	′	″	°	′	″	°	′	″	s	°	′	″	°	′	″
19 Mai	12	7	20	239	2	3	18	11	26	8	0	42	52	2	10	33
20 —	12	3	6	238	57	23	18	10	33	8	0	38	20	2	10	30
21 —	11	58	52	238	52	48	18	9	38	8	0	33	53	2	10	30
22 —	11	54	37	238	48	11	18	8	52	8	0	29	25	2	10	21
24 —	11	46	9	238	38	57	18	6	59	8	0	20	27	2	10	22
26 —	11	37	40	238	29	49	18	5	25	8	0	11	37	2	10	6
30 —	11	20	44	238	11	39	18	1	56	7	29	54	0	2	9	54

Hiernach Zeit des Gegenſcheins:

aus der Beob. am 20. Mai 1809 21. Mai 15ʰ 51′ 51″
. . . . . . 21. — — — — 15 51 49
. . . . . . 22. — — — — 15 52 5

im Mittel 15 51 55 mittl. Z.

Tag	Länge ♄ in der ☍				Breite in der ☍		
	s	°	′	″	°	′	″
20 Mai	8	0	33	7,8	2	10	25,7 bor.
21 Mai	8	0	33	9,6	2	10	29,2
22 Mai	8	0	33	10,3	2	10	23,9
im Mittel	8	0	33	9,2	2	10	26,3

Dieſe gut beobachteten Gegenſcheine beweiſen die groſse Genauigkeit der neuen *de Zachiſchen* Sonnentafeln.

Gegenſchein der Planeten	Mittl. Zeit zu Copenhagen				Länge d. Planeten in der Oppoſition				Länge der ☉ + VIˢ				Fehler der Tafeln
		h	′	″	s	°	′	″	s	°	′	″	″
1808 ☍ ♃ ☉	5 Sept.	9	12	44	11	13	1	27,95	11	13	1	27,85	+ 0,10
1809 ☍ ♂ ☉	8 Apr.	13	59	16	6	18	46	0,95	6	18	46	1,77	— 0,82
1809 ☍ ♄ ☉	21 Mai	15	51	55	8	0	33	9,25	8	0	33	9,98	— 0,73

Ich habe bey dieſer Vergleichung die etwas zweifelhafte Uranus-Oppoſition weggelaſſen.

6. Vesta.

Beobachtungen zur Zeit ihres Gegenscheins mit der Sonne.

1808	Mittl. Z. in Copenhagen			AR. app. ⚶			Declinatio austr.			Longitudo apparens ⚶				Latitud. appar. ⚶ austr.		
	h	′	″	°	′	″	°	′	″	s	°	′	″	°	′	″
5 Sept.	12	28	45	352	4	36	15	20	30	11	16	36	57	10	56	16
12 —	11	54	52	350	28	56	16	9	40	11	14	50	56	11	4	24
13 —	11	50	1	350	15	14	16	16	7	11	14	36	1	11	5	3
14 —	11	45	11	350	1	35	16	22	20	11	14	21	15	11	5	30
19 —	11	21	5	348	54	49	16	50	12	11	13	10	8	11	5	33
21 —	11	11	31	348	29	5	16	59	52	11	12	43	12	11	4	37
24 —	10	57	15	347	52	2	17	12	40	11	12	4	54	11	2	18
1 Octbr.	10	24	36	346	34	59	17	34	3	11	10	47	30	10	52	52
5 —	10	6	25	345	58	1	17	41	11	11	10	11	40	10	45	33
17 —	9	14	17	344	43	23	17	39	15	11	9	5	54	10	15	55
20 —	9	1	53	344	34	21	17	33	43	11	9	0	2	10	7	29
21 —	8	57	48	344	32	6	17	31	31	11	8	58	53	10	4	37
22 —	8	53	46	344	30	17	17	28	58	11	8	58	17	10	1	36
25 —	8	41	46	344	27	23	17	20	32	11	8	59	1	9	52	45
28 —	8	30	1	344	28	15	17	10	16	11	9	3	52	9	43	36
1 Novb.	8	14	45	344	35	10	16	54	6	11	9	16	25	9	31	18
2 —	8	11	0	344	37	49	16	49	42	11	9	20	32	9	28	13
5 —	7	59	54	344	48	23	16	35	25	11	9	35	36	9	19	0
6 —	7	56	16	344	52	37	16	30	23	11	9	41	22	9	15	58
7 —	7	52	38	344	57	10	16	25	8	11	9	47	31	9	12	49
11 —	7	38	23	345	19	28	16	2	50	11	10	16	18	9	0	38
14 —	7	27	56	345	39	46	15	44	39	11	10	41	41	8	51	30
8 Decbr.	6	10	56	350	0	52	12	43	5	11	15	48	58	7	44	6
9 —	6	7	56	350	15	1	12	34	32	11	16	5	10	7	41	43

Hiernach ☍ ⚶ ☉ aus der Beobachtung

am 5. Sept. 1808 — 8 Sept. . . . . 8^h 11′ 43″

am 12. Sept. 8 11 16

im Mittel 1808 8 Sept. 8 11 29,5 mittl. Zeit in Copenh.

Tag	Länge ⚶ in der ☍			
5 Sept.	11ˢ	15°	54′	4,″6
12. Sept.	11	15	54	4,5

Sie

Sie fragten mich in Ihrem letzten Brief, ob ich [H]orizontal-Refractionen in Copenhagen beobachtet [h]abe. Bis hierher war dies nicht geschehen, allein [s]eitdem habe ich angefangen, mit unserm sechsfussi[g]en Mauer-Quadranten Meridian-Hohen solcher [S]terne zu beobachten, die nicht über 4° kommen. [I]ch füge zwey Beobachtungen des Fomahand bey.

1809 den 21. Nov.

[M]ittl. Abweich. des Fomahand	30°	37′	35,″99	südl.
Aberration		+	6, 32	—
Nutation		—	5, 06	—
scheinbare Abweich.	30°	37′	37,″25	
Aequators-Höhe	34	18	56, 00	
[w]ahre Höhe des Fomahand	3°	41′	18,″75	
beobachtete Hohe	3	53	35, 70	
[B]eobachtete Strahlenbrechung		12′	17,″	

[B]aromet. 28^{Z} 0‴7. Therm. + 0,°5.

1809 den 8. December.

[M]ittl. Abweich. des Fomahand	30°	37′	35,″10	südl.
Aberration		+	8, 50	
Nutation		—	4, 99	
scheinbare Abweich.	30°	37′	38,″61	
Aequators-Höhe	34	18	56, 00	
wahre Höhe	3°	41′	17,″4	
beobacht. Hohe	3	53	39, 9	
[B]eobachtete Strahlenbrechung		12′	13,″5	

[B]arometr. 28^{Z} 1‴8. Therm. + 2,°5.

Die

Die Declination des Fomahand habe ich nach der neuesten Bestimmung von *Piazzi* zu 30° 37' 35,"99 angenommen. (*Bode Jahrb.* 1811.)

Die von mir gefundenen Refractionen sind 28" kleiner als die *Bradley*schen, und 12" kleiner, als die nach *La Place*. *)

Ich gedenke diese Beobachtungen fortzusetzen und Ihnen die Resultate davon mitzutheilen.

---

*) Dass bey der grossen nördlichen Breite von Copenhagen die dortigen Refractionen *kleiner* als die nach *La Place* Formel berechneten sind, würde eine anomalische Erscheinung seyn, hätte nicht Copenhagen eine mittlere Temperatur, die weit höher ist, als seine Breite es erwarten lasst, wodurch denn jene Erscheinung sogleich vollkommen erklärt wird.

v. Z.

XIII.

Auszug aus einem Schreiben von *Delambre*.

Paris, vom 27. Sept. 1809.

Ihre Resultate *) über die progressive ziemlich schnelle Abnahme des Sonnen - Durchmessers hat mich Anfangs in Verwunderung gesetzt; die Erscheinung wäre höchst sonderbar, und wurde es erklaren, warum man seit der Erfindung der Fernröhre immer von Jahr zu Jahr den Sonnen - Durchmesser kleiner fand; doch hat *Short* schon vor 40 Jahren dasselbe Resultat gefunden, was Sie jetzt für 1805 haben. Diess läfst mich an der Realitat jener Abnahme noch zweifeln. Vielmehr bin ich mit der elliptischen Gestalt der Sonne einverstanden, wodurch die monatlichen Aenderungen des Durchmessers, die Sie in Ihrem zweyten Tableau gaben, erklärt werden würden. Diese Bestimmungen können uns in Stand setzen, für jede Zeit und in jedem Sinn die Sonnen - Halbmesser zu berechnen, und vielleicht können durch Anwendung dieser elliptischen Radien die Erscheinungen erklärt werden, die man zeither der Irradiation und Inflexion zugeschrieben hat.

Allein je interessanter diese Folgerungen waren, desto mehr bedarf die Erscheinung selbst constatirt zu werden. Die Geometer werden sich ungern zu Annahme einer Aequatorial - Abplattung verstehen, denn bey der ziemlich schnellen Rotations - Bewegung der Sonne müfste gerade das umgekehrte Statt fin-

*) Vergl. Junius - Heft 1809. *Monatl. Corresp.*

finden, so dass also ohne diese Wirkung die von Ihnen gefundene Abplattung wahrscheinlich noch stärker gewesen seyn würde. Wie dem auch sey, so ist der Gegenstand so interessant, dass ich die Fortsetzung Ihrer Untersuchungen darüber wünsche. *)

Da ich beynahe alle Hefte der *Maskelyne*schen Beobachtungen verglichen habe, so habe ich nur aus dem für 1800 die Sonnen-Durchmesser für die ersten 6 Monate berechnet. Meine Resultate waren folgende:

Januar	960,"09	9	Beobachtungen
Febr.	960, 29	11	—
März	960, 35	10	—
April	960, 25	7	—
May	960, 87	16	—
Junius	960, 05	12	—

Die Differenzen sind hier kleiner als in Ihrem Tableau, allein für den Monat May nähern sich unsere Resultate. Doch wäre ich nicht abgeneigt, alle diese Differenzen auf unvermeidliche Beoabachtungsfehler zu schieben. Ein Zehntheil einer Zeitsecunde gibt schon 1,"5 im Bogen, und in den Beobachtungen selbst kommen manchmal Differenzen von 0,"1 — 0,"2 in Zeit vor. Wenn Sie alle Beobachtungen von *Maskelyne*, *Piazzi*, *v. Zach* und *Bouvard* in Rechnung nehmen, so sollte ich wohl glauben, dass durch eine so grosse Menge von Beobachtungen ein ganz zuverlässiges Resultat erhalten werden müsste. Weniger Zweifel bleiben mir über die von Ihnen berechnete Differenz der Horizontal- und Vertical-Durchmesser übrig, da die hierüber von Ihnen dargelegten Beweise sehr befriedigend sind.

XIV.

*) Ich hoffe in einem der nächsten Hefte dieser Zeitschrift die weitern Resultate meiner Untersuchungen über diesen Gegenstand darlegen zu können v. L.

XIV.

Auszug aus einem Schreiben des Hrn. Inspectors *Bessel*.

Lilienthal, am 3. Jan. 1810.

... Die Beobachtungen des Cometen von 1807, die im neuesten *astronomischen Jahrbuch* (S. 97) stehen, habe ich neu reducirt, indem ich die Oerter der verschiedenen Sterne aus der *Histoire célesle* berechnete. So habe ich folgende Positionen erhalten:

	Mittl. Zeit in Petersburg	AR.	Declin.	
1808 März 18	9ʰ 46′ 38,″4	20° 54′ 13,″8	48° 43′ 56,″8	2 Beob.
19	10 28 48, 5	21 28 43, 0	48 45 21, 6	3 —
22	9 24 29, 3	23 6 39, 8	48 48 57, 6	2 —
23	10 43 0, 5	23 42 2, 8	48 49 51, 3	3 —
25	11 0 33, 3	24 44 24, 9	48 51 49, 4	1 —
25	11 15 16, 7	24 46 7, 1	48 52 27, 5	1 —
26	11 40 1, 4	25 17 35, 3	48 53 41, 5	3 —
27	10 54 20, 1	25 48 27, 4	48 54 38, 6	3 —

Meine elliptischen Elemente haben nach dieser Reduction folgende Fehler:

	in AR.	in Decl.
März 18	+ 27, 5	— 37,″4
19	+ 30, 2	— 50, 2
22	+ 4, 8	— 58, 8
23	— 61, 8	— 39, 9
25	+ 80, 6	— 2, 1
25	— 2, 0	— 39, 5
26	— 36, 7	— 28, 3
27	+ 47, 9	— 14, 7

Die durch die Elemente gegebenen Declinationen scheinen hiernach etwa eine halbe Minute zu klein zu seyn; ich werde versuchen, ob man sich noch etwas naher anschliessen kann,

kann, ohne bey den frühern Beobachtungen zu viel aufzuopfern. Vielleicht wende ich auf diesen Cometen eine Methode an, die ich mir vor einiger Zeit entwarf, und die den Einfluss der Stöhrungen auf die Bahn bestimmt.

Vom Herrn *von Wisniewsky* habe ich das einliegende Verzeichniss von Sternbedeckungen erhalten; Sie werden gewiss den Lesern der *Monatl. Correspondenz* einen Dienst erweisen, wenn Sie es bekannt machen; obgleich es minder vollständig ist, als das Verzeichniss im *September-Hefte*, so enthält es doch Sterne, die dieses nicht hat.

Verzeichniss

der im Jahre 1810 vorfallenden Stern-Bedeckungen. Für den Berliner Horizont berechnet.

					Eintritt		Austritt			kleinster Abstand des ☽ Mittelp.	
Januar	15	1 δ Tauri	4 Gr.		14^h	14′	14^h	59′	w. Z.	12′	S.
—	—	2 δ —	4	—	14	38	15	30	—	6	S.
—	18	μ Gemin	5	—	7	10	8	30	—	0	
—	26	487 Virgin.	6	—	11	28	12	30	—	1½	S.
—	27	λ —	4	—	16	27	17	31	—	9	N.
Febr.	15	λ Gemin.	4	—	7	48	9	11	—	2	N.
—	17	2 α Cancri	4	—	9	9	10	32	—	5	S.
März	16	2 A —	6	—	12	54	13	58	—	3	N.
—	19	2 P Leonis	5	—	9	22	10	26	—	9	N.

April

				Eintritt		Austritt			kleinster Abstand des ☽ Mittelp.	
il	11	K Gemin.	5 Gr.	8h	35'	9h	47'	w. Z.	4'	S.
-	24	1 ρ Sagitt.	5 —	13	55	15	2	—	4	N.
l	10	1 α Cancri	6 —	10	6	11	7	—	4	N.
-	11	99 Sagitt.	6 —	8	11,5	9	6	—	11	S.
-	23	N Tauri	6 —	12	48	13	42	—	5	S.
t	11	ρ Aquarii	6 —	13	55	14	55	—	5	S.
-	14	E Pisc.	5 —	14	12	15	24	—	2	S.
-	18	Aldebar.	1 —	10	58	11	55	—	5	S.
-	21	λ Gemin.	4 —	16	5	17	25	—	0	
ob.	4	290 Ophiuc.	6 —	7	2	8	12	—	1	S.
-	17	241 Orionis	6 —	12	38	13	36	—	9	S.
v.	12	Aldebar.	1 unt. Hor.			6	4	—	4	N.
-	15	λ Gemin.	4 —	8	18	9	47	—	3	S.
c.	12	λ Gemin.	4 —	18	4	19	3	—	7	N.
-	15	o Leonis	4 —	16	24	17	39	—	6	S.

XV.

XV.

Stern- und Jupiters-Bedeckungen, beobachtet auf der Sternwarte Seeberg.

1810 Jan. 9	. . . . Piscium	Eintr.	8h	52'	51,"2		
— — 27	. . . λ Virgin.	—	16	29	33, 8		
Febr. 8	1. ♃ Trab.	—	9h	4'	4,"4	v. L.	
					4, 4	Pabst.	
	2. ♃ Trab.	—	9h	4'	25,"3	v. L.	
					25, 3	P.	
	♃ 1 R.	—	9h	6'	0,"1	v. L.	
				5	58, 1	P.	
	♃ 2. R.			8	21, 2	v. L.	
					20, 7	P.	
	3. ♃ Trab.	—		13	27, 4	v. L.	
					27, 4	P.	
	4. ♃ Trab.	—		19	54, 3	v. L.	
					53, 3	P.	

Die Beobachtung des Austrittes vereitelten Dünste. Sehr wunschte ich es, eine Reihe von Jupiter- und Monds-Oerter fur diese Epoche zu Bestimmung der Tafelfehler beobachten zu konnen; allein leider erlaubte mir das bald nachher eintretende schlechte Wetter nur folgende zu machen.

Jupiter:

	M Z in Seeberg			AR appar ♃				Decl bor.			
1810 Febr 5	4h	15'	28,"1	18°	59'	12"	1 R	6°	52'	18"	u R.
6	4	12	8, 9	19	8	24		6	56	20	
7	4	8	49, 9	19	17	40		7	4	26	
9	4	2	13, 1	19	36	28					

Mond.

Febr 8	3h	55'	20,"9	16°	54'	3"	1 R				
9	4	43	3, 5	29	50	45		9h	57'	56"	u R

Auswartige Beobachtungen sind noch nicht bey mir eingegangen. *v. L.*

XVI.

Auszug aus einem Schreiben des Herrn *Jabbo Oltmanns.*

Paris, am 28. Nov. 1809.

. . . Meine verzögerte Antwort liegt an der späten Erscheinung meiner geographischen Untersuchungen, welche jetzt erst die Presse verlassen haben. Sobald ich das erste Exemplar erhalte, sende ich es Ihnen.*) Herrn *von Humboldts* Beobachtungen gehen darinnen bis zur Landung in *Cartagena de Indias* zum Febr. 1801.

Ich danke Ihnen sehr fur die *Stielersche* Karte von Ostindien, welche grosse Vorzuge vor der Arrowsmithschen hat. Es ist Schade, dass Hr. *Stieler* nicht die Mercator-Projection gewählt hat, weil sie dadurch fur Seefahrer sehr brauchbar werden würde.

Ich habe im IV. Buche des *Recueil* die *Tettas von Managua* östlich von der *Havanna* gesetzt; späterhin fand ich eine Handschrift von *Robredo*, worinnen er uns Nachricht von einer Vermessung gibt, welche Don Pedro Silva auf Cuba ausgeführt hat. Drey-

*) Wir haben den ersten Band dieser interessanten und sehr reichhaltigen geographischen Untersuchungen erhalten, und werden unsern Lesern nächstens eine Anzeige davon geben. *v. L.*

Dreyecke gaben den *Teta oriental de Managua* 1911,45 Toif. östl. und 8666,85 Toif. südl. vom *Centro del mirados, del Marques del real Socorro en la Havanna.*

Sie haben im *December*-Heft 1807 *Mon. Corresp.* den Flächen-Inhalt der Antillen berechnet; in der Hoffnung, dass Sie nichts dagegen haben werden, habe ich diesen schätzbaren Beytrag zur Areal-Grösse von America meinem Werke einverleibt. Es war Anfangs mein Plan, zugleich einige Bemerkungen über Richtung der Ströme, Abweichung der Magnetnadel u. s. w. in den westindischen Gewässern beyzufügen; allein ich schmeichle mir noch immer mit der Hoffnung, eine Karte nach meinen Untersuchungen entwerfen zu können, wo ich denn eine bessere Gelegenheit hätte, dergleichen nautische Sachen anzubringen. Kennen Sie schon die Schrift:*) *Théorie de l'aimant appliquée aux déclinaisons de l'aiguille de boussole, et demontrée par la trigonométrie sphérique.* Paris 1809 136 S. 4. Par *Guinet de Cartines?* Darinnen heisst es: *Où l'on determine l'origine et la manière d'être des forces magnétiques et l'on présente les moyens de dresser une carte générale et des tables exactes de la déclinaison et de l'inclinaison de la boussole pour tous les lieux de la terre, et pour une époque quelconque.* Die Beobachtungen welche darinnen berechnet werden, stimmen ordentlich genug mit der Theorie, ob auch die andern harmoniren, kann ich nicht sagen. Ein *Supplement aux tables de la lune*, habe ich

*) Ist uns noch nicht zu Gesicht gekommen. v. L.

ich vor einiger Zeit erhalten und werde es Ihnen übersenden. Man setzt jetzt für 1802
☊ Suppl. 0ˢ 5° 24′ 25,″1 (vorhin 0ˢ 5° 25′ 19,″9) auch soll die Säcular-Bewegung des Knotens ± 2′ zu klein seyn. Hieraus lassen sich leicht die übrigen Epochen berechnen.

Fur die schöne Abhandlung von *Gauſs (Monatliche Correspondenz 1809. September*-Heft) bin ich Ihnen sehr verbunden. Das grosse Werk habe ich erst vor ein Paar Tagen gesehen.

Es freut mich sehr, daſs die Thal-Karte von Mexico Ihren Beyfall erhalten hat. Ich lieſs sie auf Seiden-Papier abdrucken, um sie leichter ubersenden zu können. Von der grossen Karte hat Herr *von Humboldt* auch ein provisorisches Exemplar auf Seiden-Papier abdrucken lassen, welches ich Ihnen unverzuglich übermachen werde. *) Die Karte vom Magdalenen-Fluſs kann zum Stich gegeben werden, sie ist in zwey Blattern und eine der schönsten. Der majestatische Strom, welcher sich an 100 deutsche Meilen (bis Honda) durch undurchdringliche Walder windet, giebt ihr ein trefliches Ansehen, und die Menge von Haciendas und Dorfern an seinen Ufern gewahrt ein Bild von Handel und Leben. Die Genauigkeit dieser Karte wird durch eine Menge astronomisch und graphometrisch beobachteter Puncte vergröſsert.

Vielleicht haben Ewr. Hochwohlgeb. in dem neuesten Meſs-Catalog ein Buch unter dem Titel

uber

*) Eine Anzeige dieser ganz vorzüglich schönen Karte erhalten unsere Leser im nächsten Hefte. *v. L.*

über Stern-Namen)* bemerkt, welches Hr. *v. Humboldt* bekannt gemacht haben soll. Dieses Buch, das übrigens vortrefflich seyn mag, ist aber keinesweges vom Herrn *von Humboldt* heraus gegeben worden.

Karsten schreibt mir aus Berlin, dass er viele Barometer-Beobachtungen auf seinen Reisen gemacht habe, und dass er solche nächstens bekannt zu machen gedenke. Herr *von Humboldt*, *Arago* und *Matthieu*, beobachten jetzt mit einem schönen Repetitions-Kreise die Abweichungen der *Maskelyn'schen* Sterne, welche von *Piazzi's* Bestimmungen sich ja noch auf 10 Secunden entfernen. Die Breite von Paris haben wir zur Zeit des Aequinoctiums mit Sextanten 48° 50′ 14,″6 gefunden. Wir stellten diese Beobachtungen mehr zur Prüfung der Kräfte eines Sextanten als zur Ortsbestimmung an.

Herrn Leg. Rath *Stieler* werde ich nächstens einige Bemerkungen zu seiner *westindischen Analyse* schreiben. Es scheint mir, als habe er manchmal etwas zu viel Werth auf *Arrowsmiths* Karte gelegt. Es gehört eine enge Bekanntschaft mit den geographischen Operationen der Spanier und Franzosen dazu, um in dem Labyrinthe der westindischen Geographie sich nicht zu verirren.

Delambres Jupiters-Tafeln sind noch nicht erschienen, wenn *Courcier* sie gleich schon in seinem Catalog aufführt.

Folgende

*) Man darf dieses Buch nicht mit dem *über Stern-Namen von Ideler* verwechseln, was die Leser in diesem Hefte angezeigt finden. *v. L.*

Folgende Note wird Sie gewiss interessiren:

. . . . . pensé al principio illustrarla inclusendo un extracto de las observaciones barométricas y termometricas, las del hygrómetro, las de la variacion i inclinacion de la aguya, y ultimamente las experiencias sobre la gravidad, executadas por nos otros en las corbitas Descubierta y Atrevida (Malaspina's Expedition) en varios puntos de la Costa N. O. de la America en 1791 . . . . para presentarlas despues reunidas en otro escrito particular, en donde se puedar tratar estas materias con la extension conveniente. *) *Espinosa.*

Wenn doch diese Abhandlung bald erscheinen möchte.

XVII.

*) "Ich gedenke anfangs den beyliegenden Extract meiner barometrischen, thermometrischen und hygrometrischen Beobachtungen, dann der über Declination und Inclination der Magnet-Nadel und über die Schwere die von den beyden Corvetten Descubierta und Atrevida an verschiedenen Puncten der Nordwest-Küste von America im Jahre 1791 gemacht wurden, zu erläutern . . . . um diese Gegenstände späterhin in einer besondern Schrift zu vereinigen, wo sie mit dem erforderlichen Detail ausgearbeitet werden können.

Bey der veränderten Lage der Dinge in Spanien, kann man wohl mit Recht hoffen, dass die so interessante Expedition von *Malaspina* für die Freunde der Wissenschaften nicht verlohren seyn wird.

v. L.

XVII.

SONNET

an Herrn Hauptmann *Reichenbach*.

Das Besingen eines astronomischen Instrumentes und dessen Verfertigers, ist eine Seltenheit, die in dieser Zeitschrift nicht unangezeigt bleiben darf. Das Sonnet, was wir hier liefern, ward auf der Mailänder Sternwarte verfertigt, als unser erster mechanischer Künstler in Deutschland, Herr Hauptmann *Reichenbach*, einen ganzen Kreis von einer eigenthümlichen Construction dort aufstellte.

Al Signor Reichenbach,

Consigliere di S. M. il Rè di Baviera per la nuova ingegnosa costruzione d'un circolo ripetitore, da esso eseguita per la specola di Milano.

Onde è che il Ciel si nitido e lucente
Mi si apre, e le sue vie tento e passeggio?
Se gli astri seguo in corso, e alternamente
Lo spazio addoppio e a spazio altro il pareggio:

Se in breve zona con acuta lente
Il Grado in parti mille e mille io veggio,
Tutto al poter dell' inventrice mente
Che tale ordì portento d'arte, il deggio.

olgende Note wird Sie gewiss interessiren:

*..... pensé al principio illustrarla inclusendo un extracto de las observaciones barométricas y termometricas, las del hygrómetro, las de la variacion i inclinacion de la aguya, y ultimamente las experiencias sobre la gravidad, executadas por nos otros en las corbitas Descubierta y Atrevida (Malaspina's Expedition) en varios puntos de la Costa N. O. de la America en 1791 ..... para presentarlas despues reunidas en otro escrito particular, en donde se puedar tratar estas materias con la extension conveniente. *) Espinosa.*

enn doch diese Abhandlung bald erscheinen öchte.

XVII.

) "Ich gedenke anfangs den beyliegenden Extract meiner barometrischen, thermometrischen und hygrometrischen Beobachtungen, dann der über Declination und Inclination der Magnet-Nadel und über die Schwere die von den beyden Corvetten Descubierta und Atrevida an verschiedenen Puncten der Nordwest-Küste von America im Jahre 1791 gemacht wurden, zu erläutern ..., um diese Gegenstände späterhin in einer besondern Schrift zu vereinigen, wo sie mit dem erforderlichen Detail ausgearbeitet werden können.

Bey der veränderten Lage der Dinge in Spanien, kann man wohl mit Recht hoffen, dass die so interessante Expedition von *Malaspina* für die Freunde der Wissenschaften nicht verlohren seyn wird.

v. L.

MONATLICHE
CORRESPONDENZ
ZUR BEFÖRDERUNG
DER
ERD- UND HIMMELS-KUNDE.

MÄRZ, 1810.

XVIII.

Elemente für neue Venus-Tafeln.

Der Nutzen, den gute Venus-Tafeln und eine genaue Bestimmung ihrer Elemente, nicht allein für Erdmasse und Sonnen-Parallaxe, sondern auch hauptsächlich für Längenbestimmungen durch Distanzen der Venus vom Mond gewähren können, bestimmte mich zu einer Erörterung über diesen Gegenstand, deren Resultate ich jetzt den astronomischen Lesern dieser Zeitschrift darlege. Die nach meinen neuen Elementen construirten Tafeln werden zur Leipziger

 Oster-

Ostermesse 1810 in der *Beckerschen* Buchhandlung zu Gotha unter dem Titel:

> *Tabulae Veneris novae et correctae ex Theoria gravitatis clar.* LA PLACE, *et ex observationibus recentissimis in specula astronomica Seebergensi habitis erutae, auctore* BERNHARDO DE LINDENAU

erscheinen. Dass *La Lande's* Venus-Tafeln bey den darinnen ganz vernachlässigten Stöhrungen, die, wie unsere Leser nachher sehen werden, im Maximo beynah 30" betragen können, so vortrefflich mit dem Himmel harmoniren, wie es der Fall war und zum Theil noch ist, war uns anfangs eine merkwürdige Erscheinung. Späterhin glauben wir die Erklärung dieses Räthsels in folgenden zwey Umständen gefunden zu haben. Eines Theils wurden zeither meistentheils Venus-Orte nur zur Zeit der Conjunctionen beobachtet und mit den Tafeln verglichen, wo denn aber gerade die Vernachlässigung der Stöhrungen weniger Einfluss haben konnte, da die hauptsächlichsten der Venus durch die Erde für diese Epochen verschwinden; und dann scheinen sich auch zufällig Fehler compensirt zu haben.

Bloss die vollständigen Stöhrungs-Gleichungen, so wie sie jetzt aus *La Place's* Theorie folgen, an *La Lande's* oder *Triesnechers* Venus-Tafeln hinzuzufügen, würde unzweckmässig gewesen seyn, da es im Voraus zu erwarten war, dass durch deren Berücksichtigung auch die elliptischen Elemente eine Modification erhalten würden. Ich liess es daher meine erste Sorge seyn, diese von neuem zu bestimmen.

men. Anfangs war ich Willens, nach der gewöhnlichen Methode, nur beobachtete heliocentrische Orte dazu zu benutzen; allein da ich bey Aufsuchung solcher fand, dass diese vorzüglich in frühern Zeiten, und namentlich im *Bradley*, nur sehr unvollständig beobachtet worden sind, so gab ich dieses Verfahren auf, um einen andern Weg zu wählen. Da es mir hauptsächlich mit um Bestimmung der Säcular-Aenderungen zu thun war, so theilte ich die gesammelten Beobachtungen in zwey möglichst von einander entfernte Epochen ab. Für die erstern benutzte ich 76 *Bradleysche* *) Beobachtungen, und hundert Beobachtungen von mir, *Carlini*, *Triesnecker*, *Bouvard* u. s. w. für die zweyte Epoche. Die erstern gaben mir die Elemente für 1750, die letztern für 1808. Die Vergleichung beyder die Säcular-Aenderungen. Die Correction der anfangs nach *La Lande* angenommenen Elemente, wurden durch Bedingungs-Gleichungen erhalten. Um in diese nicht die Differentiale für alle sieben Planeten-Elemente aufnehmen zu müssen, suchte ich zuerst mittlere Bewegung und *semi axis major* genau und unabhängig von den andern Elementen zu bestimmen. Sechs Beobachtungen von *Horoccius*, *Bradley*, *Zach*, *La Lande* und *Triesnecker*, die den Zeitraum von 1639 — 1806 umfassen, gaben mir dafür folgende Bestimmungen:

Tropi-

*) Leider besitze ich nur den ersten Band der vortrefflichen Bradley'schen Beobachtungen.

Tropische Umlaufszeit	=	224^T	16^h	41′	25,″847
tägl. trop. Bewegung	=	1°	36′	7,″810	
siderische Umlaufszeit		224^T	16^h	49′	7,″987
Jährliche Bewegung		7^s	14°	47′	29,″688
Bewegung in 100 Jahren		6	19	12	44, 05
semi axis major	=	0,72333166.			

Elemente, die mit denen, welche *Triesnecker* seinen im Jahre 1790 herausgegebenen Venus-Tafeln zum Grunde gelegt hat, sehr übereinstimmen.

Epoche, Aphelium, Excentricität, Knoten und Neigung bleiben also nun noch zu bestimmen übrig.

Um auch diese Grössen von einander zu trennen, war mein Verfahren folgendes: Durch die aus den Tafeln berechnete Distanz der Venus von der Sonne, wurde die beobachtete geocentrische Länge auf heliocentrische reducirt, dann der relative Einfluss einer Aenderung im Radius vector (durch Aenderung der mittl. Anomalie und Excentricität ausgedrückt,) auf diese heliocentrische Länge bestimmt, und endlich diese Gleichung mit der verbunden, die die Relation zwischen heliocentrischer Länge, Epoche, Aphelium und Excentricität gibt. So wurde aus jeder beobachteten geocentrischen Länge eine Bedingungs-Gleichung für die Differentialen der genannten Elemente erhalten. Der Fehler der Länge in der Bahn wurde dem in der Ecliptik gleich gesetzt, und hiernach ein möglicher Fehler in *Reductio ad Eclipticam* fur Null angenommen, nachdem ich mich durch vorlaufige Rechnungen uber Neigung und Knoten uberzeugt hatte, dass deren etwanige Correctiorectionen einen Einfluſs von $0{,}''5$ auf die berechnete heliocentriſche Länge nicht haben konnten.

So wurde Correction der Epoche, des Aphelium und der Excentricität beſtimmt, und mit dieſen verbeſſerten Elementen die Diſtanzen der Venus von Sonne und Erde berechnet, und damit die geocentriſche Breite auf heliocentriſche reducirt. Durch dieſes Verfahren wurde die Differenz der beobachteten und berechneten heliocentriſchen Breite bloſs zur Function der Neigung und des Knotens, die nun durch Bedingungs-Gleichungen leicht zu beſtimmen waren.

Die fur den Seeberger Meridian nach *La Lande* angenommenen Elemente für 1750 waren:

Epoche	$1^s\ 16^\circ\ 18'\ 18{,}''8$.	Aphel.	$10^s\ 8^\circ\ 12'\ 9{,}''2$
Excentricität	0,00688480	☊	$2^s\ 14^\circ\ 26'\ 18{,}''0$
Neigung	$3^\circ\ 43'\ 35''$		

Meine Elemente

	für 1750	für 1808
Epoche	$1^s\ 16^\circ\ 18'\ 15{,}''1$	
Aphel.	10 8 3 55, 6 . . .	$10^s\ 8^\circ\ 49'\ 20{,}''5$
☊	2 14 27 41, 7	2 14 56 36, 8
Excentr.	0,00691620	0,00685312
Neigung	$3^\circ\ 23'\ 25{,}''7$	$3^\circ\ 23'\ 28{,}''9$.

Daſs meine als fehlerfrey angenommene mittlere Bewegung ſehr nahe mit der Wahrheit übereinſtimmt, zeigte der Umſtand, daſs ich für 1750 Correction der Epoche $-\ 3{,}''7$ und für 1808 $-\ 2{,}''3$ fand. Aus der Vergleichung dieſer Elemente folgt nun ferner

jähr-

jährl. Aenderung des Apheliums = + 46,98
— — der Excentr. = 0,000001088
— — des ☊ . . . + 29,"92
— — der Neigung + 0,0724

Die Bewegung des Knotens habe ich noch auf eine andere Art durch die Durchgänge der Venus im Jahre 1639 und 1769 bestimmt.

Aus dem Durchgange v. 1639 folgte ☊	2s	13°	28'	42,"3
. . . . 1769 . .	2	14	36	26, 1
Bewegung während 129,5 J. =		1°	7'	43,"8

Hiernach Motus annuus = 31,"4
und das arithmetische Mittel aus beyden = 30,"66.

Diese Säcular-Aenderungen liegen denn auch meinen Venus-Tafeln zum Grunde. Zwar weichen sie und vorzüglich die der Excentricität bedeutend von dem ab, was *La Place* aus der Theorie findet; allein ich glaubte meinen vom Anfang dieser Arbeit gefaſsten Entschluſs, mit Ausnahme der Perturbationen, alles übrige aus den Beobachtungen zu nehmen, treu bleiben zu müssen. Jetzt schon aus der Vergleichung der von mir aus Beobachtungen gefundenen Säcular-Aenderungen, mit denen, welche die Theorie gibt, die Correction der in letzterer supponirten Planeten-Massen bestimmen zu wollen, würde sehr voreilig seyn; nur so viel glaube ich einstweilen mit einiger Wahrscheinlichkeit behaupten zu können, daſs die Mercurs-Masse bedeutend vergröſsert werden muſs. Da ich für diese Untersuchungen eine ziemliche Anzahl Beobachtungen von *Maskelyne*, *Piazzi* und *Zach* zusammen gesammelt habe, so hoffe ich, auf sichere Bestimmungen hierüber zu

gelan-

gelangen, die ich in einem Supplement nachliefern werde.

Die elliptischen Ausdrücke für die Bewegung der Venus waren denn nun in Gemäsheit obiger Elemente für das Jahr 1800 (Epoche der Tafeln) folgende:

Mittelpuncts-Gleichung

= 2830,69 sin. (anom. med.) + 12,"13 sin. 2. (anom. med.)
— 0,"07 sin. 3. (anom. med.)

Variatio saecularis

= + 44,"86 sin. (anom. med.) + 0,"39 sin. 2. (anom. med.)
— 0,"0057. sin. 3. (anom. med)

Radius Vector

= 0,72334868 + 0,00498307 cos. (anom. med.)
— 0,00001701 cos. 2. (an. med.) + 0,00000008 cos. 3. (an. med.)

Variatio saecularis

= + 0,00000035 + 0,00007866 cos. (anom. med.)
— 0,00000055 cos. 2. (an. med.) + 0,00000005 cos. 3. (an. med.)

Nach *La Place* Sacular-Aenderungen finde ich

Variatio saecularis der Mittelpuncts-Gleichung

= 26,"06 sin. (anom. med.) + 0,"23 sin. 2. (anom. med.).

des Radius vector

= + 0,00000030 + 0,00004562 cos (anom. med.)
— 0,0000003 cos. 2. (anom. med.)

Reductio ad Eclipticam

= 180,"8 sin. 2 (Arg Lat.) — 0,"1 sin. 4. (Arg. Lat.)

Latitudo heliocentrica

= 3° 23.' 28,"5 sin. Arg. Lat. +
+ t. 0,0724. cos. J. sin (Arg. Lat.)

wo t die vor oder nach 1800 verflossenen Jahre bedeutet.

Die

Die periodischen Störungen sind die nach *La Place's* Theorie entwickelten (*Méc. céleſt.* Tom. III pag. 99). In den Coefficienten sind einige Aende-rungen dadurch eingeführt worden, dass ich ein-Theils, in Gemäſsheit der letzten Untersuchungen von *Wurm*, die von *La Place* angenommene Mars-Masse $= \frac{1}{1846082}$ in dem Verhältniſs von 1 : 0,72 gemindert habe, und dann auch die in jenen Argu-menten vorkommenden constanten Gröſsen und Pe-rihelia eliminirt habe, wodurch denn auſser den bey der Länge gewöhnlich nur vorkommenden Si-nus argumentorum auch deren Cosinus mit einge-führt worden sind.

Sey mittlere Länge der Venus = υ Aphel. = π so ist der vollständige Ausdruck für die wahre Länge in der Bahn folgender:

$= \upsilon - (2830{,}69 + 0{,}''4486\,t)\ \sin.(\upsilon - \pi)$
$+ (12{,}''13 + 0{,}''0039\,t)\ \sin.2(\upsilon - \pi)$
$- (0{,}''07 + 0{,}000057\,t)\ \sin.3(\upsilon - \pi)$

+ 5,"016 sin. (♁ — ♀) + 11,"424 sin. 2 (♁ — ♀)
— 7,"254 sin. 3 (♁ — ♀) — 1,"057 sin. 4 (♁ — ♀)
— 0,"346 sin. 5 (♁ — ♀) — 0,"145 sin. 6 (♁ — ♀)
+ 0,"058 sin (♂ — ♀) — 0,"076 sin. 2 (♂ — ♀)
+ 2,"891 sin. (♃ — ♀) — 0,"878 sin. 2 (♃ — ♀)
— 0,"040 sin. 3 (♃ — ♀)
+ 0,"226 sin. (2♀ — ☿) — 0,"768 cos. (2♀ — ☿)
+ 0,"191 sin. (♄ — ♀) — 0,"039 sin. 2 (♄ — ♀)
— 0,"026 sin. ♁ + 0,"068 cos. ♁
— 0,"083 sin. (2♁ — ♀) — 0,"016 cos. (2♁ — ♀)
+ 0,"181 sin. (3♁ — 2♀) — 3,"580 cos. (3♁ — 2♀)
+ 0,"025 sin. (4♁ — 3♀) — 0,"719 cos. (4♁ — 3♀)

+ 0,"074 sin. (5 ♁ − 4 ♀) − 1,"600 cos. (5 ♁ − 4 ♀)
− 0,"065 sin. (3 ♀ − 2 ♁) − 0,"084 cos. (3 ♀ − 2 ♁)
− 0,"702 sin. (3 ♂ − 2 ♀) − 0,"367 cos. (3 ♂ − 2 ♀)
− 1,"370 sin. ♃ + 0,"245 cos. ♃
+ 0,"390 sin. (2 ♃ − ♀) + 0,"211 cos. (2 ♃ − ♀)
− 0,"160 sin. (3 ♃ − 2 ♀) + 0,"029 cos. (3 ♃ − 2 ♀)
− 0,"006 sin. ♄ + 0,218 cos. ♄
− 0,"258 sin. (4 ♀ − 2 ☿) + 0,"213 cos. (4 ♀ − 2 ☿)
− 1,"405 sin. (5 ♁ − 3 ♀) + 0,"537 cos. (5 ♁ − 3 ♀)
− 0,"079 sin. (4 ♁ − 2 ♀) + 0,"040 cos. (4 ♁ − 2 ♀)
− 0,"705 sin. (3 ♂ − ♀) − 1,"882 cos. (3 ♂ − ♀)
− 1,"024 sin. (2 ☿ − 5 ♀) + 0,"597 cos. (2 ☿ − 5 ♀)

Ich habe hier sämmtliche Stöhrungen der Länge [an]geführt; allein die Tafeln enthalten mit 12 Argu[m]enten nur die, welche mehr als 0,"3 betragen. Der [A]usdruck für die wahre Distanz der Venus von der [S]onne ist folgender:

r = 0,72334868 + t. 0,0000000055
+ (0,00496307 + t. 0,0000007866) cos. (υ − π)
− (0,00001701 + t. 0,0000000055) cos. 2 (υ − π)
+ (0,00000008 + t. 0,0000000005) cos. 3 (υ − π)
− 0,00000062
+ 0,00000384 cos. (♁ − ♀)
+ 0,00001651 cos. 2 (♁ − ♀)
− 0,00001401 cos. 3 (♁ − ♀)
− 0,00000243 cos. 4 (♁ − ♀)
− 0,00000089 cos. 5 (♁ − ♀)
+ 0,00000490 cos. (♃ − ♀)
− 0,00000220 cos. 2 (♃ − ♀)
− 0,00000025 cos. (2 ♀ − ☿)
− 0,00000084 sin. (2 ♀ − ☿)

+ 0,

+ 0,00000027 cos. (3♁ — 2♀)
+ 0,00000160 sin. (3♁ — 2♀)
+ 0,00000011 cos. (5♁ — 4♀)
+ 0,00000271 sin. (5♁ — 4♀)
— 0,00000125 cos. (3♂ — 2♀)
+ 0,00000065 sin. (3♂ — 2♀)

Heliocentrische Breite

= 3° 23' 28,"5 sin. α + t. 0,0724 cos. i. sin. α
+ 0,"033 sin. ♁ — 0,121 cos. ♁
+ 0,"024 sin. (2♁ — ♀) — 0,088 cos. (2♁ — ♀)
+ 0,"019 sin. (3♁ — 2♀) — 0,071 cos. (3♁ — 2♀)
+ 0,"021 sin. (4♁ — 3♀) — 0,078 cos. (4♁ — 3♀)
+ 0,"081 sin. (5♁ — 4♀) + 0,302 cos. (5♁ — 4♀)
— 0,"020 sin. (2♀ — ♁) + 0,075 cos. (2♀ — ♁)
+ 0,"020 sin. (3♂ — 2♀) + 0,106 cos. (3♂ — 2♀)
+ 0,"078 sin. (2♃ — ♀) — 0,142 cos. (2♃ — ♀).

Die Störungen der Breite habe ich ganz unberücksichtiget gelassen, da sie sammtlich in Maximo keine halbe Secunde betragen konnen.

0,"074 sin. (5 ♁ − 4 ♀) − 1,"600 cos. (5 ♁ − 4 ♀)
0,"065 sin. (3 ♀ − 2 ♁) − 0,"084 cos. (3 ♀ − 2 ♁)
0,"702 sin. (3 ♂ − 2 ♀) − 0,"367 cos. (3 ♂ − 2 ♀)
1,"370 sin. ♃ + 0,"245 cos. ♃
0,"390 sin. (2 ♃ − ♀) + 0,"211 cos. (2 ♃ − ♀)
0,"160 sin. (3 ♃ − 2 ♀) + 0,"029 cos. (3 ♃ − 2 ♀)
0,"006 sin. ♄ + 0,218 cos. ♄
0,"258 sin. (4 ♀ − 2 ☿) + 0,"213 cos. (4 ♀ − 2 ☿)
1,"405 sin. (5 ♁ − 3 ♀) + 0,"537 cos. (5 ♁ − 3 ♀)
0,"079 sin. (4 ♁ − 2 ♀) + 0,"040 cos. (4 ♁ − 2 ♀)
0,"705 sin. (3 ♂ − ♀) − 1,"882 cos. (3 ♂ − ♀)
1,"024 sin. (2 ☿ − 5 ♀) + 0,"597 cos. (2 ☿ − 5 ♀)

Ich habe hier sämmtliche Stöhrungen der Länge geführt, allein die Tafeln enthalten mit 12 Argu-enten nur die, welche mehr als 0,"3 betragen. Der usdruck für die wahre Distanz der Venus von der onne ist folgender:

= 0,72334868 + t. 0,0000000055
+ (0,00496307 + t. 0,0000007866) cos. (ν − π)
− (0,00001701 + t. 0,0000000055) cos. 2 (ν − π)
+ (0,00000008 + t. 0,0000000005) cos. 3 (ν − π)
− 0,00000062
+ 0,00000384 cos. (♁ − ♀)
+ 0,00001651 cos. 2 (♁ − ♀)
− 0,00001401 cos. 3 (♁ − ♀)
− 0,00000243 cos. 4 (♁ − ♀)
− 0,00000089 cos. 5 (♁ − ♀)
+ 0,00000490 cos. (♃ − ♀)
− 0,00000220 cos. 2 (♃ − ♀)
− 0,00000025 cos. (2 ♀ − ☿)
− 0,00000084 sin. (2 ♀ − ☿)

+ 0,

„C'est un problème aussi difficile à résoudre que ces oscillations horaires du baromètre sous l'équateur, que je n'ose plus considérer comme des marées de l'Océan aérien, depuis que je me suis assuré, que la lune n'a sur elles qu'une influence insensible."

Da uns nicht bekannt ist, dafs früher eine bestimmte Erklärung dieser Erscheinungen gegeben worden wäre, so machen wir die unsrige in der Hoffnung bekannt, dafs dadurch vielleicht andere Physiker sich zu Untersuchung dieses Gegenstandes veranlafst finden werden.

Die Erscheinung mit der wir es also hier zuerst zu thun haben, ist die, dafs der mittlere Barometer-Stand am Aequator beynahe um eine Linie niedriger ist, als in dem Parallel von 40—50°. Die genauern Angaben werden wir nachher beybringen; für die Untersuchung des Phänomens überhaupt ist die Differenz im allgemeinen genug.

Dafs die Differenz der Temperaturen eine unmittelbare Erklärung dieser Erscheinung nicht abgeben kann, liegt am Tage, da diese Differenz ja allemal durch eine sehr genaue Reduction beseitigt werden kann und beseitigt wird. Und da die Differenz jener Erscheinungen keinesweges periodisch sondern vollkommen constant ist, so wird ebenfalls nur eine gleichartige Ursache zu deren Erklärung dienen können. Nach unserer Ueberzeugung könnte diese aus folgenden Gründen hergeleitet werden. Dafs alle Bewegungen der Atmosphäre, eben so wie die des Meeres nur Oscillationen um ein bestimmtes System sind, die das allgemeine Gleichgewicht im mindesten nicht stören, ist eben so durch Theorie

begrün-

begründet, als es anerkannter Erfahrungssatz ist. Wir können ferner die Atmosphäre ganz analog mit dem verwandten *Fluido* des Meeres beurtheilen, und eben so wie die mögliche Gestalt dieses fur eine *gegebene* Rotations-Geschwindigkeit in gewisse Grenzen eingeschlossen ist, und durch Art der Masse bestimmt wird, eben so wird auch die Gestalt der Atmosphäre von deren Densität und Modificationen abhangen. Da nun durch Erfahrungen uber Winde und deren Theorie die mit unserer Erde analoge Rotation der Atmosphäre überhaupt, oder bestimmter für alle nähere Luftschichten, höchst wahrscheinlich wird, so ist man durch die hierdurch am Aequator verminderte Gravitation und vermehrte Tendenz aller Theile nach der Tangente der Bahn, schon *a priori* berechtiget, auf eine elliptische Gestalt der Atmosphäre zu schliessen. Erfahrungssätze vereinigen sich diese zu begründen. Gleicheit der *absoluten* Masse in der ganzen Atmosphäre kann als Grundsatz vorausgesetzt werden. Bekanntlich ist Dilatation der Atmosphäre im Verhältniss der Temperatur, und da hierdurch die Aequatorial-Luftschichten weit dilatirter, als die der nördlichen Parallelen sind, so wird sich diese Differenz der Densitäten durch eine grössere Höhe compensiren müssen, zu der sich am Aequator, oder uberhaupt im Verhältniss der Temperatur, die Atmosphäre erhebt. Nehmen wir es endlich, vermöge unseres vorigen Aufsatzes fur erwiesen an, dass in einer gewissen Höhe der Atmosphäre, unter allen Parallelen dieselbe Temperatur statt findet, so muss die am Aequator stärkere Wirkung der reflectirten Wärme durch geringere Wärme-Receptibilität

tät oder Densität einer Luftschicht absorbirt werden, und es werden hiernach für einerley atmosphärischen Meridian verschiedene Densitäten eintreten.

Allein offenbar wird die *dilatirte* Atmosphäre, mehr Raum einnehmen und bis zu einer grössern Höhe ansteigen als die dichtern Luftsäulen; eine Erscheinung, die durch Erfahrungen über Windströmungen vollkommen bestätiget wird. Denn da bekanntlich ein beständiger Zug der untern Luftschichten nach dem Aequator hin statt findet, so kann das dadurch gestörte Gleichgewicht nur dadurch hergestellt werden, dass sich die dortige Atmosphäre erhebt und wieder nördlich strömt, worüber denn auch die in nördlichern Parallelen zu gewissen Jahreszeiten herrschenden Südwinde keinen Zweifel übrig lassen. Theorie und Erfahrung vereinigen sich also, um die Höhe der Atmosphäre zur Function der Temperatur zu machen, oder mit andern Worten, die Höhe der Atmosphäre wird am Aequator die grösste, am Pol die kleinste seyn. Fragt sich nun, welchen Einfluss kann diese Erscheinung auf den mittlern Barometerstand haben? Zwey Luftsäulen von gleicher *absoluter* Dichtigkeit gravitiren im Verhältniss ihrer Schwere; nun ist aber Schwere im Verhältniss des Quadrats der Entfernungen vom Centro der Erde, und wird also für eine höhere Luftsäule geringer als für die niedere seyn. Offenbar wird also auch die Gravitation zweyer Luftsäulen von gleicher absoluter Dichtigkeit auf das Barometer im Verhältniss ihrer Höhe seyn, so dass allemal die Wirkung oder der Barometer-Stand, welcher der höchsten Luftsäule entspricht, der kleinere

seyn

seyn wird. Dass hieraus die Erklärung des niedern Barometer-Standes am Aequator folgt, liegt am Tage. Differenz der mittlern Barometer-Stände vom Pol nach dem Aequator, ist genau das für die Atmosphäre, was Differenz des einfachen Secunden-Pendels für die Erde ist: so wie sich aus dieser die Gestalt der Erde bestimmen läfst, so kann aus jenen die Gestalt der Atmosphäre hergeleitet werden. Da es hier auf grosse Präcision nicht ankommt, so habe ich ein sehr einfaches Verfahren zu dieser Bestimmung gewählt.

Nennt man l, l', p, p', g, g' Höhen zweyer Luft-Säulen, deren Druck und correspondirende Schwere, ϱ Dichtigkeit, so ist

$$p = g \varrho l$$
$$p' = g' \varrho l' = g' \varrho (l + \Delta l).$$

Sey a Erd-Radius (am Aequator) (g) Schwere am Niveau des Meeres, so ist

$$g = (g) \frac{a^2}{(a+l)^2} = (g) \left(1 - \frac{2l}{a}\right)$$
$$g' = \qquad = (g) \left(1 - \frac{2 l + \Delta l}{a}\right)$$

Hiernach

$$\frac{p}{p'} = \frac{1 - \frac{2l}{a}}{1 - \frac{2(l + \Delta l)}{a}}$$

und ferner

$$\Delta l = (a - 2l) \frac{p - p'}{2p};$$

p, p' sind die mittlern Barometer-Stände an zwey Orten, und man kann also aus diesen die correspondirende Differenz der Höhe der Atmosphäre, oder Δl bestimmen. Vorher muss jedoch eine Annahme

über

über l oder Höhe der Atmosphäre gemacht werden. Genau bestimmbar ist diese nicht, da ein absolutes *Vacuum* nicht denkbar ist; allein man kann die Höhe angeben, wo die Densität verschwindend ist. Wir setzen diese Densität $= 0$, wenn sie $< 0,000001$ wird; die am Niveau des Meeres $= 1$ gesetzt. Nennt man D Verhältniss der Densität der Atmosphäre (im Niveau des Meeres) zum Quecksilber $= \frac{1}{10483}$, q Densität für eine Höhe x, b, Barometer-Stand am Meere; e Zahl deren hyperbolischer Logarithmus $= 1$, β Coefficient der Wärme-Abnahme, so ist nach *Oriani* (*Ephem. Mediol.* 1788)

$$q = \frac{1 + \beta x}{e^{\frac{D}{2b} \cdot (2x + \beta x^2)}}$$

Für β nehme ich nach einer frühern Bestimmung von mir (*Mon. Corresp.* B. XI. S. 532) 0,000052 an, und so findet man für $x = 30000$, $q = 0,000007$. Wir nehmen diese als Grenze der Atmosphäre an und setzen hiernach

$$l = 30000 \text{ Toisen.}$$

Diese Bestimmung harmonirt ungefähr mit der, die aus den Beobachtungen der Dämmerung folgt, nach denen es wahrscheinlich ist, dass die Atmosphäre bey einer Höhe von 30000 Toisen noch Dichtigkeit genug hat, um Licht reflectiren zu können.

Uebrigens hat auch dieser Werth auf die Bestimmung von Δl keinen wesentlichen Einfluss, da

$$0,0016\, dl = d\,(\Delta l)$$

ist, und daher 1000 Toisen in dl, Δl erst um 1,6 Tois. ändern.

Nun

Nun ist nach *Humboldt* am Aequator der mitt-
e Barometer-Stand fur + 20° *Reaum.* = 337,8
r. Linien und fur dieselbe Temperatur ist im Pa-
llel von 40 — 50° nach den besten Beobachtungen
r mittlere Barometer-Stand = 338,824. Setzt
an nun a = 3271558 Tois.; so wird vermoge
s obigen Ausdrucks

$$\Delta l = (a - 2l) \frac{p - p'}{2p}$$
$$= 4881,56.$$

Der Aequatorial-Halbmesser des atmosphärischen
phäroids wird seyn = a + l. Für jede ändere
reite mufs die Hohe der Atmosphäre eigentlich als
ne Verlangerung im Sinn der Erdnormale angese-
en werden; allein hier können wir ohne zu irren,
ie ganze Entfernung der äufsersten Atmosphäre vom
entro der Erde = dem elliptischen Radius eines
phäroids setzen, dessen Aequatorial-Durchmesser
= a + l. Sey nun a + l = A, A′ Radius fur die
eographische Breite = B, e Excentricität des Sphä-
oids, so ist

$$A' = A \left(1 - \frac{e^2 \sin.^2 B}{1 - e^2 \sin.^2 B}\right)^{\frac{1}{2}}$$
$$A' - A + 0.5. A. e^2 \sin^2 B = 0;$$

vermöge des vorigen ist

$$A = 3271558 \text{ Tois.} + 30000 \text{ Tois.}$$
$$A' = A - 4881,56$$
$$B = 45°$$

folglich

$$e^2 = 0,0059135$$

und hiernach

Abplattung des atmosphärischen Sphäroids = $\frac{1}{338}$;

 was

was denn, sonderbar genug, beynah genau dasselbe wie für die Erde ist, so dass also die atmosphärischen Schichten mit denen der Erde sehr nahe concentrisch wären. Sehr wünschenswerth ist es, dass genau constatirte mittlere Barometer-Stände in höhern Breiten, bald Belege für oder wider die Vermuthung, die wir hier über die Differenz der mittlern Barometer-Stände geäussert haben, liefern mögen. Nach den von uns bestimmten Dimensionen des atmosphärischen Sphäroids, würden die mittlern Barometer-Stände für 0 — 90° der Breite folgende seyn:

Für + 10 Réaumur

Breite	mittl. Baromet. Stand
0	337,02 Pariser Linien
10	337,09 — —
20	337,25 — —
30	337,52 — —
40	337,85 — —
50	338,19 — —
60	338,52 — —
70	338,79 — —
80	338,97 — —
90	339,03 — —

Wir gehen nun auf den zweyten Gegenstand dieses Aufsatzes, auf die täglichen *barometrischen Oscillationen* am Aequator, über. Schon früher waren diese wahrgenommen worden, allein *Humboldt* hat erst ihre Epoche und Grösse genau bestimmt. Ehe wir eine Erklärung dieser Erscheinung versuchen, wird es zweckmässig seyn, diese selbst genau anzugeben, wozu wir uns am sichersten der eignen Worte des Beobachters bedienen. *Tableau physique des régions équinoxiales* p. 91 heisst es: *Les époques*

des

variations horaires sont les mêmes sur les le la mer du sud et dans les plaines de la ri es Amazones, que dans les endroits élevés de mille mètres. Elles paroissent indépendantes ıngements de température et des saisons. Si le e est en baissant depuis 9 heures jusqu'à 4 heu l'après-midi, il est en montant de 4 heures à es de la nuit; un orage, un tremblement de des averses et les vents les plus impétueux, ent pas sa marche. Rien ne paroît la déter- que le temps vrai ou la position du soleil. En s endroits des tropiques, le moment où le mer- mmence à descendre est si marqué, qu'à moins uart d'heure près le baromètre indique le vrai.

s eigentliche Gesetz dieser stündlichen Aende- ersieht man am deutlichsten aus einer Tafel, *tmanns* im *Recueil d'observations astrono- etc. III. livraison* S. 289 gegeben, und die r bessern Uebersicht beyfugen.

pproximatif du baromètre sur les bords de l'Océan équinoxiale à chaque heure du jour.

Stunde	Barom	Stunde	Barom.
Mittag 0	338,02	13	337,80
1	337,79	14	337,69
2	337,58	15	337,62
3	337,45	16	337,60
4	337,40	17	337,68
5	337,41	18	337,79
6	337,45	19	337,94
7	337,53	20	338,16
8	337,69	21	338,30
9	337,83	22	338,28
10	337 88	23	338,21
11	337,91	24	338,02
12	337,88		

 Wir

Wir haben die ganze Stelle und das Detail der Erscheinung selbst aus dem Grunde hier ausgehoben, um unsern Lesern dadurch zu zeigen, wie ganz unstatthaft es seyn würde, die Erklärung dieser barometrischen Oscillationen aus einer Local-Ursache, oder vielleicht auch aus der Einwirkung des Mondes herleiten zu wollen. Die ganze Erscheinung ist in eine so bestimmt wiederkehrende Periode von 24 Stunden eingeschlossen, dass zu deren Erklärung ebenfalls nur eine tägliche gleichartig wiederkehrende Ursache angewandt werden kann. Wir glauben diese Ursache in einer Combination der täglichen und jährlichen Bewegung der Erde zu finden. Doch ist es, ehe wir auf die Art übergehen, wie jene combinirte Bewegung Aenderungen in unserer Atmosphäre hervorbringen kann, nothwendig, ein Paar andere Sätze voraus zu schicken. Dass die Bewegung der Erde in keinem *Vacuo* statt findet, ist so ziemlich anerkannt, da jenes eigentlich mit unsern Begriffen in Widerspruch steht. Schon die im Raum zerstreute Licht-Materie und die *in infinitum* ausdehnbare Atmosphäre, lassen im eigentlichen Sinne des Worts kein *Vacuum* zu. So unendlich klein auch die Densität dieses Mittels, was wir mit *Euler* *Äther* nennen möchten, ist, so wird doch ein dadurch auf unserer Atmosphäre erzeugter Widerstand bey der ungeheuern Schnelligkeit der jährlichen Erdbewegung denkbar. Allein hauptsächlich glauben wir bey dieser Untersuchung folgenden Umstand mit berücksichtigen zu müssen. Dass alle dichtere atmosphärische Schichten gleiche Rotation mit der Erde haben, leidet wohl keinen Zweifel; allein ob dies

auch

auch für die feinern wenig cohärirenden Fluida in höhern Räumen der Fall ist, durfte wohl Zweifeln unterworfen seyn. Die Erscheinung an andern Himmelskörpern macht es sehr wahrscheinlich, daſs die obern Luftschichten nicht rotiren. Starke Analogien lassen uns bey allen im Raume bewegten Himmelskörpern Rotation vermuthen, und wir können daher diese auch bey Cometen voraussetzen; allein ist dies der Fall, so wird dadurch Nicht-Rotation der entferntern Atmosphäre hochst wahrscheinlich, indem uber Rotation des Schweifes noch keine Beobachtung vorhanden ist.

In Gemäſsheit des Gesagten nehmen wir also an, daſs unsere Erde sich durch ein *Fluidum* bewegt, was auf unsere Atmosphäre einen Widerstand äuſsern kann. Nun ist bekanntlich die Bewegung der Erde eine doppelte, eine rotirende und eine vorschreitende, und diese weit schneller als jene. Die Schnelligkeit der Bewegung in einem widerstehenden Mittel muſs einen Druck gegen die mit rotirende Atmosphäre bewirken, und dadurch müssen vermöge der täglichen Bewegung der Erde tägliche periodische Erscheinungen erzeugt werden. Indem die Erde in ihrer Bahn um die Sonne vorwärts rückt, muſs an dem Puncte, dessen Tangente momentan der jährlichen Bewegung perpendicular ist, durch das Fluidum, in dem sich die Erde bewegt, ein Widerstand statt finden, der theils von der Densität und Elasticitäs jenes, theils von der Schnelligkeit der Bewegung abhängt. Der Druck, den auf diese Art der atmosphärische Bogen leidet der zunächst in der Richtung der jährlichen Bewegung liegt, muſs eine Art von

von *atmosphärischem Refluement* auf die östlichen und westlichen Theile der Erde erzeugen. Das *atmosphärische Fluidum* kann hier gewiss ganz analog mit dem ihm verwandten gröbern des Wassers beurtheilt werden, wo bekanntlich allemal durch einen darinnen vorwärts bewegten Körper, eine Strömung an den Seitenflachen bewirkt wird. Eine Minderung der atmosphärischen Saule muss also fur jenen Punct statt finden, wahrend auf dem entgegengesetzten Meridian der Zustand der Atmosphäre keine Storung leidet. Diese atmosphärische Zuruckströmung, die bey Nicht-Existenz einer Rotations-Bewegung der Erde, ganz gleiche Wirkung fur die östlichen und westlichen Luftschichten, (Osten und Westen ist hier von dem Punct aus gerechnet, der in der Richtung der jahrlichen Bewegung momentan liegt) äussern, und in diesem Falle beständig gleichformig und nicht oscillirend wirken wurde, wird durch die tagliche Bewegung bedeutend modificirt. Einmal wird dieselbe Wirkung successive für alle Orte der Erde eintreten, und dann wird auch diese sehr begreiflich nicht auf einen Punct beschrankt seyn, sondern je nachdem die tagliche Bewegung der Erde dem Druck entgegen wirkt oder diesem nachgiebt, verschiedenartig modificirt erscheinen.

Da wo die Rotations-Bewegung in entgegengesetzter Richtung der durch den Druck des Athers erzeugten atmospharischen Ruckströmung ist, wird eine Art von Anhäufung der Luftschichten entstehen, die fur den Punct wo sie statt findet, ein Maximum des Drucks oder des Barometer-Standes geben

ben muſs, während ſich aber die ganze Wirkung jener Stromung auch auf die andern Theile des Halbkreiſes vertheilen wird. Ganz anders muſs die Wirkung da ſeyn, wo die Richtung der taglichen Bewegung dem Druck des Aethers nachgibt.

Der Punct, deſſen Luftſäule durch das atmoſphäriſche Refluement vermindert worden iſt, wird erſt allmahlig bey einer Entfernung von dem Bogen, der in der Richtung der jahrlichen Bewegung lag, ſeinen mittlern Zuſtand wieder annehmen, und hiernach durch jenes Zurucktreten einiger Luftſchichten nur eine kleine Modiſication erhalten. Die Wirkung muſs daher hier auch fruher verſchwinden, und in dem Puncte, der von der momentanen Richtung der fortſchreitenden Bewegung 180° entfernt iſt, Null werden.

Der Zuſammenhang dieſer Erklärung mit den von *Humboldt* am Aequator beobachteten Erſcheinungen (m. ſ. obige Tafel) der barometriſchen Oſcillationen, ergibt ſich von ſelbſt. Die abſoluten Zeiten, wo dieſe Aenderungen eintreten, hangen von dem Moment der urantanglichen Bewegung der Erde ab und kommen alſo hier gar nicht in Betrachtung, ſo daſs wir annehmen, die Erde habe ſich da in der Lage befunden, daſs 5 Uhr Morgens die oſtlichen Kuſten des ſudlichen America's von dem in der Richtung der jahrlichen Bewegung liegenden Bogen 180° entfernt waren. Um dieſe Zeit iſt dort der Barometer-Stand nahe der mittlere, der nun beym Anſteigen der Atmoſphare gegen die Richtung der jahrlichen Bewegung, durch Druck und das oben erwahnte atmoſphariſche Refluement, ſo lange vermehrt

mehrt werden muſs, bis dieſes bey einer Annäherung an den in der Richtung der fortſchreitenden Bewegung liegenden Punct, durch gleichartiges Zurückſtrömen der anfangs vermehrten Luftſäule wieder abnimmt, und in jenem Puncte ſelbſt ſein Minimum erhält. Da das Maximum des Drucks und der vermehrten Luftſäule von der Summe der ſucceſſiven Ausſtrömungen abhängt, ſo überzeugt man ſich bey einer nähern Betrachtung leicht, daſs dieſs ungefähr in einem Abſtand von 90° von jenem Punct des Minimums eintreten muſs, wie es denn auch die Beobachtung gibt, da nach obiger Tafel das Maximum zwiſchen 21 — 22^h und das Minimum bey 3 — 4^h eintritt. Mit der Entfernung von dem letztern Puncte durch die tägliche Bewegung, muſs ſich die Luftſäule und der Barometer-Stand wieder vermehren; allein natürlich kann ein vermehrter Druck nur unbedeutend ſeyn, da der gröſste Theil der Wirkung zu Herſtellung des mittlern Zuſtandes erforderlich war, und die Beobachtung gibt übereinſtimmend hiermit für 10 — 11^h nur eine Vermehrung des mittlern Barometer-Standes von + 0,'1. Von da an bis zu 180° Entfernung vom Minimo muſste der Stand wieder auf den mittlern zurückgehen; allein hier entfernt ſich die Erfahrung von unſerer Theorie, indem es nach obiger Tafel 0,'1 bis 0,'2 unter dem mittlern Stande iſt.

Ob hier doch vielleicht Local-Urſachen influiren können, liegt ganz auſserhalb unſerer Beurtheilung.

Das Wahre oder Falſche unſerer Erklärung wird ſich übrigens ſehr leicht verificiren laſſen; denn iſt

dies

dies die richtige, so müssen die an andern Orten beobachteten Epochen dieser barometrischen Oscillationen zu den von *Humboldt* für America bestimmten, ganz im Verhältniss der Meridian-Differenzen seyn. Sehr hätte ich gewunscht, meine Theorie auf diese Art selbst rectificiren zu können, allein aller angewandten Muhe ungeachtet, war es mir unmöglich, das Detail der von *Humboldt* erwähnten, ähnlichen Beobachtungen von *Balfour* zu Calcutta und *Moseley* auf den Antillen zu erhalten. Letztere wurden wenig entscheidend seyn, aber desto mehr erstere. Denn naturlich werden in kleinen Abständen die Epochen dieselben seyn; auch darf es naturlich gerade nicht erwartet werden, dass die Differenz der Epochen genau der Differenz der Meridiane folgen.

Um den Zusammenhang meiner Erklärung mit den *Humboldt*schen Beobachtungen vollig deutlich ubersehen zu können, musste eine Figur entworfen werden; allein da dieser Auffatz nur zu einer allgemeinen Uebersicht meines Versuchs, jenes merkwurdige Phänomen zu erklären, bestimmt ist, so wird das Gesagte hinreichend seyn, um von Kennern beurtheilt zu werden.

Dass ubrigens (mit Ausnahme von *Ramond*) diese *barometrischen Oscillationen* in nördlichen Parallelen nicht wahrgenommen wurden und wie wir glauben, auch fur die Zukunft schwerlich wahrgenommen werden konnen, darf wohl niemand wundern, der mit den anomalischen Barometer-Ständen in unserer unsteten Atmosphare nur irgend bekannt ist.

XX.
Darſtellung des Maaſs-Syſtems in Toskana.

										Neumetr. Syſtem Mètres	Alt franz Maſs Pariſ Fuſs
Denier, Denaro										0, 00243177	0, 0074861
4	Quatrin, Quattrino									0, 0097271	0, 0299443
12	3	Sol, Soldo								0, 0291813	0, 089833
20	5	1⅔	Crace, Crazia							0, 0486355	0, 149722
240	60	20	12	Braſſe, Braccio (Einheit des Linear-Maaſses)						0, 583626	1,7966597
480	120	40	24	2	Paſſet, Paſſetto (doppelt Braſſe)					1, 167252	Toiſen 0, 5988866
1200	300	100	60	5	2½	Perche, Canna (f. Feldmeſſer)				2,91813	1, 49722
				2833⅓	1416⅔	566⅔	Mille			1653, 60678303	848, 42265
				171342, 65	85671, 32	34268, 531	60, 473869 = 60½	Grade		100000, 000	51307, 40
				190380, 73	95190, 36	38076, 145	67, 1931877 = 67⅕	1 1/9	Degré	111111, 111	57008, 22223

Die

Die Elle, (*Braccio da Panno*) ift die einzige legale Einheit der Linear-Maafse, die in ganz Toskana gebräuchlich ift. Durch ein Gefetz vom 11. Julius 1782 fchaffte der Grofsherzog *Leopold* alle Local-Maafse ab, und befahl, dafs man fich in feinen Landen einzig und ausfchliefsend der *Braccia da Panno* bedienen follte. Er liefs von diefer Etalons verfertigen, die in allen öffentlichen Archiven und Communen aufbewahrt werden. Ein in eine Platte von cararifchem Marmor eingepafster Etalon von rothem Kupfer, ift als Grundmafs in den Archiven des Finanz-Departements deponirt. Dies ift ein *Paffetto* oder doppelte Elle. Die Maafs- und Gewichts-Commiffion hat diefen *Paffetto* zu wiederholten malen mit der *Condamin*'fchen Toife*), von der eine über das Original genau abgeglichene Copie von gefchlagenem Eifen im Mufeum befindlich ift, bey einer Temperatur von 3° Réaum. verglichen. Hiernach fand fich die Länge der toskanifchen Elle (*Braccio da Panno*) 1 Fufs 9 Zoll 6,' 719, oder = 0,583625839 Metre. Die Commiffion hat deffen endliche Beftimmung auf 0,583626 Métre feftgefetzt, und hiernach wurden auch für alle andere vorher übliche toskanifche Maafse Reductions-Tafeln berechnet, die bey *Molini et Landi* in Florenz im Druck erfchienen.

Vor der Leopoldinifchen Reform gab es eine *Braccio da Terra*, deren man fich ausfchliefsend beym

*) Nach einer in *La Landes Aftronomie* (Tom. III. S. 11 Edit. III) befindlichen Bemerkung ift diefe Toife, die *Condamine* in Rom und Florenz deponirte, um $\frac{1}{11}$ Linie zu klein. *v. L.*

beym Feldmessen bediente, und die sich zur *Braccio da Panno* verhielt, wie 17 : 18, so dass 6 *Braccia da Terra* = 5⅔ *Braccia da Panno* waren. Drey tausend *Braccia da terra* machten eine toscanische Meile, die also 2833⅓ *Braccia da Panno* enthält.

Der *Quattrino* und *Cracia* (florentinische Münzen) sind nicht sehr im Gebrauch. Die legale Eintheilung der Elle ist in *Soldi* und *Denari*; jene wurden nur aus dem Grunde mit in der Tafel aufgeführt, um das Verhaltniss und die Unter-Abtheilungen zu zeigen, die in Toskana zwischen den Münzen und der Elle Statt finden.

Der Miriamétre = 6,0473869 toskanische Meilen.

Das florentinische Pfund, *Libbra uniforme Toscana*, von dem zwey Etalons in dem Archiv des Finanz-Departements und in dem der Münze aufbewahrt werden, halt genau 339542 Milligrammes, und es verhalt sich also der Kilomètre zu jenem Pfund wie 1 : 0,339542, oder der Kilogramme = 2 Liv. 11 onc. 8 Deniers 4,833617 Grains.

Das toskanische Pfund wird in 12 Unzen, und die Unze in 24 Denari eingetheilt. 3 Denari = ⅛ Unze machen die Dramma = 24 Grains.

Die Einheit der trocknen Maasse ist der *Stajo* = 24,362862 *Litres*. Hiernach das Verhältniss des *Litre* zum *Stajo* wie 1 : 24,362862.

Die gebräuchlichen flüssigen Maasse sind

Il Barile da Olio = 33,428908 Litres

Il Barile da Vino = 45,584041 —

Die Unter-Abtheilungen des *Stajo* sind in zwey *Mine*, die *Mine* in zwey *Quarti*, der *Quarto* in acht

acht *Mezzette* oder fechzehn *Quartucci.* Der *Mezzo Barile da Vino* enthalt 10 *Fiaschi*, der *Fiascho* vier *Mezzette* und die *Mezzetta* zwey *Quartucci.* Der *Mezzo Barile da Olio* hat acht *Fiaschi*, und dieselben Unter-Abtheilungen wie der *Barile da Vino.*

In dem Werk *del Vecchio e nuovo Gnomone Fiorentino*, von dem Jefuiten *Ximenes*, wird pag. 4

Braccio da terra = 244,095 Par. Lin.

Braccio da panno = 258,454 —

angenommen, und *Dom. Caffini* irrte alfo fehr, wenn er in den *Mém. de l'Acad. de Paris 1718* die Gröfse des *Braccio da terra* zu 243,100 angibt. **Merfenne** (*Reflexionum cap.* 22) **Willebr. Snellius** (*Eratofthenes batavus Lib. II. Cap. IV*) **Riccioli** (*Geograph. refor. Lib. II. Cap. VII pag.* 15) irren fich alle in der Grofse der Florentiner Elle. Die Angaben von *Picard* und *Auzout* kamen der Wahrheit am nächften.

XXI.

Barometrische Hohenbestimmungen in Sudamerica.

Von Humboldt.

(Fortsetz zum Januar-Heft S. 40.)

Ort der Beobachtung.	Hohe üb. d. Meeresfl.
	Toif.
Konigreich Peru.	
Montan. Pachterey. Lat. austr. 6° 33' 27". Long. 5h 24' 46"	1340
Micuipmpa. Kleine Stadt auf dem Rücken der Anden, Lat. austr. 6° 43' 38". Long. 5h 24' 6"	1817
Caxamarca. Stadt	1464
Cerro de Sta. Polonia Capelle bey Caxamarca	1532
La Magdalena. Kleines Dorf in einem tiefen Thal	690
Guangamarca. Dorf auf dem westl. Abhang der Anden	1251
Cascas Dorf nahe an den Ebenen von Chimaca	685
Los Molinos, bey San Diego	96
Truxillo	33
Guamang. Kleines Dorf, westl. von Truxillo	10
Santa. Stadt, südlich von der grossen peruanis. Wüste	46
Lima. (Grande Place)	89
Callao. Im Hause des Capit. del Puerto	3,4
Konigreich Neu-Spanien.	
Venta del Exido Kleines Wirthshaus	214
Alto del Camaron. Gipfel	206
Alto de Pozuellos Gipfel	230
Vallee du Peregrino	82
Alto del Peregrino Gipfel	179
Vallee du Rio Papagallo. An der Brücke	98
Venta de Tierra Colorada Hutte	205
Venta de la Moxonera. Hutte	388

Alto

Ort der Beobachtung.	Höhe üb. d. Meeresfl. Tois.
e las Caxones. Nördl. von Guaxinıquilapa	585
ıſotla. Meierey	504
an. Indianiſches Dorf	652
le Chilpanſingo. (Grade Place)	708
ango. Dorf, öſtl vom Pio Chocomanatlan	561
de Sopiloté. Gaſthaus	517
.a. Dorf am Fluſſe gleiches Namens	265
Gaſthaus	423
iacuilco. Dorf, nordweſtl von Tuspa	519
otepec. Silbermine. Haus des D. Vincente de	
	919
Stadt. (Grande Place)	916
tlan. Indianiſches Dorf	538
ıvaca. Stadt (Grande Place)	850
aque. Dorf, ſüdl. von Sacapisco	1253
). Am Kloſter des heil Auguſtin	1168
ıſtin de las Cuevas. Dorf am ſüdl. Ende des Thals	
›chtillan	1191
. Dorf, öſtlich vom See San Chriſtobal	1180
. Meierey am nördl. Ende des Thales Tenoch-	
ı	1232
e Pachuca. Kleine Stadt	1273
ız del Cerro Ventoſo	1424
lu Cerro Ventoſo	1462
el Monte Dorf, nördlich vom Cerro Ventoſo.	1427
le la Biscaina	1444
n. Dorf.	1263
de las Tinaxas. Hohe Ebene	1394
ıl, höchſter Punct des Berges des Couteaux.	1603
lco el Grande Dorf in einer ſchönen Ebene	1127
ı oder Puente de la madre de Dios	886
n, groſses Dorf in einer ansgedehnten Ebene	1044
ıchota, oder Organos d'Actopan	1386
ıchota. Hohe Ebene, wo Humboldt eine Baſis	
42 Toiſ. maſs	1471
ı de Lecheria	1207
etoca. Dorf	1178
Groſser Flecken. Sonſt Tollan	1053
:arco. Dorf	1296
an del Rio. Dorf	1015
aro. Stadt, berühmt wegen ihrer Manufacturen.	995
. Bedeutender Flecken	941
nca. Stadt in der Ebene	902

Temas-

Ort der Beobachtung.	Höhe üb. d. Meeresfl. Tois.
Temascatio. Dorf.	9[illegible]
Guanaxuato, à l'hotel de D. Diego Rul.	10[illegible]
Mina de la Valenciana. Silberbergwerk	
a. au bord du Tiro nuevo	11[illegible]
b. Boca de la Mina	11[illegible]
c. El Canon de la Merced	10[illegible]
d. La Fuente del Padre Eterno	9[illegible]
e. Los planos de San Bernardo. Tieffter Punct des Bergwerks	9[illegible]
Mina de Rayas. Silber-Bergwerk. Boca de la mina	11[illegible]
Cuesta y Mina de Belgrado	12[illegible]
Mina de Villalpando. Bocca de la Mina	13[illegible]
La Cruz de S Michael del Llano. Südl. von Guanaxuato	1[illegible]
La Cruz del Cerro de Sn. Micuel	110[illegible]
Marfil. Vorstadt von Guanaxuato	10[illegible]
La Garita de Marfil	10[illegible]
Mina de Animas. Bocca	11[illegible]
Mina de Mellado	117[illegible]
Santa Rosa de la Sierra	12[illegible]
Los Joares. Hohe Ebene	13[illegible]
El Puerto de Santa Rosa	1444
Cuevas. Dorf	100[illegible]
Vallée de Santiago. Dorf	90[illegible]
Alberca de Palangeo, im Thal Santiago. Gipfel des Berges.	92[illegible]
Puerto de Andaracuas	91[illegible]
Valladolid	100[illegible]
Capula. Pächterey	107[illegible]
Chapoltepec. Meierey in einer schönen Ebene	107[illegible]
Pazcuaro. Stadt. (Grande Place)	11[illegible]
Ario. Dorf am Fuss des westlichen Abhangs der grossen Cordillere d'Anahuac	994
Aguasarco Einzelne indianische Häuser. Der Abhang ist von da entsetzlich steil.	781
Las Playas de Jorullo. Indianische Hutte	405
Plaine du Malpays	482
Volcan de Jorullo. Gipfel	667
Charo. Kleine Stadt	978
Cinapecuaro. Dorf am Fuss der hohen Sierra de Ucareo.	968
Ocambaro. Beträchtlicher Flecken	957
Maravatio. Dorf	1050
Venta de Tepetongo. Isolirtes Wirthshaus	1185
Santiago de las Tunas. Dorf von Eichenwäldern umgeb.	1343

La

Ort der Beobachtung.	Höhe üb. d. Meeresfl. Toif.
ıdana. Pachterey.	1339
de Santa Maria Alciba. Gasthaus	1369
te Islahuaca Flecken	1326
erta del Volcan de Toluca	1749
reau du Lac	1905
Grenze der Bäume	1996
Grenze der Vegetation	2134
de Temascal. Eishöhle	2273
Grenze des ewigen Schnees im Monat September	2296
ıle, höchster Punct des Nevado de Toluca.	2372
de las Cruces.	1647
ıllo, auf einer schönen Chaussée	1505
de Chalco, am östl. Ende des grossen Mexicanin Thals.	1207
de Cordoba. Isolirtes Gasthaus	1369
de Cordoba	1655
ıas de Joannes	1640
de Rio frio. Gasthaus	1583
del Agua	1482
de Tesmelucos, am östl. Abhang der Cordillere de Frio	1293
rtin. Dorf	1206
nzisco Ocotlan	1201
ebla de los Angelos. Hauptstadt einer Intendanz	1126
la. Stadt	1080
de Tetinpa	1134
e Dorf	1138
ıar	1309
o del Agua	1168
del Solo	1202
huelo	1227
. Grosser Flecken. Nordwestlich vom Coffre Perote.	1208
uıotepeque. Am östlichen Abhang des Coffre de te.	1501
n de Coralillo	1793
:her Abhang de los Capones	1953
des Coffre de Perote, oder des Nauh campalt am östl. u. westl. Abhang des Coffre de Perote	2098
Obere Grenze der Vegetation	2023
Untere Schneegrenze	1899
Obere Grenze der Mexicanischen Eichen	1619
Untere Grenze der Mexicanischen Eichen	396

Ort der Beobachtung.	Höhe üb. d. Meere. Tois.
Cuesta de Cruz Blanca	1204
Río Frio. Pächterey	1198
Las Vigas, Dorf am Abhang des Plateau von Anahuac	1283
Tachtlacuaya Isolirte Häuser	1113
La Hoya. Dorf in einem tiefen Thal	1073
San Miguel el Soldado. Dorf	903
La Pitetta. Gasthof	791
La Banderilla. Isolirte Häuser über Xalappa	750
Xalapa. Stadt.	
a. à la Garita de Mexico, westliches Ende der Stadt	710
b à la maison de D. Thomas Murphy	676
Cerro de Macultepec. Basaltischer Berg, nordw. von Xalappa	780
Las animas. Am Flusse Chachalacas	684
Las Francas. Isolirte Häuser	[illegible]
El Alto del Encero	[illegible]
Venta del Encero. Gasthaus.	[illegible]

XXII.

Tables abrégées et portatives de la lune calculées pour le Meridien de Paris d'après la Théorie de M. le Comte LA PLACE *et d'après les constantes et les coëfficients de Mr.* BURG *par le Baron* DE ZACH. *à Florence, chez Molini, Landi et Comp. 1809.*

Auch im Auslande fährt der Freyherr *von Zach* nunterbrochen fort, sich neue Verdienste um die Vissenschaft zu sammeln, die ihm schon so viel verankt. Aus dem *Januar-Heft* 1809 der *Mon. Corsp.* ist unsern Lesern bekannt, wie der Verfasser ine neuen Sonnen-Tafeln in den Raum von wenien Bogen zusammen gedrängt hat. Diese abgekürzn Sonnen-Tafeln, die zu Florenz bey *Molini andi et Comp.* unter dem Titel: *Tables abrégées et rtatives du soleil etc.* erschienen, fanden dort so elen Beyfall, dass sich der Verfasser veranlasst fand, ch die Monds-Tafeln nach einem ähnlichen Veraren zu behandeln und in eine geschmeidige Gelt zu bringen. So entstanden diese Tafeln, die f 51 Seiten auf das allervollständigste alles enthal-1, was zu Berechnung der Länge und Breite und rallaxen des Mondes, nebst dessen stündlichen Beegungen in Länge und Breite erforderlich ist.

Die Elemente, auf denen diese Tafeln beruhen, können wir ganz mit Stillschweigen übergehen, da sie sich sammtlich auf *Burgs* Untersuchungen gründen, die wir schon umständlich in dieser Zeitschrift (B. I. S. 543 B. II. S 163 B. III. S. 135 B. X. S. 217) mitgetheilt haben. Bekanntlich hat man in den vom *Bureau des longitudes* herausgegebenen *Bürg'schen* Monds-Tafeln einiges an dessen Epochen geändert, und da Herr *von Zach* jene hier unverändert beybehalten hat, so weicht die der mittlern Mondslänge um 4", die der Anomalie um 38,"6 und die des Knotens um 1,"4 von den in jenen Tafeln angenommenen ab. Dagegen sind aber die Elemente, die der Verfasser annahm, ganz dieselben, die Herr *Oltmanns* seinen Monds-Tafeln (IV. Suppl. Band zum Berl. Jahrb.) zum Grunde gelegt hat, so dafs die aus beyden Tafeln berechneten Monds-Orte vollkommen identisch seyn werden. Nur in der jährlichen Bewegung der mittlern Lange findet eine kleine Differenz statt, indem die des Herrn *von Zach*, die sich auf *Burgs* neueste Untersuchungen gründet, 0,"05 kleiner, als die *Oltmann'sche* ist.

Allein wenn in Hinsicht der Resultate, die drey Ausgaben der vor uns liegenden *Bürg'schen* Monds-Tafeln, sehr nahe dieselben sind, so weicht die Art, wie wir sie jetzt von dem Freyherrn *von Zach* erhalten haben, desto mehr von jenen ältern ab. In der Einleitung wird gesagt, dafs diese Tafeln hier in einer vervollkommten, vereinfachten und vermehrten Gestalt erschienen; eine Behauptung, die gewifs jeder Astronom bey einer nähern Ansicht dieser Tafeln vollkommen bestatigt finden wird.

Die

Die Haupt-Gleichungen, auf die sich vorliegende Tafeln gründen, sind zwar mit denen, die in den vom *Bureau des longitudes* herausgegebenen angenommen worden sind, identisch; allein außerdem finden wir noch hier vierzehn kleinere, dort ganz weggelassene Gleichungen, deren Maximum denn doch auf 4 — 6" gehen kann. *Bürg* hatte, wie unsere Leser aus dieser Zeitschrift wissen (*M. C.* B. II. S. 163) diese Gleichungen, bey Gelegenheit einer Untersuchung gefunden, in wie fern einige von *Mayer* unberücksichtiget gelassene Glieder, noch wirkliche Coefficienten erhalten könnten. Zwar wird, wie der Verfasser hier bemerkt, sich der Einfluss dieser Gleichungen mehrentheils compensiren, allein da deren wirkliche Existenz aus den Beobachtungen denn doch ganz unbezweifelt folgt, so war es gewiss sehr wünschenswerth, bey der Genauigkeit der heutigen Beobachtungen, auch diese Glieder mit in die Tafeln aufgenommen zu sehen. Der Verfasser hat die Werthe dieser sämmtlichen Gleichungen in der Einleitung auf einer einzigen Seite dargestellt, wo deren Berechnung um so leichter wird, da sie keine neuen Argumente, sondern nur eine andere Formation der bey der Länge des Mondes schon vorkommenden erfordern.

Diese sämmtlichen Gleichungen sind hier zum erstenmahl ganz vollständig abgedruckt. Dasselbe ist in Hinsicht der von *Burg* mit der grössten Vollständigkeit berechneten Gleichungen für die stündliche Bewegung des Mondes in Länge und Breite der Fall, die bis jetzt noch nirgends bekannt gemacht worden sind, und die wir hier aus den handschrift-

lichen

lichen Tafeln des erstern, die im Besitz des Freyherrn *von Zach* sind, erhalten. Früher wurden die
Resultate dieser Gleichungen nach den von Bürg
selbst berechneten Tafeln in *Wurms* Anleitung zu
parallactischen Rechnungen bekannt gemacht. Einen andern interessanten Zusatz erhielten die vorliegenden Monds-Tafeln, durch die am Ende beygefügten, nach *Lamberts* Theorie berechneten, Tafeln
für die Neu- und Vollmonde, die vorzüglich für die
Bestimmung von Finsternissen von Wichtigkeit sind
und genauere Resultate gewähren, als die zeither gebräuchlichen Epacten und anomalistischen Tafeln.

Allein das, wodurch sich diese Monds-Tafeln von
den zeitherigen ganz unterscheiden und wesentliche
Vorzüge erhalten, ist die Art der Construction. Bekanntlich wurde bis jetzt die Berechnung eines
Monds-Ortes hauptsächlich mit dadurch mühsam,
dass die Störungs-Argumente nicht wie bey Sonnen-
und andern Planeten-Tafeln gegeben, sondern erst mit
Zuziehung des Sonnen-Ortes formirt werden mussten. Dadurch dass in den Argumenten nicht blos
mittlere Oerter, sondern wahre und successive verbesserte Oerter von Sonne und Mond vorkamen,
wurde diese Einrichtung der Monds-Tafeln erforderlich. Durch sinnreiche Einführung von Hülfs-
grössen, hat der Freyherr *von Zach* diese wesentliche Unbequemlichkeit zu vermeiden gewusst, so
dass in den vorliegenden Tafeln die Argumente zugleich mit den Epochen erhalten werden, und man
der ausserdem erforderlichen Berechnung des wahren Sonnen-Ortes überhoben ist. Wir glauben unsere Leser mit den Vortheilen der von dem Verfasser
gewähl-

gewählten Constructions-Art seiner Monds-Tafeln am besten bekannt zu machen, wenn wir in gedrängter Kürze die zu Berechnung eines Monds-Ortes erforderlichen Operationen hier angeben.

Die Art, wie die Epochen dargestellt sind, ist dieselbe, wie bey den abgekurzten Sonnen-Tafeln, auf die wir hier also unsere Leser verweisen können, (*M. C.* Jan.-Heft 1809). Das Verfahren, alles was zu Formation der Epochen gehört, auf zwey Seiten zusammen zu drangen, ist gewiss äusserst sinnreich und fur die Bestimmung dieser Tafeln vollkommen zweckmassig. Die Rechnung selbst wird dadurch freylich etwas vermehrt, indem die Formation der Epoche fur ein bestimmtes in den Tafeln nicht gerade befindliches Jahr durch Division, Multiplication und Addition erhalten werden muss. Die Sacular-Aenderungen sind in den Tafeln nicht mit angegeben, sondern werden durch constante Logarithmen und durch Aufschlagung eines einzigen in den Tafeln durch eine kurze Rechnung erhalten. Auf dieselbe Art, wie die Epochen der mittlern Monds-Länge, mittlern Anomalie und des Knotens sind die Epochen fur sechs Grossen gegeben. (mittl. ☉ Anomalie, doppelte Entfernung des ☽ — ☉, mittlere ☽ Anom., Argument der Breite, Suppl. des ☊ ☽, und Suppl. ☊ ☽ + long. med. ☉) aus denen die Argumente fur die ersten 14 Gleichungen durch Addition und Subtraction erhalten werden. Das Argument A (doppelte Entfernung ☉ — ☾), wo bekanntlich der wahre Sonnen-Ort gebraucht wird, und was hier anfangs nur mit der mittlern Lange formirt ist, wird auf folgende Art corrigirt. Durch den Ausdruck

— log.

$$-\log. 3{,}6367887 + \log. \sin. an. med. \odot \pm \theta''$$

wird ein Winkel φ bestimmt, und dann ferner die Mittelpuncts-Gleichung der Sonne in Tausendtheilen des Kreises durch

$$0{,}7279277 \sin (anom. med. \odot \pm \phi)$$

erhalten, und damit das Argument A corrigirt. Die Grösse θ" wird mit dem Argument *anom. med.* ☉ aus einem kleinen Täfelchen pag. 23 genommen; allein hat man die *Tables portatives du* ☉ des Freyherrn *von Zach* zur Hand, so wird die hier erforderliche trigonometrische Rechnung noch sehr verkürzt, indem man dort aus Tab. VII. den Hülfswinkel φ unmittelbar findet. Durch Hinzufügung constanter, bey jeder Tafel bemerkten Grössen, sind die Gleichungen für diese ersten 24 Argumente alle *positiv* gemacht. Die weitere Rechnung für die letzten vier Argumente XXV — XXVIII. ist nun folgende:

Mit dem Argument mittlere anom. ☉ wird in einer kleinen Tafel eine Grösse β gefunden, und dann die Correction der mittlern Anomalie durch den Ausdruck

$$+ 1315'' \sin. arg. B + \beta = \alpha$$

berechnet. Mit dem Argument

$$anom. med. ☽ \pm \Sigma^{*)} + \alpha = c'$$

gibt Tab XXV. einen Hülfswinkel φ,' und mit diesem der Ausdruck

$$-22708,''1 \sin. (c' \pm \phi')$$

die Mittelpuncts-Gleichung des Mondes.

Auf

*) Σ = Summe der vorhergehenden 24 Gleichungen.

Auf eine ähnliche Art werden durch eine Verbindung von trigonometrischer Rechnung und Tafeln, die Werthe der drey letzten Gleichungen, und dadurch wahre Länge des Mondes erhalten. Die hier sehr detaillirt auf fünf Seiten gegebene Berechnung der Monds-Länge, wird keine Zweifel über die Anwendung dieser Tafeln übrig lassen. Da doch jeder Astronom bey seinen Arbeiten logarithmische Tafeln immer neben sich liegen haben wird, so verursachen die darinnen vorkommenden trigonometrischen Rechnungen keine Unbequemlichkeit. Die Monds-Breite wird ganz auf ähnliche Art erhalten; eine einfache trigonometrische Formel und 22 Gleichungen, die aus 11 Tafeln genommen werden, geben sie vollkommen so, wie die ursprünglichen *Burgischen* Tafeln. Besonders bemerkenswerth ist hier die eine Tafel pag. 29, aus der für neun Argumente von XV. — XXIII. die correspondirenden Werthe erhalten werden. Aehnliche vortreffliche Abkürzungen hat der Verfasser in die Tafeln für Aequatorial-Parallaxe und stündliche Monds-Bewegung einzuführen gewusst; für die erstere hat er 11 Argumente in eine Tafel vereinigt; für die Bewegung in *longitudine* sind in zwey kleinen, noch keine Octav-Seite einnehmenden, Täfelchen die Werthe von 19 Gleichungen dargestellt, und eben so für die Breite 15 Glieder in zwey Täfelchen zusammen gedrängt, und dadurch die allemahl etwas mühsame Rechnung der stündlichen Bewegungen wesentlich verkürzt. Da durch die gewöhnliche Art die stündliche Bewegung zu berechnen, diese immer nur für einen Zeitraum von drey Stunden erhalten wird, so gibt der Verfas-

ser

ſer hier nach *Delambre* die Methode, die Bewegung auch noch für einen gröſsern Zeitraum mit ausreichender Schärfe aus den auf die gewöhnliche Art berechneten Datis herzuleiten. Die eine Tafel für den Factor n, die zeither gewöhnlich nur bis 39′ gegeben wurde, iſt hier bis auf 44′ ausgedehnt, da Fälle vorkommen, wo man ihn ſo weit bedarf. Den Schluſs der Tafeln machen die im Eingange erwähnten für die Neu - und Vollmonde. Auf fünf Seiten geben 12 Tafeln die mittlern Conjunctionen und Oppoſitionen und deren Verwandlungen in wahre. Mehr Vereinfachung und Bequemlichkeit in die Rechnung der Sonnen - und Mond - Finſterniſſe zu legen, als durch dieſe Tafeln erhalten wird, möchten wir faſt für unmöglich halten. Die Erklärungen pag. 53 — 56 geben Beyſpiele für alle hieher gehörigen Rechnungen. Eine ähnliche, doch minder vollſtändige Anleitung hat *Delambre* in den *Tables du ſoleil et de la lune* gegeben.

Sehr intereſſant iſt die Sammlung von Formeln, die der Verfaſſer S. 33 und 34 und dann S. 58 — 68 dargeſtellt hat, und die ſo ziemlich alle Fälle erſchöpfen, die bey gegenſeitiger Verwandlung von wahren und ſcheinbaren Monds - Oertern, und wahren und ſcheinbaren Diſtanzen vorkommen können. Wir finden hier für die elliptiſchen Erd - Radien, Orts - Parallaxe und Winkel der Verticale, ferner für Höhen, Längen, Breiten - Parallaxe und vergröſserten Mond - Halbmeſſer, für Reduction ſcheinbarer Monds - Diſtanzen u. ſ. w. die brauchbarſten Ausdrücke, nach *Delambre*, *Wurm*, *Olbers*, *Bohnenberger* und *Cagnoli* zuſammen geſtellt.

Einen

Einen Ausdruck für Azimuthal-Parallaxe vermissen wir; doch wird auch dieser bey der vom Verfasser angegebenen Art, die Monds-Distanzen wegen elliptischer Gestalt der Erde zu corrigiren, nicht erfordert. Neu sind die S. 67 gegebenen Ausdrucke aus correspondirenden Meridian-Beobachtungen des Mondes die Längen-Differenz beyder Beobachtungs-Orte herzuleiten.

Dasselbe ist der Fall mit der hier befindlichen Refractions-Tafel fur die Verwandlung wahrer Höhen in scheinbare; *Puissant* gibt in seiner *Geodesie* (Anhang Tab. XI. eine Anweisung aus den gewöhnlichen Refractions-Tafeln, die der wahren Zenith-Distanz entsprechende Refraction zu finden; allein, da so viel uns bekannt ist, noch keine besondere Tafel hierfür nach den neuesten Bestimmungen im Druck erschienen ist, so lassen wir die vorliegende am Schluss dieser Anzeige folgen.

Ueber 30° hinaus ist die Strahlenbrechung für wahre und scheinbare Höhe dieselbe.

Eine nach *Gauss* gegebene Anweisung das Osterfest zu bestimmen (*M. C.* B. II. S. 121) und ein Druckfehler-Verzeichniss fur die vom *Bureau des longitudes* heraus gegebenen *Tables du soleil et de la lune*, beschliessen diese interessante Sammlung.

Refra-

Refractions - Tafel,

um wahre Höhen in scheinbare zu verwandeln für 28Z 0,'9 Bar. und + 8° Reaum.

Wahre Höhe	Refract	Diff.	Wahre Höhe	Refract	Diff.	Wahre Höhe	Refr.	Diff.
° '	' "		° '	' "		° '	' "	
−0 30	33 11,1		4 10	11 4,1		8 50	5 56,1	
20	31 36,8	94,"3	20	10 45,4	18,"7	9 0	5 49,9	6,"2
10	30 7,7	89, 1	30	10 27,5	17, 9	10	5 43,9	6, 0
+0 0	28 43,9	83, 8	40	10 10,5	17, 0	20	5 38,1	5, 8
10	27 25,0	78, 9	50	9 54,3	16, 2	30	5 32,6	5, 5
20	26 10,5	74, 5	5 0	9 38,9	15, 4	40	5 27,3	5, 3
30	25 0,1	70, 4	10	9 24,3	14, 6	50	5 22,2	5, 1
40	23 53,5	66, 6	20	9 10,3	14, 0	10 0	5 17,1	5, 1
50	22 50,6	62, 9	30	8 56,8	13, 5	11 0	4 49,8	27, 3
1 0	21 51,5	59, 1	40	8 43,9	12, 9	12 0	4 26,4	23, 4
10	20 56,0	55, 5	50	8 31,7	12, 2	13 0	4 6,3	20, 1
20	20 3,9	52, 1	6 0	8 20,1	11, 6	14 0	4 48,9	17, 4
30	19 15,3	48, 6	10	8 8,8	11, 3	15 0	4 33,6	15, 3
40	18 29,4	45, 9	20	7 57,9	10, 9	16 0	4 20,1	13, 5
50	17 46,3	43, 1	30	7 47,4	10, 5	17 0	3 8,0	12, 1
2 0	17 5,6	40, 7	40	7 37,2	10, 2	18 0	2 57,1	10, 9
10	16 27,3	38, 3	50	7 27,3	9, 9	19 0	2 47,3	9, 8
20	15 51,3	36, 0	7 0	7 17,8	9, 5	20 0	2 38,4	8, 9
30	15 17,4	33, 9	10	7 8,7	9, 1	21 0	2 30,3	8, 1
40	14 45,3	32, 1	20	7 0,1	8, 6	22 0	2 22,9	7, 4
50	14 14,9	30, 4	30	6 52,0	8, 1	23 0	2 16,2	6, 7
3 0	13 46,3	28, 6	40	6 44,3	7, 7	24 0	2 10,0	6, 2
10	13 19,4	26, 9	50	6 36,9	7, 4	25 0	2 4,1	5, 9
20	12 53,9	25, 5	8 0	6 29,7	7, 2	26 0	1 58,6	5, 5
30	12 29,5	24, 4	10	6 22,6	7, 1	27 0	1 53,6	5, 0
40	12 6,4	23, 1	20	6 15,7	6, 9	28 0	1 49,1	4, 5
50	11 44,5	21, 9	30	6 9,0	6, 7	29 0	1 44,8	4, 3
4 0	11 23,7	20, 8	40	6 2,5	6, 5	30 0	1 40,6	4, 2
10	11 4,1	19, 6	50	5 56,1	6, 4			

XXIII.

…oyage *d'Alexandre de Humboldt* et *Aimé Bonpland*. Quatrième partie, Aſtronomie et Magnetiſme. Recueil d'obſervations aſtronomiques, d'opérations trigonométriques et de méſures barométriques par *Jabbo Oltmanns*. Quatrième livraiſon. Paris 1809.

…ieſes vierte Heft, mit dem ſich der zweyte Band …ſes intereſſanten geographiſch - aſtronomiſchen …rks anfängt, beſchäftiget ſich hauptſächlich mit … Geographie von *Cuba* und einigen kleinen be… …hbarten Inſeln. Auch die Beſtimmungen, die …r hier erhalten, ſind zum gröſsten Theil ganz …, da unſere zeitherigen Kenntniſſe von der Geo… …phie von *Cuba* äuſserſt mangelhaft waren. Selbſt … geographiſche Lage der *Havanna* bedurfte, wie … mühſamen Unterſuchungen von *Oltmanns* jetzt …gen, noch einer bedeutenden Berichtigung. Auch …uen wir uns im Voraus auf die intereſſanten De…ls, die wir in Gemäſsheit der von *Humboldt* ins …nere dieſer groſsen und noch ſo ſehr wenig bekann… … Inſel gemachten Reiſen, wahrſcheinlich zu er…rten haben. In der zweyten Lieferung, deren …zeige wir unſern Leſern im Junius - Hefte des vo…en Jahres gegeben haben, gelangten wir in den geo-

geographischen Ortsbestimmungen des Verfassers bis zu *Cumana* und *Neu-Barcellona;* die geographischen Untersuchungen des gegenwärtigen Heftes, von denen wir nun eine kleine Uebersicht liefern wollen, schliessen sich an jene Bestimmungen an. Nachdem *Humboldt* im November 1800 die geographische Lage von Barcellona bestimmt hatte, verliess er am 24. desselben Monats diesen Hafen, um sich nach *Havanna* zu begeben. Auf dieser mit Gefahren mancherley Art verknüpften Schifffahrt, bestimmte er die Lage der Inseln *Tortuga d'Orchilla*, *Rocca de fuera*, das *Cap Beata*, *Bacco*, *Portland etc.* und kam im December nach *Havanna*, dessen genaue geographische Ortsbestimmung er sich hauptsächlich angelegen seyn liess, da dieser Ort die Geographie der ganzen übrigen Insel begründen sollte. Der Astronom *Robredo* und die Brigadiers *Montes* und *Galiano* leisteten ihm wesentliche Unterstützung bey dieser Arbeit, die er zu Anfang des Jahrs 1801 unterbrach, wo er einen Theil des Innern von *Cuba* bereisste, und erst im Februar 1802 nach Havanna zurückkam, wo er sich nach völliger Beendigung seiner geographisch-astronomischen Arbeiten einschiffte, um nach *Carthagena de Indias* zu gehen.

Wie bey unsern vorherigen Anzeigen, heben wir zuvörderst die sämmtlichen Resultate dieser Reise aus, um sie dann mit einigen erläuternden Anmerkungen zu begleiten. In Hinsicht des kleinern oder grössern Grades von Zuverlässigkeit, den die Beobachtungen hatten, die zu den geographischen Bestimmungen benutzt werden konnten, theilt der Verfasser diese in zwey Classen ab, die wir denn hier natürlicherweise auch beybehalten.

I.

I. Classe.

Namen der Orte	westl Länge			nörd. Breite		
avanna Moore	84°	43'	8"	23°	9'	27"
avanna (Hotel d'Orelly) . .	84	42	15	23	8	15
nda del Fondaders	84	54	30	22	51	34
Blanco	84	31	15	22	51	24
la de Managua	84	37	34	22	58	48
lmirante	84	36	7	22	57	36
Antonio de Beitia	84	39	13	22	53	25
Guines	84	23	32	22	50	27
lio de Seiraco	84	37	48	22	52	15
Antonio de los Bannos . .	84	50	22	22	53	31
Antonio de Barreto	84	39	29	22	56	34
de Matannas	83	59	40	23	2	28
llo de Canima (Thurm) .	83	59	40	23	2	28
llo San Seberino	83	58	56	23	2	54
'rinidad (Stadt)	82	20	37	21	48	20
S. Antonio (Pointe N. O.)	87	17	22	21	55	0
pano	84	45	56	22	43	19
a de Matta-Hombre	84	37	45	. . .		
a de Xagua	82	53	53	. . .		
a del Rio San-Juan . . .	82	40	23	. . .		
a de Guarabo	82	23	7	21	45	46
.o Casilda	82	20	37	21	45	26
Crus	80	4	30	19	47	16
Tarquino	79	10	22	19	52	57
o de la Ville de Cuba . . .	78	21	42	. . .		
tanamo	77	40	45	. . .		
Bueno	76	35	35	20	6	10
a Mayzi	76	28	8	20	16	40
a de Mulas	77	58	0	21	4	35
a Sabanilla	83	56	47	23	4	30
a de Guanos	84	3	37	23	9	27
de Matannas	84	5	17	23	1	39
s de Managua	84	39	53	22	57	38
o Guaijabon	85	46	47	22	47	46

II. Classe.

spriet (Ville de Santi Esperita)	81	47	0	21	57	37
larie du Port au Prince . .	.	.	.	21	26	34
a del Olandes	87	6	52	21	47	0
Corriente	86	48	52	21	44	30
el	85	5	37	23	5	30
nnas	85	16	52	23	4	0
a Manda	85	31	52	22	57	0
a Maternillas	79	21	22	21	40	0

Blos

Blos durch Zeitübertragung ward die Länge folgender Orte bestimmt.

Namen der Orte	westl. Länge			nörd. Breite
Tortuga. (Mittelpunct	67°	51'	57"	. . .
Orchilla (cap oriental)	68	26	0	. . .
Cap Beata (Inf. S. Domingo) . .	69	23	36	. . .
Cap Baceo	76	7	51	. . .
Cap Portland	79	18	36	. . .
Pedras Keys	80	31	34	. . .
Centre du grand Cayman . . .	83	11	49	. . .
Cabosan Antonio	86	32	22	. . .

Nicht alle hier angeführten Ortsbestimmungen beruhen auf *Humboldts* eigenen Beobachtungen, sondern sind zum Theil von *Oltmanns* aus Operationen anderer Astronomen und Geographen hergeleitet worden. Die letzten Puncte wurden von Hrn. *von Humboldt* astronomisch während seiner Schifffahrt von *Barcellona* nach *Havanna* bestimmt. Die Resultate, die aus der doppelten Vergleichung mit *Barcellona* und *Havanna* folgten, wichen 12" von einander ab; allein da der Verfasser gerade keine entscheidende Grunde hatte, um dem einen Resultat einen bestimmten Vorzug vor dem andern zu geben, so sind obige Angaben das arithmetische Mittel aus beyden. Die letztern Bestimmungen sind übrigens für die so schwierige Schifffahrt in jenen durch niedrige Inseln und Untiefen durchschnittenen Gewässern um so wichtiger, da noch keine ganz richtige Karte davon vorhanden ist. So gibt zum Beyspiel die für sehr genau gehaltene "*nieuwe Paskart van de Kusten von Westindien, van Rio Orenoco, tot Karthagena, in't light gegeeven van de wel ervaarne Capt. Jan. Bertrand*" *Tortuga* nur 15' westlich von *Barcellona*, während die wahre Entfernung

das

s dreyfache beträgt, und ähnliche Fehler gibt es
f dieſer Karte mehr. Die Correction dieſer Karte
aſs alle Seefahrer um ſo mehr intereſſiren, da die
rtigen Piloten blinden Glauben daran haben, und
h eben dadurch öfters der Gefahr des Scheiterns
sſetzen. Mehrere merkwurdige Falle dieſer Art
erden hier aus dem Original-Tagebuch des Herrn
n Humboldt S. 8, 9, 10 angefuhrt. Auch die in
ncher Hinſicht ſchöne *Chart of the Weſtindies*,
st viel zu wünſchen ubrig, und nach allen Ver-
ichungen, die wir hieruber anſtellen konnten,
einen die vom *Depoſito hydrographico* in *Ma-
id* herausgegebenen Karten fur jene Gewaſſer, das
llſtändigſte und vollkommenſte zu ſeyn, was wir
rüber beſitzen.

Da ſich alle eben angegebenen Ortsbeſtimmun-
n auf *Cuba*, ganz auf die der *Havanna* grunden,
war die genaue Erorterung der geographiſchen
ge dieſes Punctes von groſser Wichtigkeit. Die
t, wie dieſe Unterſuchung hier ausgefuhrt iſt,
ebt einen neuen Beleg von der ausgezeichneten
eſchicklichkeit, Fleiſs und Critik, mit der Herr
ltmanns Gegenſtände dieſer Art zu behandeln weiſs.
lle nur irgend vorhandene Beobachtungen ſind hier
sſammen geſammelt, discutirt, und dann mit einer
enauigkeit berechnet, die nichts zu wunſchen
brig laſst. Aſtronomen, die das zeitraubende der
ier vorkommenden Rechnungen aus Erfahrung ken-
en, werden dieſe Arbeit uber die Ortsbeſtimmung
on *Havanna*, die ſicher eine ausſchlieſsende Be-
chäftigung von mehrern Wochen erfordert hat, dop-
elt zu ſchätzen wiſſen. Schon fruher iſt dieſe Ar-

 beit

beit in Deutschland durch einen darüber ins *Berl. J. B.* *1810* S. 125 eingerückten Auffatz bekannt worden, dessen End-Resultate wir auch schon hier (*Mon. C.* B. XVI. S. 529) beygebracht haben; hier wird das ganze Detail der Beobachtungen und Rechnungen dargelegt, so dass jeder Kenner im Stande ist, über den Werth der ganzen Bestimmung ein gegrundetes Urtheil fallen zu können. Der eigenen Untersuchung, wird eine gedrangte Geschichte der fruhern Versuche, die geographische Lage der *Havanna* zu bestimmen, voraus geschickt. Die erste astronomische Bestimmung dieses Ortes schreibt sich aus dem Anfang des vorigen Jahrhunderts her, wo *Antonio de Gamboa y Ryano* einige Mondfinsternisse beobachtete, aus denen *Cassini* die Länge der *Havanna* 5^h 38' 22" fand, was sich der Wahrheit sehr näherte. Späterhin bestimmten *Hugarte* und *Churruca* diese Lange, ersterer fand 5^h 39' 35", letzterer 5^h 39' 1"; beyde beruhten auf Zeitubertragung. Als Herr *von Humboldt* nach *Havanna* kam, war die Lage dieses sehr wichtigen Punctes noch sehr schwankend, und dessen eignen Beobachtungen nebst den dort gesammelten mannichfaltigen Materialien, verdanken wir die jetzige genaue Bestimmuug. Die Breiten-Bestimmung grundet sich auf eine ältere Angabe von *Gamboa*, dann aber hauptsachlich auf mehrere im Jahre 1795 von *Churruca* und *Salazar* beobachtete Zenith-Distanzen von Sternen und auf zweytägige Beobachtungen, die Herr *von Humboldt* im Jahre 1800 dort machte. Eine weit grössere Zahl von Beobachtungen konnte zum Behuf der Langen-Bestimmung in Rechnung genommen werden. Wir müssen n uns hier auf die allgemeine Angabe der Beobachtungen beschränken, auf denen jene beruht.

1) Vier Mondsfinsternisse und eine Jupiters Satelliten-Verfinsterung, beobachtet von Gamboa, in dem Zeitraum von 1715 — 1726.

Da es für diese Finsternisse an guten correspondirenden Beobachtungen fehlte, so sah sich Herr Oltmanns genöthigt, diese aus den neuesten Mondstafeln herzuleiten; eine Rechnung, die bekanntlich nicht wenig mühsam ist. Diese Rechnung ward mit der grössten Sorgfalt geführt und keine Correction, auch die für Abplattung und Erdschatten nicht (nach Gentil), dabey vernachlässigt.

2) Drey Jupiters Satelliten-Verfinsterungen, beobachtet im Jahre 1795, von Churruca.

Delambres Satelliten-Tafeln wurden zuerst durch gleichzeitige Beobachtungen corrigirt, und denn zur Längenbestimmung für diese Beobachtungen benutzt.

3) Chronometrische Beobachtungen des Herrn von Humboldt.

4) Jupiters Satelliten-Verfinsterungen, von Humboldt, Galiano, Montes und Robredo.

Die Längen-Bestimmungen werden hier theils aus correspondirenden Beobachtungen, theils aus Delambres corrigirten Satelliten-Tafeln hergeleitet.

5) Sonnen-Finsterniss am 21. Febr. 1803, beobachtet von Robredo.

Aus der Summe dieser sämmtlichen Beobach
gen, folgte die oben angegebene Länge der *Hava*
84° 42′ 15″ westlich von Paris. Da die andern
stimmungen des Hrn. *v. Humboldt* in *Cuba* sän
lich chronometrisch sind, so grunden sie sich
auf die der *Havanna*. Dasselbe ist in Hinsicht
Puncte der Fall, die in einer trigonometrischen
messung eines Theils der Insel *Cuba* von *Len*
begriffen sind. Diese Vermessung wurde durch
von dem Grafen *Jarruco* projectirten *Canal d*
Guines veranlasst, und gewahrte geographi
Ortsbestimmungen fur *Batabano*, *Los Guines*,
genio de Seivaco, *Las Tettas de Managua*. Ei
andere Bestimmuugen, wie *Punta Mayzi*, *Gua*
namo, *Morro de Cuba*, *Pico Tarquino*, *Cab*
Cruc etc. wurden aus den Operationen von *C*
los und *Herrera* erhalten, die in Auftrag des sp
schen Gouvernements, sich mit der Geographie
Antillen und des Mexicanischen Meerbusens besc
tigen mussten und mit Hulfe vortrefflicher In
mente wie Chronometer, Quadranten und Sex
ten eine Menge fur die Schifffahrt in jenen Ge
sern wichtiger Puncte bestimmten. Fur das In
von Cuba ist vorzuglich eine von Herrn *von H*
boldt aus Havanna mitgebrachte Karte dieser I
von *Hugarte* interessant, da diese eine Menge
schätzbare Details enthält. Mit der Bearbeitung
Herausgabe einer sehr vollständigen Karte der I
Cuba ist man jetzt nach einer hier befindlichen
merkung in Havanna beschaftiget, indem die
von dem Gouverneur *Don Luis de Las Casas* ge
tete patriotische Gesellschaft Herrn *Robredo* mit

to

ographischen Aufnahme der ganzen Insel beauf-
gt hat.

Den Beschluss dieses Heftes macht eine sehr um-
ndliche Untersuchung uber die wahre Länge von
ncaster und *New-York.* Am erstern Ort sind fast
e Arten zu Längen-Bestimmungen taugliche astro-
mische Beobachtungen gemacht worden, und mit
swahl der vorzuglichsten Resultate, die aus meh-
n Stern-Bedeckungen und aus einer Sonnenfin-
rniss erhalten wurden, folgt die Lange von *Lan-
ster* 78° 39' 45" westlich von Paris. Weniger zu-
rlässig ist die Länge von *New-York*, die sich nur
f einige Jupiters-Satelliten und eine Sonnenfinster-
ss gründen. Das mittlere Resultat aus beyden gibt
inge von *Neu-York* 76° 18' 52" westl. von Paris.

Unsern Wunsch, den wir fruher wegen grösse-
r Correctheit des Drucks in einem fur die Geogra-
hie des neuen Continentes so classischen Werke,
ie das vorliegende ist, ausserten, ist zum Theil
diesem Heft erfüllt, doch stiessen wir auf einige
deutende Druckfehler, die wir bey Anzeige der
nsten Lieferung unsern Lesern mittheilen wollen,

XXIV.

XXIV.

Statistische Beschreibung der Militär-Grenze
von *J. A. Demian*, k. auch k. k. Offizier (Officier) in der Armee. *Ad consilium de republica dandum, primum est nosse rempublicam. Cicero.* Erster Band, welcher die Militär-Gränze in Kroatien enthalt. Wien, 1806. Bey Christiau Gottfried Kaulfuss 383 Seiten in 8. Zweyter Band, welcher die Militär-Grenze in Slavonien und Ungern (Ungarn) enthält. Wien, 1807. Bey C. G. Kaulfuss. 430 S. in 8. Auch mit dem Titel:

Darstellung der östreichischen Monarchie nach den neuesten statistischen Beziehungen.
Von *J. A. Demian*, k. auch k. k. Offizier (Officier) in der Armee. Vierten Theils erste Abtheilung, welcher (welche) die Militar-Grenze von Kroatien enthält. Vierten Theils zweyte Abtheilung, welcher (welche) die Militar-Granze von Slavonien und Ungern (Ungarn) enthält.

Die vorhergehenden drey Theile der statistischen Darstellung der östreichischen Monarchie von Herrn *Demian*, welche die statistischen Beschreibungen von

von Böhmen, Mähren, dem östreichischen Schlesien, von Siebenbürgen, Ostgalizien, Ungarn und den Ungarn einverleibten Königreichen Slavonien und Kroatien enthalten, sind eine flüchtige Compilation aus andern statistischen Werken, z. B. von *Schaller*, *Schwoy*, *De Luca*, *Liechtenstern*, *Ballmann*, *Schwartner*, *Taube* u. s. w., und verdienen daher keine Anzeige in diesen Blättern. Allein das vorliegende Werk ist grösstentheils ein Originalwerk, denn es ist grossentheils aus ungedruckten Quellen des Militär-Bureaus, zu welchem Herr *Demian* Zutritt hatte, und zum Theil aus vieljährigen Reiseerfahrungen des letztern geschöpft. Doch hat auch in der statistischen Beschreibung der Militär-Gränze Herr *Demian* nach seiner Art manches aus den Werken von *De Luca*, *Liechtenstern*, *Taube* und aus seinen eigenen frühern Schriften wörtlich abgeschrieben, ohne seine Quellen zu nennen. Auch hat Herr *Demian* keinen festen Begriff von dem Umfang und dem Wesen der Statistik; seine Rubriken sind nicht überall gut eingetheilt, und er mischt in seinen Vortrag manches ein, was in das Gebiet der Statistik keinesweges gehört. Manche statistischen Angaben sind unrichtig. Ungeachtet dieser Mängel verdient das vorliegende Werk in unsern Blättern eine Anzeige, da die für den östreichischen Kaiserstaat so wichtige Militär-Grenze bisher noch in keinem Werke eine so ausführliche Darstellung erhalten hat.

Die *erste Abtheilung* umfasst die *kroatische Militär-Grenze*. Diese wird nach ihrer ursprünglichen Entstehung noch gegenwärtig in das Karlstadter Generalat, in die Banal-Grenze und in das Waraсdirasdiner Generalat eingetheilt. Der Verfasser schildert die Lage, Grösse, natürliche Beschaffenheit, Bevölkerung und Culturverhältnisse dieser drey Militar-Districte; die Regierungs-Verfassung, die in der ganzen kroatischen, slavonischen und banatischen Militar-Grenze dieselbe ist, wird er am Ende des Werks darstellen. *Erster Abschnitt.* Das *Karlstädter Generalat.* Es liegt in dem südlichen Winkel des Königreichs Kroatien, welcher sich von Karlstadt gegen Dalmatien hinzieht. Gegen Osten grenzt es mit der Banal-Grenze und mit Bosnien, gegen Süden mit dem adriatischen Meere und gegen Norden mit der Agramer Gespannschaft des Provinzial-Kroatiens. Es begreift vier Regiments-Bezirke und zwey Militar-Communitaten, nämlich den Liccaner- Ottochaner- Oguliner- Szluiner Regiments-Bezirk und die Militär-Communitäten Zengg und Carlobago in sich. Das Karlstädter Generalat hat nach geometrischen Vermessungen einen Flächenraum von 141¾ Quadratmeilen (der Freyh. *v. Liechtenstern* gibt den Flächenraum nur auf 118,52 □Meilen an.) Das Karlstädter Generalat ist der am meisten gebirgigte Theil des Königreichs Kroatien. Die Hauptgebirge sind: Der Wellebit, dessen höchste Spitze über 900 Wiener Klaftern über die Oberfläche des adriatischen Meeres erhaben ist; die Kapella, Plissivicza, Kamenita-Goricza, Verbacska-Staza, Petrova-Gora, die Sichelburger Berge. Die merkwürdigsten Thaler sind: Szenszky, Put, Licca, Korbavien, das Koreniczer Thal, das Gaczkaer-Thal, Jezerana. Das Karlstädter Generalat ist, mit Ausnahme des Szluiner Regiments-Bezirks, äusserst arm

an

an Wasser. Die merkwürdigsten Flüsse sind folgende: Licca, Gaczka, Dobra, Miesnicza, Korenicza, Korbava. Die Kulpa bespult nur die Grenze des Saluiner Regiments-Bezirks und die Unna entspringt zwar im Bezirk des Liccaner-Regiments, aber verläfst schon nach einem kurzen Lause von drey Stunden die Grenze dieses Generalats. Unter den stehenden Gewässern verdienen besonders die Plittwiczer Seen bemerkt zu werden. Im Ganzen hat das Karlstadter Generalat, ob es gleich sehr stark im Suden liegt, ein rauhes karpatisches Clima. Im Winter ist die Kalte äufserst strenge. Die Natur hat das Karlstadter Generalat nur stiefmütterlich mit Fruchtbarkeit ausgestattet. Im Jahre 1802 sind in diesem Generalate 182,733 Seelen gezählt worden, so dafs auf jede Quadratmeile 1295 Menschen kommen.

Das Generalat hat nur wenige grofse und zusammenhängende Dörfer; in den gebirgigten Theilen liegen die Häuser, (grofstentheils elende Hutten) meistens zerstreut. Interessant ist des Verfassers Charakteristik der Einwohner. Der Bewohner dieses Generalats ist im allgemeinen roh und ungebildet, da sowohl seine physische als moralische Erziehung noch ganz das Werk der Natur ist. Die Einwohner sind von einem schönen und grofsen Schlag und haben einen starken Körperbau. Der Flächen-Inhalt des ganzen nutzbringenden Bodens in diesem Generalate betrug im Jahr 1802 1,194,692 Joch, worunter nur 377,361 Joch urbare Grunde. Obst-Cultur und Gartenbau wird noch fast gar nicht betrieben. Im Jahr 1802 waren nicht mehr als 1400 Joch Obst- und Kuchengarten vorhanden. Am meisten pfle-

pflegen noch die Grenzer Pflaumenbäume zu ziehen, weil sie aus den Pflaumen ihren Lieblingstrank, den Sliwowitza, (Pflaumenbranntwein) brennen. Die Weingärten des Generalats betragen 1805 Joch. Darauf wurden im Jahr 1801 5562 Eimer Wein erzeugt. Das Karlstädter Generalat hat grosse Waldungen, denn der Flachen-Inhalt derselben beträgt 642,865 Joch. Sie liefern das schönste Schiffbauholz in Menge. Die Viehzucht ist in diesem Generalate schlecht bestellt, und wird ohne Kenntniss und Fleiss betrieben. Die Pferdezucht ist von gar keiner Bedeutung. Der Seidenbau ist gering. Im Jahr 1804 wurden in den Bezirken des Ottochaner, Oguliner, und Szluiner Regiments nur 936 Pfund 24 Loth Seiden-Galetten erzeugt. Der Verkehr des Karlstädter Grenzers sowohl nach dem Innern von Kroatien, als auch in auswärtige Lander, ist nur unbedeutend. Die vorzuglichsten Handelsplatze sind die beyden Seestädte Zeng und Carlobago, die Herr *Demian* S. 145 bis 155 topographisch beschreibt. Die Haupt- und Commerzial-Strasse in diesem Generalat ist die Josephinerstrasse. — Die Karlstadter Grenzer bekennen sich theils zur katholischen, theils zur griechischen Religion. Juden werden in diesem Generalate nicht gefunden. Katholiken zählte man im Jahr 1802 81597, welche 8240 Häuser bewohnten und 112 Geistliche hatten. Unirte Griechen findet man nur in dem Bezirke des Szluiner Regiments. Im J. 1802 zählte man 4003 Unirte. Nicht unirte Griechen zählte man im J. 1802 92581, welche 8043 Häuser bewohnen und 74 Pfarrer haben. Sie mussen ihre Seelsorger aus eigenen Mitteln erhalten. Für

den

den Unterricht der Grenz-Jugend in diesem Generalate bestehen Normal-Schulen, die in Ober-Schulen und in Trivial-Schulen eingetheilt werden.

Zweyter Abschnitt. Die Banal-Grenze. (S. 185 ff.) Sie liegt im Osten von Croatien, zwischen den Flüssen Kulpa, Sau und Unna. Gegen Osten hat sie das Gradiskaner-Regiment in Slavonien, und von dem Puncte, wo die Sau die Illova aufnimmt, das Provinzial-Croatien zu Grenz-Nachbarn; gegen Norden grenzt sie an das Provinzial-Croatien, gegen Westen an den Bezirk des Szluiner-Regiments, gegen Süden an Bosnien. Die Banalgrenze begreift zwey Regimenter (das erste und zweyte Banal-Regiment) und zwey Militar-Communitaten (Petrinia und Kostainicza) in sich. Nach geometrischen Vermessungen hat die Banal-Grenze einen Flachenraum von 33¾ Quadratmeilen. (*Liechtenstern* gibt unrichtig 38 □M. an). Der Boden ist mehr gebirgigt als eben. Die aneinander hängenden Bergketten sind: Petrova, Gora und die Zrinischen Berge. Die Banal-Grenze gehört zu den wasserreichsten Gegenden von Croatien. Flüsse: Kulpa, Sau, Unna, Gliha, Sunya, Petrina, Sirovacz. Von Mineralwassern sind bis jetzt nur zwey bekannt, der Sauerbrunn zu Lassina und das warme Mineralbad zu Topusko. Die Banal-Grenze hat ein weit schöneres und milderes Clima, als das Karlstädter Generalat; die Winde sind hier nicht so heftig, und die Witterung ist weder so vielen und plötzlichen Abwechslungen unterworfen, noch so rauh und strenge als in den obern Regimentern der Karlstadter Grenze. Die Banal-Grenze hat einen grösstentheils fruchtba-

ren

ren Boden. Nach der Zählung vom Jahr 1802 hat die Bevölkerung der Banal-Grenze 91,545 Seelen betragen, so dass auf jede □ Meile 2760 Menschen kommen. Die Banal-Grenze hat 271 bewohnte Ortschaften. (*Liechtenstern* gibt nur 237 an) und zählte im J. 1802 10259 Häuser, wovon 1113 in den Gebirgsgegenden sporadisch zerstreut lagen. Der Flächen-Inhalt des zu irgend einem Zweige der Landwirthschaft benutzten Bodens beträgt 330,703 Joch und 487 □ Klafter. An Pflugland besitzt die Banal-Grenze 157,184 Joch und 464 □ Klafter. Die Aecker werden schlecht bestellt. Beym Waizen, Korn und Gerste wird nicht mehr als das vierte Korn erzeugt. Die Banal-Grenze hat einen weit grössern Obstbau als das Karlstadter Generalat, nämlich 3705 Joch und 862 □ Klafter Obstgarten. Man baut hier besonders Pflaumenbäume an, und im Jahre 1801 wurden 5928 Eimer Sliwowitza erzeugt. Der Weinbau ist sehr ansehnlich, denn im Jahre 1801 sind hier 4077 Joch und 725 □ Klafter Weingärten vorhanden gewesen, worauf aber nur 38844 Eimer Wein gewonnen wurden. In der Banal-Grenze ist noch ein grosser Theil des Bodens mit Holz bewachsen, indem hier die Waldungen gegen 116509 Joche und 800 □ Klafter betragen. Die Wälder werden aber leider nicht geschont und gepflegt. Die Viehzucht ist in der Banal-Gränze sehr vielen Mängeln unterworfen, die der Verfasser aufzählt. Im Jahr 1802 hat die Banal-Grenze 34999 Stück Rinder gehabt. Pferde sind in demselben Jahre 8288 gezählt worden, Schaafe 2057, Ziegen 3517, Schweine 30715. Die Bienenzucht ist hier noch nicht so ansehnlich, als sie es zu seyn verdiendiente. Die Seiden-Cultur ist in der Banal-Grenze schon ziemlich weit gediehen, denn es sind daselbst im Jahre 1804 erzeugt worden: 7174 Pfund Galetten. Städtische Gewerbe werden bloss in den Ortschaften Petrinia, Kostainicza, Dubicza und Szissek betrieben. Mahlmuhlen hat die Banal-Grenze im J. 1802, 595 gezählt. Der Handel ist unbedeutend. Am starksten ist noch der Verkehr, welchen die Banal-Grenze mit Bosnien, besonders über Kostainicza hat. Vieh und Häute sind die vorzuglichsten Einfuhrs-Artikel aus Bosnien. Die Ausfuhrs-Artikel der Banal-Grenze nach andern östreichischen Provinzen sind: Stech- und Schlachtvieh, Wein, Sliwowitza, Honig und Wachs. — In der Banal-Grenze gibt es nur zwey Religions-Partheyen, die römisch-katholische und die orientalische. Nur der kleinste Theil der Einwohner bekennt sich zur katholischen Religion, denn im Jahr 1802 wurden in beyden Banal-Regimentern nur 28074 Katholiken gezahlt, die unter dem Bischof von Agram stehen. Die Zahl der Orientalisch-Glaubigen belief sich aber im gedachten Jahre auf 60260 Seelen, die ihre Seelsorger aus eignen Mitteln erhalten müssen. Die öffentlichen Schulanstalten theilen sich in Oberschulen und in Unter- oder Trivial-Schulen. Von Oberschulen hat die Banal-Grenze nur eine einzige, die sich zu Petrinia befindet; dagegen fünf Trivialschulen, uberdies eine Madchenschule zu Petrinia und eine Geometrie-Schule ebendaselbst. Illyrische Nationalschulen befinden sich zu Petrinia und Kostainicza.

Drit-

Dritter Abschnitt. Das *Warasdiner - Generalat.* (S. 291 ff.) Gegen Osten grenzt dieses Generalat an das Konigreich Slavonien, in Suden und Westen wird es vom Provinzial Kroatien umgeben, gegen Norden aber grenzt es an Ungarn. Das Warasdiner Generalat begreift zwey Regiments - Bezirke (das Kreuzer und St. Georgen Regiment) und die zwey Militar - Communitaten Bellovar und Joanich in sich. Nach geometrischen Vermessungen hat das Warasdiner Generalat einen Flachenraum von 67⅞ □Meilen, (*Liechtenstern* gibt unrichtig nur 60 □ M. an). Dieser Landesstrich ist von freundlichen Mittelgebirgen umschlossen und senkt sich gegen die Mitte, so wie auch an die Drau herab in weitläufige Ebenen und Hugel. Die Flusse dieses Generalats sind: die Drau, die Chasma, Lonya, Illova, Koprivnichka. Das Clima ist feucht und warm. Der Boden ist im Ganzen fruchtbar. Im J. 1802 betrug die Bevölkerung nach der Conscription 101902 Seelen, so dass nur 1500 Menschen auf eine □ Meile kommen. In demselben Jahre zahlte man in diesem Generalate zwey freye Militar - Communitaten und 361 Dorfer, Hauser aber 10581. Im Warasdiner Generalate betragt der Flacheninhalt des zu irgend einem Zweige der Landwirthschaft benutzten Bodens 592427 Joche. An Ackerland enthält es 256145 Joch. Man baut Waizen, Korn, Gerste, Hafer, Mais, Hirse, Heidekorn. Im Jahr 1801 sind in den beyden Warasdiner Regimentern 621021 Metzen Brodfruchte gebaut worden. Der Feldbau ist ausserst mangelhaft und vernachlässigt. Hulsenfruchte werden wenig gebaut. An Flachs und Hanf sind im Jahr 1801 nicht

mehr

hr als 27696 Centner erzeugt worden. Der Be-
g des Wiesenlandes beläuft sich nur auf 68,619 Joch.
von wurden im Jahr 1801 an Heu nur 650,218
ntner gewonnen. Die Hutweiden betragen in
. beyden Warasdiner Regimentern 37,162 Joch.
: Obstbau wird noch sehr vernachlässigt. Nur
fel- Birnen- Kirschen- und Pflaumenbäume wer-
gezogen, am meisten die letztern. Im J. 1801
ren in den beyden Warasdiner Regimentern 8843
h Obst- und Kuchengärten vorhanden. Der Wein-
en enthält 9005 Joch, welche im J. 1801, 108711
ner Wein geliefert haben. Das Warasdiner Gene-
t hat noch grosse Wälder. Im J. 1801 hat der
ldboden 212,653 Joch betragen. Eben so schlecht
der Ackerbau ist im Warasdiner Generalate auch
Viehzucht bestellt. Die Seidenzucht ist für den
rasdiner der gewinnreichste Industrie-Zweig.
Jahre 1801 wurden 32473 Pfund Seiden-Galetten
eugt, und das Generalat gewinnt jährlich zwi-
en 30 und 40000 Gulden für Seide. Ausser einer
enfamilie, die sich zu Bellovar vom Handel er-
ırt, sind alle übrigen Einwohner des Warasdiner
neralats entweder Katholiken, oder unirte und
ht unirte Griechen. Mehr, als zwey Drittel Ein-
hner bekennen sich zur römisch-kathol. Kirche,
n von den 10194 Häusern in den beyden Grenz-
gimentern werden 7264 Häuser von Katholiken
wohnt. Zur griechisch-unirten Kirche bekennen
gegenwärtig kaum 30 Einwohner mehr, indem
übrigen alle wieder zur orientalischen Kirche zu-
kgetreten sind. Die Zahl der Nicht-Unirten be-
gt ein Drittel der Bevölkerung, denn von den
10194

10194 Häusern, welche die beyden Warasdiner-Regimenter zählen, werden nur 2930 von Nicht-Unirten bewohnt.

Zweyte Abtheilung. Die *Slawonische Militär-Grenze.* Erster Hauptstuck. Bestandtheile des Landes. In Suden grenzt das slavonische Soldatenland an Servien, Bosnien und an einen Theil des zweyten Banal-Regiments; gegen Westen wird es durch Moräste und kleine Anhöhen von Kroatien geschieden, gegen Norden gröſstentheils durch ein Mittelgebirg von Provinzial-Slavonien, dann durch die Donau von dem Tschaikisten-Bataillon in Ungarn, endlich gegen Osten durch die Donau von dem deutsch-banatischen Grenz-Regiment. Die slavonische Militar-Grenze begreift gegenwärtig drey Regiments-Bezirke (das Peterwardeiner, Broder und Gradiskaner-Regiment) und drey freye Militär-Communitaten (Peterwardein, Karlowitz und Semlin) in sich. Der Flacheninhalt betragt nach wirklichen Messungen 112½ Quadr. Meilen, (*Liechtenstern* gibt 115 $\frac{15}{100}$ und *Lipszky* 122 □ Meilen an.) Fast der ganze Militar-District von Slavonien ist flach und eben. Der Boden ist im Ganzen genommen, sehr ergiebig. Die vorzüglichsten Flüsse sind: die Sau und Donau. Kleinere Flusse sind die Lonya, Illova, Struga, Orlyava, Berrava, Bigy und Bossuth. In demjenigen Theile dieses Militar-Districts, der sich längs der Sau hinzieht, ist die Luft die meiste Zeit des Jahres höchst ungesund, weil dieser Strom öfters austritt. Reiner und gesunder ist die Luft in den höher liegenden Gegenden. Nach der Conscription vom Jahr 1802 hat die Bevölkerung des ganzen

slavo-

slavonischen Generalats 189,208 Seelen betragen. Die zum Felddienst taugliche Mannschaft hat in den drey slavonischen Grenz-Regimentern 22,868 Köpfe betragen. Die Bevölkerung ist sehr gering, denn es kommen nicht mehr als 1568 Menschen auf eine Quadratmeile. Im J. 1802 sind in der slavonischen Militärgrenze drey Militar-Communitäten, fünf Märkte, zwey Festungen und 299 Dörfer gezählt worden. Häuser waren in den drey slavonischen Regimentsbezirken 19492. Der Verf. führt alle Ortschaften namentlich auf. *Zweytes Hauptstück*: Cultur des Landes. Erster Abschnitt: Physische Cultur. Der Flächeninhalt des urbaren Landes beträgt nach den Summarien vom Jahr 1804: 987,462 Joch, so dass auf einen Menschen 5 Joch und 350 Quadratklafter urbaren Bodens kommen. An Ackerland enthält die slavonische Militär-Grenze 310,378 Joch. Die Maulbeerbaumzucht wird stark cultivirt. Im Jahr 1804 wurden in den drey Regimentsbezirken 268,884 Maulbeerbäume gezählt. Der Weinboden in der slavonischen Militar-Grenze beträgt 11640 Joch. Der meiste und beste Wein wird auf dem Karlowitzer Gebirge gewonnen, wo Kaiser *Probus* im Jahr 276 mit seinen Soldaten die ersten Reben gepflanzt hat. Der Flächeninhalt aller Waldungen beträgt nach geometrischen Vermessungen 360,980 Joch. Die herrschende Holzart ist die Eiche. Die Viehzucht in der slavonischen Militär-Grenze hat noch viele und grosse Mängel. Vorzüglich ist es der Mangel an Futter und die schlechte Pflege, welche das Gedeihen der Viehzucht am meisten zurückhält. Gegenwärtig gibt es keine Provinz in dem östreichischen Kaiserstaat, wo der

Seidenbau bereits einen solchen Grad von Ausbreitung erreicht hatte, als das Militär-Slavonien. Dieser nützliche und gewinnreiche Industriezweig ist hier schon im J. 1761 eingeführt worden. Im Jahre 1801 wurden 65,401 Pfund Seiden-Galetten erzeugt. Die stärkste Seidencultur hat das Gradiskaner Regiment. Seidenspinnereyen sind gegenwärtig im Militär-Slavonien 9 vorhanden. Manufacturen und Fabriken besitzt die slavonische Militargrenze eben so wenig noch, als die übrigen ungrischen Confinien. Dagegen fehlt es hier nicht mehr an den nothwendigsten städtischen Gewerben. Der Hauptgegenstand des auswärtigen Verkehrs ist das Vieh. Nach allen Richtungen hin sind Strassen angelegt. Post-Curse sind zwey. Die Hauptörter des Commerzes mit den benachbarten türkischen Provinzen sind: Semlin, Brood, Mitrowitz, Alt-Gradiska. Der Verf. handelt von ihnen ausführlich S. 175 bis 199 des zweyten Bandes. *Zweyter Abschnitt:* Geistige Cultur. Ausser den Judenfamilien in Semlin und Peterwardein sind alle übrigen Einwohner der slavonischen Militär-Grenze Christen, die sich theils zur römisch-katholischen, theils zur nicht-unirten griechischen, theils zur evangelischen Kirche bekennen. Mehr als ein Drittel der slavonischen Grenzsoldaten bekennen sich zur katholischen Religion. Gegenwärtig befinden sich im Militär-Slavonien 71 katholische Pfarrer. Die Zahl der Nichtunirten in der slavonischen Militar-Grenze beträgt ungefehr ⅗ der Bevölkerung. Bey dem Staabe eines jeden der drey slavonischen Grenz-Regimenter, befindet sich eine deutsche Normal- oder Oberschule.

Drit-

Dritte Abtheilung. Die *ungarische Militärgrenze.* (Zweyter Band S. 231 ff.). *Erster Abschn. Das Tschaikisten-Bataillon.* Die Tschaikisten werden gegenwärtig nicht nur zum Infanteriedienst auf dem Waſser (dies war ihre ursprungliche Bestimmung), sondern auch zum Pontonier-Dienst verwendet. Dieser Militär-District liegt in der Batscher Gespannschaft des Königreichs Ungarn, und zwar in dem Winkel, welchen die Donau und Theiſs durch ihren Zusammenfluſs bilden. Der Flacheninhalt beträgt nach geometrischen Vermeſsungen 151,654 Joch und 1323 □ Klafter, oder 15 □ Meilen und 1654⅝ Joch. (*Lipszky* gibt den Flachenraum zu 16 □ Meilen an, *Liechtenstern* aber setzt ihn ganz irrig auf 7 $\frac{22}{100}$ geograph. □ Meilen). Der Landesstrich ist durchaus eben. Er wird von den zwey grossen Flussen, von der Donau und der Theiſs bespült. Die Luft ist im Sommer sehr druckend und heiſs. Im J. 1802 hat der ganze Populationsstand des Tschaikisten-Bataillons 17953 Seelen betragen, worunter 17509 wirkliche Grenzer waren. Nur 1195 Menschen kommen auf eine □ Meile. Die Häuser bestehen aus gestampfter Erde. Die Nahrungswege der Tschaikisten sind Ackerbau und Viehzucht. Der Flächeninhalt des zu irgend einem Zweige der Landwirthschaft benutzten Bodens betragt 92,740 Joch und 1325 □ Klafter, so daſs 5 Joch und 260 □ Klafter urbaren Bodens auf einen Menschen kommen. Die Getraidearten, die in diesem Bezirk gebaut werden sind: Waizen, Korn, Gerste, Hafer, Mais und Hirse. Die Seidencultur ist hochst unbedeutend, und wird von Jahr zu Jahr geringer. Denn da im

J. 1801 an Seiden-Galetten 101 ¼ Pfund erzeugt worden sind, so sind dagegen im J. 1805 nur 23 Pfund gewonnen worden. An Maulbeerbäumen sind im J. 1804 in diesem Districte 15261 Stuck gezählt worden. Das Tschaikisten-Bataillon hat ausser einigen einfachen Handwerken keine andere Gewerbs-Industrie. Im J. 1803 wurden nur 94 Professionisten, die grösstentheils nur Pfuscher waren, gezählt. Das Branntweinbrennen, besonders aus Pflaumen, wird in diesem Districte stark betrieben.

Zweyter Abschnitt. Die *banatische Militär-Grenze.* (S. 279 ff.). *Erstes Hauptstuck:* Bestandtheile des Landes. Die banatische Militär-Grenze, welche sich lange dem türkischen Gebiete von Westen nach Osten hinzieht, grenzt gegen Süden an Servien, gegen Osten an die kleine Walachey und an Siebenburgen, gegen Norden an die Gespannschaften Torontal, Temes und Kraschо, gegen Westen endlich theils an das Peterwardeiner Regiment, theils an das Tschaikisten-Bataillon. Sie begreift zwey Regimenter (das deutsch-banatische und das walachisch-illyrische) und zwey Militär-Communitaten (Pancsova und Weisskirchen) in sich. Nach geometrischen Vermessungen hat sie einen Flächen-Inhalt von 145 ⅜ □ Meilen. Die Oberfläche des banatischen Militärdistricts ist sehr ungleich. Die Gebirgskette, welche von Norden nach Süden das walachisch-illyrische Regiment durchzieht, kommt aus Siebenburgen und ist eine Fortsetzung der Carpaten, welche Ungarn von Galizien und Siebenbürgen von der Moldau und Walachey trennen. Sehr merkwürdig sind die veteranische und die Räuber-

höhle.

höhle. Der ganze Landesstrich, welcher sich von Uj-palanka und Weissskircheu bis zur Theiss und Donau hindehnt, ist eine ununterbrochne Ebene, die sich über den ganzen Bezirk des deutsch-banatischen Regiments erstreckt. Flusse dieses Districts sind: Die Donau, Theiss, Gerna, Nera, Karas-, Temes, Bifztra. Dazu kommt der schiffbare Bega Canal. Merkwürdig sind die warmen Bäder bey Mehadia. Das Clima ist so verschieden, als es die physische Beschaffenheit dieses Landstriches ist. Der Boden besteht theils aus einer sehr fruchtbaren Gartenerde, theils aus einem zahen Lehm, theils aus einem unfruchtbaren Sand. Nach den Conscriptions-Summarien vom Jahr 1802 hat die Bevölkerung der banatischen Militargrenze 144,038 Seelen betragen. Die zum Felddienst taugliche Mannschaft in den zwey banatischen Grenzregimentern betrug 22105 Köpfe. Auf eine □ Meile kamen nicht mehr als 993 Menschen. Die Bewohner bestehen aus Walachen, Illyriern oder Raizen, Deutschen, Ungarn und Juden. Im J. 1803 sind in der banatischen Militär-Grenze zwey Städte und 160 Dörfer gezahlt worden. Hauser wurden in den zwey banatischen Grenzregimentern in eben dem Jahre 19405 gezählt. Der Verfasser führt alle Dorfer namentlich an. *Zweytes Hauptstuck:* Cultur des Landes. I. Physische Cultur. Der Flächeninhalt des benutzten Bodens beträgt 1060674 Joch und 35 □ Klafter, so dass auf einen Menschen 8 Joch und 582 □ Klafter urbaren Landes kommen. Die Viehzucht ist ein Hauptnahrungszweig der Einwohner des banatischen Militärdistricts. Die Bienenzucht ist unbedeutend. Die Seidencultur ist hier gerin-

geringer als im Warasdiner Generalat und in der slavonischen Militär-Grenze. Im Jahr 1801 wurden 8455 Pfund Seiden-Galetten gewonnen. Die stärkste Seidencultur besitzt das deutsch-banatische Regiment und die Militar-Communität Weisskirchen. Von den mineralischen Producten sind zu merken: Waschgold (man gewinnt davon jährlich an 600 Ducaten.) Kalksteine, Torf. Die Goldwäscher sind Zigeuner. Die Manufactur-Industrie der banatischen Gränze beschrankt sich zur Zeit nur auf die gemeinen Handwerke. Ein sehr einträgliches Nebenwerk in dem walachisch-illyrischen Regiment ist die Verfertigung verschiedner Holzwaaren und die Schiffbauerey. Durch verkaufte Holzerzeugnisse sind nur im J. 1801, 21090 Gulden eingegangen. Die Hauptgegenstände der Ausfuhr in der banatischen Militär-Grenze sind: Getraide, Vieh; Wolle, Holz, Obst, Sliwowitza und rohe Seide. Die meisten Producte und Waaren, die aus der Türkey eingeführt werden, gehen *transito* durch die banatische Grenze nach Ungarn und Oestreich. Handelsleute und Krämer sind im J. 1802 in diesem Bezirk 174 gezählt worden. Die banatische Militär-Grenze hat drey Hauptstrassen und drey Post-Curse. *Zweyter Abschnitt:* Geistige Cultur. Die Einwohner bekennen sich zur katholischen, griechisch-nicht unirten, evängelisch-lutherischen und reformirten Kirche. Zu Pancsova, Weisskirchen und Karansebes befinden sich auch einige Juden. Nur ein kleiner Theil der Grenzer bekennt sich zur römisch-katholischen Kirche. Sie hat nur 15 Pfarren. Bey weitem der grösste Theil der Einwohner bekennt sich zur nicht unirten

ten griechischen Kirche, denn nur allein in dem Bezirke des walachisch-illyrischen Regiments befanden sich im Jahre 1802: 68789 nicht unirte Seelen. Pfarrer zählt diese Kirche in der banatischen Grenze 333, Mönchsklöster 2. Evangelisch-lutherische Glaubensgenossen sind nur in dem deutschen Colonistendorf Franzfeld. Die Reformirten bestehen aus eingewanderten Magyaren aus der Weszprimer Gespannschaft. Sie wohnen in den Dörfern Debeliacsa, Janosfaln und Antalfaln, und haben eine Kirche und einen Prediger zu Debeliacsa. Judenfamilien sind in der banatischen Militärgrenze 25. Deutsche Normal- oder Oberschulen hat die banatische Militärgrenze 3 (zu Pancsova, Karansebes und Weisskirchen); Trivialschulen oder Unterschulen 18, nicht unirte Nationalschulen 120, eine evangelische Schule zu Franzfeld, reformirte Schulen zu Debeliacsa, Antalfaln und Janosfaln.

Die Resultate, die aus den von uns mitgetheilten statistischen Daten über die Militärgrenze hervorgehn, sind für den Staatsmann und Cosmopoliten nicht erfreulich. Die Volksmenge ist in Betracht des Flächenraumes überall zu gering, der Ackerbau und die Viehzucht wird von den nicht betriebsamen Grenzern nachlässig getrieben, an Gewerbe und Industrie ist hier noch nicht zu denken, die Grenzer sind meist roh und ungebildet, der Schulen sind zu wenig, und sie werden von wenigen Schülern besucht. Aber Recensent hofft zuversichtlich, dass diese schönen, von der Natur (wie wir gesehen haben) so begünstigten Landesstriche unter der Ober-

auf-

aufsicht Seiner kaiserlichen Hoheit, des Erzherzog *Karl* immer mehr aufbluhen werden.

Die statistische Beschreibung der siebenbürgischen Militärgrenze ist Herr *Demian* schuldig geblieben. Die fehlenden Bände sind bisher noch nicht erschienen.

Das Werk ist Seiner kaiserlichen Hoheit, dem Erzherzog Karl, als dem obersten Chef der Militär-Grenze gewidmet.

XXV.

Auszug aus zwey Schreiben des Russisch-Kaiserlichen Kammer-Assessors, Doctor *U. J. Seetzen.*

Kahira, *) den 11. April 1809.

.... Es freut mich sehr, Ewr. Hochwohlgeb. jetzt die Nachricht geben zu können, dass ich am bevorstehenden Donnerstag den 13. April sicher *Kahira* verlassen werde, um meine Reise nach *Arabien* anzutreten. Ich bin mit Briefen fur *Sués*, *Jambo*, *Dschidda*, *Mocha* und *Aden* versehen, welche ich der Gute und Gefälligkeit des Herrn *von Rosetti* verdanke. Mein verzogerter Aufenthalt war fur Geographie und Litteratur vortheilhaft, wie sie aus den erhaltenen Papieren ersehen haben werden. Ich wunsche, dass bey der Ankunft dieses Briefes alle meine ubrigen Papiere und Paquete in Ihren Handen seyn mögen.

Suès, am 15. Mai 1809.

.... Hoffentlich haben Sie meinen letzten Brief schon fruher erhalten. Meiner Augen-Entzundung ungeachtet, trat ich meine Reise zur Untersuchung des alten Verbindungs-Canals an, konnte sie aber nicht

*) Eingegangen über Paris am 25. Februar 1810. v. L.

nicht ganz nach Wunsch vollenden, weil jenes Uebel unterweges so zunahm, dass ich anderthalb Tage lang so gut als blind war. Indessen bin ich jetzt durch den Augenschein uberzeugt, dass die vormalige Existenz dieses Canals gar keinem Zweifel unterworfen ist. Er nimmt seinen Anfang am nördlichen Ende des Meerbusens von Suès, lauft von dort nordwarts bis zu einem kleinen Salzsee, El Millhh oder El Menilahh genannt, der 9 Stunden von Suès entfernt ist. Von dort lauft ein flaches schmales Thal nach dem Ost-Ende des Wady-Schoáib, durch dessen ganze Länge er geführt wurde, von wo er sich nordwärts um Belbès, und so nach Kahira, vermuthlich nach Birket Hadsch, hinzog. Noch alljährlich tritt das Nilwasser durch den Wady-Schoáib bis in den Salzsee, und wenn die Inundation groſs ist, erstreckt sie sich bis 8 Stunden nordwärts von Suès. Das Bett des Canals ist 150 — 180 Fuſs breit, und hat vom Meerbusen an gerechnet, etwa drey Stunden lang, deutliche und zum Theil hohe Ufer. Das Meer ist vermuthlich höher, als der Nil zur Zeit der Inundation, aber zwey Kasten-Schleusen wären hinlänglich, um jeder Gefahr vorzubeugen. Gäbe man dem Canalbett überall eine Tiefe von 24 Fuſs, so vermuthe ich, dass die Schifffahrt ununterbrochen vor sich gehen könnte. Der Name des Canals ist: El-Máhhsar. Die von El-Messoudy in Merudsch el dsáhab angeführten Namen: Dénneb el Temszâhh, Hama, und Bkâatân sind jetzt gänzlich unbekannt. Die dort angefuhrte Brucke uber den Canal, den die egyptische Pilger-Karawane passirte, ist jetzt gänzlich zerstört.

Man

Man schildert mir hier die Gefahren in Hedschas als sehr grofs; die Wuhabiten, die bey Akábá Alles inne haben, ermorden jeden, den sie fur einen Ketzer (Méschik) halten; in Móilehh liegt eine wuhabitische Garnison; man prophezeyt mir einen schlimmen Ausgang. Allein obgleich ich auf der einen Seite Gefahr sehe, so sehe ich auf der andern Aileh, Assiûn, Faraûn im Wady - Musa, Mojair Schoáib (Midian) Madájin Szallehh u. s. w. Können Sie zweifeln, welche bey mir den Ausschlag erhalten erhalten werde? —

Künftigen Donnerstag trete ich mit einigen Beduinen meine Reise um die petraische Halb - Insel an, um Hammám Faraûn, Fûr, Scherûm Dahab und Akábá zu besuchen, welche Reise etwa 14 — 20 Tage dauern dürfte. Bis Akábá ist keine bedeutende Gefahr. Ein hiesiger hadramutischer Kaffeehandler versichert mich, dafs es zwar in seinem Vaterlande keineswegs an Büchern fehle, dafs keiner aber geneigt sey, sie zu verkaufen.

XXVI.

XXVI.

Auszug aus einem Schreiben des Herrn Professor *Gauss.*

Göttingen, den 23. Febr. 1810.

.... Ich habe so eben einige Rechnungen über die beyden letzten Oppositionen der Pallas beendigt, deren Resultate ich in Nro. 32 der Göttinger gelehrten Zeitungen habe abdrucken lassen und die ich Ihnen hier mittheile. Die Pallas war im Jahre 1808 nur auf wenigen Sternwarten und nur unvollkommen beobachtet; daher auch seit 1807 keine Berichtigung der Elemente hatte unternommen werden können. Auf der hiesigen Sternwarte hatte die grosse Lichtschwache des Planeten alle Beobachtungen am Mauer-Quadranten unmoglich gemacht und die wenigen am Kreis-Micrometer angestellten Beobachtungen konnten, besonderer Umstande wegen, auf grosse Genauigkeit keinen Anspruch machen, und Ihre auf der Seeberger Sternwarte am Passagen-Instrumente genau beobachteten Pallas-Orter waren nicht vollstandig, indem die Declinationen ebenfalls fehlten. Die in Mailand am Aequatorial-Sector gemachten Bestimmungen fangen erst vom 22. August an, und konnten daher nicht fuglich mehr fur die Opposition gebraucht werden. Erst durch das *astronomische Jahr-*

ahrbuch für 1812 wurden mir noch einige um die eit der Oppofition zu Prag von Herrn *David* angeellte vollftändige Beobachtungen bekannt, von deen ich die Declinationen benutzte, um daraus in erbindung mit den auf der Seeberger Sternwarte eftimmten geraden Auffteigungen die Oppofition ozuleiten. Leider zeigte die Unterfuchung jener rager Beobachtungen, dafs fie nicht gut harmonin, da z. B. die verfchiedenen Declinationen Refulte geben, welche beynahe eine Minute von einder abweichen. Da es inzwifchen an beffern Deinationen durchaus fehlte, fo blieb nichts übrig, s das was da war, fo gut wie möglich zu benuen, und fo ergab fich für die Oppofition von 1808, e fünfte, welche bisher beobachtet würde, folgens Refultat:

Oppofition der Pallas 1808.

26. Jul. 21h 17′ 32″	Meridian von Göttingen.			
wahre Länge	304°	2′	59″,7	
wahre geoc. Br.	37	43	54	nördl.

Im Jahre 1809 fcheinen die auf der hiefigen ernwarte gemachten Pallas-Beobachtungen die uheften gewefen zu feyn, aufserdem benutzte ich ire Seeberger und Herrn *Bouvards* Parifer Merian-Beobachtungen. Da die letztern vielleicht erft ich einigen Jahren bekannt werden wurden, fo tze ich folche hieher:

Beob-

Beobachtungen der Pallas zu Paris.

1809	Mittlere Zeit in Paris			Scheinbare AR. der Pallas			Scheinb. nördl. Abweich.		
Septbr. 12	12	51'	39,"6	4°	30	25,"80	4°	20'	10,"4
15	12	37	41, 7	3	57	48, 75	5	5	16, 4
28	11	36	52, 6	1	31	50, 25	8	20	23, 4
29	11	32	11, 1	1	20	24, 30	8	34	57, 4
Octbr. 2	11	18	7, 1	0	46	15, 30	9	18	22, 5
5	11	4	5, 9	0	12	35, 25	10	0	21, 0
6	10	59	25, 5	0	1	37, 50	10	14	6, 9
7	10	54	46, 2	359	50	44, 55	10	27	36, 8
8	10	50	7, 1	359	39	54, 90	10	40	1, 5
9	10	45	28, 7	359	29	16, 50	10	54	5, 5
13	10	27	2, 2	358	48	26, 25	11	54	59, 5

Das Resultat aus diesen Beobachtungen für die sechste Opposition der Pallas ist folgendes:

Zeit der Opposition 1809 22. Septbr.

16h 10' 20" Merid. v. Götting.

wahre Länge der ⚴ 359° 40' 4,"4

wahre geoc. Breite 7 22 10, 1 südl.

Ich habe auch schon einige andere Resultate in Rücksicht der Elemente darauf gegründet, und bin jetzt mit noch einigen Rechnungen darüber beschäftiget: diess zusammen, nebst einer Auseinandersetzung verschiedner Kunstgriffe, welche ich schon seit vielen Jahren bey Anwendung der im 3. Abschnitt des 2ten Buches meiner *Theoria* entwickelten Methode (*des moindres carrés*) gebraucht habe, bestimme ich zu einem Auffatz für unsere Societät, aus welchem ich Ihnen, sobald die Arbeit vollendet ist, einen Auszug schicken werde.

Die hiesigen Beobachtungen der *Vesta*, welche alle vom Prof. *Harding* am Mauer-Quadranten gemacht sind, füge ich hier bey.

Vesta

Veſta Beobachtungen.

1810		Mittlere Zeit in Göttingen			Scheinbare AR. der Veſta			Scheinbare nördl. Declin.		
Jan.	13	11h	1'	27,"7	98°	5	44,"5	23°	19'	17,"6
	15	10	51	30, 1	97	34	57, 0	23	26	14, 3
	28	9	49	13, 7	94	46	15, 2	24	7	33, 7
Febr.	2	9	26	32, 7	94	0	51, 3	24	20	51, 7
	3	9	22	7, 4	93	53	19, 2	24	23	37, 8
	6	9	8	56, 1	93	32	33, 2	24	31	1, 9

Hier ſind auch unſere Beobachtungen der Bedeckung des Jupiter vom 8. Febr. Die Austritte ſind ganz unſicher, weil der Mond ſehr niedrig ſtand.

Eintritte.

1. Trabant	8h	58'	2,"9	*Harding*
			3, 3	*Gauſs*
2. Trabant	8	58	26,"2	*G.*
			28, 7	*H.*
♃ I. R.	9	0	16,"4	*H.*
			17, 4	*G.*
♃ II. R.	9	2	26,"0	*G.*
			26, 7	*H.*
3. Trabant	9	7	55,"5	*G.*
			56, 4	*H.*
4. Trabant	9	14	35,"3	*H.*
			37, 0	*G.*

Austritte.

1. Trabant	9h	30'	59"	*Gauſs*, ſchon ausgetreten
♃ I. R.	9	33	37, 9	*H.*
II. R.	9	35	19, 6	*G.*
			36, 1	*H.*
3. Trabant	9	43	38, 3	*H.*

Für

Für die Notirung der Druckfehler *) in meiner Theoria, bin ich Herrn *Oriani* sehr verbunden. Er hat ganz Recht, dass ich pag. 129 hinzu zu fügen vergessen habe, dass B, B,' B" = 0, vorausgesetzt werden mussen, (wenn die Bedingungs-Gleichung, bey welcher die Gleichung [7] unbrauchbar ist, die dort angegebene Gestalt haben soll. Es ist übrigens klar, dass wenn auch nicht B, B,' B" = 0 sind, doch die Gleichung [7] unbrauchbar seyn kann, wenn namlich der 12 gliedrige Ausdruck, welchen *Oriani* entwickelt hat, zufällig = 0 oder sehr klein wird. Dass *Euler* schon das Theorem gefunden hat, woraus der schöne von mir *La Place* beygelegte Lehrsatz sehr leicht abgeleitet werden kann, fiel mir selbst schon fruher ein, als aber die Stelle pag. 212. schon abgedruckt war; ich wollte es aber nicht unter die Errata setzen, weil *La Place* wenigstens das obige Theorem doch erst in der dort gebrauchten Form aufgestellt hat. Die meisten der von *Oriani* angezeigten Druckfehler hatte ich mir auch schon notirt. Hier sind noch drey andere von ihm ubersehene:

Pag. 1	Zeile 4 v. u.	statt	inversa	l.	composita
— 65	— 2	—	cos. θ	l.	cos. ζ
— 195	— 16	—	λ'''	l.	$= \lambda'''$.

Den Druckfehler 380° **) statt 180° S. 4 finde ich in meinem Exemplare nicht. Statt der zwey Druckfehler pag. 83 könnte einer namlich $\zeta + 45$ statt $\zeta - 45°$ gesetzt werden.

---

*) Man sehe das Druckfehler-Verzeichniss S. 281 dies. H.

**) Ist in meinem Exemplar. v. L.

XXVII.

Druckfehler in Dr. *Gauss's Theoria motus corporum coelestium etc. Hamburgi* 1809 vom Senator *Bar. Oriani.*

Pag.	Lin.	Errata	Conige
4	9	380°	180°
19	10	$u = 0$	$u = 1$
30	8	$1 \pm 5\, e\, \omega$ tang. F	$\omega \pm 5\, e\, \omega$ tang F
ibid.	ibidem	$1 + \frac{3\, e\, \omega}{\text{cos. F}}$	$\omega + \frac{3\, e\, \omega}{\text{cos F}}$
30	10	$1 \pm 3\, e\, \omega$ tang. F.	$\omega \pm 3\, e\, \omega$ tang. F
40	3 ascend.	0,22926	0,022926
72	15	28′ 54″	L′ = 12° 28′ 54″
78	2	$\frac{\text{tang. }(N - b)}{\text{cos. }\omega\text{ cos. }i}$	$\frac{\text{tang. }(N - b)}{\text{cos. }\omega\text{ sin }i}$
83	ultima	cotang. $(\frac{1}{2}A + \frac{1}{2}B - P)$	tang. $(\frac{1}{2}A + \frac{1}{2}B - P)$
ibid.	ibidem	tang. $\frac{1}{2}(B - A)$	cotang. $\frac{1}{2}(B - A)$
87	14	affecti	affectae
97	8 ascend.	$1 - \frac{e}{5}$ sin. G^2	$1 - \frac{e}{5}$ sin $\frac{1}{2}G^2$
101	13	art. 89	art. 88
114	2	$\sqrt{(L - z)}$	$\sqrt{(L + z)}$
116	penult.	art. 98	art. 99
126	4 ascend.	$r r'$ sin. u sin i	$r r'$ sin. $(u' - u)$ sin. i
129	ultim.	quoties fuerit	quoties fuerit $B = B' = B'' = 0$, atque
147	11 ascend.	$- c$	$+ c$
ibid.	10 ascend.	$- d$	$+ d$
151	1, 3	λ	l
160	16	[17]	[18]

Pag.	Lin.	Errata	Corrige
162	1. 2. 3. 4.	s	s'
171	15 ascend.	9,8648511	9,8648551
190	15	art. 147	art. 143
ibid.	20	art. 146	art. 143
193	6 ascend.	ad	et
194	ultima	$= \alpha$	$= \alpha'$
195	7	(n 02)	(n 01)
ibid.	18	$\cos \beta \sin. (\alpha''' - \alpha')$	$\cos. \beta' \sin (\alpha''' - \alpha')$
197	9 ascend.	$Q'' = k k, \ldots$	$Q'' = \frac{1}{2} k k, \ldots$
201	9 ascend.	Log. $Q'' = 9,68097$	log. $Q'' = 9,67997$
212	10 ascend.	$\Delta \phi$	$\phi \Delta$
ib. †	7 ascend.	*La Place*	*Eulero*
216	7	quod valorem	valorem

*) Ut aequatio [7] fiat identica, debent coefficientes ipsorum $\delta \delta' \delta''$, $D \delta' \delta''$, $D D' \delta''$ etc. . . . esse = 0. sed post debitas reductiones coefficiens ipsius $\delta \delta' \delta''$ est

$$[0.1.2.] \left\{ \begin{array}{l} \tang \beta' \tang \beta \sin (L'' - \alpha'') \sin (L' - L) \\ \quad + \tang \beta' \tang B \sin (L'' - \alpha'') \sin (L' - \alpha) \\ + \tang \beta \tang \beta'' \sin (L' - \alpha') \sin (L - L'') \\ \quad + \tang B \tang \beta'' \sin (L' - \alpha') \sin (\alpha - L'') \\ + \tang \beta'' \tang \beta' \sin (L - \alpha) \sin (L'' - L') \\ \quad + \tang \beta'' \tang B' \sin (L - \alpha) \sin. (L'' - \alpha') \end{array} \right.$$

$$\left. \begin{array}{l} + \tang B' \tang \beta \sin (L'' - \alpha'') \sin (\alpha' - L) \\ \quad + \tang B' \tang B \sin (L'' - \alpha'') \sin (\alpha' - \alpha) \\ + \tang \beta \tang B'' \sin (L' - \alpha') \sin (L - \alpha'') \\ \quad + \tang B \tang B'' \sin (L' - \alpha') \sin (\alpha - \alpha'') \\ + \tang B'' \tang \beta' \sin (L - \alpha) \sin (\alpha'' - L') \\ \quad + \tang B'' \tang B' \sin (L - \alpha) \sin (\alpha'' - \alpha') \end{array} \right\}$$

Hinc

Hinc si habeatur tantummodo

$$\begin{aligned} &\operatorname{tang}\beta'\operatorname{tang}\beta\sin(L''-\alpha'')\sin(L'-L') \\ &+\operatorname{tang}\beta\operatorname{tang}\beta''\sin(L'-\alpha')\sin(L-L'') = 0 \\ &+\operatorname{tang}\beta''\operatorname{tang}\beta'\sin(L-\alpha)\sin(L''-L') \end{aligned}$$

Idem coefficiens non fit $= 0$, sed requiritur praeterea ut fit
$B = 0$, $B' = 0$, $B'' = 0$.

† Elegans theorema, quod tribuitur Illustr. *La Place*, revera à *Leonardo Eulero* primum inventum est. Et enim in *Comment. Acad. Petropol.* Tom. XVI. *Eulerus* ostendit, integrale $-\int\frac{dx}{\sqrt{(\log.\frac{1}{x})}}$ sumtum ab $x = 1$ ad $x = 0$ esse $= \sqrt{\pi}$, existente π semi-circumferentia circuli, radio $= 1$ descripti. Jamvero ponendo $x = e^{-tt}$ habetur

$$\frac{-dx}{\sqrt{(\log\frac{1}{x})}} = 2e^{-tt}dt$$

Ideoque integrale $\int e^{-tt}dt$ à $t = 0$ ad $t = \infty$ erit $= \frac{1}{2}\sqrt{\pi}$, et propterea idem integrale à $t = -\infty$ ad $t = +\infty$ fiet $= \sqrt{\pi}$.

XXVIII.

Auszug aus einem Schreiben des Herrn Doctor *Mollweide.*

Halle, am 23. Febr. 1810.

. . . . Die vor einiger Zeit in der *Mon. Corresp.* proponirte mathematische Aufgabe (*M. C.* B. XX S. 291) hat nichts schwieriges, als die Auflosung einer biquadratischen Gleichung und die Discussion, welche der daraus erhaltenen Werthe der Aufgabe genug thut. Fur den bestimmten Fall, wo die Polhöhe 53° 34', und die nordliche Abweichung des Sterns 25° beträgt, gehort der Wendungspunct der Curve, welche den Tagkreis darstellt, zu der Hohe von 23° 18' 19,"35 und dem sowohl östlichen als westlichen Azimuth von 101° 1' 32,"59 *).

Ich habe neulich einige seltne Bücher zu einem noch masigen Preise erhalten, nämlich den von *Pitiscus* verbesserten Canon des *Rheticus* und *Pitisci Thesaurus mathematicus*. Von ersterm kommt eine Notiz in die hiesige Literatur-Zeitung. Von dem andern schicke ich Ihnen vielleicht einige Erganzungen der *Kastner*schen Notiz davon fur die *Monatl. Corresp.* Bey dieser Gelegenheit habe ich mehrere trigonometrische Tafeln mit einander verglichen, und dann gefunden, dass man sich auf die End-

*) V. *Monatl. Corresp.* *Januar*-Heft 1810.

Endziffern der trigonometrischen Linien in *Vega's Thesaurus logarithmor. completus* nicht verlassen darf. *Vega* hat diess zwar in mehreren Fallen berichtigt, allein es sind auch gewiss noch viele ubrig geblieben, wo dieses nicht geschehen ist. *Hobert* und *Ideler* haben ihren Tafeln ein Verzeichniss solcher in der zehnten Decimalstelle fehlerhaften Logarithmen des *Thesaurus logarithm. compl.* beygefugt, aber es sind gewiss noch weit mehrere Stellen fehlerhaft. So finde ich z. B.

log. sin. 3' = 6. 9408473168044 8

log. sin. 6' = 7. 2418771471013 6

wo auch die letzte Stelle noch genau ist. In *Vlaq's Trigonometria artific.* und *Vega's Thesaurus* stehen diese Logarithmen so:

log. sin. 3' = 6. 9408473166

log. sin. 6' = 7. 2418771469

also um zwey Einheiten in der 10ten Decimalstelle zu klein. Der Fehler ist naturlich auf die Tangenten und Cotangenten ubergegangen. Hatte *Vega* die *Trigonometria artific.* mit *Gellibrands Britannica* an den Stellen, wo es angeht, verglichen, so hätte er diese Fehler heben konnen. Denn in dieser ist bey den beyden vorhin aufgefuhrten Logarithmen blos ein Fehler von 5 Einheiten in der 14ten Decimalstelle, um welche sie zu gross angesetzt sind.

XIXX.

XXIX.

Auszug eines Schreibens des Herrn *Jabbo Oltmanns.*

Paris, den 1. Febr. 1810.

. . . . Ich überschicke Ihnen in der Beylage den neuen *Maskelynschen Catalog*, wie ich ihn aus unmittelbaren Vergleichungen mit der Sonne gefunden habe. Die Unterschiede der Abweichungen, welche vorher bey *Maskelyne* und *Piazzi* Statt fanden, verschwinden grösstentheils. Ich habe bey ihrer Bestimmung einen einfachern Weg eingeschlagen, und die Breite von *Greenwich* und den Collimations-Fehler des dortigen Mauer-Quadranten *völlig*, die Strahlenbrechung zum Theil umgangen. Sie sehen, dass diese Methode keine übeln Resultate gibt, und ich werde mir die Freyheit nehmen, Ihnen die nähern Umstände meines Verfahrens nächstens darzulegen.

Sie bemerken im *December-Hefte* der *Monatlichen Correspondenz* 1808 dass ich die Strahlenbrechung auf *St. Helène* aus Mangel der Ortsbreite nicht hätte berechnen können. Nichts ist gegründeter als dieses. Da mir aber vor einiger Zeit die Original-Beobachtungen der Lage dieser Insel wieder zu Gesichte gekommen sind, so will ich diese hier nachholen. In *James Fort* (um James-Valley) wur-

de am 5. Januar 1762 mit einem einfüſsigen
l'ſchen Quadranten die ſcheinbare Zenith-Diſtanz
31° 55' 20" im Meridian gemeſſen. Alſo Brei-
= 15° 55'. (*Philoſ. Transact.* 1762 Fol. 534.)
Thermometer ſtand im November 1761, 68,°7,
December 70,°3 im Januar 1764 aber 72,°3 Fah-
eit. Ueberhaupt waren vom 12. November bis
anuar die Extreme 67° und 74,°5 aus allen Tag-
Nacht-Beobachtungen. Der Thermometer
g neben der Uhr auf der Sternwarte. Aus ein
andern Beobachtungen folgte die Breite von
es-Fort 15°.55' 16", und 15° 55' 28". Länge
h chronometriſche Beſtimmung 5° 47' 24,"5
lich von *Greenwich.* Die Vergleichung wurde
dem Vorgebirge der guten Hoffnung gemacht,
die Capſtadt 18° 23' 15" ſupponirt.

Maske-

Maskelyne's Sternverzeichniss

aus unmittelbaren Vergleichungen mit der Sonne berechnet von J. Oltmanns.

Sterne	AR. 1802			Unterschied mit Piazzi	Polar-Distanz			Unterschied mit Piazzi	Maskelyne mit Piazzi
	h	'	"	"	°	'	"	"	"
γ Pegasi	0	3	3,06	— 0,15	75	55	4,2	+ 0,8	— 7,5
α Arietis	1	56	2,21	— 0,11	67	28	51,4	+ 2,4	— 4,0
α Ceti	2	51	56,26	— 0,17	86	41	42,4	— 0,5	— 6,1
Aldebar.	4	24	34,24	+ 0,03	73	54	2,2	— 0,2	— 1,8
Capella	5	2	4,90	+ 0,04	44	13	16,5	+ 3,2	— 0,8
Rigel	5	5	1,55	— 0,02	98	26	27,7	+ 1,0	— 8,7
β Tauri	5	13	49,96	- 0,02	61	34	29,1	+ 2,1	— 3,9
α Orion	5	44	27,40	— 0,11	82	38	33,2	+ 1,1	— 4,3
Sirius	6	36	25,39	+ 0,21	106	27	13,4	+ 0,4	— 8,3
Castor	7	21	56,45	+ 0,11	57	41	32,3	+ 2,3	— 2,0
Procyon	7	28	55,54	— 0,21	84	16	40,9	+ 2,5	— 4,0
Pollux	7	33	10,62	— 0,08	61	30	30,7	+ 1,5	— 3,5
α Hydrae	9	17	51,24	+ 0,03	97	48	26,4	+ 1,2	— 5,9
Regulus	9	57	48,74	+ 0,11	77	4	15,7	+ 2,9	— 3,3
β Leonis	11	38	56,81	— 0,13	74	19	18,2	+ 2,7	— 0,9
β Virginis	11	40	22,71	— 0,06	87	7	11,7	+ 1,3	— 3,7
Spica	13	14	46,64	— 0,07	100	7	20,6	— 1,6	— 7,6
Arcturus	14	6	37,84	— 0,07	69	46	53,5	+ 3,6	— 8,5
1 α Librae	14	39	45,42	— 0,10	105	9	49,8		
2 α Librae	14	39	56,76	— 0,10	105	12	33,9	— 1,6	— 7,9
α Coron. b	15	26	18,39	+ 0,20	62	36	39,0	+ 1,6	— 1,9
α Serpentis	15	34	31,33	— 0,02	82	56	31,3	+ 1,1	— 5,6
Antares	16	17	17,37	— 0,11	115	58	43,0	— 0,8	— 12,6
α Herculis	17	5	37,35	+ 0,08	75	22	25,6	+ 3,6	— 6,4
α Ophiuch.	17	25	44,75	— 0,05	77	17	5,3	+ 1,8	— 3,4
α Lyrae	18	30	13,91	— 0,03	51	23	38,4	+ 4,7	+ 1,6
γ Aquilae	19	36	50,47	— 0,22	79	51	31,2	— 0,7	— 5,1
α Aquilae	19	41	7,07	— 0,15	81	38	39,8	+ 2,4	— 3,6
β Aquilae	19	45	35,01	— 0,07	84	4	39,5	+ 1,2	— 5,3
1 α Capric.	20	6	39,63	— 0,10	103	6	30,0	— 1,2	— 8,3
2 α Capric.	20	7	3,42	— 0,09	103	8	48,7	— 1,4	— 8,5
Deneb	20	34	40,85	— 0,07					
α Aquarii	21	55	36,37	— 0,20	91	16	33,3	+ 1,5	— 6,7
Fomalh.	22	46	40,75	— 0,06	120	40	4,1	0,0	— 11,4
α Pegasi	22	54	58,17	— 0,16	75	51	24,7	+ 0,1	— 6,4
α Androm.	23	58	10,55	— 0,04	62	0	13,5	+ 0,9	— 6,8

Die

Die beobachteten Zenith-Distanzen von α *Cygni* und α *Lyrae* sind zweifelhaft, weil sie zu einer Epoche gemessen wurden, wo Maskelyne folgende Bemerkung macht: " *The upper part of the interior cylinder, on examination had an irregular scratch on it, owing probably to the motion of the telescope about it, after the drying up of the oil. Probably the irregularity of the observations above mentioned, was owing to the decay of the oil and grease . . . either to a shake at the center, or to the stiffness of the motion, for want of grease there.*"

Bey meiner Reduction des vorstehenden Verzeichnisses habe ich damit angefangen, auf den Mauer-Quadrant von *Greenwich* den Aequator-Punct zu bestimmen, nachdem ich zuvor die Aequinoctial-Puncte selbst festgesetzt hatte. Aus der beobachteten geraden Aufsteigung der Sonne liess sich nun die Declination herleiten und diese an die beobachtete Zenith-Distanz der Sonne angebracht, gab die Aequators-Höhe, wobey ich mich aber nie weit von den Aequinoctien entfernt habe, um den Einfluss der Schiefe der Ecliptik zu vermeiden. Von der Unwandelbarkeit des Collimations-Fehlers und der Lage des Mauer-Quadranten habe ich mich versichert.

XXX.

Auszug eines Schreibens des Capitain *v. Kruſenſtern* an den Freyherrn *v. Zach*.

St. Petersburg, am 18. Jan. 1810.

. . . Ich habe vor wenig Tagen das Glück gehabt, Sr. kaiſerl. Majeſtät den erſten Band meiner Reiſebeſchreibung in ruſſiſcher und deutſcher Sprache zu überreichen. Es findet ſich eben eine gute Gelegenheit nach Deutſchland, und ich bin ſo frey, Ewr. Hochwohlgeb. ein deutſches Exemplar anzubieten, in der Hoffnung, daſs die Geſchichte dieſer Reiſe einiges Intereſſe für Sie haben wird. Ich muſs Sie aber zu gleicher Zeit bitten, die Arbeit eines Marins mit Nachſicht zu beurtheilen. Der zweyte Band meiner Reiſe erſcheint im Laufe dieſes Jahres, der dritte vielleicht im Anfange des künftigen. Der Atlaſs iſt ungefähr zur Hälfte beendigt. Von dieſer Hälfte, welche 50 Tafeln beträgt, habe ich bloſs einige Exemplare für Se. kaiſerl. Majeſtät und die kaiſerliche Familie abziehen laſſen. Obgleich die Koſten der ruſſiſchen Ausgabe, des ſtarken Atlaſſes wegen, ſehr anſehnlich ſind, ſo hat der Kaiſer doch die Gnade gehabt, dem Verfaſſer die ganze Ausgabe zu ſchenken.

Unſer *Horner* hat uns ſeit einem Jahre verlaſſen; ein groſser Verluſt für uns, den ich beſonders fühle, da ich dieſen trefflichen Mann mit aller Wärme liebe.

Ich

Ich addressire diesen Brief nach *Gotha*, ohne zu wissen, ob er Ew. Hochwohlgeb. auch treffen wird. Ich kann indessen hoffen, dass dieses Paquet dem Herrn Kammer-Rath *von Lindenau*,*) dem ich mich bestens empfehle, zugestellt werden wird.

*) Am 11. März richtig bey mir eingegangen. Unsere Leser erhalten im nächsten Heft eine Anzeige dieser sehr interessanten Reisebeschreibung. v. L.

INHALT.

Seite

MONATLICHE

CORRESPONDENZ

ZUR BEFÖRDERUNG

DER

ERD- UND HIMMELS-KUNDE.

APRIL, 1810.

XXXI.

ber Densität der Erde und deren Einfluſs auf geographiſche Ortsbeſtimmungen.

Die Kenntniſs der eigentlichen Dichtigkeit unſeres
dkörpers, und der Art, wie dieſe von der Ober-
iche nach dem Centro hin modificirt iſt, hat auf
ehrere der wichtigſten wiſſenſchaftlichen Unterſu-
ungen einen ſo weſentlichen Einfluſs, daſs deren
forſchung für den Aſtronom, Geograph und Phyſi-
r von vorzuglichem Intereſſe iſt. Die Maſſe un-
rer Erde und deren Einwirkung auf andere Plane-
n, kann direct nur durch bekannte Denſitat erhal-

ten werden; die Densität hat wesentlichen Einfluss auf die Gestalt der Erde; der mögliche Einfluss der Attraction grösserer Bergmassen auf Ablenkung der Verticale, wird durch diese bestimmt, und sonach geographische Ortsbestimmung dadurch modificirt; die Grosse der Ebbe und Fluth hängt von jener ab, und endlich ist Kenntniss der äussern und innern Densitat unserer Erde das einzige, was der so problematischen Wissenschaft der Geologie irgend eine Begrundung geben kann. Also beynahe für den ganzen Kreis der exacten Wissenschaften ist die Kenntniss jenes Elementes nothwendig, und es ist daher gewiss eine sonderbare Erscheinung, dass seit einem Zeitraum von weit mehr als hundert Jahren, wo *Newton* zuerst auf diesen Gegenstand aufmerksam machte, nur zwey Versuche existiren, die eine Bestimmung der Dichtigkeit der Erde zum eigentlichen Zweck hatten.

Zwar ist bey Gelegenheit von Gradmessungen und den neuern Versuchen von *Cavendish* uber Anziehung, schon einigemal dieses Gegenstandes erwahnt worden, allein da dies immer nur ganz im Allgemeinen geschah, so glauben wir, dass eine kurze geschichtliche Erzählung der frühern Bemühungen fur eine solche Bestimmung, nebst einer Darstellung, in wiefern Densitat auf geographische Ortsbestimmung influirt, und umgekehrt, durch astronomische Beobachtungen ausgemittelt werden kann, unsern Lesern nicht unwillkommen seyn wird. Der jetzige Zeitpunct scheint uns zu einer solchen Erörterung um so passender zu seyn, da eines Theils der Einfluss, den grosse Bergmassen uberhaupt oder loca-

locale Anhäufungen von Densität auf Ablenkung des Lothes haben können, anerkannt ist, und es denn aus den neuesten trigonometrischen Operationen höchst wahrscheinlich wird, daſs in dem Innern unserer Erde solche irreguläre Densitaten wirklich vorhanden sind. Da wir durch diesen kleinen Aufsatz neue Operationen zu Bestimmung der Densität der Erde zu veranlassen wunschen und ihn hiernach hauptsächlich auch fur solche Leser bestimmen, die gerade nicht Mathematiker von Profession sind, so schicken wir eine kurze Uebersicht voraus, wie Densität der Erde auf astronomische Beobachtungen Einfluſs hat und durch diese zu bestimmen ist; eine kurze Erzählung der fruhern Versuche von *Bouguer* und *Maskelyne*, nebst einer Untersuchung der Orte, die in Deutschland und Europa am vortheilhaftesten zu ähnlichen Beobachtungen benutzt werden konnen, wird den Aufsatz beschlieſsen.

Daſs jeder Korper mit einer seiner Masse proportionalen Attraction begabt ist, und daſs diese sowohl mit dem Ganzen als allen einzelnen Theilen verbunden ist, setzen wir als anerkannt voraus. Ware unsere Erde eine vollkommne Kugel, so wurde jeder Theil so wirken, als wenn er im Centro der Erde vereinigt ware; so aber ist die Gravitation fur jeden terrestrischen Parallel anders, und wird durch die Gröſse der Ellipticität des Meridians bestimmt. Da nun Attraction durch Masse und hiernach durch Volumen und Densität bestimmt wird, so sieht man leicht, daſs die eigentliche Gravitation eines Punctes auf der Oberfläche der Erde modificirt werden kann, wenn sich in dessen Nahe Korper von bedeutender

Gröfse und Denfität befinden. Berge von groſser Höhe und Umfang können eine folche Art von Stöhrung bewirken, die mit Ausnahme der Ruhe etwas analoges mit den Perturbationen von Sonne, Mond und Erde hat. Durch die Nähe eines folchen Berges kann die Richtung fallender Körper, oder mit andern Worten die Lage eines Lothes verändert werden, indem dadurch eine eigenthümliche Anziehungskraft entfteht, wodurch die nach dem Centro der Erde hin resp. fudlich oder nördlich abgezogen werden kann. Da nun ein groſser Theil der aftronomifchen Beobachtungen und namentlich alle Höhenmeffungen auf der durch Pendel oder Wafferwage beftimmten Richtung der Verticale beruhen, fo folgt auch dafs jene unmittelbar eine Modification erhalten muffen, fobald diefe durch eine fremde Urfache geftört wird. Die Möglichkeit, dafs folche locale Berg-Attractionen eine reelle Deviation des Pendels bewirken konnten, lafst fich leicht uberfehen. Wäre die Gravitation blos im Verhältnifs der Maffe, fo waren die Dimenfionen unfrer gröfsten Berge nicht vermögend, auch nur den mindeften Einflufs zu äufsern; allein diefer, wird durch das andere Gravitations-Gefetz, vermöge deffen diefe im umgekehrten Verhaltnifs des Quadrats der Entfernungen ift, herbeygeführt. Jeder Punct, an dem wir die Wirkung der Gravitation bemerken können, bleibt allemahl mehr als drey Millionen Toifen vom Attractions-Centro der Erde entfernt, ftatt dafs wir uns dem eines Berges bis auf einige hundert Toifen nähern können. Der *Chimboraço* mag als Beyfpiel dienen. *Bouguer* berechnet das Volumen diefes Berges

ges auf 20,000,000,000 Cubic-Toisen, was nur der 7,400,000,000ste Theil des Erdkörpers ist, und hiernach bey gleicher Entfernung gar keine Wirkung äussern könnte. Allein dadurch, dass man sich dem Attractions-Centro des Chimboraço bis auf 17 — 18 Tois. nahern kann, wird dessen Wirkung ungefähr um 360,000mal vermehrt, so dass sie sich zu der der der ganzen Erde wie 1 : 2000 verhalt, und hiernach auf Deviation des Pendels den sehr bedeutenden Einfluss von 1¾ Minuten haben kann. Doch liegt bey dieser rohen Berechnung die Annahme zum Grunde, dass die Densität der Erde durchaus gleich ist. Dass also grosse Bergmassen dadurch, dass sie in Gemassheit ihrer Lage die Richtung der Verticale resp. sudlich oder nördlich verrucken, einen sehr wesentlich störenden Einfluss auf geographische Ortsbestimmungen haben können, ist wohl nicht zu bezweifeln; allein da diese absolute Wirkung selbst keinesweges nur von dem Volumen des Berges, sondern auch hauptsachlich mit von dessen Densitat und deren Verhaltniss zu dem Innern der Erde abhangt, so ist es eben so interessant als wunschenswerth, dass an vielen Puncten Versuche zu deren Bestimmung gemacht werden mögen, die uns zu einer bessern Kenntniss der äussern und innern Configuration unseres Erdkörpers fuhren konnen. Man hat mehrere Methoden in Vorschlag gebracht, um die Densität eines Berges, oder bestimmter das Verhältniss dieser zu der mittlern der Erde auszumitteln; allein unstreitig sind von den drey zu diesem Zweck uns anwendbar scheinenden Methoden, astronomische Beobachtungen die sichersten. Hier kömmt es im Allgemeigemeinen darauf an, daſs man Anfangs die Denſität der Erde als durchaus gleich annimmt, dann das Volumen einer Bergmaſse beſtimmt, die Entfernung des Beobachtungsortes vom Attractions-Centro jenes ausmittelt und mit dieſen Datis nach bekannten Methoden, die durch eine ſolche Bergmaſſe im Sinn des Meridians zu bewirkende Deviation berechnet. Die Vergleichung der beobachteten Deviation mit der berechneten, wird die Correction der dabey angenommenen homogenen Denſität, und hiernach die eigenthümliche des Berges ſelbſt geben. Die Beſtimmung dieſer Deviation durch aſtronomiſche Beobachtungen wird auf folgende Art erhalten: Daſs die Bergmaſse auf die Ablenkung des Lothes wirkt, kann nur dadurch wahrgenommen werden, wenn man verſchiedne Beobachtungsorte ſo wählt, daſs die Attraction an beyden im entgegen geſetzten Sinne ihren Einfluſs äuſsert, oder daſs ſie an dem einen Punct ein Maximum erreicht, und an dem andern Null iſt. Unſtreitig iſt das erſtere Verfahren das ſicherſte, indem da die Wirkung des Berges auf das Reſultat der Beobachtung einen doppelten Einfluſs hat, während daſs ſie nur den einfachen auf die andere Beobachtungsart hat. Da die Attraction des Berges um ſo ſtärker iſt, je näher der Beobachtungsort an deſſen Attractions-Centro liegt, ſo wird es vortheilhaft ſeyn, wenn die Bergmaſſe eine gröſsere Ausdehnung von Weſt nach Oſt als von Süd nach Nord hat. Wählt man nun zwey Puncte, von denen der eine nördlich der andere ſüdlich vom Attractions-Centro des Berges liegt, ſo ſieht man leicht, daſs denn vermöge dieſer Anziehungskraft die beobach-

teten

tten Zenith-Diſtanzen auf der einen Seite gröſser
uf der andern kleiner erſcheinen werden, als es
hne Exiſtenz der Bergmaſſe der Fall ſeyn wurde.
ortheilhaft wird es ſeyn, beyde Puncte ſo viel als
öglich, im Meridian des Mittelpunctes der Anzie-
ung anzunehmen, weil da dieſe Wirkung am gröſs-
en iſt und auſserdem eine Reduction erfordert. Die
ifferenz der ſudlich und nördlich beobachteten Ze-
ith-Diſtanzen wird den ſcheinbaren, durch die Ab-
nkung der Verticale afficirten, Abſtand der beyden
Beobachtungs-Puncte geben. Wird nun der wahre
bſtand dieſer Parallelen durch trigonometriſche Ope-
ationen beſtimmt, ſo wird die Differenz dieſes mit
dem aus aſtronomiſchen Beobachtungen erhaltenen,
gleich ſeyn der doppelten Attraction des Berges.
Wird durch Local-Umſtande die ſudliche und nördliche Beobachtung unmöglich, ſo kann man den
Weſt- oder Oſtpunct wahlen, wo die Wirkung jener Attraction verſchwindet. Um endlich den eigentlichen Zweck dieſer Operationen das Verhaltniſs der Denſitat des Berges zu der mittlern der Erde
zu erreichen, muſs das Volumen der Bergmaſſe beſtimmt werden, was denn freylich die etwas muhſa-
me Vermeſſung aller Dimenſionen des Bergruckens
erfordert, woraus denn auch ferner die mit zur Berechnung erforderliche Beſtimmung des Attractions-
Centrum, und deſſen Abſtand von den Beobach-
tungspuncten erhalten wird.

Beſtimmung der Lange des einfachen Secunden-
Pendels, kann auf eine doppelte Art Aufſchluſſe uber
die Dichtigkeit der Erde geben. Geben die unter
verſchiedenen Breiten beobachteten Pendel-Langen

eine

eine Abplattung die grösser als $\frac{1}{310}$ ist, so folgt daraus eine von der Oberfläche nach dem Innern zunehmende Densität. Allein noch directer wird sich das Gesuchte ergeben, wenn in grossen Erhöhungen Pendel-Versuche angestellt werden; die Schwere wird hier im Verhältniss der grössern Entfernung vom Centro vermindert, und dann wieder durch die Bergmasse vermehrt. Die erstere Wirkung ist bey bekannter Höhe genau zu berechnen, und die Beobachtung wird daher den Einfluss der andern zu erkennen geben.

Auf analogen Gründen beruht der von *Boscowich* zu demselben Zweck gethane Vorschlag, an solchen Gegenden des Oceans, wo die Fluth zu einer grossen Höhe ansteigt, in einem ganz isolirten Thurm ein grosses Pendel anzubringen, um dessen Deviation bey eintretender Fluth zu beobachten. Allerdings ist der Vorschlag sinnreich, und es kann aus der Grösse dieser Deviation das Verhältniss der Densität des Wassers zu der Erde bestimmt werden; allein beynahe möchten wir an der practischen Ausführbarkeit dieser Idee zweifeln, da zu vielerley Ursachen auf ein solches Pendel stöhrend wirken können, als dass man hoffen könnte, nur die einzige Wirkung, die die vermehrte Wassermasse darauf äussern muss, zu beobachten. Auch ist dieser Vorschlag, soviel uns bekannt ist, noch nie wirklich ausgeführt worden, statt dass durch die andern angeführten Methoden, schon wirklich einige Resultate über die Densität der Erde erhalten worden sind.

Der

Der erste der die Idee äusserte, dass grosse Bergmassen einen wesentlichen Einfluss auf die Ablenkung des Lothes haben können, war unstreitig *Newton*, indem dieser in seinem *System of the world* sagt: *That a mountain of an hemispherical figure, three miles high and six broad, will not by its attraction draw the plumb-line two minutes out of the perpendicular*, (die Rechnung gibt 1′ 18″ für diese Ablenkung.) Lange Zeit blieb diese Idee ganz unfruchtbar, und unmittelbare Versuche das Verhältniss der Densität der Oberfläche zur mittlern der Erde zu bestimmen, existiren auch bis jetzt nur zwey; die von *Bouguer* am Aequator und die von *Maskelyne* in Schottland gemachten. Das Detail der erstern ist in einer Abhandlung enthalten: *Memoire sur les attractions et sur la manière d'observer si les montagnes en sont capables*, die S. 364 in *Bouguers Figure de la terre* befindlich ist. *Bouguer* und *Condamine* wählten zu diesen Versuchen den *Chimboraço*, wo sie in einer Höhe von 2400 Toisen ihre Beobachtungen machten. Sudliche und nördliche Beobachtungen erlaubten die Configuration des dortigen Terrains nicht, sondern es musste statt der nördlichen Station ein westlich gelegner Punct zum zweyten Beobachtungsort gewahlt werden. An beyden Puncten wurden 10 Sterne mit einem 2½ fussigen Quadranten beobachtet, und hieraus die Wirkung des *Chimboraço* auf Ablenkung des Lothes 7,″5 gefunden, eine Grösse, die allerdings von einer sehr kleinen Densitat dieses Berges zeigt, da diese Ablenkung bey gleicher Densitat mit dem Innern der Erde 1′ 43″ hätte betragen müssen. Allein so verdienstlich

lich die Bemühungen der französischen Academiker waren, und so sehr es Bewunderung verdient, dass sie zum Behuf dieser Untersuchung ganzer 14 Tage lang einen mit vielfachen Beschwerlichkeiten verknupften Aufenthalt auf dem *Chimboraço* in einer Hohe von 2400 Toisen machten, so sind doch die erhaltenen Resultate gerade nicht von der Art, um bey einem so schwierigen Gegenstand entscheiden zu können. In den einzelnen Resultaten kommen Differenzen von 18—25" vor, und offenbar war der Beobachtungsort zu unbequem und das Instrument zu klein, um eine Grosse von 7" mit Sicherheit angeben zu können. Konnte man aber auch diese 7" als wahres Resultat der Attraction des *Chimboraço* annehmen, so wurde sich dann immer eine zweyte Schwierigkeit daraus Folgerungen auf die Densität herzuleiten, in dem unbekannten Volumen des *Chimboraço* finden, da hieruber in *Bouguers* und *Condamine's* Werken alle Data fehlen. Mehr Werth fur diesen Gegenstand haben unstreitig die Pendel-Beobachtungen, die bey Gelegenheit der Gradmessung am Aequator in verschiedenen Höhen gemacht wurden. Auf dem *Pichincha* in einer Höhe von 2434 Toisen wurde die Lange des einfachen Secunden-Pendels um $\frac{1}{845}$ kleiner, als an der Meeresfläche gefunden. Da jene Höhe $\frac{1}{1348}$ des Erd-Radius ist, so hatte die Abnahme der Schwere da eigentlich $\frac{1}{670}$ betragen sollen, und die Differenz dieses Resultats mit der Beobachtung ruhrt von der wieder durch die Masse des *Pichincha* vermehrten Attraction her. Ein ahnliches Resultat wurde in *Quito* erhalten, und nimmt man diese mit einer freylich etwas willkührkührlich über die Masse jener Gebirgskette von *Bouguer* gemachten Annahme in Rechnung, so folgt fur die Densität der dortigen Erdschichten 0,214, die mittlere der Erde als Einheit angenommen.

Diese im Jahr 1739 gemachten Versuche blieben bis zum Jahre 1775 die einzigen dieser Art. Zu dieser Zeit wurden sie wieder in England von *Maskelyne* in Vorschlag gebracht und ausgeführt. Drey Aufsätze in den *Philosoph. Transact.* fur 1775 und 1778 enthalten das ganze Detail dieser Operationen, die in Hinsicht von Genauigkeit und Vollstandigkeit nichts zu wünschen ubrig lassen. In dem ersten Aufsatz:

> *a proposal for measuring the attraction of some Hill in this kingdom by astronomical observations*

thut *Maskelyne* den Vorschlag, Versuche zu Bestimmung der Berg-Attraction zu machen, und schlug damals einen District an den Grenzen von Yorkshire und Lancashire in der Nahe der hohen dort gelegenen Berge *Pendle-Hill*, *Penny-gant*, *Ingleborugh* und *Wernside* dazu vor. Die Attraction des letzten Berges, als des höchsten, berechnete *Maskelyne* vorlaufig auf 30—46". Der Antrag wurde genehmigt, und zu dem erforderlichen Aufwand die Summe bestimmt, die von dem fruher zu Beobachtung des Venus-Durchgangs bewilligten Fond ubrig geblieben war. Das Detail der ganzen Operationen gibt *Maskelyne* in einem zweyten, in demselben Bande der Transactionen befindlichen Aufsatz: *an account of observations made on the mountain Shehallien for finding its attraction*, der viel Lehrreiches

ches enthält und den jeder lesen muss, der sich mit ähnlichen Operationen beschäftigen will. Da die Anfangs von *Maskelyne* zu dieser Untersuchung in Vorschlag gebrachte Gegend bey einer nähern Ansicht nicht recht tauglich gefunden wurde, so erhielt *Charles Mason* im Jahre 1773 den Auftrag, im schottischen Hochgebirge eine zu diesem Zweck schickliche Localitat auszusuchen, die denn dieser an dem mitten in Schottland gelegenen Berge *Shehallien*, oder wie er nach der dortigen Benennung heisst *Maiden-pap* (in ersischer Sprache so viel als beständiger Sturm,) fand. Das Hauptinstrument, was zu diesen Beobachtungen gebraucht wurde, war ein zehnfussiger Sector von *Sisson*, dessen sich *Maskelyne* schon fruher zu St. Helena bedient hätte. Die Beobachtungsart war die vollkommenste, die zu diesem Zweck angewandt werden konnte, indem sudlich und nordlich von *Shehallien* Zenith-Distanzen beobachtet, und die Breiten-Differenz beyder Beobachtungsorte durch genaue trigonometrische Operationen bestimmt wurde. Die Beobachtungen nahmen Ende Junius 1773 ihren Anfang; mit östlich und westlich gewandter Flache beobachtete *Maskelyne* hier 73 Sterne, und auf der nördlichen Station 68, zusammen 337 Beobachtungen. Die Aufstellung und Berichtigung des Sectors, und der Transport uber den hohen und steilen *Shehallien* war mit vielen Schwierigkeiten verknupft, doch hatte das Instrument, wie sich aus der Vergleichung der einzelnen Resultate ergibt, seinen Collimations-Fehler während des Transports nicht geändert. Diese Beobachtungen, deren Resultate sehr schön unter

einander

einander harmoniren, gaben die Breiten-Differenz der südlichen und nördlichen Station = 54,"6. Die geodätische Distanz dieser Orte, ward durch eine doppelte trigonometrische Operation, die jede auf einer besondern Basis beruhte, bestimmt; einmal durch zwey Dreyecke und eine Basis von 4364 Fuss (engl.) dann durch fünf Dreyecke und einer Basis von 5897 Fuss; die Resultate beyder Operationen wichen nur 10 Fuss von einander ab, und gaben die wahre Breiten-Differenz beyder Beobachtungsorte = 42,"94 und hiernach der doppelte Einfluss der Attraction des Berges = 11,"6. Dass die durch astronomische Beobachtungen gefundene, von der Attraction des *Shehallien* afficirte Breiten-Differenz grösser als die wahre seyn musste, liegt am Tage. Auf der Sudseite wurde das Loth nördlich angezogen und dadurch die Ortsbreite vermindert, und auf der Nordseite natürlicherweise vermehrt, so dass also offenbar die Differenz beyder Breiten- oder Zenith Distanzen mit der doppelten Wirkung der Attraction behaftet seyn musste. *Maskelyne* beobachtete an beyden Orten meistens dieselben Sterne, so dass also absoluter Sternort gar nicht in Betrachtung kam, sondern blos die Genauigkeit des Resultats von der Genauigkeit der Beobachtung abhängt. Die Menge der Zenith-Distanzen und deren schöne Harmonie unter sich, lässt die Annahme eines Fehlers von 2" nicht zu, und es bleibt also nach diesen Beobachtungen kein Zweifel übrig, dass ein Berg wie der *Shehallien* von ungefähr 700 Toisen Höhe, die astronomische Breitenbestimmung um 5 — 6" fehlerhaft machen kann. Nach einer vorläufigen Annahme uber

die

die Dimensionen des Berges, fand *Maskelyne*, daſs dessen Attraction bey homogener Densität der Erde, noch einmal so groſs als die beobachtete hätte seyn muſsen, und hiernach also ebenfalls fur die gröſsere Densitat im Innern der Erde beweiſst. Der leztere Gegenstand ist mit groſser Scharfe und Umstandlichkeit von *Charles Hutton*, in einem besondern Aufsatz: *an account of the calculations made from the survey and measure taken at Shehallien, in order to ascertain the mean density of the Earth.* (*Philos. Trans.* 1778 Pag. 689) behandelt. Die Aufnahme aller Berg-Dimensionen war eben so, wie die Berechnung seines Volumen, nicht wenig muhsam. Um die Attraction der ganzen Maſse im Sinn des Meridians zu finden, theilte *Hutton* diese in eine Menge kleiner sphaischer Ausschnitte, bestimmte deren Lage gegen den Meridian, und berechnete denn nach einer einfachen und fur diesen Zweck vollkommen ausreichenden Methode, die Quantitat ihrer Anziehung. Das Resultat dieser muhsamen Untersuchung war, daſs bey angenommener Homogenität der Erde, die Summe der ſüdlichen und nördlichen Attraction des Berges, sich zur Central-Attraction wie 1:9933 verhalt, oder 20,"7 beträgt. Die Beobachtungen gaben 11,"6, oder das Verhaltniſs der Densitat des *Shehallien* zu dem der Erde wie 5:9. Der *Shehallien* besteht ganz aus Felsen, ohne die mindeste Spur von Vulkanitat zu verrathen; Nimmt man nun die Dichtigkeit des gewohnlichen Steins = 2,5 des Regenwaſsers an, so folgt das Verhaltniſs der Densitat des Waſsers zu der Erde, wie 1:4,5. was sehr nahe mit dem Resultat aus *Bouguers* Pendel-

Beobachtungen harmonirt. Merkwürdig ist es,
blos glückliche Analogien den scharfsinnigen
oton vermuthen liefsen, die mittlere Dichtigkeit
Erde könne fünf bis sechsmal die des Wassers
rtreffen. Die unter verschiedenen Breiten beob-
teten Längen des einfachen Secunden-Pendels,
en nach gehöriger Rechnung jenes Verhältniss
,7.

Auch die nicht gerade zu diesem Endzweck von
iegg, *Méchain* und *Mudge* gemachten Beobach-
gen, setzen die Möglichkeit und wirkliche Exi-
z von Local-Attractionen ausser allen Zweifel.
iegg fand die Breite des Wendelsteins, (Anfang
nach Süden liegenden Tyroler Gebirgskette, *M.*
Oct. 1805) 15 — 16" kleiner, als sie durch tri-
ometrische Operationen ganz gleichförmig aus
en *Bonne's* und *Henry's* Beobachtungen folgten.
:hains astronomisch bestimmte Breiten-Distanz
ischen *Montjouy* und *Barcellona* weicht 3,"24
der geodätischen Bestimmung ab (*Base du sy-*
ze métr. Tom II. p. 67) und so giebt die neue
lische Gradmessung Anomalien, die Major *Mudge*
durch eine Local-Attraction von 8" erklärbar
ıbt. (*Philos. Transact. 1803 P. II.* p. 383.) Bey
em evidenten Einfluss, den theils irregulaire Lo-
Densität, theils grössere Bergmassen auf geogra-
sche Ortsbestimmungen haben können, ist es ge-
s äusserst wünschenswerth, dass bestimmte Ver-
he über diesen Gegenstand an vielen Puncten der
le wiederholt werden mögen. Bey der jetzigen
lkommenheit astronomischer Instrumente ist eine
:he Operation weit weniger schwierig und erfordert

dert bey weitem nicht den Zeit- und Kosten-Aufwand, wie die erste dieser Art von *Maskelyne* am *Shehallien*. Schon in Deutschland giebt es mehrere Puncte, die zu einer solchen Untersuchung vortheilhaft benutzt werden könnten. Selbst die thuringische Gebirgskette muss in der Gegend des Inselsberges und Schneekopfs eine merkliche Attraction äussern; allein ganz besonders scheint uns zu einem solchen Versuch, der sich in einer sud- und nordwarts ebenen Gegend hoch erhebende *Brocken* eine schickliche Gelegenheit darzubieten. Zwischen *Ellrich* und *Ilsenburg* kann es nicht an vortheilhaften Puncten fehlen, wo man ganz im Sinne des Meridians, die Attraction der Hauptmasse des Harzgebirges in entgegen gesetzter Richtung beobachten kann. Die Densität des Harzes ist bedeutend und gewiss 2,5 des Wassers, so dass wir hiernach nach einer freylich sehr vagen Schätzung uber das Volumen dieser Bergmasse, die Summe der entgegen gesetzten Attractionen 20 — 25″ finden. Ein geschickter Beobachter mit einem *Reichenbachischen* Multiplications-Kreis versehen, würde die ganze astronomische Operation in einem Zeitraum von 8 Tagen sehr füglich beendigen können. Drey helle Abende sind mit jenem Instrumente mehr als hinreichend, um die Zenith-Distanzen mehrerer Sterne bis auf 1″ genau zu erhalten; der Transport eines solchen Instrumentes hat nicht das schwierige eines 10fussigen Sectors, und seine Aufstellung und Rectification ist die Sache von einer halben Stunde Möchten doch die beyden Göttinger Astronomen *Gauss* und *Harding* in Stand gesetzt werden, diese so interessante Operation auszuführen.

Auch

Auch das Königreich Sachsen bietet, so viel wir uns der Localität erinnern; eine Gegend dar, die zu diesem Versuch geeigenschaftet ist. Im Erzgebirge mussen zwischen *Crottendorf* und *Joachimsthal* gewiss mehrere Puncte vorhanden seyn, wo sich die Attraction desmachtigen *Fichtelberges* bedeutend äussert. Wir wunschen lebhaft, dass auch einmal in Deutschland etwas fur die Bestimmung der Gestalt und Conformation der Erde geschehen, und dass wir nicht immer gezwungen seyn mögen, fur unsere wichtigsten Kenntnisse nur fremde Arbeiten benutzen zu mussen. Geologie, Geographie, Physik und physische Astronomie sind wesentlich bey diesen Versuchen interessirt. Ohne eine nähere Bestimmung dieses Einflusses, bleiben alle astronomisch-geographische Ortsbestimmungen unsicher, und alle Gradmessungen fur die Erde nutzlos; dies ist offenbar mit der englischen der Fall, und die grossen französischen Operationen bieten auch so manches anomalische Resultat dar, dass es wenigstens sehr unbestimmt bleibt, ob man wohl thut, ganz mit Sicherheit darauf Folgerungen zu bauen; kann nicht vielleicht die Breite von *Dünkirchen* eben so wie die von *Mont Jouy* durch den Einfluss des Meeres oder einer andern Irregularität um mehrere Secunden fehlerhaft seyn?

Mit dem meisten Erfolg können aber unstreitig Beobachtungen dieser Art angestellt werden, wo sich nahe am Meeres-Ufer eine bedeutende Gebirgskette erhebt, wie dies bey den Apenninen, See-Alpen u. s. w. der Fall ist. Die grossen Gebirgsmassen der Alpen und Pyrenaen mussen starke Local-

Attraction haben, und äusserst interessant müsste es seyn, wenn Breitenbestimmung und Pendel-Versuche in der Nähe und auf dem *Montblanc* gemacht, und so auf ganz verschiednen Wegen zwey sich gegenseitig controllirende Resultate über die Densität der Erde erhalten würden. Ein ganz besonders zu diesen Versuchen schicklicher Punct auf der Oberfläche unserer Erde, scheint uns *Teneriffa* zu seyn. Der hohe steil sich erhebende Berg, der süd- und nordwärts sich weit ausdehnende Ocean, die Nähe am Attractions-Centro, und die Entfernung aller andern Stöhrungen, da man an beyden Meeresufern beobachten könnte, sind alles eigenthümliche Localitäten, bey denen die Local-Attraction des Bergs sich vorzüglich stark äussern müsste.

XXXII.

XXXII.

Nachtrag zu den Beobachtungen der Cometen in den Jahren 1744 und 1737.

Der Comet von 1744 war in mehr als einer Hinsicht merkwürdig; und es wird daher den Liebhabern der Cometographie erwünscht seyn, hier einige noch nirgends bekannt gewordene Beobachtungen desselben zu finden. Seit 1680 war er der hellste Comet der am Himmel erschien, und mit Ausnahme der Cometen von 1680, 1758, 1769 und 1780 kam keiner der Sonne so nahe, wie dieser. Die Beobachtungen von denen hier die Rede ist, wurden zu Verona in der Sternwarte des Marchese *Scipione Maffaei* gemacht; die Beobachter waren *Gianpaolo Guglienzi* und *Gianfrancesco Seguier*, zwey italienische Astronomen, von denen wir noch ein andermal mehrere Beobachtungen beybringen wollen, und die in der Geschichte der Astronomie weniger bekannt sind, als sie es zu seyn verdienten.*)

Die

*) Oeffentlich bekannt gewordene Beobachtungen haben wir von diesen Astronomen nur folgende gefunden: *Observation de l'éclipse du soleil du 8. Janvier 1750, faite à Verone à l'observatoire de Mr. le Comte Maffaei, par Seguier et Guglienzi.* *Mémoires de Mathem. et de Physiq. T. II. pag. 356.* v. L.

Die Beobachtungen waren folgende:

1744		Wahre Z in Verona			AR apparens Comet.			Declinat. bor Comet.			Longitudo Comet.				Latitudo Comet. bor.		
		h	'	"	°	'	"	°	'	"	s	°	'	"	°	'	"
Febr.	7	7	2	0	350	21	35	17	14	50	11	28	15	36	19	37	33
	11	6	47	20	348	22	19	16	48	40	11	26	10	10	20	0	0
	13	6	32	32	346	42	53	16	6	50	11	24	23	8	20	1	5
	14	6	32	24	345	55	40	15	39	50	11	23	27	37	19	55	18
	23	6	36	25	338	12	5	8	44	50	11	13	15	0	16	36	13
	28	23	23	11	332	34	20	2	17	59	11	3	43	34	8	25	39

Die Beobachtung vom 28. Febr. ist besonders merkwürdig, weil es eine vollständige Tag-Beobachtung ist, wo der Comet nicht mehr als 10° von der Sonne entfernt war. In *Paris* wurde er zwar noch langer, den 29. Febr. und 1. März beobachtet, allein nie so nahe an der Sonne, und dies ist vielleicht die einzig existirende Beobachtung dieser Art. Nicht allein durch Fernrohre, sondern auch mit blossen Augen, wurde der Comet in *Verona* an hellen Tage von einer Menge Menschen gesehen. Schade, dass auch hier, wie in allen andern astronomischen Tagebuchern, eine Beobachtung für den 26. Februar fehlt, wo der Comet mit der Sonne in Conjunction war. Nicht ohne Interesse sind einige Details im Tagebuch jener Astronomen uber die Beobachtung dieses Cometen, von denen wir hier einen kleinen Auszug folgen lassen.

25. Febr. Wir sahen den Cometen bey Untergang der Sonne.

26. Febr. Nur bey Untergang der Sonne konnte ein Paar Minuten lang der Comet gesehen werden, und wir gaben es auf ihn den Abend zu

beob-

beobachten. Den andern Morgen war die Zeit seines wahren Aufgangs 17ʰ 34′ 6″.

27. Febr. Wolken verhinderten die Beobachtungen.

28. Der Himmel ausgezeichnet hell und rein. Aufgang (corrigirt wegen Refraction) des Cometen 17ʰ 35′ 18″. Der Comet konnte vom Morgen bis zum Mittag nicht allein mit Fernröhren sondern auch mit blossen Augen gesehen werden. Die gerade Aufsteigung und Abweichung des Cometen wurde durch Vergleichung mit der Sonne bestimmt, und die Sonnenörter theils aus *Manfredi's Ephemeriden* theils aus den Beobachtungen an *Guglienzi's* Gnomon genommen.

29. Febr. Aufgang des Cometen 17ʰ 36′.

Späterhin verhinderten theils Wolken, theils der südliche Stand des Cometen ihn noch lange zu sehen.

Zehn Astronomen, *Betts*, *Maraldi*, *la Caille*, *anotti*, *Chéseaux*, *Euler*, *Pingré*, *Klinkenberg*, *iorter* und *Cassini*, beschäftigten sich mit seiner ahn; allein keine stellt die Beobachtungen vollkomen gut dar. *Pingré* und *Euler* rechneten Ellipsen fur; ersterer fand eine Umlaufszeit von 21808 Jahn, letzteres eine von 122683 Jahren. Diese Differnz ist ungeheuer; allein wer es weiss, dass bey centrischen Ellipsen ein Paar Secunden in den beachteten Orten hinreichend sind, um die Umlaufsit um Jahrhunderte zu ändern, der wird sich bey

den

den damals kaum auf eine Minute sichern Cometen-Beobachtungen uber diese Differenz weniger wundern.

Die Helligkeit und der Schweif dieses Cometen waren ausserordentlich. Unsere beyden Astronomen sagen daruber in ihren Tagebuch folgendes;

7. Febr. Der Schweif dehnte sich bis zu δ *Andromed.* aus, ohne jedoch sehr helle zu seyn.

10. Febr. Der Schweif erreichte α *Andromed.*

12. Febr. Aus wiederholten Messungen folgte der scheinbare Durchmesser des Cometen 1′ 33″. Der Schweif erscheint jetzt in zwey Theile getrennt; der eine war gegen Mittag der andere nach α *Andromed.* gerichtet.

22. Febr. Wie die vorhergehenden Tage, erschien der Schweif getrennt.

Die letztere Beobachtung harmonirt ganz mit dem was *Maraldi* und *Cassini* daruber sagen (*Mémoires de l'Acad.* 1744. 58. 301.) und diese Beobachtung ist besonders deswegen merkwürdig, weil wir dieselbe sonderbare Erscheinung eines getheilten Schweifes auch an dem grossen Cometen von 1807 wahrnahmen. Ausserdem zeichnete sich aber auch der Schweif des Cometen von 1744 noch durch eine andere Eigenthumlichkeit aus; er bildete eine Art von Facher, von mehr als 15° Länge und 120° Breite. Der Kern des Cometen kam an Helligkeit dem der Venus gleich. Bey dieser bedeutenden Grösse und Helligkeit des Kerns ware es wohl interessant, Untersuchungen uber seine Masse anzustellen. Könn-

te

te man für die Epoche von Ende Februar und Anfang März 1744 gute Mercurs-Beobachtungen auffinden, so mufste es sich bald zeigen, ob der Comet irgend eine merkliche Masse hatte oder nicht. Der Comet kam damals dem Mercur sehr nahe und war am 29. Februar mit ihm in heliocentrischer Conjunction. Die Knoten des Cometen und des Mercurs waren nicht über einen halben Grad von einander entfernt; der Comet durchschnitt am 4. März, Mercur am 10. die Ecliptik. Gelingt es uns, eine Reihe guter Mercurs-Beobachtungen für jene Epoche zu sammeln, so wollen wir bald etwas Näheres hierüber unsern Lesern mittheilen.

Aus Journalen holländischer Schiffer fand *Struik* dafs der Comet den ganzen Monat März Morgens mit blofsem Auge auf dem Vorgebirge der guten Hoffnung gesehen worden sey. Man hat die Identität beyder Cometen bezweifeln wollen, allein es ist wohl gar keine Frage, dafs es derselbe war. Denn nach *Eulers* Elementen war Mitte April seine Länge 8° mit einer südlichen Breite von 30° und konnte also nicht allein zu dieser Zeit sondern sogar bis im Iulius, wo seine Länge 27° südliche Breite 48° war, auf dem Vorgebirge der guten Hoffnung gesehen werden. Seine Entfernung von der Erde betrug damals 2,5. Es wäre für die Theorie dieses Cometen sehr interessant gewesen, für diese Epoche aus der südlichen Halbkugel gute Beobachtungen desselben zu erhalten.

Da hier einmal von ältern Cometen-Beobachtungen die Rede war, so ergreifen wir diese Gelegenheit, um noch einige nachzuholen, die ebenfalls

bis

bis jetzt nicht zur Bekanntmachung gekommen zu seyn scheinen. Es sind Beobachtungen, die in China, wahrscheinlich von Jesuiten gemacht wurden. Wir verdanken sie dem Herrn Professor *Schultes*, der uns vor einiger Zeit die Originalien mitzutheilen die Güte hatte. Es sind vier Blätter mit verschiedenen astronomischen Beobachtungen, von denen wir jedoch diesmal nur die erwähnen, die zwey Cometen im Jahre 1737 betreffen. Das Blatt, worauf diese Beobachtungen sehr nett und reinlich geschrieben sind, ist ein grosses Stück chinesisches Seidenpapier. Den untern Theil des Blattes nimmt die Zeichnung der Sternbilder, des Stiers und des Wallfisches ein, in denen die Cometen erschienen. Was diese Beobachtungen ganz besonders interessant macht, ist der Umstand, dass der zweyte Comet für das Jahr 1737 eine wirkliche neue Acquisition für die Cometographie ist, indem wir nirgends gefunden haben, dass er in Europa gesehen oder beobachtet worden wäre. Die Ueberschrift jenes Blattes ist folgende: *De duplici Cometa qui per hunc annum 1737 Pekini apparuit in eadem coeli regione mensibus Februario et Martio, ac Julio.* Der erstere ist in Europa, Asia und America vom Februar bis April beobachtet worden, und seine Bahn wurde von *Bradley* berechnet. Die auf dem erwähnten Blatte befindlichen in Peking gemachten Beobachtungen waren folgende:

1737	Wahre Zeit	Longitudo Cometae	Latitudo
Febr. 26	7h 30'	22° 20	8° 2' austr.
27	. . .	24 10	8 10
28	7 30	25 48	8 20
März 1	. . .	26 11	8 42
2	. . .	29 0	8 48
5	. . .	34 36	9 36
6	. . .	35 50	9 55
7	. . .	37 18	10 10
9	. . .	39 56	10 34

Für die Theorie des Cometen werden diese allerdings sehr groben Beobachtungen wenig nutzen. Nur zweymal ist die Zeit der Beobachtung angegeben, und die Oerter am 27. und 28. Febr. 2. und 6. März sind nur von der Zeichnung abgetragen. Da die Beobachtungen des zweyten Cometen als einzig in ihrer Art wichtiger sind, so lassen wir die eignen Worte des Beobachters hier folgen:

"*Alter Cometa apparuit initio Julii. Eram* "*tum in thermis Pekino ad boream 70 stadia sinica* "*dissitis. Die autem tertio mane circa horam se-* "*cundam a media nocte serenum contemplatus coe-* "*lum vidi prope caput et cornua Arietis unam stel-* "*lam abundare, quae stabat in recta cum γ et β* "*seu prima et secunda Arietis, et a stella β, quam* "*fulgore aequabat, distabat eodem proxime inter-* "*vallo, ac ista ab lucida arietis. Cui situi respon-* "*det longitudo in ♈ 28° 20' cum latit. boreal. 5° 8'* "*et AR. 24° 26' cum declin. boreali 15° 42'. Te-* "*lescopio autem tripedali, quod forte mecum habe-* "*bam, inspecta praeferebat nebulam albam, pellu-* "*cidam sine ulla cauda ac capillitio, bene rotundam,* "*quae amplitudine discum apparentem ♃ paulo su-*

"*per-*

"*perabat. Ad ejus ortum erat stella i modice ultra*
"*gradum remota et ad occasum viciniores aliae stel-*
"*lulae in Hevel. et Flamst. tabulis notatae.*

"*Sequentibus diebus 4. 5. ac 6. Jul. vidi eun-*
"*dem motu diurno 2. graduum circiter, quasi recta*
"*ex borea ad austrum descendere, et comparatione*
"*facta cum stellis arietis, ac lini, item Ceti ex aesti-*
"*matione oculari ejus situm in pagina annotavi.*
"*Deinde Pekinum redux diebus 7. 8. 9. et 10. Ju-*
"*lii idipsum facere prosecutus sum. Et die 10. qui-*
"*dem ex vicinia nodi in lino X, a quo modice*
"*ultra gradum in austrum distabat, conclusi cometae*
"*longitudinem in ♈ 25° 50′ cum latit. aust. 10° 10′*
"*et ascensionem rectam 27° 38′ cum declinatione*
"*borea 0° 31′. Eodem adhuc die nubilatum coelum*
"*coepit effundere pluvias aestivas, et continuavit*
"*cum nimia sane abundantia ferme usque ad finem*
"*mensis, neque interea temporis licuit amplius videre*
"*cometam, nec postea aliquid ejus inventum fuit.*"

Die Cometen-Orte, die theils aus diesen Angaben, theils aus der Zeichnung entnommen wurden, sind folgende:

1737		Longitudo Cometae		Latitudo Comet.		
Jul.	3	28°	20′	5°	8′	bor.
	4	27	58	2	56	—
	5	27	40	0	54	—
	6	27	28	1	25	aust.
	7	27	15	3	25	—
	8	26	46	5	30	—
	9	26	24	7	35	—
	10	25	50	10	10	—

Ueber

Ueber die Stunde der Beobachtung bleibt freylich grosse Ungewisheit; wir glauben, dass man nicht viel irren wird, wenn man Mitternacht dafur annimmt. Ueberhaupt sind aber freylich alle Beobachtungen nichts als Schatzungen, auf die sich also mit Sicherheit keine Bahnbestimmung grundeu lassen wird. Die Neigung ist ungemein gross und nach einer summarischen Rechnung wird der sonderbare Fall eintreten, dass die Bewegung gegen die Ecliptik retrograd und gegen den Aequator direct ist.

XXXIII.

XXXIII.

Vorbericht zu den Beyträgen zur Kenntniſs der unbekannten Länder von Afrika. Von Dr. *U. J. Seetzen* in Kahira. *) Den 18. December 1808.

Obgleich mein erſter Zweck bey der Sammlung der folgenden Nachrichten blos darinn beſtand, wo möglich durch entdeckte Verwandtſchaften etwas zur Kenntniſs der alt-ägyptiſchen Sprache, und deren Tochter, der koptiſchen, beyzutragen; ſo ſtiegen doch bald darauf gegründete Zweifel in mir auf, daſs ich meine Abſicht mit einem erwünſchten Erfolge belohnt ſehen würde. Allein ganz unerwar-

*) Dieſer Vorbericht ging ſpäter bey uns ein, als mehrere der hierher gehörigen Auſſätze, von denen ſchon einige im May, Julius, December-Heft 1809 und Febr. Heft 1810 abgedruckt ſind. Mehrere andere werden unſere Leſer in künftigen Heften erhalten. Die von *Seetzen* mit eingeſchickten Wörter-Verzeichniſſe mit abdrucken zu laſſen, hielten wir aus mehr als einem Grunde für unzweckmäſsig, und wir glauben, daſs es uns alle Leſer Dank wiſſen werden, daſs wir dieſe zahlreichen und intereſſanten Beyträge zur Kenntniſs der oſt- und inner-afrikaniſchen Sprachen, einem der erſten jetzt lebenden Linguiſten, dem Hrn Profeſſor *Vater* in Königsberg mitgetheilt haben, der ſie in einem der vergleichenden Linguiſtik ausſchlieſsend gewidmeten Werke benutzen wird. *v. L.*

wartet führte mich die gewählte Bahn zu einer reichen Quelle der interessantesten Nachrichten, welche sich auf eine ganz natürliche Art an das Wörterverzeichniss der inner-afrikanischen Sprachen anreiheten, und ich muss gestehen, dass es mir jetzt sehr leid thut, nicht früher auf diesen Gedanken gekommen zu seyn, aus meiner gemachten Erfahrung überzeugt, dass ich jetzt das Vergnügen haben könnte, dem geographischen Publicum wichtige Nachrichten fast über ein Drittheil von diesem noch immer so wenig bekannten Welttheil mitzutheilen. Indessen die Bahn ist nun einmal gebrochen, und ich habe mir vorgenommen, auf meiner fernern Reise auf derselben immer fortzuschreiten.

Kahira ist für einen forschenden Geographen ein sehr wichtiger Ort, indem man hier nach und nach Reisende aus dem ganzen nordlichen Afrika vom Nil bis zum atlantischen Ocean, und vom mittelländischen Meere bis zum Senegal, Gulby und bis südwärts von Habbesch, bis Singebar antreffen konnte, welche theils auf ihrer Pilgerfahrt nach Mekka und Medina hier einsprechen, theils der Studien und theils des Handels wegen hieher kommen, und unter welchen man immer einen oder den andern finden durfte, welcher geneigt wäre, ein kleines Wörterbuch von seiner Sprache, und bey dieser Gelegenheit manche andere interessante Nachrichten mitzutheilen. Von Negersklaven Nachrichten einzuziehen, scheint mit mehrern Schwierigkeiten verbunden zu seyn, weil sie bey ihrer Ankunft mit der Negerkjerwane von Dar Für selten genugsam Arabisch verstehen, um sich verständlich zu machen,

nach-

nachher aber, wenn sie verkauft sind, und ihren Dienst angetreten haben, nicht leicht die Erlaubniss erhalten, taglich einige Stunden ausser dem Hause zuzubringen. Und wenn auch dies der Fall seyn sollte, so verloren doch viele von ihnen ihr Vaterland schon in so fruhen Jahren ihres Alters, dass sie ihre Sprache und mit ihr die Kenntniss ihrer Gebräuche und Sitten vergassen.

Weit wichtiger aber, als Kahira, würde Mekka fur den europäischen Geographen seyn, indem diese alte und hochberuhmte Stadt der Mittelpunct des ungeheuern Gebiets des Islam's ist, wo jährlich die Frommen aus dem grössten Theile der alten Welt als Pilger zusammen kommen, und er würde dort etliche Jahre lang unerschöpflichen Stof für seine Wissbegierde finden, und ausser Afrika auch über einige weniger bekannte Gegenden Asiens ein ganz neues Licht verbreiten. Unglucklicherweise ist der Zugang zu dieser ergiebigen Quelle fur uns *christliche* Reisende ganzlich versperrt. Ob der talent- und kenntnissvolle spanische Reisende, welcher neulich unter dem Namen von Aly Bäk el Abássy Mekka und Medina besuchte, zur Entsagung seines Glaubens genöthigt wurde, (beynah der einzigen Möglichkeit zu einem Aufenthalt an jenen Orten) weis ich nicht. Allein, wenn ihm auch die Gabe der Verstellung, welche er in einem so hohen Grade besass, nicht allein gnugte, um seinen Zweck zu erreichen, so gelangte er doch dazu, unterstutzt durch einen unerschöpflichen Fond von Gelde, indem mir eine Person, die es wissen konnte, neulich versicherte, dass ihn die Reise von Alexandrien nach jenen beyden

Oer-

Oertern 15000 Piaster kostete. Das Publicum wird gewiss mit mir bedauern, dass sein Zweck bey diesem Besuch so sehr beschränkt war, indem er blos darauf gieng, astronomische Beobachtungen zur Längen- und Breitenbestimmung dieser Oerter anzustellen. Und diesen erreichte er überdem nur halb, indem die Beduinen ihn auf dem Wege von Mekka nach Medina beraubten, wobey der kostbare astronomische Apparat, den er bey sich hatte, verloren ging, so dass er Medina's Lage nicht zu bestimmen im Stande war. — Der bedeutende Handel von Mekka macht es überdem, dass es seinem Markt auch nicht an Sklaven fehlt, von welchen man beym Mangel an Pilgern immer Ein und das Andere erfahren konnte.

Da ich bereits in wenigen Wochen so viele treffliche Nachrichten über die ganze nordöstliche Ecke Afrika's eingezogen: so ist es wohl keinem Zweifel unterworfen, dass die Geographie von diesem Welttheil in sehr kurzer Zeit eine ganz neue Gestalt erhalten würde, wenn man überall, wo Europäer ansässig sind, das heisst in Tripolis, Tunis, Algier, Marokko, am Senegal und Gambia, in den Factoreyen auf der Küste von Guinea, in Congo und in Mosambique, nach diesem Plane fortführe, welcher das Gute hat, dass er die Arbeit des Forschers sehr erleichtert und überdem von allem der wenigst kostende ist.*) Obgleich eine Handelsverbindung von einem Rande dieses Welttheils bis zum andern ihm gegen-

*) In wiefern aber auch freylich die auf diesem Wege erhaltenen Nachrichten immer ganz glaubwürdig und zuverlässig sind, bleibt sehr zu untersuchen.

gegenüber befindlichen zu den grossen Seltenheiten gehöret: so halte ich es doch fur sehr wahrscheinlich, dass kein einziges inneres Land ohne alle freundschaftliche Verhältnisse mit einem seiner Nachbarländer lebe, und, dass wenn ihm auch drey Seiten durch feindliche Volker begrenzt sind, es dennoch durch die vierte sich fur seinen, wenn auch noch so geringen, Handel, einen mittel- oder unmittelbaren Weg bis zu den Kustenländern offen erhalte. Ware es also auch nicht möglich, in Egypten und in der Barbarey zum Beyspiel mit der Einziehung geographischer Nachrichten weiter vorwärts zu rücken, als bis an den Gulby, und bis ungefähr zu den Quellen des Babher el Abbiad, des wahren Nils, und in Singebat bis an das Lupatagebirge: so wurde man auf der Kuste von Guinea und in Congo auf die nämliche Art das Fehlende ergänzen können, wenn man auch nicht weiter vordringen könnte, als bis dahin, wo man auf der andern Seite unubersteigliche Hindernisse gefunden hatte. Die innern bekannten Puncte wurden sich auf diese Art beruhren, und endlich das Ganze bekannt seyn.

Da die Personen, von welchen man die Nachrichten einzieht, gewöhnlich ganz ohne alle wissenschaftliche Bildung sind: so muss man Geduld mit ihnen haben, wenn sie nicht immer sogleich dasjenige verstehen, wornach man sie fragt. Ueberdem muss man sich keineswegs wundern, dass sie nicht uber alles gehörige Auskunft geben konnen, indem dies ja auch selbst in dem weit kleinern Europa bey ungebildeten Personen der Fall seyn würde. Man suche also von dem Afrikaner zu erfahren, welche

Lebens-

Lebensart er in seinem Vaterlande führte, und richte sich darnach mit seinen Fragen. So wird z. B. der Bauer die beste Nachricht von der Landwirthschaft seines Vaterlandes, der Jäger vom Wilde, der Soldat vom Regenten, vom Kriegswesen und von der Art Gefangene zu Sklaven zu machen, der Kaufmann vom Handel u. s. w. mitzutheilen vermögen. Da es auch unter den Afrikanern nicht an Leuten fehlt, die zur Lüge geneigt sind: so muss man sie bisweilen um die nämliche Sache noch einmal fragen, damit man in diesem Punct den Charakter des Gefragten kennen lerne.

Da es bey aller Vorsicht nicht möglich ist, dass sich nicht einige Unrichtigkeiten in solche Nachrichten einschleichen: so suche man sie von dem nämlichen Lande durch mehrere Personen zu erhalten, und wenn es sich alsdenn trifft, dass die Nachrichten von zwey Personen, die sich nicht kannten, genau mit einander übereinstimmen: so kann man mit hoher Zuverlässigkeit annehmen, dass sie, falls sie an und für sich nicht unglaublich scheinen, richtig sind. Man unterlasse aber auch nicht, die sich widersprechenden aufzuzeichnen, indem man vielleicht in der Folge Gelegenheit hat, darüber aufs Reine zu kommen.

Das anfangs gewählte Wörterverzeichniss war noch sehr unvollkommen; ich ordnete es in der Folge besser, und machte mehrere Zusätze, damit es alle die Gegenstände berührte, welche mir vorzüglich wissenswerth zu seyn schienen. Man erlaube mir jetzt, die Vortheile davon anzugeben.

Die Afrikaner, und überhaupt alle ungebildeten Menschen, sind in der Regel sehr zum Argwohn geneigt, wenn man sich nach ihrem Lande erkundigt und die erhaltenen Nachrichten aufzeichnet, und vermuthen, dass man, der Himmel weiss, welche? gefährliche Absichten auf dasselbe habe. Eine Folge davon ist, dass sie sich entweder nicht dazu verstehen wollen, auf dahin zielende Fragen zu antworten, oder dass sie den Fragenden durch falsche Nachrichten irre zu führen suchen. Die Erfahrung hat mich aber gelehrt, dass sie kein Bedenken tragen, ihre Sprache mitzutheilen; ja! manche von ihnen schienen sich durch eine solche Aufmerksamkeit geschmeichelt zu fühlen.*) Da das blosse Aufzeichnen der

*) Nur einmal fand ich eine lächerliche Ausnahme von dieser Regel. Man hatte mir gesagt, dass sich unter dem kleinen Truppen-Corps des Mamelukken-Chefs, Schahin Bak, zu Giese, welches grösstentheils aus Negern besteht, etliche Bewohner des Landes Szauâhel, welches man auf der östlichen Spitze von Afrika in der Gegend suchen muss, wo sich auf der Karte das Königreich Adel und die Ajanküste genannt findet, befänden, welche eine besondere Sprache reden und gefeilte Zähne haben sollten. Da sie ihres Dienstes wegen nicht nach Kahira kommen konnten, sie sich aber geneigt gezeigt hatten, mir Nachrichten von ihrer Sprache mitzutheilen · so begab ich mich selbst nach Gise. Allein sie hatten während der Zeit ihren Entschluss gänzlich geändert, und zwar aus der lächerlichen Besorgniss, dass ich die Absicht habe, ihnen ihre geliebte Muttersprache zu rauben, überzeugt, dass alle diejenigen Wörter, welche ich aufschriebe, in der Folge gänzlich aus ihrem Gedächt-

er Wörter eine für den Fragenden sowohl als für en Gefragten sehr trockne und ermudende Sache ;: so sehnen sich beyde nach Ruhepuncten, und in lchen Momenten fand ich die Afrikaner immer sehr eneigt, mich uber ihr Vaterland zu unterhalten, nd mir manche nützliche Aufklärung über Sitten, ebräuche, Staatsverfassung, Geographie, Natur- eschichte u. s. w. mitzutheilen.

Da es immer sehr wichtig ist, die Wahrheits- ebe des Afrikaners zu prüfen: so ist nichts esser dazu, als ein Verzeichniss von etlichen Du- end Wörtern, indem er nicht im Stande ist, das imliche Wort für einen Gegenstand wieder zu ennen, wenn dies unrichtig war, und man ihn n Paar Stunden nachher unvermerkt wieder darum agt.

Ueberdem ist ein solches Wörterverzeichniss ein efflisches Hulfsmittel fur das Gedachtniss des Fragen- en. Denn wäre dieses auch noch so glucklich, so ürde es doch ohne jenes mehrere wichtige Ge- enstände vergessen, nach welchen sich zu erkun- igen sehr nutzlich gewesen seyn wurde.

Aber auch schon die blossen Wörterverzeichnis- , ohne beygefugte Nachrichten, durften, wie ich

Gedächtnisse verwischt seyn würden. Und dieser Arg- wohn hatte sie gegen mich so feindselig gesinnt gemacht, dass sie mich offentlich einen Zauberer und Giftmischer (Szummaúwy) schalten. Ich hielt es daher für rath- sam, nach Kahira zuruck zu kehren, obgleich sehr miss- vergnugt, meinen Zweck nicht erreicht zu haben.

ich mir schmeichle, ihren Werth haben, und nicht blos die Aufmerksamkeit der Sprachforscher, sondern auch die der Naturforscher, Oeconomen, Kaufleute, Geographen u. s. w. verdienen.

Die Zahl der afrikanischen Sprachen dürfte sich nach einem ungefähren Ueberschlage wenigstens auf hundert, vielleicht gar auf anderthalb hundert belaufen. Eine vergleichende Polyglotte davon würde, meiner Meinung nach, sehr interessant seyn, und derjenige, welcher sich diesem Geschäfte unterzöge, würde auf den Dank des gelehrten Publikums einen gerechten Anspruch machen dürfen. Man trifft in mehrern Reisen nach afrikanischen Ländern nützliche Beyträge dazu an, und, falls man jene erhalten könnte, würde die Ausführung eines solchen Unternehmens mit wenigen Schwierigkeiten verbunden seyn. Indessen müsste man suchen, wo immer möglich, die Originale zu erhalten, indem in Uebersetzungen die Wörter öfters fehlerhaft übertragen sind. Da überdem diese Reisebeschreibungen Personen von verschiednen Nationen zu Verfassern haben: so würde es unumgänglich nöthig seyn, dass man die Aussprache der Wörter auf die des Landes, in dessen Sprache man schreibt, zurückführte, indem man sonst eine grosse Verwirrung anrichten und weit weniger nützen würde, als es sonst möglich wäre. In dem Falle also, dass der Sammler nicht mit den meisten Sprachen Europens bekannt wäre: müsste er sich durch ein Individuum des Landes, in dessen Sprache eine Reise geschrieben wurde, die afrikanischen Wörter vorsagen lassen, wozu es ihm in den grössern Städten von Deutsch-

Deutschland, in Wien, Berlin und Hamburg nicht an Gelegenheit fehlen könnte. Noch einmal, ohne diese Vorsicht wurde sein Werk weit von dem Grade von Vollkommenheit entfernt bleiben, dessen es sonst fähig wäre. Ueberdem muss beym Druck auf die Correctur die gröſste Sorgfalt verwendet werden.

Ferner würde es durchaus nothwendig seyn, die Wörter mit Accenten zu schreiben, damit man wisse, auf welcher Sylbe der Ton liegt und ob ein Vocal voll ausgesprochen werden musse. Ohne diese ist man nie sicher in der Aussprache eines fremden Worts. Es ist zu bedauern, dass die wenigsten Reisenden hierauf Rucksicht nahmen. Nur unser trefflicher Herr Justizrath *Niebuhr* vergass auch diese Vorsicht nicht, indem er in seiner Beschreibung von Arabien, diesem classischen Werke, alle Ortsnamen mit Accenten schrieb, wodurch er der Wahrheit der Aussprache so nahe kam, als es ihm die Gesetze und die Natur unserer Sprache möglich machten. Um anzuzeigen, dass auf einer Sylbe der Ton liege, habe ich mich des Zeiches (ʹ) bedient, und die voll auszusprechenden Vocalen bezeichnete ich mit (^). Statt des scharf auszusprechenden *ff* bediente ich mich gewöhnlich des *Ph*; allein, da dieses in der Mitte eines mehrsylbigen Worts leicht zu Fehlern verleiten könnte: so fing ich in der Folge wiederum an, mich des *ff* zu bedienen, weil der Laut doch im Grunde wenig verschieden ist. Wo das Wort am Ende ein *i* hatte, schrieb ich öfters ein *y* oder *ih*, und bemerke hier, dass ich dadurch keine verschiedne Laute bezeichnen wollte.

Hätten

Hätten es die Umstände erlaubt: so würde ich von jedem Lande mehr Nachrichten haben einziehen können, als ich that. Allein, da ich auf die Fortsetzung meiner so lange unterbrochenen Reise bedacht war: so eilte ich mit meinen Erkundigungen. Meine Unterhaltung mit jedem Afrikaner dauerte nur drey bis hochstens funf Tage, während welchen ich täglich ein Paar Stunden des Vormittags dazu anwandte.

Zum Beschluss dieser Bemerkungen sey es mir erlaubt, afrikanischen Reisenden den Rath zu geben, sich mit etlichen Kupferwerken zu versehen, welche richtige Abbildungen von Thieren und Gewächsen der heissern Himmelsstriche, ingleichen von dortigen Gebauden, Geräthen u. s. w. enthalten. Diese dienen ihnen ungemein, um bey der Befragung der Afrikaner sich ihnen verstandlich zu machen. Wenige Minuten waren hinreichend, sie mit dem Anblicke dieser Figuren vertraut zu machen, und sie in den Stand zu setzen, dasjenige auszuzeichnen, was ihnen bekannt war. Ich fand mehrmals Gelegenheit, den Mangel daran zu bedauern.

XXXIV.

XXXIV.

Etwas über die Genauigkeit des Einschaltens mittelst der Differenz-Reihen. Vom Dr. *Mollweide*.

Die Vorschriften zu derjenigen Art des Interpolirens, wobey die numerischen Werthe einer Function für verschiedne Werthe der Functionalgröfse als Glieder einer arithmetischen Reihe von irgend einem Range betrachtet werden, sind allgemein bekannt und von mehreren Schriftstellern entwickelt worden. Aber, so viel ich weifs, hat keiner derselben den Grad der Genauigkeit, welcher dadurch erreicht wird, zu bestimmen, angewiesen. Ich will hier an einigen Beyspielen zeigen, wie dies geschehen kann. Dazu wird freylich erfordert, dafs die Form der Function zwischen deren bekannten Werthen solchergestalt andere eingeschaltet werden sollen, gegeben sey.

1. Es seyn $N-1$, N, $N+1$ drey auf einander folgende ganze Zahlen, deren Logarithmen gegeben sind, und es sey

$$\log N - \log(N-1) = \alpha, \quad \log(N+1) - \log N = \beta.$$

Man soll $\log(N+u) - \log N$, wo u zwischen 0 und 1 fällt, durch α und β ausdrücken.

Es ist, wenn der Modulus des Logarithmen-Systems M heifst, nach bekannten Formeln

$\alpha = M$

$$\alpha = M\,[N^{-1} + \tfrac{1}{2}N^{-2} + \tfrac{1}{3}N^{-3} + \tfrac{1}{4}N^{-4} + \ldots]$$
$$\beta = M\,[N^{-1} - \tfrac{1}{2}N^{-2} + \tfrac{1}{3}N^{-3} - \tfrac{1}{4}N^{-4} + \ldots]\,.$$
$$\log(N+u) - \log N = M[uN^{-1} - \tfrac{1}{2}u^2N^{-2} + \tfrac{1}{3}u^3N^{-3} - \tfrac{1}{4}u^4N^{-4} + \ldots$$

Man setze nun

$$\log(N+u) - \log N = (A\alpha + B\beta)\,u + (C\alpha + D\beta)\,u^2 + \tfrac{1}{3}E\,N^{-3} + \tfrac{1}{4}F\,N^{-4} + \ldots$$

wo A, B, C, ... unbestimmte noch zu bestimmende Coefficienten sind, so wird, wenn man statt α und β ihre Werthe setzt

$$\begin{aligned}\log(N+u) - \log N = M\,[\,&((A+B)\,u + (C+D)\,u^2)\,N^{-1}\\ &+ \tfrac{1}{2}((A-B)\,u + (C-D)\,u^2)\,N^{-2}\\ &+ \tfrac{1}{3}((A+B)\,u + (C+D)\,u^2 + E)\,N^{-3}\\ &+ \tfrac{1}{4}((A-B)\,u + (C-D)\,u^2 + F)\,N^{-4} \ldots]\end{aligned}$$

Die Vergleichung der zu einerley Potenz von N gehörigen Coefficienten gibt

$$\begin{aligned} A + B &= 1\\ A - B &= 0\\ C + D &= 0\\ C - D &= -1\\ u + E &= u^3\\ -u^2 + F &= -u^4 \quad \text{etc.}\end{aligned}$$

Hieraus folgt

$A = \tfrac{1}{2}$, $B = \tfrac{1}{2}$, $C = -\tfrac{1}{2}$, $D = \tfrac{1}{2}$, $E = -(u - u^3)$

$F = u^2 - u^4$, so dass demnach

$$\log(N+u) - \log N = \frac{\alpha+\beta}{2}\,u - \frac{\alpha-\beta}{2}\,u^2 - M\left\{\frac{u - u^3}{3N^3} - \frac{u^2 - u^4}{4N^4} + \ldots\right\}$$

wird.

Hier

Hier ist

$$\frac{\alpha+\beta}{2} u - \frac{\alpha-\beta}{2} u^2 \text{ oder } u \left\{ \beta + \frac{(\alpha+\beta)\ (1-u)}{2} \right\}$$

der vermittelst der zweyten Differenz $\beta - \alpha$ verbesserte Proportionaltheil, das Glied $M \left(\frac{u - u^3}{3N^3} \right)$ aber dient, wie man sogleich sehen wird, zu bestimmen, wie weit man damit reicht.

2. Es sey N nicht < 10000, und es werde zu wissen verlangt, wie genau man den gewöhnlichen Logarithmen von $N+u$ erhält, wenn man bloss die ersten und zweyten Differenzen in Betracht zieht, also

$$\log(N+u) = \log N + \frac{\alpha+\beta}{2} u - \frac{\alpha-\beta}{2} u^2,$$

macht.

Da N nicht < 10000 ist, so darf man nur den Einfluss des weggelassenen Gliedes $M \left(\frac{u - u^3}{3N^3} \right)$ bestimmen. Denn weil das folgende ohne Rucksicht auf die Vorzeichen $= M \left(\frac{u - u^3}{3N^3} \right) \times \frac{3u}{4N}$, also wenn N auch nur $= 10000$, wenigstens von einer um 4 niedrigern Ordnung ist, so hat solches gewiss auf die erste bedeutende Ziffer in $M \left(\frac{u - u^3}{3N^3} \right)$ keinen Einfluss, und eben so wenig die nach ihm noch folgenden Glieder. Nun wird der Zahler des Bruches $\frac{u - u^3}{3N^3}$ fur $u = \sqrt{\tfrac{1}{3}}$ am grösten, und zwar $= \tfrac{2}{3}\sqrt{\tfrac{1}{3}}$, der kleinste Werth von N aber ist nach der

Vor-

Voraussetzung 10000: folglich ist, da für die gewöhnlichen Logarithmen $M = 0{,}43429\ldots$, der grösste Werth von $M\left(\frac{u-u^3}{3N^3}\right) = \frac{2\times 0{,}43429\ldots}{9\times 10^{12}}\sqrt{\tfrac{1}{3}}$ $= 0{,}000\,000\,000\,000\,066916$. Mithin hat der Fehler wegen der weggelassenen Glieder in keinem Falle auf die 12te und um so weniger auf die 10te Decimalstelle Einfluss. Man berechnet daher aus *Vlacq's Arithmetica logarithmica*, oder aus *Vega's Thesaurus logarithmorum completus* die Logarithmen solcher Zahlen, die mehr als fünf Ziffern haben, vermittelst der ersten und zweyten Differenzen vollkommen genau.

3. Die Formel für $\log(N+u)$ verstattet in dem Falle, dass $\frac{\alpha-\beta}{2} < \frac{\overset{-10}{}}{4}$ ist, noch eine Abkürzung. Da man nämlich dadurch, dass man u auch negativ nimmt, immer erhalten kann, dass u nicht $> 0{,}5$ also der grösste Werth von $u = 0{,}5$ ist, so beträgt, dies angenommen, das Glied $\frac{\alpha-\beta}{2}u^2$, wenn $\frac{\alpha-\beta}{2} < \frac{\overset{-10}{}}{4}$ ist, immer weniger als $\frac{\overset{-11}{}}{5}$. Man kann es daher füglich weglassen und bloss setzen

$$\log(N+u) = \log N + \frac{\alpha+\beta}{2}u.$$

Uebrigens scheint die Form, welche hier dem Ausdrucke fur $\log(N+u)$ gegeben ist, bequemer, als die gewöhnliche zu seyn; wenigstens verschafft sie, wenn zu einem vorgegebenen Logarithmen die Zahl gesucht wird, der vorlaufigen Bestimmung von u mehr Sicherheit. Es ist nämlich

u =

$$u = \frac{\log(N+u) - \log N}{\frac{1}{2}(\alpha+\beta) - \frac{1}{2}(\alpha-\beta)\, u}$$

der Anwendung bestimmt man zuerst durch die nähernde Formel

$$u = \frac{\log(N+u) - \log N}{\frac{1}{2}(\alpha+\beta)},$$

e beyden ersten Decimalstellen von u, berechnet mit die bey dem vorigen Divisor $\frac{1}{2}(\alpha+\beta)$ anzubringende Verbesserung $\frac{1}{2}(\alpha-\beta)\,u$ und sucht alsenn mit dem so verbesserten Divisor u aufs neue nd in mehrern Decimalstellen.

4. Wendet man, welches fast gewöhnlicher ist, zur Bestimmung von $\log(N+u)$ die Logarithmen on N, N+1, N+2 an, so erhält man,

$\log(N+2) - \log(N+1) = \gamma$ gesetzt,

$$\log(N+u) = \log N + u\left\{\beta + \frac{(\beta-\gamma)(1-u)}{2}\right\}$$
$$+ M\left(\frac{2u - 3u^2 + u^3}{3N^3} - \text{etc.}\right)$$

Der gröſste Fehler wird hier eben so groſs, wie vorin (2), nur dem vorigen entgegen gesetzt, gefunden.

5. Verlangt man eine zweygliedrige Interpolaons-Formel, bey welcher der Fehler noch geringer, als bey den vorigen ist, so findet man nach der n (1) gebrauchten Methode

$$\log(N+u) = \log N + \frac{5\beta + 2\alpha - \gamma}{6}\, u - \frac{\alpha-\beta}{2}\, u^2$$
$$+ M\left(\frac{u^3}{3N^3} - \frac{2u - u^2 + u^4}{4N^4} + \ldots\right)$$

Da

Da man nun nicht nöthig hat, u grösser zu nehmen als 0,5 (3) so ist der grösste Fehler, welchen man begeht, wenn man

$$\log(N+u) = \log N + \frac{5\beta+2\alpha-\gamma}{6}\,u - \frac{\alpha-\beta}{2}\,u^2$$

setzt, noch kleiner als $\frac{0,43429\ldots\times 0,125}{3.10^{12}}$ d. i.

$< 0,000\,000\,000\,00001809$, also uber 3 mal so klein, als der in (2) oder (4).

Die gegenwärtige Formel schliesst übrigens die beyden vorigen gewissermassen in sich. Denn wenn z. E. in den zehn ersten Decimalstellen $\alpha-\beta=\beta-\gamma$ oder die zweyten Differenzen gleich sind, so gibt die Substitution $\gamma=2\beta-\alpha$, die Formel in (2) diese aber $\alpha=2\beta-\gamma$ die Formel in (4). Man wird also, wo die zweyten Differenzen etwa wegen der Vermehrung der Endziffer eines der in Rechnung kommenden Logarithmen um eine Einheit verschieden sind, mit mehr Sicherheit die gegenwärtige anwenden.

6. Es seyn A — a, A, A + a drey Bogen in arithmetischer Progression und es sey

$$\log \sin A - \log \sin(A-a) = \alpha, \log \sin(A+a) - \log \sin A = \beta;$$

man soll $\log \sin(A+u) - \log \sin A$, wo u zwischen 0 und a fällt, durch α und β ausdrucken.

Der *Taylor*'sche Satz gibt (m. s. *Euleri Instit. calcul. Diff. II.* § 99 oder *Tempelhofs* Analyse des Unendl. § 578)

$\alpha = M$

$$\alpha = M\left\{\frac{a\cos A}{\sin A} + \frac{a^2}{2\sin^2 A} + \frac{a^3\cos A}{3\sin^3 A} + \frac{a^4(1+\cos A)}{6\sin^4 A} + \ldots\right\}$$

$$\beta = M\left\{\frac{a\cos A}{\sin A} - \frac{a^2}{2\sin^2 A} + \frac{a^3\cos A}{3\sin^3 A} - \frac{a^4(1+\cos A)}{6\sin^4 A} + \ldots\right\}$$

$\log \sin (A + u) - \log \sin A$

$$= M\left\{\frac{u\cos A}{\sin A} - \frac{u^2}{2\sin^2 A} + \frac{u^3\cos A}{3\sin^3 A} - \frac{u^4(1+\cos A)}{6\sin^4 A.}\right\}$$

Hieraus erhält man nach der in (1) gebrauchten Methode

$$\log \sin (A+u) - \log \sin A = \frac{\alpha+\beta}{2} \cdot \frac{u}{a} - \frac{\alpha-\beta}{2} \cdot \frac{u^2}{a^2}$$

$$- M\left\{\frac{(a^2 u - u^3)\cos A}{3\sin^3 A} - \frac{(a^2 u^2 - u^4)(1+\cos A)}{6\sin^4 A} + \ldots\right\}$$

7. Wenn A nicht $< 2°$ und $a = 10''$ ist, zu bestimmen, wie genau man $\log \sin (A + u)$ vermittelst der ersten und zweyten Differenzen erhält, d. i. indem man

$$\log \sin (A+u) = \log \sin A + \frac{\alpha+\beta}{2} \cdot \frac{u}{a} - \frac{\alpha-\beta}{2} \cdot \frac{u^2}{a^2}$$

setzt.

Da A nicht $< 2°$ ist, so darf nur der Einfluſs des Gliedes $\frac{M(a^2 u - u^3)\cos A}{3\sin^3 A}$ in Betracht gezogen werden. Denn weil das folgende, abgesehen von den Vorzeichen, $= \frac{M(a^2 u - u^3)\cos A}{3\sin^3 A} \times \frac{u}{2\tang\frac{1}{2}A\cos A}$, in dem Falle aber, daſs $A = 2°$, das Product $2\tang\frac{1}{2}A\cos A = 7196,4$ und u immer $< 10''$ ist, so

— ist

ist der Factor $\frac{u}{2 \tang \frac{1}{2} A \cos A}$ immer $< \frac{1}{719,64}$, folglich das Glied $\frac{M(a^2u^2 - u^4)(1 + \cos A)}{6 \sin^4 A}$

wenigstens von einer um 2 niedrigern Ordnung, als des $\frac{M(a^2 u - u^3) \cos A}{3 \sin^3 A}$. Jenes hat also auf die erste Decimalstelle in diesem keinen Einfluss, und eben so wenig die nach ihm noch folgenden Glieder. Der Factor $a^2 u - u^3$ im Zähler von $\frac{M(a^2 u - u^3) \cos A}{3 \sin^3 A}$ nur wird am grössten, wenn $u = a\sqrt{\frac{1}{3}}$ und zwar $= \frac{2}{3} a^3 \sqrt{\frac{1}{3}}$; folglich ist der grösste Werth von $\frac{M(a^2 u - u^3) \cos A}{3 \sin^3 A}$ in so fern die Veränderung allein von u abhängt, $= \frac{2 M a^3 \cos A}{9 \sin^3 A} \sqrt{\frac{1}{3}}$.

Für $M = 0,43429 \ldots$ und $A = 2°$ wird dieser grösste Werth $= 0,000\,000\,000\,17928$. Hieraus ergiebt sich also, dass bey den Logarithmen der Sinus, deren zugehörige Bogen von 10 zu 10 Secunden fortgehen, wenn die Logarithmen selbst nicht mehr als 7 Decimalstellen haben, das Einschalten vermittelst der ersten und zweyten Differenzen, vom 2ten Grade an vollkommne Genauigkeit gewähre; dass dies aber nicht der Fall sey, wenn die Logarithmen 10 Decimalstellen haben, indem alsdenn die Endziffer nahe um 2 Einheiten fehlerhaft werden kann. *Vega* behauptet in der Einleitung zu seinem *Thesaurus logarithmorum completus* irriger Weise das Gegentheil.

Setzt

Setzt man aber $A = 3° 4' 40''$, so findet sich

$$\frac{2 M \cos A}{9} \left(\frac{a}{\sin A}\right)^3 \sqrt{\tfrac{1}{3}} = 0{,}000\,000\,000\,0\,5002;$$

so daſs also von diesem Werthe von A an ohne einen Fehler von einer Einheit in der zehnten Decimalstelle

$$\log \sin (A + u) = \log \sin A + \frac{\alpha + \beta}{2} \cdot \frac{u}{a} - \frac{\alpha - \beta}{2} \cdot \frac{u^2}{a^2}$$

$$= \log \sin A + \frac{u}{a} \left\{ \beta + \frac{(\alpha - \beta)(a - u)}{2a} \right\}$$

ist.

8. Nach der hier gewiesenen Manier läſst sich die Genauigkeit des Interpolirens durch Differenzen auch in andern Fällen, wo die Form der zu interpolirenden Function bekannt ist, bestimmen.

XXXV.

Reise um die Welt in den Jahren 1803, 180[4] 1805 und 1806 auf Befehl Seiner kaise[rlichen] Majestat ALEXANDER des Erste[n] auf den Schiffen Nadeshda und New[a] unter dem Commando des Capitains vo[n] der kaiserlichen Marine, *A. J. von Kru[-] senstern.* Erster Theil. St. Petersbur[g] 1810.

Schon öfterer war in dieser Zeitschrift von der in[-] teressanten Expedition die Rede, deren Resultate [die] vorliegende Reisebeschreibung enthält. Noch n[ie] hatte die russische Flagge den Aequator durchschn[it-] ten, noch nie das Cap *Horn* oder das Vorgebirge d[er] guten Hoffnung umschifft, und die jetzt mit de[m] glucklichsten Erfolg gelungene Weltumsegelung un[-] ter *Krusensterns* Anfuhrung bezeichnet unstreiti[g] eine wichtige Epoche nicht allein fur die russisc[he] Marine, sondern wahrscheinlich auch fur den gan[-] zen russischen Handel uberhaupt. Die Wahl des An[-] fuhrers dieser grossen Expedition war diesmal sehr glucklich, denn in *Krusenstern* scheinen sich die Eigenschaften eines vortreflichen Seemanns mit ei[-] ner vielseitigen wissenschaftlichen Bildung zu verei[-] nigen. Das vorliegende Werk ist classisch und auf eine Art redigirt, die eine ausgebreitete Bekannt[-]

schaft

schaft mit dem ganzen Fache der Nautik und Geographie verräth. Es gehört diese Reisebeschreibung unter die Zahl der vorzüglichsten, die wir in neuern Zeiten erhielten, und die denen von *Cook*, *Marchand*, *La Perouse*, *d'Entrecasteaux* u. m. in keiner Hinsicht nachsteht. Das ganze Werk, was zu gleicher Zeit Russisch und Deutsch erscheint, wird aus drey Quart-Bänden bestehen, nebst einem Atlass von ungefahr 100 Blatt.

Der erste Theil, der jetzt vor uns liegt, und mit dessen Inhalt wir unsere Leser bekannt machen wollen, enthält den Theil der Reise vom Antritt bis zum Aufenthalt in *Nangasaki*, und begreift den Zeitraum vom August 1803 bis April 1805 in sich. Da diese Expedition die erste ist, durch die es gelang, die westlichen Provinzen des ungeheuern russischen Reichs mit den östlichen durch den Ocean in Berührung zu setzen, und so zwischen beyden eine neue Verbindung zu eröffnen, so wird es zweckmässig seyn, ehe wir auf das Detail der Reise selbst übergehen, der Veranlassung dazu vorerst zu erwähnen.

Fast in keinem Lande fanden so viele litterarische Expeditionen statt, die, wie es in Russland geschah, ausschliessend vom Gouvernement zu Untersuchung der innern Geographie abgeschickt wurden. Die berühmtesten Academiker mussten das Reich nach allen Richtungen durchreisen, und Materialien zur Länder- und Völkerkunde sammeln. Die Werke eines *Pallas*, *Müller*, *Gmelin*, *Georgi* und anderer, die wir als die Resultate dieser Expeditionen erhielten, sind zu bekannt, als dass wir über deren Nutzen irgend etwas hinzuzufügen brauchten.

 Auch

Auch die Küsten der begrenzenden Meere un hauptsächlich des Eis-Meers und des nördlich stillen Oceans, wurden wiederholt beschifft u besser bestimmt. Mit Ausschluss von *Cook* und *L Perouse*, verdanken wir fast alles bessere Detail, w wir von jenen nördlichen Polar-Meeren kenne russischen Seefahrern. Die interessante Entdecku der Trennung beyder Continente, und die bess Bestimmung und Erforschung der so merkwürdig aleutischen und kurilischen Inselketten ist fast ein ihr Werk. Die Seereisen von *Behring*, *Tschirik* *Spangberg*, *Walton*, *Schelting*, *Chmiteffsko* *Synd*, *Lewascheff*, *Krenitzin*, und *Sarytscheff* h ben eine Menge der wichtigsten Resultate für d Geographie der nördlichen und östlichen Küst Meere des russischen Reichs geliefert. Da wir d Geschichtliche dieser Expeditionen, bey Anzeige d vortrefflichen Reise von *Sarytscheff*, die vorzügli reich an wichtigen geographisch-nautischem Det ist, umständlicher erwähnt haben, (*Monatl. Corr* B. XIII. S. 371 ff.) so können wir uns hier auf die g nerelle Angabe beschranken. Allein so interessan alle diese Expeditionen nicht allein für die Geogr phie uberhaupt und insbesondere für Russlands com mercielle Verhaltnisse waren, so blieb doch dadurc immer ein wesentlicher Punct fur Russlands erhöh ten Wohlstand, eine leichtere Communication zwi schen dessen westlichen und östlichen Provinzen, ganz unerfullt, indem alle Schiffe, die zu jenen Reisen gebraucht wurden, mit grosser Muhe und ungeheuern Kosten im stillen nordlichen Ocean er baut und mit den vom westlichen Russland auf ei-

nem

nem Landwege von vielen hundert Meilen herbeygeschafften Materialien ausgerustet wurden. Die Wichtigkeit des Handels der mit dem auf den aleutischen und kurilischen Inseln gewonnenen kostbaren Pelzwerk nach China und Japan gefuhrt werden konnte, machte eine solche Communication sehr wunschenswerth, und man scheint die Nothwendigkeit davon schon fruher gefuhlt zu haben, da nach einer bey der deutschen Uebersetzung von *Sarytscheffs* Reise befindlichen Bemerkung (I. B. S. 171) schon im Jahre 1786 eine Expedition bestimmt war, unter Commando des Capitain *Mulofsky* von Kronstadt nach Kamtschatka abzugehen, und die nur durch den Tod des letztern in der ersten Seeschlacht gegen die Schweden unterblieb. Wirkliche Anstalten waren schon zu dieser grosen Seereise gemacht, indem damals, als die Expedition von *Billings* und *Sarytscheff* in Kamtschatka war, 7 Ochsen fur jene Schiffe im Peter-Pauls-Hafen aufbewahrt wurden; ohne den unglucklichen Tod des Anfuhrers wäre also wahrscheinlich die russische Marine schon funfzehn Jahre fruher unter die Reihe der Weltumsegelnden getreten. Unstreitig war der Mangel an See-Officieren in der russischen Marine, die eine so grosse Expedition zu commandiren fahig waren, ein wesentliches Hinderniss dabey, denn mit Ausnahme von einigen Englandern, gab es nach Krusensterns Versicherung unter dem ganzen Corps keinen, der mit der Schiffahrt in den ostindischen Gewassern bekannt gewesen ware.

Mit wie vielem Vortheil die kostbaren Pelzwerke jener Polarlander an die weichlichen Chinesen abge-

 letzt

ſetzt werden können, iſt allbekannt, und bald nachher, als *Behring* und *Tſchirikoff* die aleutiſchen Inſeln und die Nordweſtküſte von Amerika entdeckt hatten, wendete ſich der Speculations-Geiſt der Ruſſen in dieſe Gegenden. Die Menge von Pelzwerk und die Summen, die anfangs gewonnen wurden, waren äuſserſt bedeutend. So erhielt der Steuermann *Pribiloff* auf den beyden im Jahre 1786 von ihm entdeckten Inſeln *St. Paul* und *St. George*, während eines zweyjährigen Aufenthaltes 2320 Ottern, 30000 Seebären, 480 junge Ottern und Bären, und 8000 blaue Füchſe, die zuſammen einen Werth von wenigſtens 250000 Rubel hatten. Allein freylich war dieſe Art von Handel, der nur von Privatleuten ohne alle Unterſtützung von Seiten der Regierung geführt wurde, für deſſen Dauer ſehr nachtheilig. Die Zahl der Schiffe, die auf den Pelzhandel ausgiengen, nahm von Jahr zu Jahr zu, und da jeder Theilnehmer nur auf ſein augenblickliches Intereſſe ſah und ohne Rückſicht auf die Zukunft eben ſo wenig der eingebohrnen Einwohner *) als der wilden Thiere ſchonte, ſo wurden wahrſcheinlich beide bald ausgerottet und der anfangs ſo blühende Handel nach einem kurzen Zeitraum ins Stocken gekommen ſeyn. Dem Kaufmann *Schelikoff*, dem eigentlichen Begründer der jetzigen amerikaniſchen Compagnie, der ſich

*) Mit Unwillen lieſt man in der von *Sauer* redigirten Reiſe des Capitain *Billing*, daſs die ruſſiſchen Fangjäger die Unmenſchlikeit ſo weit trieben, mehrere Inſulaner hinter einander ſtellen zu laſſen, und ſo an ihnen die Schärfe ihrer Büchſen zu probiren.

sich von den nachtheiligen Folgen jenes Verfahrens überzeugte, verdankt Russland unstreitig zum grössern Theil die Erhaltung dieses wichtigen Handelszweigs. Diesem in Verbindung mit den Gebrudern *Golikoff* gelang es, die verschiedenen Theilnehmer dieses Handels im Jahre 1785 in eine Gesellschaft zu vereinigen, die gleich damals die amerikanische Compagnie genannt wurde. *Schelikoff* dirigirte nun das Ganze; das noch jetzt existirende Haupt-Etablissement ward auf der Insel *Kodiak*, als dem Mittelpunct zwischen den aleutischen Inseln, Kamtschatka und Amerika, angelegt und fast auf allen aleutischen Inseln kleine Comtoirs errichtet. Der Hauptsitz der Gesellschaft war in Irkutsk; da diese Stadt durch ihre Lage das östliche Russland mit dem westlichen bequem verbindet. Allein noch hatte die Sanction der Regièrung diese Gesellschaft nicht fest begrundet, und Kaiser *Paul*, veranlasst durch laute Klagen über Unregelmässigkeiten, und uber das harte Verfahren der Theilnehmer gegen die Insulaner, war eben im Begriff die ganze Gesellschaft aufzulösen, als dies noch durch Herrn *von Resanoffs* Dazwischenkunft abgewendet wurde. Diesem, der bey der Erhaltung der Gesellschaft und ihres eintraglichen Handels, als Schwiegersohn von *Schelikoff*, dessen ganzes Vermögen hauptsächlich in Actien bestand, wesentlich interessirt war, gelang es den Kaiser fur die sogenannte amerikanische Gesellschaft zu gewinnen, so dass sie im Jahre 1799 formlich bestatigt wurde und ansehnliche Privilegien erhielt. Die ganze Gesellschaft erhielt nun mehr Festigkeit; doch verdankt sie ihren höhern Flor erst dem jetzigen Kaiser,

der

der selbst Theilnehmer ward, und dadurch eine Menge der russischen Grossen zur Nachahmung seines Beyspiels veranlasste. Allein immer blieb die grosse Schwierigkeit, jene entlegenen Colonien, in einem unwirthbaren von allem entblösten Lande, mit den nothwendigsten Bedürfnissen vom westlichen Russland aus versehen zu müssen. Alles war bis jetzt nur auf dem Landweg herbey geschafft worden, wo der Transport jährlich 4000 Pferde erforderte und mit so vielen Schwierigkeiten und Kostenaufwand verknüpft war, dass alle Waaren schon in Ochotz zu einem ungeheuern Preise stiegen. Manche für jene Gegenden wesentlich nothwendigen Artikel, wie Anker und Ankertaue, konnten nur auf eine sehr nachtheilige Art transportirt werden. Die Taue mussten in Stücken von 6 bis 8 Faden zerschnitten und dann erst wieder zusammen geknüpft werden; und eben so konnten die Anker auch nur in mehreren kleinen Stücken transportirt werden. Gleich nachtheilige Folgen hatte endlich für jenen Handel, die Unwissenheit der Schiffer und Matrosen, die meistentheils auf jenen Fahrzeugen gebraucht wurden, so dass in jenen stürmischen gefährlichen Meeren immer von drey Schiffen eins untergieng. Alle diese Schwierigkeiten konnten nur durch eine directe See-Communication zwischen dem europäischen Russland und den Colonien gehoben werden; und es war nothwendig, dass Schiffe aus der Ostsee um das Vorgebirge der guten Hoffnung oder das Cap Horn nach Kamtschatka und die nordwestlichen Küsten von Amerika geschickt werden mussten, um

jene

..ne für Russland so wichtigen Colonien in blühen-
..m Zustand zu erhalten.

Diese Betrachtungen, verbunden mit dem Wun-
..he, dass Russland, was so vieles in sich vereinigt,
..m eine grosse Seemacht werden zu können, doch
..ch einen unmittelbaren Antheil an dem ausgedehn-
..n Handel nach China und Indien nehmen möchte,
..eranlassten den Verfasser im Jahre 1797 auf einem
..glischen Linienschiff nach dem Vorgebirge der gu-
..n Hoffnung, und von da nach Indien und nach
..ina zu gehen, um die so gefährliche Navigation
.. chinesischen Meeres kennen zu lernen. Wäh-
..d *Krusenstern* in den Jahren 1798 und 1799 in
..nton sich aufhielt, kam ein kleines von einem
..gländer geführtes Fahrzeug von ungefähr hundert
..onnen von der Nordwest-Küste von Amerika in
..nton an, dessen Ladung, die einzig aus Rauch-
..erk bestand, dort für 60000 Piaster verkauft wur-
..e. Dies reizte des Verfassers Aufmerksamkeit, der
..en wichtigen Pelzhandel, den seine Landsleute von
..en nordöstlichen Inseln des östlichen Oceans nach
China führen, kannte, zugleich aber auch wusste,
dass dies nur durch einen langen beschwerlichen
Weg über Ochotz und Kiachta geschieht, und sich
aus dem angeführten Beyspiel überzeugte, wie äusserst vortheilhaft es für die amerikanische Compagnie
seyn musste, wenn das gewonnene Rauchwerk unmittelbar zur See nach Canton gebracht würde.
Krusenstern setzte auf seiner Rückreise von China
ein Memoire über diesen Gegenstand auf, wo er
theils die Vortheile auseinander setzte, auf die Russland Verzicht that, wenn es Ausländer im Besitz sei-

nes

nen Activ-Handels läſst, theils Vorſchläge thut, wie Officiere und Matroſen für Kauffahrteyſchiffe gebildet werden könnten. Lange ſchien es, als würden *Kruſenſterns* Vorſchläge, die er bey ſeiner Rückkunft dem Miniſter der Marine übergeben hatte, unberückſichtigt bleiben, bis bey Antritt des jetzigen Kaiſers der Seeminiſter *Mordwinoff* und der Reichs-Canzler *Romanzoff* ſich dafür intereſſirten, ſo daſs deren Ausführung beſchloſſen, und die Ausführung der Expedition im Julius 1802 *Kruſenſtern* ſelbſt übertragen wurde. Am 7. Auguſt 1802 ward der Verfaſſer zum Befehlshaber der beyden nach der Nordweſtküſte von Amerika abzufertigenden Schiffe, welche noch in demſelben Jahre die Reiſe antreten ſollten, ernannt. Da ſich in Cronſtadt keine zu einer ſolchen Reiſe tauglichen Schiffe fanden, ſo wurden dieſe in England für 17000 Pf. Sterl. gekauft und *Nadeshda* oder die Hoffnung, und *Newa* genannt. Die Reiſe ſelbſt wurde jedoch durch einen zweyten Plan, den die Regierung damit verbinden wollte, noch etwas verzögert. Bekanntlich muſs für Ruſsland und deſſen öſtliche Colonien eine Handelsverbindung mit Japan eben ſo wünſchenswerth als wie mit China ſelbſt ſeyn, und ſchon im Jahre 1792 hatte ſich die Kaiſerin *Katherine* veranlaſst gefunden, eine Geſandtſchaft dahin abzuſchicken, die wider Erwarten gut aufgenommen wurde, und die ſchriftliche Erlaubniſs zurückbrachte, daſs jährlich ein ruſſiſches Schiff zum Handel nach Nangaſaki kommen dürfe. Da jene Geſandtſchaft wenig imponirendes bey ſich führte, auch der Kaiſer von Japan ſich damals dadurch, daſs nicht die Kaiſerin ſelbſt, ſondern nur der Statthalter von Sibe-

Siberien an ihn geschrieben, sehr beleidigt gefuhlt hatte, so glaubte man jetzt bey einer zweyten Gesandtschaft durch mehr Ceremoniel, vielleicht noch bessere Bedingungen zu erhalten, und der oben erwähnte Hr. *von Resanoff* ward bestimmt, mit dieser Expedition als ausserordentlicher Gesandter nach Japan zu gehen. Um die Reise nicht blos in mercantilischer Hinsicht, sondern auch fur Physik, Geographie und Astronomie interessant und nutzlich zu machen, wurden die Schiffe mit einem schönen Apparat von physikalischen und astronomischen Instrumenten ausgerustet, und auf den Vorschlag des Freyherrn *von Zach* Dr. *Horner* als Astronom, und die Herren *Tilesius* und *Langsdorf* als Naturforscher beygegeben.

Erst Anfangs August waren alle Zurüstungen beendigt, so dass nun beyde Schiffe commandirt von *Krusenstern* und dem Capitain-Lieutenant *Lisianskoy* Cronstadt verlassen konnten. Nach einem wegen Umladung und Aufnahme mehrerer Provisionen nothwendigen Aufenthalt von einigen Wochen in Copenhagen, der zugleich auch zu Vergleichung der mitgenommenen drey Chronometer auf der Sternwarte von *Bugge* benutzt wurde, verliess die Expedition diesen Ort, um nach Falmouth zu gehen, wo die Schiffe noch mit einer Quantität irländ. Salzfleisches versorgt werden sollten. Auch wurde dieser Aufenthalt dazu benutzt, den Dr. *Horner* nach London abzusenden, um dort einige noch fehlende Instrumente zu erkaufen. Nicht unerwähnt darf die Sorgfalt bleiben, mit welcher der Commandeur der Expedition fur alles sorgte, was nur irgend Einfluss

auf

auf die Gesundheit und die Erhaltung seiner Mannschaft haben konnte; und unstreitig trug dies sehr wesentlich mit zum glücklichen Erfolge der Expedition bey. Am 5. October 1803 verliefsen die Schiffe die Carreger Rhede; das Wetter war ungemein günstig, das Feuer vom Cap Lizard verschwand bald, und alles schien beym Eintritt im grofsen Ocean eine gute Vorbedeutung für das Gelingen der ganzen Reise abzugeben. Ehe wir in unserm Auszug, der nun auch manche nautische und astronomische Angaben enthalten wird, vorwärts gehen, ist es nothwendig, so wie es der Verfasser sehr zweckmäfsig in einer besondern Vorerinnerung gethan hat, die Zeit- und Mafs-Angaben genau zu bestimmen. Die Zeit-Angaben sind in burgerlicher Zeit von 12 zu 12 Stunden. Alle Längen sind vom Meridian der Greenwicher Sternwarte gezahlt, die Meilen sind nautische, 60 auf einen Grad, und Baro-Thermometer-Angaben sind in englischem Mafs und Reaumur'scher Scale angegeben.

Ein merkwurdiges Meteor, was sich am 10. ... ber Abends gegen 8 Uhr unter 38° 40′ nördl. ... zeigte, verdient einer besondern Erwähnung. ... feurige Kugel, die so hell war, dafs das Schiff ... rend einer halben Minute ganz durch sie erleuchtet ward, entstand in S. W. und bewegte sich lang... in horizontaler Richtung nach N. W., wo sie ... schwand. Dr. *Horner* mit einem Sextanten, ... die Höhe des Meteors uber dem Horizont 15½°. ... he beym Sternbilde des Schutzen bemerkte letzt... ihre Erscheinung, die bey der nördlichen Krone ... schwand. Bis zu 37° 40′ nördl. Br. hatte fris...

Ostwind angehalten, der aber nun verschwand, so dass zum Theil gänzliche Windstillen eintraten. Dr. *Horner* und *Tilesius* benutzten diese, um am 13. Oct. mit der *Hales*'schen Maschine die Wärme des Meerwassers zu untersuchen. Die Temperatur der Luft = + 18°, an der Oberflache des Wassers + 19,°25 und in einer Tiefe von 95 Faden (6 engl. Fuss) + 19°. Den 19. Oct. gieng die Expedition in der Bay von Santa Cruz vor Anker. Fur Seefahrer ist die Bemerkung von Interesse auf dem östlichen Theil der Rhede zu ankern, wo der Grund weniger felsigt ist, und weniger verlohrne Anker liegen. Die Newa, die mehr nach S. W. lag, verlohr hier einen Werf-Anker und zwey Kabeltaue. Die sehr vortheilhafte Lage der *Nadeshda* bezeichnet der Verfasser durch folgende Angaben: Punto de Nago, oder die N. O. Spitze der Rhede, lag N. O. 69°; die S. W. Spitze der Insel, S. W. 36° und die St. Franciscus-Kirche, die durch einen hohen Thurm sehr kenntlich wird, S. W. 51° 30'. Beyde Schiffe wurden von dem Gouverneur Marquis *de la Casa Cahigal* mit vieler Artigkeit aufgenommen, und jede Füglichkeit sogleich eingeräumt. Allein vorzuglich rühmt der Verfasser das gefallige Betragen des Kaufmann *Armstrong* in Santa-Cruz, der den Gesandten in sein Haus aufnahm und uberhaupt gegen die ganze Schiffs-Gesellschaft ausserst gastfrey war. Da das Schiff mit dem gewunschten Wasser, Wein und Fruchten nicht unter funf Tagen versehen werden konnte, so benutzte Hr. *von Resanoff* diese Zeit, um mit den beyden Naturforschern in Orotava und in dessen Nahe einen schonen von dem Marquis *de Na-*

va

va angelegten botanischen Garten und dann den grossen Drachenblutbaum zu besehen, dessen Stamm 10 Fuss uber der Erde 36, und nahe an der Erde 45 Fuss im Umfange hat. Die kurze Beschreibung, die hier von Santa-Cruz gemacht wird, ist nicht vortheilhaft. Allgemeines Elend des Volks, sagt der Verfasser, Sittenlosigkeit des andern Geschlechts im höchsten Grade, und Schaaren von feisten Mönchen, die in den Strassen, sobald es dunkel wird, herumziehen um ihren Sinnen zu frohnen, dies sind die charakteristischen Merkmale von Santa-Cruz, welche den Fremden, der eines solchen Anblicks nicht gewohnt ist, mit Mitleiden und Eckel erfullen. Der Diebstahl war hier allgemein; man glaubte sich auf eine Insel des Sudmeers versetzt und der Commandeur sah sich zuletzt gezwungen, niemand mehr an Bord zu lassen.

Trotz der weit vorgerückten Jahreszeit existirte unter diesem schonen, nur durch Regierungsform und Inquisition verunstalteten Himmelsstrich, ein Ueberfluss an Weintrauben, Pfirsichen, Citronen, Apfelsinen, Melonen, Zwiebeln und Kartoffeln; allein alles war im Verhaltniss eben so wie der Wein, ausserordentlich theuer. Die Pipe Wein, der dem Madeira an Gute nicht gleich kömmt, 90 Piaster; ein Schaaf von 12 bis 14 Pfund, 7 Piaster; ein Huhn, 1 Piaster; ein Fass Wasser, 1 Piaster u. s. w. Wir lassen jetzt alle astronomische Beobachtungen unberücksichtiget, um die Resultate davon am Schluss in einer Uebersicht darzulegen.

Die

Die Temperatur der Luft war nie unter 19,°5, und der Barometerstand, der sehr wenig variirte, 29,z90 — 29,z92.

Den 27. October verliessen die Schiffe den Hafen von Santa-Cruz, und nahmen die westliche Passage von den Inseln des grunen Vorgebirges, da nach der Erfahrung aller Schifffahrer hier immer ein frischer Passatwind weht, wahrend dem östlicher oft Windstillen statt finden. Auch räth der Verfasser gewiss mit gutem Grund überhaupt die Nahe dieser Inseln zu vermeiden, da hier öfters Windstillen herrschen. Schon im Jahre 1797 hatte *Krusenstern* auf dem englischen Kriegsschiff *Raisonable* diese Erfahrung gemacht, und jetzt trat in der Nahe von St. Antonio wieder derselbe Fall ein. Mehrere Versuche, die hier uber die Ursache des Leuchten des Meeres gemacht wurden, bestätigen vollkommen *Peron's* Behauptung, dass diese Erscheinung durch wirklich organische lebende Wesen erzeugt wird.

Windstillen, heftige Windstösse und starke Regengüsse fanden sich wie immer, bey Annaherung am Aequator, auch hier ein, und es ist merkwürdig, dass von der ganzen Schiffsmannschaft, die mit Ausnahme von *Horner*, *Langsdorf*, *Tilesius* und einem französischen Arzt *Laband*, aus lauter Russen bestand, trotz des bestandigen hohen Thermometerstandes von 20° doch keiner erkrankte, noch auch uberhaupt die Hitze sehr lastig fand.

Am 26. Nov. ward nach einer 30tägigen Fahrt von Santa-Cruz aus unter 24° 20′ westl. Lange der Aequator durchschnitten. Auser *Krusenstern* betrat die ganze ubrige Schiffsmannschaft den südlichen

Ocean

Ocean zum erstenmal. So wahrscheinlich auch die Identitat der von *Frezier* gegen *Halley* vertheidigten Insel *Ascensao* mit *Trinidad* ist, so beschloss *Krusenstern* doch, deren Existenz oder Nicht-Existenz noch bestimmter zu constatiren. *La Perouse* hatte diese problematische Insel zwischen 20° 10' — 20° 50' sudl. Br. und bis 7° westl. von Trinidad vergebens aufgesucht, und *Krusenstern*, der die Untersuchung noch um 2½ in der Lange mehr ausdehnte, war ebenfalls nicht glucklicher, so dass es also jetzt sehr wahrscheinlich ist, dass nur irrige Ortsbestimmungen zum Glauben an diese nicht existirende Insel verleitet hat.

Eine Untersuchung uber die wahre Lage des Cap *Frio*, und uber die vor St. Catharina liegenden Inseln *Alvaredo* und *Gal*, lassen wir jetzt unberuhrt, da sich diese Gegenstande dann besser erörtern lassen werden, wenn die davon versprochenen Karten vor uns liegen werden. Den 21. Dec. giengen die Schiffe in St. Catharina vor Anker, und es ward während des dasigen Aufenthaltes auf der Insel *Atomery* eine kleine Sternwarte errichtet, die zur Berichtigung des Ganges der Uhren um so nothwendiger wurde, da alle diesen merklich verandert hatten. Die Nothwendigkeit, ein Paar neue Masten auf der *Newa* machen zu lassen, verlangerte den dasigen Aufenthalt; allein es gelang demohngeachtet dem Verfasser nicht, genaue Nachrichten uber den Zustand dieser Colonie einzuziehen. Nur das glaubte er mit Bestimmtheit behaupten zu konnen, dass diese Besitzung von dem Lissabonner Cabinet sehr mit Unrecht vernachlassiget wird, da die Insel St. Catharina

mit

mit dem daran stoſsenden Bezirke des festen Landes, wegen des gesunden Clima's, fruchtbaren Bodens und der kostbaren Producte, eine vorzügliche Wichtigkeit hat Eine Meerenge von 200 Faden trennt die Insel, welche 25 Meilen lang und 3 — 9 Meilen breit ist, vom festen Lande. Seit *La Perouse's* Aufenthalt auf dieser Insel im Jahre 1785 scheint sich dort nichts wesentlich verändert zu haben. Die Festungswerke waren noch eben so mangelhaft, als *Monneron*, (Ingenieur auf *La Perouse's* Schiffe) sie damals schildert, und der Verfasser glaubt, daſs die Wegnahme dieser Insel durch eine feindliche Macht wenig Schwierigkeiten haben werde. Der Boden der Insel und des angrenzenden festen Landes ist ungemein fruchtbar; allein alle Industrie ist durch das Verbot gelähmt, ihre Producte nach Europa fuhren zu dürfen. Der Preis von Caffe und Zucker war damals für das Pfund 10 Copecken (5 Gr.). Sehr einträglich könnte der Handel mit schönen Holzarten werden; *Krusenstern* sammelte 80 verschiedene Holzarten von vorzuglicher Schönheit und Harte; allein die Exportation dieses Artikels ist ganz verboten. Das Privilegium eines Freyhafens, was der Prinz Regent ertheilt hat, wird durch die Menge von Einschrankungen wieder unnutz. Unstreitig ist dieser Hafen fur alle Schiffe, die um das Cap Horn oder zum Wallfischfang bestimmt sind, der allervortheilhafteste, und dem von Rio Janeiro, wo Fremde besonders auf Kauffahrtey-Schiffen streng bewacht werden, weit vorzuziehen. Wer erinnert sich nicht der Beleidigungen, die selbst ein *Cook* und ein *Banks* dort erfahren muſsten. Auch die Temperatur ist auf

St.

St. Catharina gemäſsigt, da der friſche Seewind die Hitze immer mindert, ſo daſs ſelbſt im Januar das Thermometer nie uber 22° ſtieg. Dazu kömmt noch der dortige Ueberfluſs und die Wohlfeilheit aller Lebensmittel und Fruchte, ſo daſs fur jede Schiffsmannſchaft ein Aufenthalt daſelbſt ſehr wohlthätig iſt.

Nach den Beobachtungen des Dr. *Horner* auf der Inſel *Atomery*, iſt die Ebbe und Fluth ſehr unregelmäſsig und ganz vom Winde abhängig. Die Zeit der hohen Fluth im Voll- und Neumonde 0ʰ 49'. Ganzer ſieben Wochen hatte der Aufenthalt auf St. Catharina gedauert, und es war nun kein Augenblick zu verlieren, um noch vor Eintritt der ganz ungünſtigen Jahreszeit das ſturmiſche Cap Horn zu paſſiren. Den 4. Febr. 1804 verlieſsen beyde Schiffe dieſe Inſel und ſetzten nun ihren Curs in faſt ganz ſüdlicher Richtung fort. Am 23. Febr. in der Nähe der Bay St. George, war das Wetter ſo ſchön und die See ſo ruhig, daſs die Verſuche uber Temperatur des Waſſers wiederholt werden konnten. Die Temperatur der Luft war + 12°, auf der Oberfläche des Waſſers + 10°, und in einer Tiefe von 55 Faden, wo die Maſchine 10 Minuten blieb, 8½°.

Am 25. Febr. wurde in einer Entfernung von 35 — 40 Meilen die ganze Kuſte von Staatenland ſichtbar; der Verfaſſer gieng nicht durch die Straſse *Le Maire* zwiſchen dem Feuerlande und Staaten-Land durch, ſondern umſchiſſte letzteres öſtlich, weil die Strohmungen in jener die Schiſſe oft in die gröſste Gefahr ſetzen. Mit Staaten-Land ſchien ſich Clima und Himmel zu ändern; bis dahin waren die Schiſſe immer von ſchönem und gutem Wetter begünſtigünstiget worden, allein sobald sie in die Breite des Cap Horn kamen, umwölkte sich der Himmel, die Temperatur ward kalt und widrige Sudwest-Winde stellten sich ein. Schon am 26. Febr. hatte sich das Schiff im Meridian von Cap Horn befunden, allein widrige Winde entfernten es nachher wieder davon, so dass astronomische Beobachtungen am 2. März zeigten, dass das Schiff wieder ganz im Meridian vom Cap Juan auf dem Staaten-Land war. Die Breite des Schiffs, war zu dieser Zeit 58° 59′ südl. die westl. Länge 63° 47′, Abweichung der Magnetnadel 24° 32′ östl. die südl. Inclination 73° 15′.

Ein günstiger Nordostwind beschleunigte nun den Gang der Schiffe, so dass am 3. März das Cap Horn nach einem Zeitraum von 4 Wochen von St. Catherina aus glücklich umschifft wurde. Merkwürdig war der äusserst niedrige Barometerstand in diesen Breiten, der immer um 6 Linien niedriger als vorher und kurz nachher war, als die Schiffe sich von dem Feuerlande entfernt hatten. Während der Umschiffung des Feuerlandes wurden beyde Schiffe getrennt, und vereinigten sich nicht eher wieder, als in dem von *Krusenstern* dazu bestimmten Port Anna Maria auf Nukahiwa. Der Gang der Chronometer schien während dieser stürmischen Umschiffung wesentlich gelitten zu haben, indem deren Resultate von denen durch Monds-Distanzen erhaltenen wesentlich abwichen; ein Umstand, der bey den doppelten Temperatur-Aenderungen nicht anders zu erwarten war.

Da die *Nadeshda* einen doppelten Zweck zu erfüllen hatte, so kam es jetzt darauf an, zu bestim-

men, welcher der wichtigste sey, um darnach de
fernern Lauf des Schiffes anzuordnen. Einmal müß-
te der Gesandte nach Japan geführt werden, um d
dortigen Geschäfte zu besorgen, und dann war es d
Hauptzweck der ganzen Expedition, eine kostba
für Rechnung der amerikanischen Compagnie ein
nommene Ladung bald-möglichst nach Kamtschat
zu bringen, um dem dortigen Gewerbe und Hand
eine erhöhte Thätigkeit und Leben zu geben. D
April war beym Eintritt in den stillen Ocean einget
ten, und wäre also die Expedition zuerst nach Jap
gegangen, so konnte, da die dortigen Gesandtschaf
Geschäfte mehrere Monate erforderten, Kamtschatk
erst im Frühling 1805 erreicht werden. Allein bis
dahin wurde ein grosser Theil der dahin bestimmte
Waaren verdorben seyn, wodurch denn ein wesentlicher Theil des bey der Expedition beabsichtigten
Zwecks unerfüllt geblieben wäre. Diese Gründe bestimmten den Verfasser, seine Richtung unmittelbar
nach Kamtschatka zu nehmen, ohne sich selbst die
Erfüllung seines Lieblingswunsches auf Entdeckungen in der Süd-See auszugehen, zu erlauben. Die
Richtung wurde daher nun zunächst auf die Wa-
shingtons-Insel genommen, um dort frische Lebensmittel einzunehmen. Ungemein schönes Wetter erlaubte während sechs auf einander folgenden Tagen
Monds-Distanzen zu nehmen, die vorzüglich dadurch wichtig wurden, weil sie genau den Fehler
des Chronometers bestimmten, der nachher zur Längenbestimmung jener Insel-Gruppe benutzt wurde.
Anfangs May kam das Schiff in die Nähe von Nukahiwa und Uahuga, den sogenannten Washingtons-

Inseln

Inseln; die Nachrichten hierüber sind bey den sparsamen Notizen, die wir bis jetzt darüber erhielten, sehr interessant, und vorzüglich wünschen wir, dass der Atlas eine detaillirte Karte davon enthalten möge, um endlich einmal mit den Namen und der Geographie dieser Insel-Gruppe aufs Reine zu kommen, was jetzt bey weitem nicht der Fall ist, indem durch die unselige Gewohnheit mancher Seefahrer, schon früher entdeckten Inseln immer wieder neue Namen zu geben, die gröfste Verwirrung entsteht. Dies gilt hauptsächlich auch von dieser Insel-Gruppe, deren erster Entdecker unstreitig *Men. Janna* im Jahre 1595 war, und die nachher später von den sie besuchenden Seefahrern, *Wilson*, *Marchand*, *Ingraham*, *Hergest* und *Roberts* jedesmal umgetauft wurden. Das Schiff gieng hier im Port *Anna Maria* vor Anker, und sehr angenehm war es für den Verfasser, hier einen Engländer, Namens *Roberts* zu finden, der schon seit sieben Jahren die Insel bewohnte, und einen vortrefflichen Dolmetscher bey den Unterhandlungen mit den Eingebohrnen abgeben konnte. Dieser *Roberts* war von den Matrosen eines englischen Kauffahrtey-Schiffes, die sich gegen ihren Capitain empört hatten, auf die Insel Santa Christiana, weil er an der Empörung nicht Antheil genommen hatte, ausgesetzt worden. Dort hatte er zwey Jahre gelebt, und war dann nach Nukahiwa gekommen, wo er eine Verwandtin des Königs geheyrathet hatte und nach seiner Behauptung auf der ganzen Insel in grossem Ansehen stehe. Merkwürdig ist es, dass auch hier auf dieser isolirten Insel, die durch den halben Erdkreis von Europa ge-

 trennt

ist, sich der unglückliche Nationalhafs zweyer rivalisirenden Nationen äussert. Auch ein Franzose lebte auf dieser Insel; allein statt dass die beyden cultivirten Europäer sich hatten vereinigen sollen, trennte sie wüthender Hafs, der immer gegenseitigen Untergang suchte, und alle Bemühungen *Krusensterns*, sie mit einander auszusöhnen, waren vergebens.

Das Schiff wurde bald von mehrern Insulanern umringt, welche Cocosnüsse, Brodtfrucht und Bananen zum Verkaufe brachten; man sah es beym Tausch, dass nur wenig Schiffe dort gelandet hatten, indem das Eisen dort in hohem Werthe stand, so dass sie selbst über kleine Stücken von eisernen Reifen, die lebhafteste Freude bezeigten. Nach *Roberts* Versicherung waren seit sieben Jahren nur zwey kleine amerikanische Schiffe dort gelandet. Freilich scheint auch die Insel wegen ihres fast gänzlichen Mangels an animalischer Provision gerade nicht besonders zu einem Aufenthalt für Schiffe geeignet zu seyn.

Der König der Insel, *Tapega Kettenowee*, der mit seinem Gefolge das Schiff besuchte, war ein starker wohlgebildeter Mann von 40 bis 45 Jahren. Sein ganzer sehr dunkel gefärbter Körper war tatuirt, und er zeichnete sich in seiner Kleidung im mindesten nicht von seinen Unterthanen aus; auch war, wie der Verfasser späterhin erfuhr, seine Macht auf der Insel ungemein beschränkt. Wie fast auf allen Inseln der Süd-See, so war auch hier das weibliche Geschlecht mit seinen Gunstbezeigungen äusserst freygebig; doch schien weniger Sinnlichkeit als Eigennutz der

er Grund ihrer Handlung zu seyn. Bey einem Be-
ach, den der Verfasser nebst dem grössten Theil sei-
er Officiere bey dem König machte, war die Auf-
ahme äusserst freundschaftlich. Die Tochter des
Königs und seine Schwiegertochter, waren beyde
vohl gebildet und nicht durch Tatuiren entstellt;
ur der halbe Arm und die Hand waren gelb und
chwarz tatuirt. Ein anderes Gebäude war beson-
ers zu Mahlzeiten bestimmt, die denn freilich nur
ı Cocosnussen und Bananen bestanden. Auch bey
üllung der Wasserfasser bewiesen sich die Insulaner
ısserst dienstfertig, und leisteten bey Durchbrin-
ung desselben durch die starke Brandung sehr we-
ntliche Dienste, so dass es schien, als werde das
eundschaftliche Verhältniss mit den Insulanern im-
er mehr befestiget werden, als auf einmal ein un-
ückliches Missverstandniss beynahe blutige Auftritte
erbey geführt hatte. Es hatte sich nämlich wäh-
nd einem Aufenthalt des Königs auf dem Schiffe
e Nachricht verbreitet, als habe man ihn in Fes-
ln gelegt, was denn alles in Aufruhr setzte; doch
örte dieser sogleich auf, als ersterer unbeschädigt
ıf die Insel zurück kam.

Der Ort, wo die Schiffe jetzt vor Anker lagen,
ess in der dortigen Landessprache Bay Tayo Hoae,
lein bey einer weitern Untersuchung der Insel zeig-
sich drey Meilen davon ein weit vortheilhaft ge-
gener Hafen, der von dem Verfasser, dem damali-
en Seeminister zu Ehren, *Port Tschitschagoff* ge-
annt wurde, und in dem Thal Schegua liegt. Die-
r Hafen, der eben so geräumig als sicher war, lag
ı einer schönen ausgedehnten Rasen-Ebene, durch

die

die sich ein ziemlich starker Bach ins Meer ergoss. Auch war dieser Platz noch weit reicher an Vegetabilien, als die Bay Tayo-Hoae. Noch schien kein europäisches Schiff bey diesen Wilden, die mehr Cultur als die andern verriethen, gelandet zu seyn, denn alles zeigte von grosser Freude und Verwunderung über die Ankunft der Fremdlinge.

In einem besondern Abschnitt liefert der Verfasser eine geographische Beschreibung der Washington-Inseln, von der wir hier noch einiges ausheben. Die Geschichte ihrer ersten Entdeckung und ihrer vielfachen Benennungen übergehen wir, da das Wesentliche davon schon früher in dieser Zeitschrift (*Mon. Corresp.* B. I. S. 568) beygebracht worden ist. Unter der Benennung *Washington-Inseln*, die jener Insel-Gruppe wahrscheinlich zuerst von *Roberts* im Jahre 1793 beygelegt wurde, versteht der Verfasser folgende acht Inseln, die nordwestlich von den Mendoza-Inseln liegen: *Nukahiwa, Uahuga, Uapoa, Resolution Island*,*) *Mottuaity*,**) *Hiau, Fat tuuhu.* Die geographische Lage dieser Inseln nach *Krusensterns* und *Hergest's* Beobachtungen ist folgende:

Name

*) *Krusenstern* konnte nicht erfahren, wie die Eingebohrnen diese Insel nennen. Obige Benennung wurde ihr von *Roberts* gegeben.

**) Sind zwey kleine unbewohnte Inseln. Ueberhaupt herrscht in der Benennung dieser Inseln, wie wir schon oben bemerkten, die grösste Diversität, und es ist sehr wünschenswerth, dass man künftig die hier gegebenen ursprünglichen Benennungen jener Inseln beybehalten möge.

Name der Inseln	Südl. Breite			Westl. Länge von Greenwich		
Nukahiwa						
Südost Sp. . . .	8°	57′	0″	139°	32′	30″
Süd. Sp.	8	58	40	139	44	30
Nordw. Sp. . . .	8	53	30	139	49	0
Uahuga, West Sp. . .	8	58	15	139	13	0
Uapoa	9	21	30	139	39	0
Resolution Island . . .	9	29	30			
Mottuaity	8	37	30	140	20	0
Hiau	7	59	0	140	13	0
Fatt uuhu	7	50	0	140	6	0

Nukahiwa ist die grösste dieser Inseln, und nur diese nebst Uahuga und Uapoa sind bewohnt. Der grosse Mangel an animalischer Provision macht es für Seefahrer nicht rathsam, weder diese noch die Mendoza-Inseln zu berühren. Uebrigens rührt die Unmöglichkeit, dort eine hinlängliche Anzahl von Schweinen zu erhalten, weniger von wirklichem Mangel als vielmehr davon her, weil bey den Festlichkeiten dieser Völker allemal ein grosser Aufwand von Schweinefleisch gemacht wird. *Krusenstern* glaubt daher, dass es für Schiffe, die um das Cap Horn nach Kamtschatka gehen, am vortheilhaftesten sey, gerade nach den Gesellschafts-Inseln, *Bougainville's Isles des Navigateurs*, oder den Freundschafts-Inseln zu segeln, wo überall, wenigstens auf 6 bis 8 Wochen frische Lebensmittel erhalten werden können. Die südl. Küste von Nukahiwa, die von *Krusenstern* untersucht wurde, besteht ganz aus hohen abgerissenen Felsen, die gegen das Ufer einen steilen Abhang haben, und von dem sich die schönsten Cascaden herabstürzen. Eine der schönsten befand sich an der Süd-Spitze, wo sich das Wasser in ein mehrere

rere Faden breites Bette von einem vielleicht 3000 Fuss hohen Berge herabstürzte. Der ganze innere Theil der Insel besteht meistens aus hohen nackten Bergen und nur nordwärts von der Südspitze ist die Küste niedriger und ebener. In drey Hafen an der Südseite, der Home-Bay, (nach *Hergest* Comptrollers-Bay) dem Port Anna Maria und dem Port Tschitschagoff, können Schiffe mit vollkommener Sicherheit liegen.

Das Clima der Washington- und Mendoza-Inseln scheint durchgangig sehr heiss zu seyn. *Marchand* giebt im Port Madre de Dios auf der Insel Santa Christiana im Junius den Thermometer-Stand auf + 27° an. Während *Krusensterns* Aufenthalt in Port Anna Maria war die Temperatur + 23—25°. Demohngeachtet soll das Clima sehr gesund seyn und das Ansehen der Einwohner zeugte dafur. Die Beschreibung, die der Verfasser im neunten Capitel von den Bewohnern Nukahiwa's giebt, ist eben so neu als interessant, und wir glauben dass es unsern Lesern angenehm seyn werde, die Hauptumrisse davon hier zu erhalten. Die Bewohner dieser Inseln zeichnen sich durch grosse körperliche Schönheit aus und es gilt dies hier nicht blos wie auf einigen andern Inseln der Sud-See nur von den Ehris oder den Vornehmern, sondern sie ist der ganzen Menschen-Race eigenthümlich. Bis jetzt scheinen bey diesen Völkern die verheerenden Seuchen des syphilitischen und Blattern Giftes noch ganz unbekannt zu seyn. Leider steht aber, wie uns *Krusenstern* belehrt, diese körperliche Schönheit mit der ihres Charakters keinesweges in gleichem Verhältniss. Ihre naturliche Farbe ist hell, wird aber durch das Ta-

tuiren

tuiren und Einreiben mit einer dunkeln Farbe beynah schwärzlich. Vorzüglich zeichneten sich auf Nukahiwa zwey Menschen wegen ihrer besondern körperlichen Schönheit aus; der eine Mau-ha-u ein grosser Krieger in Tayo-Hoae, und der andere Bauting, König im Thale Schegua. Der Kopf der Weiber ist meistentheils sehr wohlgebildet; allein ihre Gestalt, die weder Haltung noch Grazie hat, ist nichts weniger als schön.

Zu einer seltnen Vollkommenheit hat es diese Nation in der Kunst des Tatuirens gebracht, die hier wahre Malerey ist. Der ganze Körper, ja selbst Gesicht, Augen, und ein Theil des Kopfes werden tatuirt. Doch scheint dies ein Vorzug der Vornehmern zu seyn, indem die geringere Classe wenig und zum Theil gar nicht tatuirt waren. Die Kunst des Tatuirens wird besonders von einigen Personen ausgeubt; einer davon hatte seinen Wohnsitz auf dem Schiffe aufgeschlagen, wo er hinlänglich zu thun hatte, indem sich fast die ganze Schiffsmannschaft von ihm tatuiren liess.

Einen kleinen Gürtel von grobem Zeug aus Maulbeer-Rinde ausgenommen, den sie um die Hutten binden, gehen sie ganz nackt, und viele tragen nicht einmal diesen Gurtel. Zierrathen sind ihnen nicht unbekannt, und vorzuglich gehören dahin Schweinszähne und rothe Bohnen, mit denen sie ihren Bart schmücken. Auch tragen sie eigenthumliche sonderbar verzierte Arten von Kopfputz, Ohrenringe, Ringkragen u. s. w. Ihr Haar ist wolligt und kraus, doch nicht ganz so, wie bey den afrikanischen Negern. Etwas anständiger war der Anzug der Weiber,

ber; doch wurde alle Kleidung weggeworfen, so bald sie an Bord des Schiffes schwammen.

Ihre Häuser sind zwar einfach, aber doch mit einer gewissen Sorgfalt erbaut. Sie werden aus Bambusrohr und aus dem Stamme eines Baumes, welcher in der dortigen Sprache *Fau* heisst, aufgeführt. Die Vornehmsten der Nation haben in kleiner Entfernung von ihrem Wohnhause noch ein anderes Gebäude, was ihnen blos als Speisesaal dient. In solchen Salen versammelt sich dann immer eine bestimmte geschlossene Gesellschaft, die sich durch ein eigenthümliches Zeichen des Tatuirens unterscheidet. So gehörten z. B. zu der Gesellschaft des Königs 26 Personen, die auf der Brust ein Viereck, 6 Zoll lang und 4 Zoll breit trugen. Zu dieser Gesellschaft gehörte der Engländer *Roberts*. Dagegen hatten die Mitgenossen des Franzosen, *Joseph de Cabri* ein tatuirtes Auge. Das weibliche Geschlecht nimmt nie Theil an den Mahlzeiten in diesen Clubs und darf nicht einmal das Haus berühren. Ihre Mahlzeiten selbst sind äusserst einfach und bestehen hauptsächlich aus Fischen, Yams, Brodfrucht, Taro, Bananen und Zuckerrohr. Fische werden nur in Salzwasser getaucht und roh gegessen. Da die Natur ihnen fast alle ihre Bedürfnisse ohne Arbeit darbietet, auch Luxus noch keine unnöthigen Bedürfnisse bey ihnen eingeführt hat, so hat auch Ackerbau und Industrie nur wenig Fortschritte bey ihnen gemacht, und Müssiggang und Faulheit scheint ein sehr herrschender Fehler der Männer zu seyn. Verfertigung von Putz und Zeug zu ihrer Bekleidung, nebst häuslichen Verrichtungen, beschäftigen die Weiber etwas mehr.

Die

Die Regierungsform ist sehr wenig monarchisch, denn des Königs Befehle werden fast nie befolgt. Im Kriege nimmt der Stärkste und Muthigste den obersten Platz ein. Bey diesem Mangel an befehlender Gewalt ist auf der ganzen Insel an eigentliche Gerechtigkeits - Verwaltung gar nicht zu denken; nichts gilt als Verbrechen und wird als solches bestraft; nur Todtschlag wird von den Verwandten durch Wiedervergeltung gerächt. Ehebruch soll blos in der königlichen Familie als Verbrechen angesehen werden. Dass diese Insulaner Cannibalen sind, leidet gar keinen Zweifel, und was das ärgste, so werden nicht allein ihre Feinde von ihnen aufgezehrt, sondern in Zeiten von manchmal eintretender Hungersnoth erschlägt der Mann Weib, Kind und abgelebte Eltern, um sich damit zu sättigen.

Ein eigenthümliches Amt, dessen Existenz jene Nation merkwürdig charakterisirt, ist das des Feuer-Anmachers des Königs, was hauptsächlich darinnen besteht, bey der Gemahlin des Königs in dessen Abwesenheit *ganz* seine Stelle zu vertreten.

Für den cultivirten Menschen ist es empörend, dass dort oft Kriege mit den benachbarten Nationen nur in der Absicht geführt worden, um sich Menschenfleisch als einen Leckerbissen zu verschaffen. Auch bestehen jene Kriege meistentheils nur in heimlichen Ueberfällen und Morden. Der Franzose *Cabri* rühmte sich einer grossen Fertigkeit in dieser Art von Krieg, doch liess ihm selbst sein Feind, der Engländer, die Gerechtigkeit wiederfahren, dass er die Erschlagenen nicht selbst verzehre, sondern gegen Schweine an die Eingebohrnen vertausche!

(Die Fortsetzung folgt im nächsten Heft.)

XXXVI.

Beyträge zur Staatskunde von Ungarn.

Über Ungarns Volksmenge.

Erst durch die Josephinische Volkszählung erfuhr man die Zahl der Einwohner in Ungarn. Die Josephinische Volkszählung geschah durch Militär-Officiere. Anfangs widersetzten sich ihr sehr viele Ungarn, besonders Edelleute, weil sie eine Kopfsteuer befürchteten. Doch endlich wurden alle genöthigt, sich ihr zu unterwerfen. Die erste Conscription wurde im Jahr 1785 beendigt. Allein sie hatte noch sehr viele Lucken, weil viele Aeltern ihre erwachsenen Söhne nicht anzeigten, sondern verheimlichten, damit sie nicht zu Militärdiensten gezwungen würden. Die zweyte Conscription wurde im folgenden Jahre schon mit mehr Vorsicht vollzogen, und jene Furcht hatte sich schon einigermassen wieder verloren. Deswegen uberstieg die in der zweyten Conscription gefundene Menschenmenge (7044462) die erste (7008574) um 35888. Indessen hatten sich doch auch diesmal noch sehr viele der Conscription entzogen; denn in der dritten Conscription, in der die gefundene Menschenmenge 7,116,789 betrug, fanden sich in Vergleich mit der ersten 108,215 mehr. Allein bey dieser letzten Josephinischen Conscription waren auch die Officiere sehr strenge; sie nöthigten

zum

Zeugniſs, auſser den Nachbarn jedes Hauſes, den Richtern und den Geſchwornen, noch die Pfarrer und Dorfſchulmeiſter. Wenn auf Angabe eines Zeugen die Väter ihre Söhne verheimlicht hatten, wurden ſie ſo lange im Kerker behalten, bis der Sohn erſchien. In der durch die Joſephiniſchen Conſcriptionen gefundenen Menſchenzahl ſind die Einwohner der Militär-Grenzen, oder die ſogenannten Graniser, die ſchon im Jahre 1776 nach einer gewiſſen Angabe 340000 betrugen, und die andern ungariſchen Soldaten nicht mitbegriffen.

Auch vor *Joſeph II.* waren in Ungarn ſchon Volszählungen gewohnlich, z.B. unter der Konigin *Maria Thereſia;* allein ſie waren äuſserſt fehlerhaft, und zwar vorzuglich aus folgenden Urſachen:

1) Ein Comitat wollte vor dem andern nicht volkreicher erſcheinen, damit man ihm nicht auf dem Reichstag eine gröſsere Contribution auflegen möchte. Daſſelbe thaten aus der nämlichen Urſache die königlichen Freyſtadte. Daher differirten die Comitate und königlichen Freyſtädte in ihren Angaben der Volksmenge bey verſchiedenen Conſcriptionen faſt gar nicht.

2) Bey den Angaben der Volksmenge war Rückſicht der Religionen im Spiele. Den Katholiken war die groſse Anzahl der Proteſtanten und der nicht unirten Griechen unangenehm. Zwar konnten ſie bey der Conſcription ſelbſt die Zahl der Katholiken nicht vergröſsern und die der Proteſtanten und der nicht unirten Griechen niht verringern, weil der Magiſtrat zur Conſcription eine gemiſchte Deputation zu beordern pflegte; allein nach vollendeter

Con-

Conscription verminderten die katholischen
rien auf Bitten der Clerisey die Zahl der Protest
und der nicht unirten Griechen. Die unirten
chen wurden gewöhnlich zu den Katholik
zahlt, was auch jetzt noch geschieht.

3) Weil sich viele den Conscriptionen ent
um dem Militärdienste zu entgehen.

Nach der Josephinischen Conscriptions
von 1787 betrug die Total-Summe der Ad
männlichen Geschlechts in Ungarn 165301 (
1785 blos 162947, und im Jahr 1786: 16249
gesammten Clerisey 13265 (nach neuern
Daten 15192), der Burger und Handwerker
(in der Conscriptions-Tabelle von 1786 sind
in den Stadten und Professionisten auf dem
angegeben 83811), der Bauern 509823, der Hä
und Tagelöhner 793270, anderer Arbeiter 518
Zu Kriegsdiensten wurden im Jahre 1785 taugl
gefunden 183995, und in einer besondern Tabe
wurden als Nachwuchs Junglinge von 13 bis 17 Ja
ren bemerkt 267101.

Nach der lezten Josephinischen Conscription
kommen in Ungarn auf eine Quadratmeile (4500
Quadratmeilen nach den Josephinischen Ausmessun-
gen für Ungarn gerechnet) 1600 Menschen. Es leidet keinen Zweifel, dass Ungarn sehr leicht zur
zweyfachen Population, so wie zur dreyfachen Pro-
creation erhoben werden könnte, wenn die vielen
wüsten Plätze cultivirt wurden und die Industrie
mehr belebt würde, als bisher der Fall war.

Die neueste Conscription in Ungarn hatte in dem
Jahre 1804 statt. Allein blos die Unadelichen wurden

gezählt und conſcribirt. In dieſer Conſcription en in Ungarn und den angrenzenden Provin- Diſtricten von Croatien und Slavonien ge- *) Städte 51, Märkte 691, Dörfer 11068, Prä- 257½, Häuſer in allen zuſammen 1076529, e von 1446563 unadelichen Familien bewohnt . Unter den Einwohnern männlichen Ge- ts befanden ſich, nach ihrem Stande: Beamte Honoratioren 12066, Burger und Profeſſioni- 422, Diener des Adels 110085, Bauern 643215, er und Innleute 783364, Hauswirths - Söhne 74. Hierzu die Weiber insgemein 3796394; ch zuſammen 7555920 Perſonen von jedem Ge- hte, Religion und Alter. In Bezug auf das e ſind darunter begriffen: Perſonen männlichen hlechts chriſtlicher Religion von 1 bis 17 Jah- 1699149, von 17 bis 40 Jahren Verheyrathete 170, von dieſem Alter Ledige und Witwer 190453, n einem Alter über 40 Jahre 772106. Nach Ver- hiedenheit der Religion wurden darunter gezählt: ännliche Individuen, die ſich zur katholiſchen Kir- he bekennen 2232916, zur Augsburger Confeſſion 12388, zur Helvetiſchen Confeſſion 501245, zur riechiſchen nicht unirten Kirche 558069; Juden n 1 bis 17 Jahren 32144, von 17 bis 40 Jahren Ver- yrathete 15461, von 17 bis 40 Jahren Ledige oder itwer 5567, Juden von mehr als 40 Jahren 10706. ngeborne, aber von ihrem Conſcriptions - Orte ab- eſende Perſonen zählte man: von denen, die ſich im

*) Vaterländiſche Blätter für den öſterreichiſchen Kaiſer- Staat 1808. Nro. 41.

im Königreiche selbst einen andern Aufenthalt wählten 101620, ausser dem Königreich abwesende 5109, unwissend wo befindliche 13048. Endlich wurden noch an verheyratheten Capitulanten verabschiedet 6154, an Ledigen 3611. An Vorgemerkten, nicht in Rubrik des Alters von 17 bis 50 Jahren begriffenen zahlte man 885740, dann an behausten Fremden 1294, und an in Ungarn sich zeitlich aufhaltenden 17562. Bey Gegeneinanderstellung der in dem Jahre 1804 gefundenen Volkszahl von 7555920 unadelichen Individuen, mit derselben conscribirte Bevölkerung im Jahre 1787 von 6935376 ergibt sich im Ganzen ein Zuwachs an Bevolkerung von 620544 Individuen. Setzt man zu dieser Summe der Unadelichen noch die Zahl der Adelichen, die im Jahr 1787 betrug 165301, und die Zahl der Geistlichen, die damals 13265 Personen stark war, hinzu: so enthalt Ungarn gegenwartig: 7,734486 Seelen. (In den vaterländischen Blättern 1808 Seite 319 sind nur 7,732143 angenommen.)

Die Conscriptions-Tabellen werden gewöhnlich aus After-Politik geheim gehalten, damit die innern Krafte des Staats Auslandern nicht bekannt wurden. Dies geschah auch einige Zeit in Ungarn, und General-Tabellen von der Josephinischen Conscription waren mehrere Jahre hindurch sehr schwer zu erhalten. Doch kamen einige davon ins Ausland, z. B. in die Hande des verdienstvollen, der gelehrten Welt im Jahre 1809 leider durch den Tod entrissenen Statistikers, *August Ludwig von Schlözer* in Göttingen, der eine solche Conscriptions-Tabelle auch dem Einsender dieses Aufsatzes mittheilte.

Dass

Dass in den langwierigen und für den österreichischen Kaiserstaat so nachtheiligen Kriegen mit Frankreich die Volksmenge in Ungarn wegen der vielen in den Gefechten und Schlachten umgekommenen Landskinder, und wegen der grossen durch die Menge des Papiergeldes und einige Missjahre entstandenen enormen Theurung, auch wegen der Erschwerung der Ehen durch die vielen Rekrutenstellungen, nicht sehr wachsen konnte, ist leicht einzusehen. Es wäre kein Wunder, wenn sich die Volksmenge seit der lezten Josephinischen Zählung vermindert hätte. Dass dies nicht geschah, hat man der Fruchtbarkeit des gesegneten ungarischen Bodens zu verdanken.

Die Ehen der Magyaren oder National-Ungarn und der Nachkommen der alten Deutschen in Ungarn, z. B. in der Zipser Gespannschaft, sind im Durchschnitt wenig fruchtbar. Die Ehen der Deutschen in Deutschland sind viel fruchtbarer als die ihrer Landsleute in Ungarn. Nur die schwäbischen Colonisten in Ungarn zeichnen sich durch Fruchtbarkeit aus. Am fruchtbarsten sind in Ungarn die Slawen, zu welchen auch die Raitzen oder Serbier gehören, die Walachen, Neu-Griechen und Juden.

Professor *Schwartner* theilt in seiner Statistik von Ungarn Listen von Gebornen, Gestorbenen und Copulirten in verschiedenen Städten und Marktflecken mit, und fordert auf, mehrere ungarische Geburts- Sterbe- und Heyraths-Listen öffentlich bekannt zu machen, was ein andermal geschehen soll.

In einigen Stadten und Marktflecken Ungarns ist eine auffallend grosse Mortalität. Dies gilt na-

 mentlich von Schemnitz, Debreczin und Werschetz. Die grosse Mortalität in der königl. Berg- und Freystadt Schemnitz ist aus folgenden Ursachen abzuleiten: 1) von der ungesunden Luft in den Bergwerken und von den schadlichen Dämpfen in den Schmelzhutten. Daher sehen so viele Schemnitzer Bergleute so blassgelb aus, wie Leichen. 2) Von der Unmässigkeit der Bergleute, vorzüglich im Wein- und Branntweintrinken; der Wein, der aus den benachbarten Gespannschaften in grossen Quantitäten nach Schemnitz gefuhrt wird, ist sehr wohlfeil. In manchem Jahre hat man in Schemnitz ein Fass Wein fur 2 Gulden, und ein halbes Mass für drey Kreuzer kaufen können. Dieser Wein aber, der in Schemnitz verkauft wird, ist, in grössern Quantitäten genossen, der Gesundheit sehr nachtheilig, weil er sehr kalkicht ist, und leicht die Schwindsucht erzeugt. Die grosse Mortalität in der königl. Freystadt Debreczin, in der Biharer Gespannschaft, ist aus folgenden Ursachen abzuleiten: 1) In der grossen Stadt Debreczin sterben viele Fremde, besonders während der so stark besuchten Jahrmärkte oder Messen, die viermal im Jahr gehalten werden. 2) Von der unvorsichtigen Lebensart. Die Debrecziner führen in ihrem warmen Clima ein nicht mässiges Leben. Sie essen viel fettes Fleisch, und lieben spirituöse Getränke, Wein und Pflaumen-Branntwein (Sliwowitz). Daher sind bey ihnen so häufig hitzige und Nervenfieber und Leberkrankheiten. In Werschetz sterben viele Deutsche durch den Genuss des dasigen schlechten Weins, der sich nicht uber ein Jahr hält, ohne sauer zu werden.

Die

Die meisten Menschen starben in Ungarn bis auf unsere Zeit an den Blattern oder Pocken. Was für kühne Hoffnungen darf aber jetzt der Statistiker, Patriot und Philanthrop in Ansehung der steigenden Volksmenge fassen, da in Ungarn seit einigen Jahren die Kuhpocken-Impfung mit so vielem Enthusiasmus und mit glücklichem Erfolge eingeführt wird. Der Menschenblattern-Impfung waren die Ungarn sehr abgeneigt.

Ungarns Bevölkerung ist in Hinsicht auf das große Territorium sehr mittelmäſsig. Indessen ist Ungarn doch schon so, wie es ist (abgesehen von dem, was es werden könnte,) für das österreichische Kaiserhaus das wichtigste Land, und die *vorzüglichste* Stütze seiner Macht, mithin werth, von demselben begünstigt zu werden, damit es zu einem gröſsern Wohlstand, dessen es fähig ist, gelange, und zur Erhöhung der Macht des österreichischen Kaiserstaates noch mehr beytrage. Es gibt aber doch auch schon jetzt in Ungarn z. B. um Wieselburg oder Mosony herum, Gegenden, wo auf einer Quadratmeile 3000 Menschen Nahrung finden. Und in der Zipser Gespannschaft, die von Städtchen, Flecken und Dörfern wimmelt und wo die Industrie blüht, sind einige Gegenden, z. B. die nahe bey einander liegenden Städte Käsmark, Laibicz, Menhardsdorf, Durlsdorf, Bela und die benachbarten Dörfer Nehre, Rokusz u. s. w., und die Peripherie um Igló und Leutschau mit den zahlreichen, nahe aneinander liegenden Dörfern, so wie auch die so nahe bey einander gelegenen Städtchen Georgenberg, Deutschendorf (oder Poprad), Matzdorf, Mi-

 chels-

chelsdorf und Fölk, noch viel volkreicher, und lassen sich in Hinsicht auf Volksmenge mit der ehemaligen österreichischen Lombardie in Italien, und mit dem Kuhländchen in Mähren vergleichen.

Der vielfache Menschenwerth ist leider in Ungarn vielen noch nicht einleuchtend, wie *Schwartner* in seiner Statistik von Ungarn richtig bemerkt. Die ungarischen Gutsbesitzer irren gewaltig, wenn sie einem in Ungarn gewöhnlichen Vorurtheil gemäss glauben, dass ihnen ihre Pussten nicht so viel als jetzt einbringen würden, wenn sie angebaut und mit Menschen besetzt würden. Auch nachher könnte eben so viel, ja noch mehr Vieh auf denselben gezogen werden, wenn auf denselben Futterkräuter angebaut würden; und die Bauern würden nicht nur ihren Gutsherrn Nutzen schaffen, sondern durch Contributions-Abgaben und Vermehrung der Volksmacht für das ganze Vaterland erspriesslich seyn. Der König gieng auf den Kameralgütern bereits mit einem schönen Beyspiele vor; allein er fand unter den ungarischen Gutsbesitzern wenig Nachahmer. Ja seinen weisen Absichten handelten sogar manche Inspectoren der königl. Kameralgüter zuwider, die, durch Geschenke bestochen, königliche Pussten reichen Arendatoren, vorzüglich Armeniern und Juden arendirten, oder mit ihnen in Ansehung der Administration und des Nutzens ein Bündniss schlossen. Unter der *Maria Theresia* und *Josephs II.* Regierung, wurden viele tausend schwäbische und pfälzische Colonisten auf königl. Cameralgütern angesiedelt, aber mit geringem Vortheil für das Reich und für den König. Die Colonisten waren grösstentheils

Tauge-

Taugenichtse, welche die Feldarbeiten entweder gar nicht verstanden, oder sie nicht auf die Art trieben, wie es der Boden und das Clima in Ungarn verlangen. Man musste sie daher in die fruchtbarsten Gegenden verpflanzen, und auch da ging es ihnen noch schlecht und sie waren unzufrieden. Eine ähnliche Bewandtniss hatte es mit den deutschen Colonisten in Russland unter der Kaiserin *Katharina II.* Man fehlte in Ungarn unstreitig dadurch, dass man den deutschen Colonisten ganze Bauerngüter gab. Man hätte ihnen nur halbe, oder auch nur Achtel geben sollen, um sie zu desto grösserm Fleisse anzuspornen. Nur den arbeitsamen hatte man mehr Land geben sollen. Auch hätte man sie nicht auf zehn, sondern nur auf fünf Jahre von der Contribution befreyen sollen, um sie nicht in der Faulheit zu bestärken.

Ungarns Bevölkerung würde viel mehr steigen, wenn die vielen Seen, Moräste und Sümpfe abgezapft und ausgetrocknet, die wüsten Sandheiden urbar gemacht, die überflüssigen Weiden in Aecker verwandelt und unter die Bürger und Bauern vertheilt; die Landwirthschaft und der Kunstfleis mehr befördert und den Ungarn freye Ausfuhr der Natur- und Kunstproducte ertheilt würde; wenn die Religions-Freyheiten immer ganz unangetastet blieben; wenn Ungarn nicht häufig in Kriege verwickelt würde, sondern eine lange Reihe von Jahren hindurch in dem Genuss des Friedens bliebe.

Ein zweyter Beytrag wird von den verschiedenen Einwohnern Ungarns handeln.

XXXVII.

XXXVII.

Karte von Ost- und West-Preussen, in 25 Blattern, aufgenommen unter der Leitung des königl. preussischen Staats-Ministers Freyherrn *von Schrötter*.

Mit lebhaftem Vergnügen können wir unsern Lesern, die es nicht schon aus den Zeitungen wissen, den guten Fortgang dieses fur die Topographie und Statistik hochst wichtigen Werkes bekannt machen, welches widrige Schicksale bisher unterbrochen hatten. Die seit unserer letzten Anzeige (*M. C.* IX. B. S. 508) erschienenen Blätter sind folgende:

Sect. XVII. Hiervon ist der grösste Theil ein bergigtes Terrain, und wahrscheinlich das hochste in ganz Ost-Preussen, weil die Gewässer von hier nach entgegen gesetzten Richtungen ablaufen. Das hochste Terrain nimmt ungefahr die Richtung der Diagonale, von der sud-westlichen zur nord-östlichen Ecke dieses Blattes, und die höchsten Puncte in dieser Linie mochten auf den Höhen bey Lindenwalde, auf den Anhalts-Bergen (welche ihren Namen vom General-Lieut. *v. Anhalt*, einstmaligen Gouverneur von Konigsberg haben) und auf den Hohen bey Krumendorf anzutreffen seyn. Auch ist dieses Blatt wegen der vielen langlichten Seen merkwurdig, die sich fast sammtlich ihrer grösten Lange

nach

nach, in der Richtung der Nord-Linie ausdehnen. Man findet auf dieser Section bey der Stadt Willenberg unter dem Namen des *Latana*-Bruchs (welches vielleicht nach dem polnischen Worte *latany*, was ist ausgebessert, benennt worden) einen Theil einer beträchtlichen Melioration mit mehrern Colonie-Dörfern.

Sect. VIII. Diese enthält nur einen kleinen Theil von West-Preussen, welcher mit Pommern grenzt. Die Grenze muss ziemlich auf den hochsten Theilen des Terreins liegen, weil hier die Brahe und das Schwarzwasser, nebst noch einigen kleinern Flüssen und Seen ihren Ursprung nehmen, und südlich der Weichsel zu fliessen; andere Flüsse hingegen, z. B. die Stolpe in entgegen gesetzter Richtung der Ost-See zu laufen. Der Wald ist auf dieser Section schön dicht gemacht, so dass er wie getuscht aussieht. Auf dem leeren Raum dieser Section findet man den von *Paulus Schmidt* sauber gestochenen und wohl gerathenen Grundriss der Stadt Danzig. Beyde Sectionen enthalten sonst wenig bedeutende Gegenden Preussens von dem schlechtesten Boden.

Sect. X. Enthält dagegen einen sehr fruchtbaren und wohl angebauten Theil von Preussen; vorzüglich ist die Elbinger Niederung einer der gesegnetsten Erdstriche im nördlichen Europa (Dies wird allein schon durch die Winter-Campagne von 1806 bis 1807 documentirt, wo dieser Erdstrich fast die ganze französische Armee ernährt hat.) Unter 12 darauf befindlichen Stadten sind Elbing und Braunsberg bedeutende Handelstädte. Bey Frauenburg findet

det man ein Andenken von dem berühmten *Copernicus*, der durch mehrere dergleichen Werke auch als Hydrotekt unvergeſslich iſt. Es beſteht in der kleinen Baude, welches ein aus der groſsen Baude oberhalb Auhof bey dem Kalkofen abgeleiteter und längs dem untern Berghange neben der Landſtraſse bis nach Frauenburg fortgeführter Canal iſt, deſſen Waſſer das daſelbſt befindliche Kunſtrad in Bewegung ſetzte, welches zur Aufforderung des Waſſerbedarfs für die oben auf der Höhe liegenden 16 Palais der Domherren diente. Die Kunſt ſelbſt aber iſt ſchon lange nicht mehr und faſt nichts weiter davon als der Thurm vorhanden, der ſie enthielt, und woran noch folgende Innſchrift zu leſen:

Hic patiuntur aquae
Surſum ſuperare coactae,
Ne careat ſitiens incola montis ope.
Quod natura negat Copernicus tribuit arte.

Auf der Landſtraſse ſelbſt bekommt man von dem Canal gar nichts zu ſehen.

Ein anderes merkwürdiges hydrotechniſches Werk auf dieſer Section iſt der Kraffohl-Canal, wodurch die Weichſel in unmittelbare Verbindung mit Elbing geſetzt wird.

Gut wäre es, wenn die Städte auf dieſem Blatte ein wenig mehr hervorſtechend gemacht wären. Die etwas altfränkiſche Rechtſchreibung auf dieſen Blättern in den Wörtern Dohm, Friederiquenberg, Trinkauss u. ſ. w. iſt vielleicht einer zu ſcrupulöſen Beobachtung des Herkömmlichen zuzuſchreiben.

In

In Ansehung der Ausführung im Stich können diese drey Blätter den vorhergehenden Blättern dieser Karte vollkommen gleich, wo nicht noch besser geschätzt werden.

Sect. XVI. Diese Section enthält auch eine der See- und Wald-reichen Gegenden Preussens, die aber viel besser angebaut ist, als die auf der anstossenden *Section XVII.* Unter den 14 darauf befindlichen Städten sind Riesenburg und Mohrungen die bedeutendsten. Etwa 1½ Meile östlich von ersterer, findet man das, der so wohl bekannten und geachteten gräflich Dohna Schlobittenschen Familie zugehörige Schloss und Dorf Finkenstein. Die Stadt Deutsch-Eylau auf dieser Section ist nicht jene durch die bekannte Schlacht berühmt und zugleich elend gewordene. Etwas über eine Meile nord-östlich von der Stadt Gilgenburg ist das berühmte Tannenberg belegen, in dessen Nachbarschaft (zwischen ihm und Grunfeld, also nicht Grunewald,) im Jahr 1410 jene mörderische Schlacht zwischen den deutschen Rittern und den Polen vorfiel, wobey nach Herrn *v. Komarzewsky* 40000 der ersten auf dem Platze geblieben seyn sollen.

Der Stich dieser Section hat besonders durch die schlechte Schraffirung (Strichelung) der Seen, ein veraltetes Ansehen bekommen.

Sect. XIII enthält nur ein kleines Stück von West-Preussen, nebst einigen kleinen dazu gehörigen isolirten Stücken.

Sect. XIV ist in Ansehung des Terrains mit zu den am sorgfältigsten gezeichneten und gestochenen Sectionen zu zahlen. Sie enthält einen Theil von West-

West-Preussen, der grösstentheils nur schlechten Boden hat. Etwa 1½ Meile ost-wärts von dem Städtchen Zempelburg, findet man das durch den Tilsiter Frieden als Grenzpunct bekannt gewordene Kirchdorf Waldau. Also gehört nun schon ein Theil von dieser Section zum Herzogthum Warschau. Conitz ist eine wegen ihres inländischen, besonders Tuchhandels bekannte Stadt.

Sect. IX ist unstreitig eins der vorzüglichsten bis jetzt erschienenen Blatter dieser Karte. Das Terrain, besonders das Berg-Terrain ist mit musterhaftem Fleisse dargestellt und im Stich ausgeführt. Man findet auf diesem Blatte die beruhmte Stadt Danzig mit ihrem gegenwärtigen Gebiete nach der neuen Grenzabtheilung, woraus sich ergiebt, dass diese Stadt nicht allein ihr ehemaliges Gebiet bis auf einen sehr kleinen Theil wieder erhalten, sondern auch auf der linken Seite der Weichsel ein nicht unbedeutendes Stuck mehr bekommen hat, als es vorher hatte, ehe es unter preussischen Zepter kam. Das Kloster Oliva, die Oerter Langenfuhr, Stries, Neu-Schottland, die ganze Saspe, das Neu-Fahrwasser und andere, selbst Theile von Schidlitz und Stolzenberg waren damals schon preussisch, und die zwischen Langenfuhr und Oliva an dem Bergrucken belegenen Landhauser der Danziger Kaufleute lagen auf west-preussischem Boden. Die Anpflanzung zur Deckung und Befestigung der Sanddühnen bey Danzig, die neue Schleuse an dem Ort, wo das neue Fahrwasser aus der Weichsel geht, sind Anlagen, welche während des preussischen Besitzes gemacht sind. Bey der Radaune befindet sich eine merkwurdige

dige Wasseranlage, nämlich die neue Radaune, welche mit der vorhin beschriebenen kleinen Baude grosse Aehnlichkeit hat, und in einem Canal bestehet, der oberhalb Prust aus der Radaune abgeleitet und längs dem untern Abhange eines Bergrückens an den gewissermassen als Vorstädte von Danzig anzusehenden Oertern St. Albrecht, Ohre, Alt Schottland dicht vorbey nach Danzig und über den Festungsgraben bey dem hohen Thor bis an die Motlau geführt worden, um diese Stadt mit trinkbarem Wasser zu versorgen, welches durch das an diesem Canal liegende Copernikanische Druckwerk in der Stadt vertheilt wird. Zwischen diesem Canal, und den oben genannten etwas tiefer liegenden Oertern gehet die gepflasterte Strasse nach Danzig, wo man die neue Radaune nur selten zu Gesicht bekommt.

Die Weichsel mit ihren Bedeichungen scheint so wie das übrige Gewässer, mit besonderer Sorgfalt dargestellt zu seyn.

Sect. XX enthält ein Stück von Westpreussen, welches jetzt aber grösstentheils zum Herzogthum Warschau gehört. Man findet hierauf die Netze mit ihrem ansehnlichen, hier aber nicht bedeichten Bruch und bey Nackel ein Stück des so bekannten, und für das innere Verkehr in den vormaligen preussis. Staaten so wohlthätigen Bromberger Canals. Die Zeichnung scheint ebenfalls mit vieler Sorgfalt gemacht, die Manier des Stichs aber nicht sehr gefällig zu seyn.

XXXVIII.

XXXVIII.

Auszug aus einem Schreiben des Herrn Doctor *Mollweide*.

Halle, den 18. März 1810.

.... Ich habe die Auflösung des Dr. *Schumacher* von der im September-Hefte der *Mon. Corresp.* 1809 befindlichen Aufgabe nun gelesen. Allein vollständig möchte ich die Auflösung nicht nennen. Denn bekanntlich kann auch $\frac{ddh}{dA^2} = \infty$ einen Wendungspunct geben. Es wäre also, wenn $\delta > \varphi$ ist, immer noch zu untersuchen, ob $\sin. h = \frac{\sin. \varphi}{\sin. \delta}$ nicht auch einen solchen gibt.

Erlauben mir Ew. Hochwohlgeb. noch eine Bemerkung zu dem Vorschlage neuer Aberrations- und Nutations-Tafeln, welcher sich in einem der letzten Hefte der *Mon. Corresp.* vom vorigen Jahre befand. Es wird darinnen wegen der Form, welche man zum Behuf dieser Tafeln den Ausdrücken der Aberration und Nutation geben muss, auf *La Lande* verwiesen; allein man kann es sogleich auf folgende Art darstellen. Es ist z. B.

$$\text{Aberr. in AR.} = -\frac{20.255}{\cos. \delta}(\sin \alpha \sin \odot + \cos. \varepsilon \cos \alpha \cos \odot)$$

wo α Rectascension, δ Declination, $\odot$ Länge der Sonne und ε Schiefe der Ecliptik ist.

Es

-s sey hier

$$\cos. \varepsilon. \cot g. \alpha = \tan g. \varphi$$

o wird

$$\text{Aberr. } AR = - \frac{20.255}{\cos \delta . \cos . \varphi} . \sin (\odot + \varphi)$$

lier kann man immer machen, dafs der Factor von n $(\varphi + \odot)$ positiv wird. Z. E. für Capella ist nach *Piazzi*, fur den 1. Januar 1800, $\alpha = 75°\ 29'\ 1''$. = $45°\ 36'\ 38''$. Nimmt man $\varepsilon = 23°\ 28'$ so ndet sich $\varphi = 13°\ 21,'6$. Damit aber cos. φ negav werde, ohne doch tang. φ negativ zu machen, nufs man $\varphi = 180° + 13°\ 21,'6$ nehmen; es wird odann fur Capella:

$$\text{Aberr. in } AR. = 28,''81 \sin. (\odot + 6^s\ 13°\ 21,'6)$$

anz auf ähnliche Weife laffen fich die Formeln für ie Aberration in Declination und fur die Nutation ehandeln. Die Sache kommt auf den bekannten unftgriff der Einfuhrung eines Hulfsbogens zurück. reylich kann man dabey noch immer fragen, was iefer Hülfsbogen vorftelle?

Ich hoffe Ihnen nachftens etwas über die Zahleichen im *Ptolemaeus* mittheilen zu können. *Montignot* fagt Z. E. β fey $\frac{2}{3}°$ allein ich glaube, er at nicht recht gefehen.

XXXIX.

Beobachtungen der Vesta,

angestellt
auf der Sternwarte
des Freyherrn *von Zach*
zu Marseille.

Länge 12′ 18″ östl. von Paris
Breite 43° 17′ 30″.

	Mittl. Zeit			Scheinb. AR.			Scheinbare nördl. Declin.		
1809									
Dec. 31	12h	6′	48,″22	101°	40′	30,″3			
1810									
Jan. 1	12	1	44, 16	101	23	25, 2	22°	33′	46,″0
— 2	11	56	40, 95	101	6	33, 0	22	37	25, 9
— 4	11	46	33, 99	100	32	40, 4	22	44	49, 6
— 5	11	41	30, 98	100	15	51, 2	22	48	32, 7
— 6	11	36	28, 00	99	59	2, 3	22	52	28, 9
— 13	11	1	24, 06	98	5	35, 2	23	19	30, 4
März 2	7	34	14, 20	93	28	15, 6	25	16	3, 9
— 3	7	30	41, 26	93	34	0, 9	25	17	37, 0
— 4	7	27	9, 20	93	39	59, 7	25	19	16, 0
— 6	. . .	. . .	. . .	. . .	. . .	. . .	25	21	47, 9
— 8	7	13	21, 11	94	8	57, 5	25	24	6, 9
— 10	7	6	38, 16	94	26	13, 2	25	26	33, 1
— 11	7	3	18, 36	94	35	16, 2	25	27	29, 7
— 12	7	0	0, 79	94	44	53, 0	25	28	49, 7
— 13	6	56	44, 24	94	54	43, 5	25	29	22, 9
— 14	6	53	29, 33	95	4	58, 4	25	30	27, 7
— 15	6	50	15, 91	95	15	40, 5	25	31	46, 8
— 16	6	47	3, 85	95	26	40, 1	25	32	46, 0
— 17	6	43	52, 63	95	37	52, 2	25	33	35, 7
— 18	6	40	43, 85	95	49	41, 0	25	34	11, 2
— 19	6	37	35, 92	96	1	42, 6	. . .	. . .	. . .

Beob-

Beobachtungen der Juno.

	Mittl. Zeit	Scheinb. AR.	Scheinbare nördl. Declin.
März 10	9h 2′ 32,″99	123° 29′ 35,″1	. . . . . .
— 11	8 58 35, 71	123 29 10, 6	9° 49′ 54,″2
— 12	8 54 38, 69	123 29 3, 9	. . . . . .
— 16	8 39 26, 01	123 36 49, 2	. . . . . .
— 17	8 35 44, 12	123 40 20, 1	. . . . . .

Sternbedeckung am 19. Dec. 1809.

δ1. ♉.

Ort der Beob. Marseille	Eintritt. t. m.	Austritt	
kais. Lyceum	5h 14′ 5,″51	6h 20′ 58,″03	*v. Zach*
kais. Sternw.	5 14 1, 59	6 20 53, 65	*Werner*

δ2 ♉.

kais. Lyceum	5 54 56, 32	. . . . . .	*v. Zach*
kais. Sternw.	5 54 52, 90	. . . . . .	*Werner*

Druckfehler im März-Heft.

S. 204 Z. 2 statt 7,″810 lies 7,″8074.
— 205 — 17 — 43′ — 23′
S. 208 und 209 müssen in den Säcular-Aenderungen der *Aequatio centri* und des *radius vector* die Zeichen verändert werden.
S. 269 Z. 9 und 10 müssen statt der Zeichen + durchaus — gesetzt werden.
S. 209 Z. 11 statt + 0,″705 sin (3♂ — ♀) — 1,882 cos (3♂ — ♀) lies + 0,595 sin (3♂ — ♀) + 1,330 cos (3♂ — ♀)
S. 210 Z. 1 statt + 0,00000027 . . . l. — 0,00000027.

INHALT.

INHALT.

Seite

2

MONATLICHE
CORRESPONDENZ
ZUR BEFÖRDERUNG
DER
ERD- UND HIMMELS-KUNDE.

MAY, 1810.

XL.

Über die Reduction der Bögen im Aequator auf die Ecliptik.

vom Herrn Prof. *Harding*.

Es ist in manchen Fällen interessant, die Lage eines Himmelskörpers in Beziehung auf die Ecliptik und den Aequator zugleich zu kennen, und es war daher meine Absicht, meinen Himmelskarten eine solche Einrichtung zu geben, dass sich mittelst derselben beydes auf den ersten Blick eben so leicht erkennen liesse, als sie gegenwärtig die gerade Aufsteigung und Abweichung allein angeben. Zu diesem Zwecke hätte es also noch eines zweyten Netzes bedurft, welches ich jedoch zu unterdrücken vorziehen muſste, weil ich aus andern Gründen darauf Bedacht zu nehmen hatte, ihnen einen möglichſt reinen Grund zu erhalten, der durch das Gerüſte eines zweyfachen ſchwarzen Netzes zum Theil wäre aufgeopfert worden.

Da es inzwiſchen einigen Beſitzern dieſer Karten angenehm ſeyn dürfte, ein ſolches zweytes Netz für die Ecliptik und deren Parallel- und Breitenkreiſe auf denſelben zu haben, ſo habe ich die folgenden Tafeln berechnet, welche die Hauptpuncte dazu enthalten, und durch deren Hülfe ſich alſo dieſes Netz leicht eintragen laſst. Wählt man dazu eine hellere Farbe, z. B. roth, blau oder grün, ſo wird es weder verwirren, noch die Karten zu ſehr überladen.

Dieſe Tafeln beziehen ſich zwar nur auf den erſten Quadranten, allein durch folgende leichte Regeln ſind ſie auch, wie man ohne Mühe erkennt, für die drey übrigen Quadranten anwendbar. Es heiſse nämlich, wie in der Ueberſchrift der Tafeln:

α die gerade Aufſteigung
δ — Abweichung
λ — Länge
β — Breite

ſo geht man in die erſte Tafel ein

für den 2. Quadranten mit $180° - \alpha' = \alpha$
— — 3. — — $\alpha' - 180° = \alpha$ } und mit $\mp\beta$
— — 4. — — $360° - \alpha' = \alpha$ } anſtatt $\pm\beta$

wo α' die gegebene gerade Aufſteigung bedeutet. Die mit dieſen Argumenten gefundenen Zahlen behalten im 2ten Quadranten ihre Zeichen, hingegen im 3. und 4 verwandelt ſich $\pm$ in $\mp$.

In

In die 2te Tafel geht man auf gleiche Weise ein, nämlich:

ur den 2. Quadranten mit $180° - \lambda' = \lambda$
— — 3. — — $\lambda' - 180° = \lambda$ } und mit $\mp \delta$
— — 4. — — $360° - \lambda' = \lambda$ } anstatt $\pm \delta$

vo ebenfalls λ' die gegebene Länge bedeutet. Die amit gefundene Zahl α verwandelt sich

im 2. Quadranten in $180° - \alpha$
im 3. — in $180 + \alpha$
im 4. — in $360 - \alpha$

Aus folgenden Beyspielen wird sich die Anwen- ung obiger Regeln deutlich genug ergeben.

Tafel I. Es wird verlangt die Declination des unctes, wo der Parallelkreis der Ecliptik, dessen reite $= -14°$, in $128°$ gerad. Aufsteig. durchgeht.

In der Spalte $\alpha = 180° - 128° = 52°$ findet sich e dem $-14°$ der Spalte β entsprechende Zahl $4° 26' 1$, welches also die Abweichung für den gebenen Punct ist.

2). Gesucht wird die Declination des Punctes n Parallelkreise von $4°$ südlicher Breite in $262°$ ge- der Aufsteigung.

Die Spalte $\alpha = 262° - 180° = 82°$ enthält dem en Grade nördl. Breite in der Spalte β gegen über, e Zahl $+ 27° 16,'1$; weil aber in diesem Quadran- n sich die Zeichen $\pm$ in $\mp$ verwandeln, so ist hier e gesuchte Abweich. südlich, und also $-27° 16,'1$.

3) Wie groß ist die Declination des Parallel- eises von $\perp 10°$ im $316°$ gerader Aufsteigung?

Hier ist $\alpha = 360° - 316° = 44°$. In dieser Spalte ndet sich in der Zeile $+ 10°$ der Spalte β die Zahl

 $+ 27°$

+ 27° 13,'4, und es ist mithin die gesuchte Abweichung = − 27° 13,'4.

Tafel II. 1) Man sucht die gerade Aufsteigung des Breitenkreises von 144° Länge im 22° nördlicher Abweichung.

In der Spalte λ = 180° − 144° = 36° findet sich, dem + 22° der Spalte δ gegenüber die Zahl 30° 28,'7, welche von 180° abgezogen, für die gesuchte AR 149° 31,'3 gibt.

2) Wie groſs ist die AR des Breitenkreises, dessen Länge = 252°, im 26° südlicher Abweichung?

Die Spalte λ = 252° − 180° = 72° gibt in der Zeile + 26° der Spalte δ die Zahl 69° 56,'2, diese zu 180° addirt, gibt die gesuchte AR des gegebenen Punctes = 249° 56,'2.

3) Es wird gesucht die gerade Aufsteigung des Punctes, dessen Länge = 346°, die Breite = − 14° ist.

Die Spalte λ = 360° − 346° = 14° gibt in der Zeile + 14° der Spalte δ die Zahl 9° 18,'4; diese von 360° abgezogen, gibt die gesuchte AR = 350° 41,'6.

TAFEL

k.

β	α =	14°	16°	β
+28°	+30° 4			+28°
26	28 3	4° 22,"4	+35° 9,"5	26
24	26 1	2 9, 7	32 56, 6	24
22	24	9 57, 4	30 44, 7	22
20	21 5	7 45, 7	28 33, 1	20
18	19 4	5 34, 2	26 21, 9	18
16	17 2	3 23, 0	24 10, 9	16
14	15 1	1 12, 1	22 0, 3	14
12	13	9 1, 4	19 49, 8	12
10	10 5	6 50, 8	17 39, 5	10
8	8 4	4 40, 4	15 29, 3	8
6	6 3	2 30, 2	13 19, 1	6
4	4 2	0 20, 0	11 9, 1	4
+ 2	+ 2 1	8 9, 8	8 59, 2	+ 2
0	0	5 59, 7	6 49, 4	0
− 2	− 2 1	3 49, 6	4 49, 5	− 2
4	4 2	1 39, 5	2 29, 7	4
6	6 3	0 30, 7	+ 0 19, 7	6
8	8 4	3 41, 0	− 1 50, 5	8
10	10 5	4 51, 4	4 0, 7	10
12	13	7 1, 9	6 11, 0	12
14	15 1	2 12, 7	8 21, 5	14
16	17 2	2 23, 6	10 32, 2	16
18	19 4	3 34, 8	12 43, 1	18
20	21 5	5 46, 3	14 59, 3	20
22	24	7 58, 1	17 5, 9	22
24	26 1	0 10, 3	19 17, 8	24
26	28 3	2 22, 9	21 36, 2	26
28	30 1	4 36, 1	23 43, 1	28
30	33	6 49, 9	25 56, 6	30
32	−35	179 4, 3	28 10, 7	32
34		1 19, 6	30 25, 6	34
−36		3 35, 6	32 41, 3	36

I.

kreise der Ecliptik.

64°	66°	68°	70°	β
+33° 30,′3	+33° 47,′7	+34° 3,′8	+34° 18,′4	+12°
31 28, 3	31 46, 0	32 2, 4	32 17, 2	10
29 26, 4	29 44, 4	30 1, 0	30 16, 1	8
27 24, 5	27 42, 8	27 59, 6	28 14, 9	6
25 22, 6	25 41, 1	25 58, 2	26 13, 8	4
23 20, 8	23 39, 5	23 46, 8	24 12, 6	+ 2
21 28, 9	21 38, 0	21 55, 5	22 11, 5	0
19 17, 0	19 36, 3	19 54, 1	20 10, 3	− 2
17 15, 1	17 34, 7	17 52, 8	18 9, 2	4
15 13, 2	15 33, 1	15 51, 4	16 8, 1	6
13 11, 3	13 31, 3	13 50, 0	14 7, 0	8
11 9, 4	11 29, 8	11 48, 6	12 5, 8	10
9 7, 5	9 28, 1	9 47, 2	10 4, 6	12
7 5, 5	7 26, 4	7 45, 8	8 3, 4	14
5 3, 5	5 24, 7	5 44, 3	6 2, 2	16
3 1, 5	3 23, 0	3 42, 8	4 1, 0	18
+ 0 59, 3	+ 1 21, 2	+ 1 41, 3	+ 1 59, 7	20
− 1 2, 8	− 0 40, 7	− 0 20, 3	− 0 1, 5	22
3 5, 0	2 42, 6	2 21, 9	2 2, 9	24
5 7, 3	4 44, 5	4 23, 5	4 4, 3	26
7 9, 7	6 46, 6	6 25, 4	6 5, 7	28
9 12, 2	8 48, 7	8 27, 1	8 7, 2	30
11 14, 7	10 50, 9	10 28, 9	10 8, 8	32
13 17, 4	12 53, 2	12 30, 9	12 10, 4	34
15 20, 3	14 55, 6	14 32, 9	14 12, 1	36
17 23, 2	16 58, 2	16 35, 1	16 13, 9	38
19 26, 4	19 0, 9	18 37, 3	18 15, 8	40
21 29, 4	21 3, 7	20 39, 8	20 17, 8	42
23 33, 3	23 6, 8	22 42, 3	22 19, 9	44
25 37, 1	25 10, 1	24 45, 1	24 22, 2	46
27 41, 2	27 13, 6	26 48, 1	26 24, 6	48
29 45, 7	29 17, 4	28 51, 5	28 27, 3	50
−31 50, 6	−31 21, 6	−30 54, 8	−30 30, 2	−52

k.

β	a = °		86°		β
+ 10°	+ 32°	21,′ 5	+ 33°	25,′ 1	+ 10°
8	30	21, 4	31	25, 1	8
6	28	21, 3	29	25, 0	6
4	26	21, 2	27	25, 0	4
+ 2	24	21, 1	25	24, 9	+ 2
0	22	21, 0	23	24, 9	0
− 2	20	20, 9	21	24, 8	− 2
4	18	20, 8	19	24, 8	4
6	16	20, 7	17	24, 7	6
8	14	20, 6	15	24, 7	8
10	12	20, 5	13	24, 7	10
12	10	20, 4	11	24, 6	12
14	8	20, 3	9	24, 6	14
16	6	20, 2	7	24, 5	16
18	4	20, 1	5	24, 5	18
20	2	20, 0	3	24, 4	20
22	+ 0	19, 8	+ 1	24, 4	22
24	− 1	40, 3	− 0	35, 7	24
26	3	40, 4	2	35, 8	26
28	5	40, 5	4	35, 8	28
30	7	40, 7	6	35, 9	30
32	9	40, 9	8	36, 0	32
34	11	41, 0	10	36, 0	34
36	13	41, 2	12	36, 1	36
38	15	41, 3	14	36, 2	38
40	17	41, 5	16	36, 3	40
42	19	41, 7	18	36, 3	42
44	21	41, 9	20	36, 4	44
46	24	42, 1	22	36, 5	46
48	26	42, 3	24	36, 6	48
50	28	42, 5	26	36, 7	50
52	30	42, 8	28	36, 8	52
− 54	− 32	43, 1	− 30	36, 9	− 54

II.

Breitenkreise.

24°	26°	28°	30°	δ
46,'0	14° 8,'5	16° 31,'6	18° 54,'9	+32°
51, 6	15 12, 9	17 34, 5	19 56, 4	30
54, 4	16 14, 4	18 34, 8	20 55, 3	28
54, 4	17 13, 5	19 32, 6	21 51, 8	26
52, 6	18 10, 5	20 28, 4	22 46, 3	24
48, 8	19 5, 5	21 22, 3	23 39, 0	22
43, 1	19 58, 8	22 14, 5	24 30, 1	20
36, 1	20 50, 8	23 5, 4	25 19, 8	18
27, 7	21 41, 4	23 55, 0	26 8, 4	16
18, 2	22 31, 0	24 43, 6	26 55, 9	14
7, 7	23 19, 6	25 31, 2	27 42, 5	12
56, 5	24 7, 5	26 18, 1	28 28, 3	10
44, 9	24 54, 7	27 4, 4	29 13, 6	8
32, 3	25 41, 5	27 50, 2	29 58, 4	6
19, 5	26 27, 8	28 35, 6	30 42, 9	4
6, 6	27 14, 0	29 20, 8	31 27, 1	+ 2
53, 4	28 0, 0	30 5, 9	32 11, 2	0
40, 3	28 46, 0	30 51, 0	32 55, 3	− 2
27, 3	29 32, 1	31 36, 2	33 39, 5	4
14, 6	30 18, 5	32 21, 7	34 24, 0	6
2, 2	31 5, 3	33 7, 5	35 8, 8	8
50, 4	31 52, 5	33 53, 7	35 54, 1	10
39, 1	32 40, 4	34 40, 6	36 39, 9	12
28, 7	33 29, 0	35 28, 3	37 26, 5	14
19, 2	34 18, 6	36 16, 9	38 14, 0	16
10, 9	35 9, 2	37 6, 5	39 2, 5	18
3, 8	36 1, 2	37 57, 3	39 52, 3	20
58, 2	36 54, 5	38 49, 6	40 43, 4	22
54, 2	37 49, 5	39 43, 5	41 36, 1	24
52, 2	38 46, 5	40 39, 2	42 30, 5	26
52, 5	39 45, 6	41 37, 1	43 27, 1	28
55, 3	40 47, 1	42 37, 3	44 26, 0	30
0, 9	41 51, 4	43 40, 3	45 37, 5	−32

e.

δ	λ =	44°	46°	δ
+32°	21°	35° 42,′3	38° 6,′2	+32°
30	22	36 31,8	38 53,9	30
28	23	37 19,5	39 39,7	28
26	24	38 5,3	40 22,7	26
24	25	38 49,4	41 6,1	24
22	25	39 42,1	41 47,2	22
20	26	40 13,5	42 27,1	20
18	27	40 53,9	43 5,9	18
16	28	41 33,3	43 43,8	16
14	29	42 11,8	44 20,9	14
12	29	42 49,7	44 57,4	12
10	30	43 27,0	45 33,3	10
8	31	44 3,9	46 8,8	8
6	32	44 50,3	46 43,9	6
4	32	45 16,5	47 18,7	4
+ 2	33	45 52,4	47 53,3	+ 2
0	34	46 28,3	48 27,9	0
− 2	34	47 4,3	49 1,9	− 2
4	35	47 40,2	49 37,1	4
6	36	48 16,4	50 11,9	6
8	37	48 52,8	50 47,0	8
10	37	49 29,7	51 22,9	10
12	38	50 7,0	51 58,4	12
14	39	50 44,8	52 34,8	14
16	40	51 23,4	53 11,9	16
18	40	52 2,8	54 49,9	18
20	41	52 43,2	54 28,7	20
22	42	53 24,6	55 8,6	22
24	43	54 7,3	55 49,7	24
26	44	54 51,4	56 32,1	26
28	45	55 37,2	57 16,1	28
30	46	56 24,9	58 1,9	30
−32	47	57 14,4	58 49,6	−32

II.

Brei:enkreise.

3°
40, 1
42, 3
44, 5
46, 6
48, 7
50, 6
52, 5
54, 4
56, 2
58, 0
59, 8
1, 5
3, 2
4, 9
6, 6
8, 3
9, 9
11, 5
13, 3
14, 9
16, 6
18, 3
20, 1
21, 8
23, 6
25, 4
27, 3
29, 2
31, 2
33, 2
35, 3
37, 5
39, 8

XLI.

Vorschlag einer andern Art der Darstellung der Bedingungs - Gleichungen aus heliocentrischen Orten, zu Correction der Planeten - Elemente.

Wenn mehrere unbekannte Grössen aus einer noch grössern Menge von Gleichungen zu entwickeln sind, so sind unstreitig Bedingungs - Gleichungen und deren Behandlung durch die Methode der kleinsten Quadrate, das zweckmässigste und sicherste Verfahren, um die gesuchten unbekannten Grössen mit Genauigkeit und Sicherheit zu erhalten. Allein ist die Anzahl der unbekannten Grössen gross, so ist nicht allein das Verfahren und die Elimination etwas mühsam, sondern die grosse Vermischung jener und die mannichfaltige Verwickelung, wie sie vereinigt auf ein Resultat wirken, kann auch sogar einen nachtheiligen Einfluss auf die Bestimmung der gesuchten Grössen selbst haben.

Gewiss ist es daher vortheilhaft, wenn bey solchen Untersuchungen die Zahl der unbekannten Grössen vermindert, und die der Gleichungen selbst vermehrt wird. Einen solchen Zweck hat das Verfahren, was wir hier zu Correction der Planeten-Elemente aus beobachteten Oppositionen oder Conjunctionen in Vorschlag bringen. Nach der gewöhnlichen

lichen Methode gibt bekanntlich jeder heliocentrische Ort eine Bedingungs-Gleichung, und da man auch mit Vernachläfsigung des Einflusses der Reduction auf die Bahn, noch immer vier andere Elemente zu bestimmen hat, so sind vier Oppositionen wenigstens dazu erforderlich. Allein nach dem Verfahren was wir hier den Astronomen zur Beurtheilung ubergeben, wird theils eine unbekannte Grösse eliminirt und dann aus n heliocentrischen Orten $\frac{n.\,n-1}{1.\,2}$ Bedingungs-Gleichungen erhalten. Das Verfahren beruht im Wesentlichen darauf, nicht die Beobachtungen selbst, sondern nur deren Differenzen mit den Elementen zu vergleichen. Wenn man zwey Beobachtungen hat, so suche man nicht, wie zeither geschah, den Tafel-Fehler aus beyden, sondern man reducire beyde beobachtete Orte auf mittlere Langen in der Bahn, und die Differenz beyder, verglichen mit dem aus der mittlern Bewegung des Planeten berechneten Bogen, wird eine Gleichung geben. Da hier also nicht vom absoluten Ort, sondern nur von deren Differenz als Function der mittlern Bewegung der Mittelpuncts-Gleichung und der Störungen die Rede ist, so kann auch offenbar hierauf Epoche gar keinen Einfluss haben, und kömmt daher in der Bedingungs-Gleichung nicht mit vor. Und eben so ist es aus der Theoria der Combinationen klar, dass man durch die verschiedene Verbindung mehrerer Beobachtungen unter sich, aus n. Oppositionen allemal $\frac{n.\,n-1}{1.\,2}$ Bedingungs-Gleichungen erhalten kann. Seyen die beyden

den beobachteten heliocentrischen Längen, L, L' der inne liegende Zeitraum $= T$, mittlere jährliche Bewegung $= m$, Mittelpuncts-Gleichungen Æ Æ', Reduction auf die Bahn R R', Störungen P, P,' so wird man haben

$$L + m . T + Æ + R - P = L' + Æ' + R' - P'.$$

Da ich die Massen als richtig annehme, so werden die Differentialen der Perturbationen $= 0$, und man hat

$$\partial (L - L') + T . dm + dÆ + dR = dÆ' + dR'.$$

Um nun in Gemäſsheit des obigen aus dieser Gleichung das Differential der Epoque heraus zu schaffen, muſs die Mittelpuncts - Gleichung durch wahre Anomalie ausgedruckt werden, und man wird folglich haben: Aphelium $= A$, wahre Anomalie $= v$, Excentricitat $= e$;

$$dÆ = de \, (2 . \sin v + \tfrac{5}{2} . e . \sin 2v + e^2 . \sin 3 . v)$$
$$- dA \, (2e . \cos v + \tfrac{5}{4} . e^2 \cos 2v + e^3 . \cos 3v)$$

Nur bey den grosen Excentricitäten des Mercur und der neuen Planeten, wird man noch höhere Potenzen von e mitnehmen müssen; allein allemal wird es genug seyn, noch folgende zwey Glieder aufzunehmen:

$$+ de \, [e^3 (\tfrac{1}{4} \sin . 2v + \tfrac{77}{32} . \sin 4v)]$$
$$- dA \, e^4 \, (\tfrac{1}{4} . \cos . 2v + \tfrac{77}{32} . \cos 4v).$$

Diese Art die Differentiale für e und A aus der Reihe fur wahre Anomalie darzustellen, schien bequeme-

lichen Methode gibt bekanntlich je...
sche Ort eine Bedingungs-Gleich...
auch mit Vernachlässigung des P...
ction auf die Bahn, noch im...
mente zu bestimmen hat, ...
wenigstens dazu erforderli...
fahren was wir hier der...
lung übergeben, wird...
sse eliminirt und dan...

$\frac{n.\, n-1}{1.\,2}$ Bedingun...

Verfahren beruh...
die Beobachtun...
renzen mit d... $dAQ' + dJ.S$
man zwey B...
wie zeithe... ...ern Wegen immer
sondern ... so genau erhalten kan
mittlere ... die ältern Planeten der Einf
der, ... die Bahn, auf heliocentrische
des F... ...deutend wird, und man hiernach
chu... ☊ für Null ansieht, so wird

$$O = d(L-L') + T.dm + de(P-P') - dA\,(Q-Q$$

$d(L-L')$ bedeutet hier die Differenz, die zw
L und L' übrig bleibt, wenn beyde auf eine
und auf mittlere Längen in der Bahn reduci
Die Beobachtungen, die man hierzu benutze
müssen wahre vom mittlern Aequinoctio ge
seyn, indem ausserdem noch eine Reduction
Aberration und Nutation Statt finden musste

Bradley und *Maskelyne* beobachtete
...nen mögen eine Anwendung die-

Mittl. Zeit Paris	Longitudo helioc. ♄		
14,"4	295°	35'	47"
8, 2	62	14	7
0	185	31	0
	302	4	3

...e periodischen
... wahren Anoma-
...s Saturns-Tafeln be-
...it. Doch wurde nur die
...jenen Tafeln entlehnt, und die
...ng des Aphelium wurde nach *La*
...net. Die mittlere Bewegung in der
...urde nach *De Lambre* und die Reduction
...ie Bahn nach *Bouvard* angenommen. Die Ver-
...ndung der Beobachtungen, aus der die sechs Bedingungs-Gleichungen erhalten wurden

(für $n = 4$, wird $\frac{n.(n-1)}{1.2} = 6$) war folgende;

a. I et IV inne liegender Zeitraum = 30.03841 Jahre
b. I et III . . . . = 19.70039 —
c. I et II . . . . = 10.36022 —
d. II et IV . . . . = 19.67818 —
e. II et III . . . . = 9.34016 —
f. III et IV . . . . = 10.33802 —

Excentrische Anomalie = E, wurde durch den Ausdruck

$$\cos E = \frac{\cos v - e}{1 - e.\cos v}$$

und

...llung der Bedingungs-Gleichungen etc. 395
... heliocentrischen Längen = L, L'
...raum = T, mittlere jährliche
...ncts-Gleichungen Æ, Æ',
... Störungen P, P' so
... — P.
... cr.

quemer, als diese aus den endlichen Gleichungen zwischen mittlerer, wahrer und excentrischer Anomalie herzuleiten;

$$dR = dJ. \frac{\sin\beta \cos(L-\Omega)}{2.\cos^2\frac{1}{2}J} - d\Omega.\tan\frac{1}{2}J \sin\beta \sin(L-\Omega)$$

wo I, β, Ω, Neigung, Breite und Knoten bedeuten.

Nennt man nun für die beyden Epochen der beobachteten heliocentrischen Orte, die Coefficienten von de, dA, dJ, dΩ, P, Q, S, Z, und P' Q' S' Z', so wird

$$\left.\begin{array}{r} d(L-L')+T dm + de\, P. - dA.\, Q \\ + dJ.S - d\Omega Z \end{array}\right\} = de P' - dA Q' + dJ.S' - d\Omega Z'$$

Da man aber auf andern Wegen immer vorläufig die Grössen J und Ω so genau erhalten kann, dass wenigstens für alle ältern Planeten der Einfluss der Reduction auf die Bahn, auf heliocentrische Länge, ganz unbedeutend wird, und man hiernach, SdJ, und ZdΩ für Null ansieht, so wird

$$d(L-L') + T.dm + de(P-P') - dA(Q-Q') = 0;$$

d(L—L') bedeutet hier die Differenz, die zwischen L und L' übrig bleibt, wenn beyde auf eine Epoche und auf mittlere Längen in der Bahn reducirt sind. Die Beobachtungen, die man hierzu benutzen will, müssen wahre vom mittlern Aequinoctio gerechnet seyn, indem ausserdem noch eine Reduction wegen Aberration und Nutation Statt finden müsste.

Vier

Vier von *Bradley* und *Maskelyne* beobachtete Saturns-Oppositionen mögen eine Anwendung dieser Methode zeigen;

			Mittl. Zeit in Paris			Longitudo helioc. ♄		
1755	18	Julius	5^h	9′	14,″4	295°	35′	47″
1765	23	Nov.	16	44	28, 2	62	14	7
1775	25	Marz	20	35	20, 0	185	31	0
1785	24	Jul.	5	38	14, 5	302	4	3

Diese Beobachtungen wurden durch die periodischen Störungen corrigirt, und dann die wahren Anomalien mit den aus *De Lambre's* Saturns-Tafeln berechneten Aphelien formirt. Doch wurde nur die Epoche fur 1750 aus jenen Tafeln entlehnt, und die Sücular-Bewegung des Aphelium wurde nach *La Place* berechnet. Die mittlere Bewegung in der Länge wurde nach *De Lambre* und die Reduction auf die Bahn nach *Bouvard* angenommen. Die Verbindung der Beobachtungen, aus der die sechs Bedingungs-Gleichungen erhalten wurden

(für n = 4, wird $\frac{n.(n-1)}{1.2} = 6$) war folgende;

a. I et IV inne liegender Zeitraum = 30.03841 Jahre
b. I et III . . . . . = 19.70039 —
c. I et II . . . . . = 10.36022 —
d. II et IV . . . . . = 19.67818 —
e. II et III . . . . . = 9.34016 —
f. III et IV . . . . . = 10.33802 —

Excentrische Anomalie = E, wurde durch den Ausdruck

$$\cos E = \frac{\cos v - e}{1 - e.\cos v}$$

und

und mittlere = M

$$M = E + e . \sin E$$

gefunden, und hiernach

$$\text{Mittelpuncts-Gleichung} = v - M.$$

Die grosse Ungleichheit wurde als mit zur mittlern Länge gehörig angesehen, und daher bey Formation der wahren Anomalie unberücksichtigt gelassen. Hiernach gab die numerische Entwickelung folgende Bedingungs-Gleichungen:

$$- 3,''0 + 30,0384 . dm - 0,1868 . de - 0,0068 . dA = 0;$$
$$- 37,4 + 19,7004 . dm + 2,9933 . de - 0,0936 . dA = 0;$$
$$+ 38,8 + 10,3602 . dm + 0,1702 . de - 0,2004 . dA = 0;$$
$$- 41,7 + 19,6782 . dm - 0,3570\ de + 0,1936 . dA = 0;$$
$$- 76,2 + 9,3402 . dm + 2,8231\ de + 0,1068 . dA = 0;$$
$$+ 34,4 + 10,3380 . dm - 0,3570\ de + 0,1936 . dA = 0;$$

Behandelt man diese Gleichungen nach der Methode der kleinsten Quadrate, so folgt, wenn man die Bedingung des Minimum in Hinsicht auf dm, de und dA effectuirt,

$$- 266,26 + 329,84\ dm + 11,7954\ de + 0,4474\ dA = 0;$$
$$- 52,88 + 11,7946\ dm + 2,8747\ de - 0,0249\ dA = 0;$$
$$- 2,301 + 0,4467\ dm + 0,0684\ de + 0,0226\ dA = 0;$$

und hieraus

$$dm = + 0,''088$$
$$dA = + 44,''3$$
$$de = + 18,''4$$

Bou-

Bouvard findet aus der ganzen Reihe der Oppositionen von 1750 — 1809

$$dm = - 0,''05$$
$$dA = + 48,8$$
$$de = + 14,2$$

Werthe, die nur unbedeutend von den meinigen unterschieden sind. Jeder heliocentrische Ort kann nun mittelst der corrigirten mittlern Bewegung auf eine bestimmte Epoche reducirt und sonach auch diese bestimmt werden.

XLII.

Reise um die Welt in den Jahren 1803, 1804, 1805 und 1806 auf Befehl Seiner kaiserl. Majestat ALEXANDER DES ERSTEN auf den Schiffen Nadeshda und Newa, unter dem Commando des Capitains von der kaiserlichen Marine, *A. J. von Krusenstern.* Erster Theil. St. Petersburg, 1810.

(Fortsetz. zu S. 367 des April-Hefts.)

Wir brachen unsere Anzeige im vorigen Hefte bey der Beschreibung des sittlichen Zustandes der Bewohner von Nukahiwa ab, und wir fahren daher nun fort, noch einige Details auszuheben, die uns *Krusenstern* von diesen noch so wenig bekannten Volkern mittheilt.

Kaum glaubbar ist es, dass die wenigen Bewohner dieser kleinen Insel in unaufhörlichem Kriege mit einander leben. Die Bewohner von Tayo-Hoae befeinden die von Homes, Schegua und Hotty-Schova. Die Krieger von Home, deren Zahl uber tausend betragen soll, fuhren den besondern Namen Taipihs, oder Truppen des grossen Meeres. Zu merkwürdig ist der Grund, warum die Bewohner von Tayo-Hoae mit diesen Taipihs keinen Krieg

zur

zur See sondern nur zu Lande führen, als dass wir diesen nicht hier mit anfuhren sollten. Es hatte nämlich ein Sohn des Kettenowee, (König auf Tayo-Hoae) eine Tochter des Konigs der Taipihs geheirathet, und da diese zu Wasser angekommen war, so ist das Meer, was diese beyden Thäler trennt, *Tahbu*, das heisst, es darf durch kein Blutvergiessen entheiliget werden. Dieses Tahbu wird heilig gehalten, und gewiss ist es wunderbar, dass diese rohen Volker, bey denen die königliche Gewalt in unbedeutendem Ansehen steht und die ausserdem jede andern heiligen Banden des gesellschaftlichen Lebens ungescheut mit Füssen treten, doch einen so hohen Werth auf eine solche Verbindung legen. Stirbt die Prinzess in Tayo-Hoae, so ist der Friede zur See auf ewig befestiget. Eben so gewissenhaft sind sie in Beobachtung eines einmal abgeschlossenen Waffenstillstandes; nur eine Ursache bricht ihn, und diese ist der Tod des Hohenpriesters, dem drey Menschenopfer gebracht werden müssen, die denn sogleich auf jede mögliche Weise von einem benachbarten Stamme geraubt und hingerichtet werden. Priester, und also eine Art von Religion gibt es unter ihnen; allein worinn diese eigentlich besteht, erfahren wir hier nicht. Das Gute, was diese Religion hier, so wie auf allen Inseln der Süd-See hat, besteht in einem Tahbu, vermöge dessen eine Sache, über die es ausgesprochen ist, als heilig und unverletzlich gilt. Beyspiele, dass von Eingebornen darwider gehandelt worden ware, sind äusserst selten. Selbst der König kann kein Tahbu brechen. Glauben an Zauberey ist bey ihnen ziemlich herrschend,

und

und vorzüglich eine Namens Kaha, die einen Menschen in einem Zeitraum von 19 Tagen tödten soll, sehr gefurchtet. Ihre Musik entspricht ihrem Charakter, und ist noch auf der allerunterſten Stufe der Ausbildung. Nur in der Stärke des Tons scheinen sie Harmonie zu finden.

Bey der Absonderung, in der jedes einzelne Thal von den übrigen lebt, können die Nachrichten über die Bevölkerung der ganzen Insel nicht anders als ziemlich hypothetisch seyn. Nach des Engländers *Robert* Behauptung hat Tayo-Hoae 800 Krieger, Home 1000, Schegua 500, Mau-day 1200, Hotty-Scheve, sudwestlich von Tayo-Hoae 1200, und noch ein anderes Thal in Nordost eben so viel. Die Zahl der streitbaren Einwohner betrug hiernach 5900, und rechnet man das dreyfache für die ganze Bevölkerung, so würde diese ungefähr in 18000 Menschen bestehen. Allein nach Masgabe der in Tayo-Hoae uber die vorhandene Menschen-Menge selbst gemachten Erfahrungen, hielt der Verfasser diese Angaben fur zu stark, und glaubt, dass die Bevölkerung der ganzen Insel nicht uber 12000 Seelen sey, was denn allerdings fur eine Insel, die 60 Meilen im Umfang hat, eine sehr kleine Bevölkerung ist. Diese geringe Bevolkerung wird jedoch sehr erklarlich, wenn man die ewigen Kriege und die Ausschweifungen des andern Geschlechtes berucksichtigt, was sich hier schon im achten und neunten Jahre der Wollust hingibt und dadurch ruinirt. So kömmt es, dass eine Frau selten mehr als zwey Kinder und oft gar keins bekommt, so dass im Durchschnitt auf jede Ehe nur ein Kind kommt.

Die

Die allgemeinen Betrachtungen, die *Krusenstern* am Ende seiner Schilderung uber den sittlichen Charakter dieses Volks beyfugt, sind nicht zu ihrem Vortheil. Ohngeachtet er selbst keine Ursache hatte mit ihnen unzufrieden zu seyn, so waren doch die Zeugnisse der beyden Europäer, die seit einem langen Zeitraum mitten unter diesen Völkern lebten, uber das lasterhafte, rohe, grausame Betragen dieser Insulaner zu übereinstimmend und gleichlautend, als dass man an der Wahrheit dieser Nachrichten zu zweifeln berechtiget wäre. Jede neue Erfahrung spricht gegen die frühere Behauptung von *Georg Forster*, dass die Süd-Insulaner ein gutmüthiges, sanftes und unverdorbenes Volk waren, da im Gegentheil nur Furcht ihren naturlichen raub- und mordsuchtigen Charakter zu unterdrucken vermag. Die Societäts-Insulaner scheinen beynah die einzigen zu seyn, die nicht Cannibalen sind, allein auch ihre Sitten und Gebräuche sind im höchsten Grade lasterhaft; denn was auch nur immer *Forster* zu Vertheidigung der dort so zahlreichen Gesellschaften der *Arreoyes* (Versammlungen, die etwas ähnliches mit den einst wirklich existirenden so verrufenen physischen Clubbs in einer der grössten nördlichen Stadte unseres Continentes haben) sagen mag, so ist es doch höchst empörend, dass dort Mutter mit kaltem Blute ihre Kinder tödten, um nur weiter schwelgen zu durfen. —

Den 18. Mai verliess die Expedition Nukahiwa, und beschaftigte sich den ersten Tag vergebens mit der Aufsuchung des angeblich von *Marchand* nördlich von diesen Inseln gesehenen Landes, was nach

Flen-

Fleurieu's Vermuthung vielleicht das Ohiwa-Potto des Otaheiters Tupaya, *Cooks* Begleiters, seyn könne.

Während einer Windstille wurde unter 0° 56' südl. Br. die Versuche über Temperatur des Wassers wiederholt. In einer Tiefe von hundert Faden zeigte das Six-Thermometer + 12,°5, während die Temperatur der Oberfläche + 22,°5 war; dagegen gab die *Halesche* Maschine für dieselbe Tiefe + 19°. Den 25. Mai wurde unter 146° 31' der Aequator zum zweytenmal durchschnitten, und sehr nahe zu dieser Zeit die südliche Inclination der Magnet-Nadel 6° 15' gefunden. Doch bemerkt der Verfasser, dass diese Angabe gerade kein unbedingtes Zutrauen verdiene, weil das Inclinatorium nicht vorzüglich gut gewesen sey. Unter 1° 12' nördl. Br. war diese Inclination 5° 30'.

Da der Wunsch auf Nukahiwa frische Lebensmittel einzunehmen, nicht erfüllt worden war, indem dort für beyde Schiffe nicht mehr als sieben Schweine von 70 bis 80 Pfund erhalten wurden, so veranlasste dies den Verfasser, seinen Curs unmittelbar auf die Sandwich-Inseln zu nehmen, wo man hoffen konnte, dass Owaihi reichliche Provisionen darbieten würde. Leider fand sich die Erwartung auch hier getäuscht; theils wurden nur wenige Schweine zum Verkauf gebracht, und denn für diese so ungeheure Preise gefordert, dass an keinen Handel zu denken war. Eisen-Waaren hatten allen Werth verloren, und die meisten verlangten Tuch, was *Krusenstern* nicht bey sich hatte. Der hoch gestiegene Luxus auf Owaihi wird es künftig allen Schifffahrern erschweren, sich auf dieser sehr gut culti-

cultivirten Insel mit Erfrischungen zu versehen. Da es sich bey einer ärztlichen Untersuchung zeigte, dass noch kein Mann auf der Nadeshda am Scorbut litt, so glaubte *Krusenstern*, ohne sich länger auf den Sandwich-Inseln um frische Lebensmittel zu bemühen, unmittelbar nach Kamtschatka segeln zu können. Dr. *Horners* Messungen gaben die Höhe des Mowna Roa auf Sandwich 2254 Toisen. Seine Gestalt macht ihn zu einem der merkwürdigsten Berge, indem sein Gipfel eine Fläche von beynahe 13000 Toisen einnimmt. Nach den Wörter-Verzeichnissen welche *Cook* geliefert hat, sollte man glauben, dass die Sprache auf den Sandwich- und Washington-Inseln grosse Aehnlichkeit habe; allein dem ungeachtet konnte der Franzose *Cabri*, den *Krusenstern* durch einen Zufall mitgenommen hatte, durchaus nichts von der Sprache der Owaihier verstehen. Von Owaihi aus unter 156° der Länge, beschloss nun der Verfasser im Parallel von 17° bis zum 180° der Länge fortzusegeln, wozu ihn der doppelte Grund bestimmte, dass er hier auf fortdauernden Passatwind rechnen, und dann auch vielleicht auf eine noch unbekannte Insel stossen könnte, indem dieser Curs in der Mitte von dem des Capitain *Clerke* im Jahre 1779 und dem liegt, den alle Kauffahrthey-Schiffe von den Sandwich-Inseln nach China nehmen. Allein diese leztere Hoffnung ward eben so wenig erfüllt, als die Aufsuchung eines Landes gelang, was nach frühern, höchst wahrscheinlich fabelhaften Sagen, im Osten von Japan existiren, und an edlen Metallen sehr reich seyn soll. Spanier und Holländer waren im 17. Jahrhundert auf dessen Ent-

 deckung

deckung ausgegangen, allein ihre Bemühungen waren eben so wie die neuern von *La Peyrouse* und *Krusenstern* vergebens.

Den 14. Julius Morgens zeigte sich das Schipuns-Koy-Noss, und noch denselben Tag lief die Nadeshda in den Hafen von St. Peter und Paul ein. Die Schifffahrt von Owaihi in 35 Tagen bis hieher, gehört unter die sehr glucklichen, und zu bewundern ist es, dass nur ein einziger Kranker auf dem Schiffe war, da man doch von Brasilien aus in einem Zeitraum von 5½ Monaten nichts als Salzfleisch auf dem Schiffe hatte.

Man sieht hieraus, wie viel die Sorgfalt des Anfuhrers zur Erhaltung der Mannschaft beytragen kann.

Wider den anfanglichen Plan des Verfassers dauerte der Aufenthalt in Kamtschatka länger als sechs Wochen, indem das Erhalten frischer Lebensmittel nebst andern Ursachen, immer Hindernisse herbeyfuhrten. Die baldige Abreise von Kamtschatka ward aus dem Grunde sehr wunschenswerth, weil bey dem in jener Jahreszeit eintretenden N. O. Monsoon es wahrscheinlich ganz unmöglich gewesen seyn wurde, Japan noch in diesem Jahre zu erreichen. Durch die grosse Bereitwilligkeit des Gouverneurs von Kamtschatka, General *Koscheleff*, wurde das Schiff mit allem versehen, was zu dessen Verproviantirung und Ausbesserung nur irgend nöthig war, und am 7. September wurde der Peter- und Pauls-Hafen wieder verlassen. Das Wetter war von hier aus hochst ungunstig, indem Sturm und Regen unaufhörlich abwechselten. Auch erhielt das Schiff,

ohn-

ohngeachtet es in Kamtschatka sehr sorgfaltig kalfätert worden war, doch gleich anfangs einen ziemlich bedeutenden Leck. Als eine wesentliche Berichtigung der noch so problematischen Geographie in jenen Gewässern ist es anzusehen, dass *Krusenstern* eine Gruppe von vier kleinen Inseln, die im Atlas von *La Peyrouse* ohne Namen unter 37° n. Br. und 214° 20' westl. Länge verzeichnet sind, und dann zwey Inseln Volcano unter 35° nördl. Br. durchaus nicht auffand, wiewohl er seinen Curs so nahm, dass er gerade die Mitte dieser Inseln durchschnitt. Schon die Capitaine *Gore* und *King*, die denselben Weg nahmen, sahen nichts von diesen Inseln, und es scheint also jetzt wohl ausgemacht, dass sie entweder gar nicht existiren, oder an einer falschen Stelle in die Karten eingetragen sind. Merkwurdig ist die schnelle Veränderung der Temperatur von Kamtschatka aus, die hier im Monat September im Parallel von 35 — 37° + 19 — 21 Reaum. war. Auf der Hinreise, die mitten im Sommer geschah, zeigte das Thermometer in derselben Breite nur 16 — 17°. Schon waren die Küsten von Japan sichtbar, als noch ein fürchterlicher Sturm dem Schiffe den Untergang drohte. Schon am 29sten September war der Sturm sehr heftig, allein am 30sten nahm der ganze Himmel eine weit furchterlichere Gestalt an. Die Sonne hatte eine glanzlose bleiche Farbe, und ward bald von den sich mit groser Schnelligkeit aus Süd-Ost wälzenden Wolken ganz verdunkelt. Nachmittags drey Uhr hatte der Sturm so zugenommen, dass alle Sturmsegel, die einzigen die das Schiff trug, zerrissen. So furchterlich sich der Verfasser nach al-

 len

len Beschreibungen die Typohas an den chinesischen und japanischen Küsten gedacht hatte, so überstieg doch dieser alle Erwartung. Das Quecksilber fiel so tief, dass es Nachmittags 5 Uhr ganz unter die Scale (27^{Z} 6^{L}) verschwand, und da es sich auch bey den vorher 4 — 5 Linien betragenden Schwingungen gar nicht zeigte, so kann man füglich annehmen, dass es nicht über 27 Zoll gestanden hat. Am Mittag stand es noch 29^{Z} 3½^{L} und es war also in Zeit von fünf Stunden 2¼ Zoll gefallen. Da der Wind aus Ost-Süd-Ost blies, so lief das Schiff Gefahr, an die nicht weit entlegene Küste getrieben zu werden, wo ein einziger Stoss auf den Grund das Schiff unfehlbar zertrümmert hätte. Glücklicherweise änderte sich Abends der Wind in West-Süd-West; allein bey der plötzlichen Aenderung des Windes schlug eine Welle ins Hintertheil des Schiffes, riss die Gallerie auf der linken Seite weg und überschwemmte die ganze Kajüte bis auf drey Fuss hoch mit Wasser, wodurch beynahe alle Bücher und Karten des Capitains zerstört wurden. Gegen Mitternacht legte sich der Sturm, und der andere Tag war ausgezeichnet schön.

Die sehr interessanten geographisch-nautischen Untersuchungen, die *Krusenstern* auf seiner weitern Schifffahrt nach Nangasaki machte und hier beybringt, übergehen wir jetzt ganz, da wir es für zweckmässig halten, diese Gegenstände erst denn, wenn *Krusensterns* Atlas vor uns liegen wird, in einem eignen Aufsatz und mit Vergleichung der frühern Bestimmungen von *Coffnet*, *La Peyrouse*, *Broughton* u. a. umständlich abzuhandeln. Die

japa-

Japanischen Küsten-Strecken, an denen das Schiff während dieser Zeit hinsegelte, boten alle das Bild einer hohen Cultur und Betriebsamkeit dar. Die Insel Satzuma an der van Diemens-Strasse, zeigte sehr schöne malerische Ansichten. Das Land ist gebirgig, doch zeichnet sich kein Berg durch seine Höhe besonders aus. Die südöstliche Seite der Insel scheint die fruchtbarste und bewohnteste zu seyn, wie dies aus der Menge von Boten und Feuern an der Küste hin sehr wahrscheinlich wird. Da das Schiff ziemlich nahe an den Küsten hinging, so konnte man einen Theil des Innern sehr gut übersehen und die ausserordentliche Cultur bewundern, die hier allenthalben herrscht. Nicht allein Thäler und Berge, selbst Gipfel der Felsen waren mit den schönsten Feldern und Pflanzungen bedeckt. Merkwürdig war eine Allee von hohen Bäumen, die längs der Küste über Berg und Thal geführt war, und in der in gewissen Entfernungen Lauben, wahrscheinlich zum Ausruhen für die Fussgänger angebracht waren. Am westlichen Ende von Satzuma läuft die Küste in ein grosses Vorgebirge aus, was nebst einem andern ähnlichen in Nord-Ost befindlichen eine Bay bildet, die der Verfasser Satzuma-Bay nennt. In dieser liegt, den Nachrichten japanischer Dollmetscher zu Folge, der vorzüglichste Hafen dieser Provinz, so wie auch die Residenz des Fürsten von Satzuma. Das Land um diese ist sehr gebirgig, und steigt vorzüglich gegen Norden hoch an. Besonders ist hier ein doppelter Pic merkwürdig, aus dem ein beständiger Rauch aufstieg. Der Verfasser vermuthet, dass dieser Pic wahrscheinlich der vulcanische Berg

Urga

Urga sey, in dessen Crater bey Verfolgung der Christen in Japan, diese hinab gestürzt wurden.

Eine Menge von geographischen Irrthümern wurden auf der ganzen Fahrt bis Nangasaki, wo das Schiff Anfangs October einlief, von dem Verfasser berichtiget, und wir konnen mit Grund hoffen, dass die Karten zu dieser Reisebeschreibung zum erstenmal eine richtige Darstellung der japanischen Insel-Gruppen geben werden.

Die Erwartung dass dem Schiffe, welches den Gesandten eines machtigen Monarchen am Bord hatte, etwas mehr Freyheit wie gewöhnlichen Handels-Schiffen zugestanden werden würde, und dass denn der lange Aufenthalt in Nangasaki zu Einziehung interessanter Nachrichten uber den Zustand von Japan benutzt werden konnte, schlug gänzlich fehl. Die ganze Expedition wurde im eigentlichen Sinn wie Gefangene behandelt, und jede ihrer Handlungen auf das sorgfaltigste bewacht und beobachtet. So scheiterten also abermals die Hoffnungen, uber das uns fast ganz unbekannte Japan glaubwurdige Nachrichten zu erhalten; denn die einzige Nation, die durch Demuth und Unterwurfigkeit seit zweyhundert Jahren in Verbindung mit Japan geblieben und nothwendig manche Notiz uber den Zustand dieses Reichs gesammelt haben muss, scheint es sich zum unverbruchlichen Gesetz gemacht zu haben, alles was nur irgend auf den politisch-geographischen Zustand jener Inseln Bezug haben kann, allen andern Volkern zu verheimlichen.

Gleich bey der Ankunft in Nangasaki wurde dem Schiffe alles Pulver und Gewehr, selbst die Jagd-

Gewehre

Gewehre der Officiere abgenommen, und erst nach viermonatlichen Bitten, wo manches ganz verdorben war, zurück gegeben; doch liess man den Officieren ihre Degen und den Soldaten ihre Gewehre, eine Begunstigung, die den Hollandern nie widerfuhr. Vom Schiffe ans Land zu gehen, war ganz untersagt, ja es war nicht einmal erlaubt, nur in einer geringen Entfernung um das Schiff herum zu fahren, und es dauerte sechs Wochen ehe dem Gesandten ein Spaziergang am Ufer eingeräumt wurde, welcher nicht uber hundert Schritte lang und vierzig breit war. Nach der Landseite war dieses Terrain durch eine Wand von Bambusrohr und zwey Wachthäuser begrenzt. Die Capitains von ein Paar dort liegenden hollandischen Schiffen, durften nicht am Bord des russischen Schiffes kommen, und es ward sogar untersagt, durch jene Schiffe die nach Batavia giengen, Briefe nach Europa zu senden. Ja, als die beyden hollandischen Schiffe absegelten, und *Krusenstern* den beyden Capitains *Musquetier* und *Belmark* im Vorbeysegeln eine gluckliche Reise wunschte, durften diese vermöge eines ausdrucklichen Gebots des japanischen Gouverneurs keinen Laut von sich zu geben, mit keinem Worte antworten.

Dem Gesandten wurde endlich eine anständige Wohnung angewiesen, wo er aber auf das sorgfaltigste bewacht und von aller andern Communication gänzlich abgeschnitten wurde. Wir ubergehen die weitern Details, die *Krusenstern* uber die Einschrankungen gibt, die sich der Gesandte und die ganze Expedition gefallen lassen musten, da schon das

Gesagte

Gesagte hinreichend seyn wird, unsern Lesern einen Begriff zu geben, mit welchem hohen Grad von Misstrauen alle fremde Nationen dort behandelt werden. Dagegen wollen wir alle die freylich nur sparsamen Notizen ausheben, die sich über die dortige Localitat und Sitten in der vorliegenden Reisebeschreibung finden.

Das nachste Recht an die Stadt Nangasaki und die umliegende Gegend, scheint hauptsächlich den Fursten von Tisen und dem Prinzen Tschingodsin zuzukommen, indem die Wachen dieser beyden beym Schiff sich ablosten, doch kamen beym Gesandten auch manchmal Officiere des Prinzen von Omura zur Wache. Alle Verhandlungen zwischen dem Gouverneur und der Expedition geschahen durch eine Art Magistratspersonen, die Banjos genannt wurden. Die grosse Unterwürfigkeit die diesen von den Dollmetschern und allen Holländern bezeigt wurde, liess anfangs einen hohen Rang bey ihnen vermuthen, allein spaterhin erfuhr der Verfasser, dass dies nicht der Fall sey, sondern dass nur ein Auftrag des Gouvernements ihnen ein temporaires Ansehen gebe. Die Kleidung der Banjos und Dollmetscher besteht aus einem kurzen Oberkleid mit sehr weiten Aermeln und einem ganzen Kleide welches bis an die Fusse reicht und grosse Aehnlichkeit mit der europaischen weiblichen Kleidung hat. Das Oberkleid ist meistentheils schwarz, allein zu dem andern wurden bunte Farben gewählt. Die Vornehmern tragen in ihren Kleidern das Familien-Wappen eingewurkt, und man erkennt sogleich am Kleide, zu welcher Familie sie gehoren. Die grosste

Ehren

Ehrenbezeugung, die ein Prinz oder Gouverneur jemand erzeigen kann, ist das Geschenk eines Ober-kleides mit seinem Wappen, und man bereitete mehreremal den Gesandten auf das grosse ihm bevorstehende Glück vor, wenn ihm der Kaiser ein Kleid mit dem kaiserlichen Wappen schenken werde. In Kleidungen von japanischen Zeugen ist das Wappen eingewurkt, bey chinesischen Zeugen aber aufgenaht. Ihre Fussbekleidung ist sehr unvollkommen, indem diess nur aus einer Art Strumpfe, die aus wollenem Zeuge zusammen genaht sind, und aus Sohlen von geflochtenem Stroh besteht. Der Kopf des Japaners ist halb geschoren und ohne alle weitere Bedeckung. Der Kopfputz muss ihnen viel Zeit kosten, da sie ihn nicht nur täglich ohlen und kämmen, sondern auch rasiren; den Bart aber rupfen sie sich mit einer kleinen Zange aus, die nebst einem kleinen metallenen Spiegel, unentbehrliche Stücke im Taschenbuche eines jeden Japaners sind.

Selbst die Handels-Verbindungen von China mit Japan sind sehr unbedeutend. Zwölf Schiffe aus Ningpo haben die Erlaubniss, jährlich nach Nangasaki zu kommen. Von diesen kommen fünf im Juni und segeln im October ab, die andern kommen im December an, und gehen im März oder April zurück. Die Ladung besteht hauptsächlich in Zucker, Elfenbein, Zinnplatten, Bley, seidnen Zeugen und Thee, wofür sie wider Kupfer, Kampher, laquirte Waaren, Regenschirme und Tintenfisch exportiren. Dass der chinesische Thee den japanischen an Güte bey weitem übertrifft, davon überzeugte sich der Verfasser aus eigener Erfahrung. Nach der

Zahl

Zahl der aus Japan kommenden chinesischen Joncken, die einem Schiffe von 400 Tonnen nicht viel nachgeben, sollte man den Handel beyder Reiche für bedeutender halten als er wirklich ist; allein nach des Verfassers Versicherung sind jene Joncken so schlecht beladen, dass er sich auf zwey Schiffen von 500 Tonnen die ganze Ladung jener Joncken fortzubringen getraut. Gleich nach Ankunft dieser Joncken in Nangasaki wird die ganze Mannschaft nebst dem Capitain nach der Factorey gebracht, und die Japaner nehmen von den Fahrzeugen Besitz, ohne jenen nur das Auspacken zu erlauben. Mit Corca oder den Lykeo - Inseln, scheint gar keine Communication Statt zu finden, indem wenigstens während *Krusensterns* Aufenthalt in Nangasaki nicht ein einziges Schiff von dorther ankam, und es würde nicht wenig vortheilhaft seyn, wenn es einer europäischen Nation erlaubt wäre, den Fruchthandel zwischen Ningpo und Nangasaki zu treiben.

Sehr interessant waren uns die Nachrichten, die wir hier von der Existenz astronomischer Kenntnisse in Japan erhalten. Während des dortigen Aufenthalts ereignete sich am 14. Januar 1805 eine totale Mondfinsterniss in Nangasaki, von der es den Japanern keinesweges unbekannt war, dass sie an diesem Tag Statt finden würde, wiewohl in ihren Kalendern die Stunde der Finsterniss nicht angegeben war. Diese Vorhersagung setzt denn doch mehr astronomische Kenntnisse voraus, als man in einem Lande, wo die Dollmetscher, die doch unter die unterrichtetste Classe gezählt werden müssen, von der geographischen Länge und Breite eines Landes,

gar

keinen Begriff haben, erwarten sollte. Allein
a den glaubwurdig scheinenden Versicherungen
Dolmetscher gibt es im nördlichen Japan, und
r in einer Stadt, die in einer geringen Entfer-
g nördlich von Jeddo liegt, Leute, die in Tem-
wohnen und Issis genannt werden, die die
ft besitzen, Sonnen- und Mondfinsternisse vor-
usagen. Es wäre ausserst interessant gewesen,
diese Menschen und uber ihre astronomischen
ntnisse und die Art ihrer Berechnungen nähere
izen zu erhalten; allein leider scheiterte der Plan
dem man sich einiges Licht uber diesen Gegen-
d versprach. Dr. *Horner* wollte namlich den
andten auf seiner Reise nach Jeddo mit einigen
onomischen Instrumenten begleiten, und auf die-
Art wurde es ihm wohl vielleicht moglich gewe-
seyn, in der Nahe jenes Tempels der Urania selbst
ige Nachrichten uber den Zustand der japanischen
onomie uberhaupt zu erhalten; allein da, wie
sogleich sehen werden, die ganze Reise des Gelten nach Jeddo unterblieb, so war es naturlich
a dem Astronomen nicht erlaubt, jene Gegenden
besuchen.

Immer noch hatte es zweifelhaft geschienen,
lem Gesandten die Reise nach Jeddo, der Resi-
z des japanischen Kaisers, erlaubt werden wur-
ider nicht; allein als man ihm am 19. Febr. die
:ielle Anzeige machte, dass der Kaiser einen Be-
mächtigten nebst acht vornehmen Personen ab-
hickt habe, um mit ihnen zu unterhandeln, so
nte man es fur entschieden ansehen, dass jene
'e nicht Statt finden wurde. Auch kamen bald
darauf

darauf Dolmetscher auf Befehl des Gouverneurs an Bord des Schiffes, deren Hauptzweck dahin zu gehen schien, sich zu erkundigen, wenn das Schiff im Stand seyn werde, wieder absegeln zu können. *Krusenstern* liess diesen Wink, das Schiff in segelfertigen Stand zu setzen nicht unbenutzt, und die Japaner schafften von ihrer Seite mit der gröſsten Betriebsamkeit alles herbey, was dazu beytragen konnte.

Den 30. März kam der Bevollmächtigte aus Jeddo in Nangasaki an; und nachdem einige Tage mit Unterhandlungen uber das Ceremoniel, die Art der Begrusung etc. ergangen waren, so fand am 4. April die erste Audienz Statt, bey der nur Complimente gewechselt und einige unbedeutende Fragen gethan wurden. In der zweyten Audienz wurden alle Geschafte beendigt, deren Resultate denn nun freylich ganz anders waren, als man sie wohl anfangs von russischer Seite gehofft oder erwartet hatte. Die Hauptpuncte, womit sich die Unterhandlungen beschlossen, waren folgende:

1) Statt der fruher den Russen gegebenen Erlaubniss, jahrlich mit einem Schiffe zum Handel nach Nangasaki zu kommen, erfolgte jetzt das ausdruckliche Verbot **nie** wieder mit einem russischen Schiffe in einem japanischen Hafen zu erscheinen.

2) Weder die Geschenke, noch sogar der Brief des russischen Kaisers an den Kaiser von Japan wurden angenommen, sondern beydes abgeschlagen.

3) Fur den Fall, dass in der Zukunft Japaner an russische Kusten verschlagen wurden, wurde bestimmt,

bestimmt, dass diese an die Holländer abgegeben werden sollten, die sie sodann über Batavia zurückbringen würden.

Dabey wurde ferner der Wunsch zu erkennen egeben, dass das Schiff den Hafen von Nangasaki,)bald als möglich, verlassen möge. Auch ward es erboten, das Geringste für Geld zu kaufen; dageen erklärt, dass die Reparatur des Schiffes und die erbrauchte Provision auf kaiserliche Kosten geschehen und geliefert worden sey; ferner wurde das chiff mit zweymonatlicher Provision versehen, und er Mannschaft 2000 Säcke Salz, jeden zu 30 Pfund, nd den Officieren 100 Säcke Reiss jeden zu 150 Pf. ebst 2000 Stücken Capock oder seidner Watte, als eschenk gegeben. Dem Gesandten aber ward es ur nach langen Unterhandlungen gestattet sieben)olmetschern, sieben verschiedene eben nicht sehr edeutende Geschenke zu geben.

So ist also jetzt die Communication zwischen apan und Russland auf immer unterbrochen. Es ist merkwürdig, dass diese beyden östlichen Monarhien Japan und China, jetzt weit unfreundlicher egen das benachbarte Russland wie vormals sind, und dass zwey ganz zu gleichem Zweck unternomnene Gesandtschaften dahin, ganz denselben unerwarteten Ausgang hatten. —

Im lezten Capitel dieses Bandes, wo der Veraffer eine Beschreibung des Hafens von Nangasaki iefert, wird eine kurze Notiz über unsere frühern eographischen Kenntnisse von Japan voraus gechickt. Ohne auf die ersten von *Rubriques* und *Marco Polo* in der Mitte des 13ten Jahrhunderts gegebegebenen Nachrichten Rücksicht zu nehmen, fällt die Entdeckung von Japan eigentlich in die Mitte des 16ten Jahrhunderts, wo der Portugiese *Fernando Mender Pinto* auf einer Reise von Macao nach den Ligneo-Inseln an die japanischen Küsten verschlagen wurde. Bald nachher kamen auch Spanier dahin, doch dauerten die Handelsverbindungen leider mit Japan nur sehr kurze Zeit, indem bey der dortigen Ausrottung der christlichen Religion, sowohl Spanier als Portugiesen auf immer aus dem Reiche vertrieben wurden. Der holländische Handel mit Japan schreibt sich vom Jahre 1600 her, wo eins von den Schiffen, was zu der nach Ostindien geschickten Flotte unter den Befehlen der Admirale *Mahu* und *Simon de Cortes* gehörte, an die Ostküste von Japan verschlagen wurde. Auf diesem Schiffe befand sich ein Engländer, *William Adams*, der erste Lootse dieser Flotte, dem die Holländer eigentlich ihre Handelsverbindung mit Japan zu verdanken haben, indem dieser das Glück hatte, dem Kaiser von Japan zu gefallen, und den Holländern die Erlaubniss auswirkte, im Jahr 1613 auf Firando ein Comtoir anzulegen. Im Besitz dieses späterhin nach Decima verlegten Comtoirs sind die Holländer geblieben, während dass die Bemühungen von allen andern Nationen in Handelsverbindungen mit Japan zu treten scheiterten.

Sonderbar ist es, dass, ungeachtet Nangasaki nun doch seit 200 Jahren beynahe jährlich von Europäern besucht wird, dennoch kein guter Plan des Hafens von Nangasaki vorhanden ist. Die Zeichnung, die *Kämpfer* davon gibt, ist sehr unrichtig, und

und alle spätern Karten sind immer mehr oder weniger Copien davon. Die beste Bestimmung von Nangasaki befindet sich auf der General-Karte, die *Barbiér du Bocage* zu *Dentrecasteaux's* Reise (von *Labillardière*) geliefert hat, wo die Längen- und Breiten-Angabe sehr nahe mit der wahren harmonirt. Doch scheint dies beynahe Zufall zu seyn, indem die ersten eigentlich astronomischen Beobachtungen zu Bestimmung von Nangasaki von *Krusenstern* und *Horner* gemacht wurden, denn die dort im Jahre 1612 beobachtete Mondfinsterniss kann kein zuverlässiges Resultat geben. Die astronomische Bestimmung von Nangasaki, die wir hier erhalten, und der Plan vom Hafen, den uns der Atlas liefern wird, sind daher von bedeutendem Werthe. Ohngeachtet es der russischen Schiffsmannschaft verboten war in der Bay herum zu fahren, so glaubt *Krusenstern* doch, die Genauigkeit des Plans verburgen zu können, indem Dr. *Horner* und Lieutenant *Lowenstern* einen ungemeinen Fleiss auf dessen Verfertigung wandten. Der astronomisch bestimmte Breiten-Unterschied von Kibatsch und Megasaki gab den Massstab des ganzen ab, indem es unmöglich war, eine Standlinie zu messen. Mehr als 1000 Winkel wurden zu Bestimmung aller hauptsachlichen Puncte gemessen; allein freylich mussten doch mehrere kleine Einbuchten ununtersucht bleiben, da die misstrauische Politik der Japaner alle Mittel dazu benahm.

Die sehr detaillirten nautischen Notizen, welche Krusenstern uber den Hafen von Nangasaki gibt, sind für alle schifffahrenden Nationen, denen es vielleicht

leicht gelingt in Verbindung mit Japan zu kommen, von grosser Wichtigkeit. Der ganze Eingang des Hafens, einige Klippen, die hauptsächlichsten Merkmale bey der Einfahrt, die besten Orte für den Ankergrund etc. alles dies ist hier so detaillirt beschrieben, dass jeder erfahrne See-Officier, ohne Piloten den Hafen von Nangasaki befahren kann; auch rath es der Verfasser an, dass Schiffe, die zum erstenmal nach Nangasaki kommen, sich durch kein japanisches Boot, die mehrere Meilen weit entgegen kommen, aufhalten lassen möge, sondern gleich nach der aussern Rhede zu segeln. Der ganze Hafen besteht eigentlich aus drey verschiedenen Rheden, die samtlich sehr sicher sind. Die erstere ist die äussere Rhede, westlich von der Insel Papenberg; die zweyte, die mittlere, im Osten von dieser Insel; und die dritte, die innere vor der Stadt im Innern des Hafens. Dadurch, dass die Nadeshda in allen drey Rheden eine geraume Zeit lag, erhielt der Verfasser Gelegenheit, sie sammtlich kennen zu lernen. Der beste Platz im ganzen Hafen, um ein Schiff ausbessern zu können, ist die kleine Einbucht Kibatsch, eben da, wo der Mannschaft ein kleiner Raum zum Spaziergehen eingeraumt wurde.

Sehr vortheilhaft und mit grosser Genauigkeit können im Hafen von Nangasaki Fluth-Beobachtungen gemacht werden; der Wechsel ist dort sehr regelmässig, und das Wasser, ausgenommen bey grossen Sturmen nie bewegt. Die Resultate aus viermonatlichen sehr sorgfaltigen Beobachtungen sind folgende: in den Syzygien trifft die Stunde der höchsten Fluth auf $7^h\ 52'\ 41''$. Die hochste Fluth fand

Statt

en 2. April 2 Tage nach dem Neumond. Das
stieg bey einem schwachen Nordwinde 11 Fuss
Die niedrigste Fluth fand Statt am 25. März
3 nach der Quadratur. Das höchste Steigen
assers betrug an diesem Tage nur 1 Fuss 2 Zoll.
etail dieser für die Theorie sehr interessanten
chtungen wird im dritten Bande gegeben
n.

ach den hier befindlichen allgemeinen Resul-
aus den in Nangasaki angestellten siebenmo-
ien meteorologischen Beobachtungen ist das
e Clima gemässigter, als man es seiner östli-
Lage nach vermuthen sollte, und scheint nahe
em des südlichen Frankreich überein zu treffen.
i den Monaten October, November, Decem-
anuar, Februar, März und April beobachteten
en und niedrigsten Temperaturen waren fol

Monat	Höchste Temperat.	Niedrigste Temp.
October	+ 20,°2	+ 10,°4
November	+ 24, 0	+ 6, 0
December	+ 16, 0	+ 1, 5
Januar	+ 13, 5	— 1, 5
Februar	+ 15, 5	— 0, 5
März	+ 16, 0	+ 1, 5
April	+ 20, 0	+ 6, 0

ie Abwechselungen der Temperatur an einem
waren ungemein stark, und betrugen manch-
2 — 15°.

he wir diese Anzeige mit Aushebung der hier
llichen geographischen Ortsbestimmungen und

 Beob-

Beobachtungen über Abweichung und Inclination der Magnet-Nadel beschliessen, müssen wir der vorzuglichen Verdienste erwähnen, die sich Dr. *Horner* durch seine astronomische Thätigkeit um die Expedition erwarb. Wir kennen keine Reise um die Welt, wo die tägliche Lage des Schiffes immer mit so vieler Genauigkeit bestimmt worden wäre, als es hier geschah; keinen zur Beobachtung günstigen Augenblick liess Dr. *Horner* ungenützt verstreichen, und selbst dem rauhen umwölkten Himmel am Cap Horn wusste er durch unermudetes Warten ein Paar Augenblicke abzuspahen, um den Ort des Schiffes astronomisch zu bestimmen. Fast immer wurden die Chronometer durch Monds-Distanzen controllirt, und so deren Genauigkeit bestimmt. Unstreitig trug diese Sicherheit uber den jedesmahligen Ort des Schiffes sehr wesentlich zu der so schnellen und sichern Schifffahrt dieser Expedition bey.

Namen

Namen der Orte	Geogr. Länge westlich von Greenwich	Breite	Declination der Magnet-Nadel	Inclinat. der Magnet-Nadel
. . . .	20° 0′ 45″	57° 44′ 30″ N	13° 15′ 10″ W	. . . .
Santa Cruz, Haus der Inquisition	16 13 42	28 28 20 —	16 1 30 —	. . . .
. . . .	25 24 0	17 55 0 —	15 6 0 —	. . . .
. . . .	40 40 0	22 36 0 S.	2 49 0 O.	. . . .
St. Catharina, N. N. O. Spitze	47 49 20	27 19 10 —	. . . . .	. . . .
Insel Atomery	47 51 0	27 21 58 —	7 50 0 —	. . . .
. . . .	56 50 0	44 15 0 —	17 37 50 —	60° 41′ S.
. . . .	65 13 0	49 13 0 —	21 40 0 —	. . . .
. . . .	63 47 0	58 59 0 —	24 32 0 —	73 15 —
. . . .	72 45 0	59 20 0 —	27 40 0 —	. . . .
. . . .	89 0 0	55 46 0 —	19 59 20 —	75 30 —
. . . .	99 28 0	38 2 0 —	9 36 48 —	. . . .
. . . .	108 46 0	20 58 0 —	5 12 0 —	. . . .
. . . .	145 0 0	3 27 0 —	5 18 0 —	13 0 —
. . . .	146 16 0	0 56 0	4 34 0 —	8 30 —
. . . .	146 31 0	0 0 0 —	. . . . .	6 15 —
. . . .	180 0 0	20 0 0 N	13 20 0 —	. . . .
. . . .	201 40 0	48 30 0 —	. . . . .	59 30 N
. . . .	227 43 0	51 42 0 —	3 1 0 W	. . . .

Namen der Orte		Geogr. Länge westlich von Greenwich			Breite				Declination der Magnet-Nadel.	Inclinat. der Magnet-Nadel
Cap Tschirikoff		228°	18'	30"	32°	14'	15"	N	. . . .	. . . .
Cap Cochrane		228	33	30	31	51	0	—	. . . .	. . . .
Cap d'Anville		228	52	45	31	27	30	—	. . . .	. . . .
Cap Nagaest		228	49	0	31	15	15	—	. . . .	. . . .
Insel Tanao Sima, N. Spitze .		229	0	0	30	42	30	—	. . . .	. . . .
Insel Tenega-Sima . . .		229	30	0	30	23	0	—	. . . .	. . . .
Inseln in der van Diemens-Strasse	Volcano . . .	229	43	20	30	43	0	—	. . . .	. . . .
	Seriphos . . .	229	15	30	30	43	30	—	. . . .	. . . .
	Apollos . . .	229	36	0	30	43	45	—	. . . .	. . . .
	Julie	229	46	30	30	27	0	—	. . . .	. . . .
	St. Claire . . .	230	5	45	30	45	15	—	. . . .	. . . .
Insel Satzuma	Cap Tschitschagoff .	229	23	30	30	56	45	—	. . . .	. . . .
	Pic Horner . . .	229	32	0	31	9	30	—	. . . .	. . . .
	Cap Schesma . .	229	58	0	31	24	0	—	. . . .	. . . .
Inseln Simlegaden	Nord-östliche . .	230	18	20	31	30	0	—	. . . .	. . . .
	Süd-westliche . .	230	22	30	31	26	0	—	. . . .	. . . .
Felsen der Nadeshda . . .		230	26	30	31	42	20	—	. . . .	. . . .
Eingang des Hafens von Nangasaki		230	15	0	32	43	45	—	. . . .	. . . .
Cap Nomo		230	17	30	32	35	10	—	. . . .	. . . .

Namen der Orte	Geogr Länge westlich von Greenwich	Breite	Declination der Magnet-Nadel	Inclinat. der Magnet-Nadel
Nangasaki, Mitte der Stadt . .	230° 8′ 0″	32° 44′ 50′ N	. . . . .	. . . . .
Kibatsch *)	230 10 28	32 43 15 —	1° 45′ 36″ W	. . . .
Megasaky	. . . . . .	32 44 2 —	. . . . .	. . . . .
Decima. Flaggenstock	. . . . .	32 44 18 —	. . . . .	. . . . .

*) Kibatsch war der Ort, den die Japaner der Expedition zum Spatziergang eingeräumt hatten. Die Länge von Kibatsch ist aus 1028 Abständen des Mondes von der Sonne, die *Horner* und *Krusenstern* beobachtet hatten, bestimmt. Die Breite von Decima stimmt sehr gut mit der, die aus *van der Ende's* Beobachtungen folgt; nach diesen ist sie 32° 44′ 30″. (*Mon. Corr.* Tom. XX. S. 70).

v. L.

XLIII.

XLIII.

Neue und leichte Methode, den Flächen-Inhalt und die Construction jeder Figur aus den Seiten und Winkeln zu berechnen. Ein Beytrag zur Polygonometrie, von *Ludwig Bleibtreu*. Neuwied 1810. 8. 17 Seiten.

Da solche kleine Schriften, wie die vorliegende ist, selten ein grösseres Publicum erhalten, so glauben wir den hauptsachlichsten Inhalt davon, der sich auf einen Lehrsatz beschrankt, hier mit ein Paar Worten anzeigen zu müssen.

Der Verfasser beschaftigt sich in dieser Schrift mit der Darstellung und dem Beweise eines polygonometrischen Lehrsatzes zu Berechnung des Flächen-Inhalts jedes Vielecks aus den gegebenen Seiten und Winkeln. Da uns der Satz neu scheint, und allerdings bey manchen geodätischen Operationen von practischem Nutzen seyn kann, so heben wir solchen hier aus:

"*Sind* a, b, c . . . . x, y *die Winkel eines*
"*Polygons*, ab, bc, cd . . . xy, *die nach der*
"*Ordnung der Winkel auf einander folgenden*
"*Seiten, und setzt man*

"21

"$2r - a = a'$ wo $r = 90°$
"$4r - (a + b) = b'$
"$6r - (a + b + c) = c'$
"$2nr - (a + b + c \ldots + x) = x'$ *wo n*
"*die Anzahl der Seiten weniger eine und x*
"*den vorletzten Winkel bedeutet, so ist der*
"*Inhalt des Polygons*

$$= ab.\sin a'.\tfrac{1}{2}ab.\cos a' + bc.\sin b'(ab\cos a' + \tfrac{1}{2}bc\cos b') +$$
$$+ cd.\sin c'(ab.\cos.a' + bc.\cos.b' + \tfrac{1}{2}cd\cos.c') + \ldots$$
$$+ xy.\sin.x'(ab.\cos.a' + bc.\cos b' + cd\cos c' \ldots + \tfrac{1}{2}xy.\cos x';$$

Den Beweis dieses Theorems, den der Verfasser aus einer sinnreichen Ansicht der Entstehung des Vielecks und aus dessen Zerlegung in Trapezien herleitet, übergehen wir, da ihn Mathematiker leicht selbst finden werden.

XLIV.

Neue und leichte ... halt und ... aus den ... nen. ... von ... 8. ...

...ements cé... ...s et Navi... ...liée par le ... aris. Juillet

... Einrichtung dieser schätzbaren Jahrgang ... in dem gegenwärtigen und wir ... ändert beybehalten worden. ... Kalen-

D... daher den eigentlich astronomischen ... in den ... ganz mit Stillschweigen übergehen. Wie ... Angaben ... frühern Bänden, so fehlen auch hier die A... ... über die vier neuen Planeten ganz; ein wesentlicher Mangel, dem nun, wo an dem Planetismus jener Gestirne doch nicht mehr gezweifelt werden kann, wohl abgeholfen werden sollte. Zu wünschen ist es also, dass die *Connaissance des tems* künftig hierin dem Beyspiel der Berliner und Mailänder Ephemeriden folgen möge, was für jene um so leichter geschehen könnte, da bekanntlich eine sehr grosse Menge von Rechnern an deren Bearbeitung Theil nehmen.

Das an sich brauchbare Verzeichniss geographischer Ortsbestimmungen lässt, wie wir schon mehrmals erinnerten, in Hinsicht von Genauigkeit und Vollständigkeit noch manches zu wünschen übrig. Hier ist nicht der Ort, in eine nähere Discussion über diesen Gegenstand einzugehen; allein an Belegen

·r Behauptung fehlt es nicht; so sind
Bestimmungen aus Major *Mudge's*
Operationen fast ganz unbenutzt
so finden wir die neuen Anga-
r's Reise noch nicht gehörig
hier angegebene Lage von
d und Tongatabou sehr

·n zweyjährigen Original-
. *Bouvard* und *Matthieu*, die
vom Januar 1807 bis December 1808
n, werden den Astronomen interessant
lich wurde es denen, die diese Beob-
wirklich benutzen wollen, erwünscht
Collimations-Fehler des Mauer-Quadran-
eichzeitigen Beobachtungen mit einem
tor selbst bestimmen zu können. Die
·en 1807 und 1808 auf der kaiserlichen
beobachteten Sternbedeckungen lassen
lgen:

	Name des Sterns	Eintritt			Austritt		
11	c Aquar.	6h	39'	57,"9	.	.	.
20	ζ Tauri	18	2	6	.	.	.
13	μ¹ Sagitt.	14	20	37	.	.	.
6	μ Sagitt.	9	56	13, 2	.	.	.
8	α Sagitt.	12	16	13, 0	.	.	.

den Abhandlungen, die diesen Band
ssance des tems begleiten, hat unstreitig
re von *La Place*, *sur la Diminution de
le l'ecliptique qui résulte des observations*
das meiste astronomische Interesse, da es
der

XLIV.

Connaissance des tems ou des mouvements célestes à l'usage des Astronomes et Navigateurs, pour l'an 1811. Publiée par le Bureau des longitudes. à Paris. Juillet 1809.

Die gewöhnliche Einrichtung dieser schätzbaren Ephemeride ist in dem gegenwartigen Jahrgang ganz unverandert beybehalten worden, und wir konnen daher den eigentlich astronomischen Kalender ganz mit Stillschweigen übergehen. Wie in den frühern Bänden, so fehlen auch hier die Angaben uber die vier neuen Planeten ganz; ein wesentlicher Mangel, dem nun, wo an dem Planetismus jener Gestirne doch nicht mehr gezweifelt werden kann, wohl abgeholfen werden sollte. Zu wunschen ist es also, dass die *Connaissance des tems* kunftig hierin dem Beyspiel der Berliner und Mailander Ephemeride folgen möge, was fur jene um so leichter geschehen konnte, da bekanntlich eine sehr grosse Menge von Rechnern an deren Bearbeitung Theil nehmen.

Das an sich brauchbare Verzeichniss geographischer Ortsbestimmungen lässt, wie wir schon mehrmals erinnerten, in Hinsicht von Genauigkeit und Vollständigkeit noch manches zu wünschen übrig. Hier ist nicht der Ort, in eine nähere Discussion über diesen Gegenstand einzugehen; allein an Belegen

gen zu unserer Behauptung fehlt es nicht; so sind die Menge von Bestimmungen aus Major *Mudge's* trigonometrischen Operationen fast ganz unbenutzt geblieben, und eben so finden wir die neuen Angaben aus *D'Entrecasteaux's* Reise noch nicht gehorig nachgetragen, indem die hier angegebene Lage von Amboina, van Diemen's Land und Tongatabou sehr fehlerhalt ist.

Die hier befindlichen zweyjährigen Original-Beobachtungen von *Bouvard* und *Matthieu*, die den Zeitraum vom Januar 1807 bis December 1808 in sich fassen, werden den Astronomen interessant seyn. Freylich wurde es denen, die diese Beobachtungen wirklich benutzen wollen, erwunscht seyn, den Collimations-Fehler des Mauer-Quadranten aus gleichzeitigen Beobachtungen mit einem Zenith-Sector selbst bestimmen zu können. Die in den Jahren 1807 und 1808 auf der kaiserlichen Sternwarte beobachteten Sternbedeckungen lassen wir hier folgen:

Jahr und Tag		Name des Sterns	Eintritt			Austritt
1807 Jan.	11	c Aquar.	6^h	39'	57,"9	. . .
1807 Sept.	20	ζ Tauri	18	2	6	. . .
1808 May	13	μ^1 Sagitt.	14	20	37	. . .
1808 Jul.	6	μ Sagitt.	9	56	13, 2	. . .
1808 Jul.	8	α Sagitt.	12	16	13, 0	. . .

Unter den Abhandlungen, die diesen Band der *Connoissance des tems* begleiten, hat unstreitig das Memoire von *La Place*, *sur la Diminution de l'obliquité de l'ecliptique qui résulte des observations anciennes*, das meiste astronomische Interesse, da es

der

XLIV.

Connaissance des tems ou des mouvements célestes à l'usage des Astronomes et Navigateurs, pour l'an 1811. Publiée par le Bureau des longitudes. à Paris, Juillet 1809.

Die gewöhnliche Einrichtung dieser schätzbaren Ephemeride ist in dem gegenwartigen Jahrgang ganz unverandert beybehalten worden, und wir konnen daher den eigentlich astronomischen Kalender ganz mit Stillschweigen ubergehen. Wie in den fruhern Banden, so fehlen auch hier die Angaben uber die vier neuen Planeten ganz; ein wesentlicher Mangel, dem nun, wo an dem Planetismus jener Gestirne doch nicht mehr gezweifelt werden kann, wohl abgeholfen werden sollte. Zu wunschen ist es also, dass die *Connaissance des tems* kunftig hierin dem Beyspiel der Berliner und Mailander Ephemeride folgen moge, was fur jene um so leichter geschehen konnte, da bekanntlich eine sehr grosse Menge von Rechnern an deren Bearbeitung Theil nehmen.

Das an sich brauchbare Verzeichniss geographischer Ortsbestimmungen lässt, wie wir schon mehrmals erinnerten, in Hinsicht von Genauigkeit und Vollstandigkeit noch manches zu wunschen ubrig. Hier ist nicht der Ort, in eine nähere Discussion uber diesen Gegenstand einzugehen; allein an Bele

gen

gen zu unserer Behauptung fehlt es nicht; so sind die Menge von Bestimmungen aus Major *Mudge's* trigonometrischen Operationen fast ganz unbenutzt geblieben, und eben so finden wir die neuen Angaben aus *D'Entrecasteaux's* Reise noch nicht gehörig nachgetragen, indem die hier angegebene Lage von Amboina, van Diemen's Land und Tongatabou sehr fehlerhaft ist.

Die hier befindlichen zweyjährigen Original-Beobachtungen von *Bouvard* und *Matthieu*, die den Zeitraum vom Januar 1807 bis December 1808 in sich fassen, werden den Astronomen interessant seyn. Freylich würde es denen, die diese Beobachtungen wirklich benutzen wollen, erwunscht seyn, den Collimations-Fehler des Mauer-Quadranten aus gleichzeitigen Beobachtungen mit einem Zenith-Sector selbst bestimmen zu konnen. Die in den Jahren 1807 und 1808 auf der kaiserlichen Sternwarte beobachteten Sternbedeckungen lassen wir hier folgen:

Jahr und Tag	Name des Sterns	Eintritt	Austritt
1807 Jan. 11	c Aquar.	6h 39' 57,"9	. . .
1807 Sept. 20	ζ Tauri	18 2 6	. . .
1808 May 13	μ¹ Sagitt.	14 20 37	. . .
1808 Jul. 6	μ Sagitt.	9 56 13, 2	. . .
1808 Jul. 8	x Sagitt.	12 16 13, 0	. . .

Unter den Abhandlungen, die diesen Band der *Connoissance des tems* begleiten, hat unstreitig das Memoire von *La Place*, *sur la Diminution de l'obliquité de l'ecliptique qui résulte des observations anciennes*, das meiste astronomische Interesse, da es der

Schatten-Längen, da doch ein Zoll im Winter-Solstitio eine Differenz von 25 Minuten verursacht, sind alles Umstande, die in jenen Beobachtungen bedeutende Fehler sehr wahrscheinlich machen. Man ist in neuern Zeiten zum grössern Theil davon zuruckgekommen, die Elemente unsres Sonnen Systems aus sehr entfernten Beobachtungen herzuleiten; denn die Vortheile, die eine lange Jahrreihe für Bestimmung von Praecession, mittlere Bewegung, Sácular-Aenderungen u. s. w. mit sich fuhrt, wird wieder meistentheils durch die mehr oder mindere Unzuverlassigkeit aller, vor Gebrauch der Fernrohre erhaltenen Bestimmungen, völlig compensirt. Auch beruhen alle unsre neuern und bessern Planeten-Tafeln auf Beobachtungen, die seit dem Jahre 1750 gemacht wurden, und ob es nicht ebenfalls zweckmassig seyn wurde, dies bey der Sacular-Abnahme der Obliquität zu thun, und diese nicht aus alten Traditionen, (in den chinesis. Beobachtungen heisst es einigemal "*selon la tradition*", "*c'est encore une tradition*") sondern so anzunehmen, wie *Bradley*'s und *Piazzi*'s Bestimmungen, die Fehler von 2" nicht zulassen, sie geben, ist wol noch sehr eine *res altioris indaginis*.

Eine zweyte Abhandlung von *La-Place*, "*sur l'anneau de Saturne*" hat hauptsachlich die Erklärung der von *Schroter* beobachteten scheinbaren Nicht-Rotation des Saturns-Ringes zum Zweck. Die Differenz zwischen den Resultaten, die aus *Herschel*'s und *Schroter*'s Beobachtungen uber die Rotation dieses Ringes folgen, ist so merkwurdig, dass eine befriedigende Erklarung dieser Erscheinung,

allen

allen Astronomen äusserst erwünscht seyn muss. Die *Möglichkeit*, aus der von *La Place* hier gegebenen Darstellung, das Phänomen, dass aus *Herschel's* Beobachtungen eine zehnstündige Rotation, und aus denen von *Schröter* eine Immobilität des Saturns-Ringes folgt, zu erklären, sehen wir zwar wohl ein, allein eben so wenig mögen wir es leugnen, dass diese Erklärungsart noch nicht das Überzeugende mit sich führt, was wir wohl über diesen Gegenstand zu erhalten wünschten. Dem gemäss, was *Short's*, *Herschel's* und *Schröter's* Beobachtungen wahrscheinlich machen, nimmt *La Place* an, dass der Saturns-Ring aus mehreren concentrischen Ringen bestehe, und dass diese *verschiedene Neigungen* gegen den Aequator des Planeten haben. *Il est très vraisemblable*, heisst es hier, *que chacun de ces anneaux est formé lui-même de plusieurs anneaux en sorte que l'anneau de Saturne peut être regardé comme un assemblage de divers anneaux concentriques; tel seroit l'ensemble des orbes des Satellites de Jupiter, si chaque satellite laissait sur sa trace une lumière permanente; les anneaux partiels doivent être, comme ces orbes diversement inclinés à l'équateur de la Planète.* Auf dieser Annahme der verschiedenen Neigung der Ringe gegen den Saturns-Aequator beruht eigentlich die hier aufgestellte Erklärungsart, und es ist gar nicht zu leugnen, dass, wenn man jene als wirklich existent annimmt, hieraus das scheinbar Widersprechende der *Herschel*schen und *Schröter*schen Beobachtungen erklärbar wird. Denn findet eine merkliche Diversität der Neigung in den verschiedenen Saturns-Ringen Statt, so folgt auch hieraus

aus sehr natürlich eine verschiedene Beleuchtung dieser. In dieser Art der Beleuchtung kann die Rotation keine wesentliche Aenderung veranlassen, da während dieser die Lage jener Ringe sich nicht merklich ändert, und hiernach auch die Diversität der Beleuchtung während eines Zeitraumes von mehreren Tagen sehr nahe dieselbe bleiben muss. So konnte es also kommen, dass *Schroter* ausgezeichnete Lichtpuncte während mehrerer Stunden als unbeweglich sah; allein tritt der Fall ein, dass auf einer Masse paralleler Ringe ausgezeichnete Erhabenheiten oder Lichtpuncte sich wirklich befinden, so müssen diese bey angenommener Rotation des Ringes eine schnelle Ortsveränderung zeigen, und ein solcher sey nach *La Place*'s Vermuthung von *Herschel* beobachtet und daraus die mit der Theorie harmonirende zehnstündige Rotation des Saturns-Ringes hergeleitet worden. Wir würden diese Erklärungsart für ganz befriedigend ansehen, wenn wir uns von der dabey zum Grunde liegenden Annahme der verschiedenen Neigung der Ring-Ebenen lebhaft überzeugen könnten; allein *wahrscheinlich* wird eine solche Annahme aus den hierüber vorhandenen Beobachtungen gerade nicht. Denn wenn man die Beobachtungen von 1671 (*anc. Mém.* Tom. X. p. 583) von 1714 (*Mém. de l'Acad.* 1715 p. 12), dann die von *Heinsius*, *Messier* und *Herschel* in den Jahren 1743, 1773 und 1774, aus denen man eine Abweichung des Ringes von einer Ebene hat herleiten wollen, näher discutirt, so scheinen alle jene Beobachtungen mehr für grosse *Ungleichheiten* auf dem Saturns-Ringe, als dafür zu beweisen, dass die

par-

partiellen Saturns - Ringe verschieden gegen einander geneigt sind. Auch glauben wir, dass in diesem Falle der Ring des Saturn selbst fur minder starke Vergrösserungen nie ganz verschwinden könnte, indem bey der unter dieser Annahme Statt findenden *Breite* des Ringes immer erleuchtete Theile davon sichtbar bleiben müssten; allein *Messier*'s, *Herschel*'s und *Schroter*'s Beobachtungen vereinigen sich, um diese Breite fast unmerklich zu machen. Wir wunschen sehr, dass der von *La Place* geausserte Wunsch, dass Beobachtungen, bestimmt auf diesen Gegenstand gerichtet, vervielfaltiget werden möchten, von Astronomen, die die Mittel dazu in Händen haben, erfullt würde, um das Problematische dieser Erscheinungen bald aufgeklärt zu sehen. Sollten wir jetzt unsre individuelle Meinung uber diesen Gegenstand aussern, so wurden wir nach Grunden der Theorie und der Analogie allerdings mehr an die zehnstundige Rotation, als an die Unbeweglichkeit des Saturns - Ringes glauben.

Die Abhandlung von *Delambre* "*Methode pour trouver la latitude et le tems par l'observation de deux étoiles connues*" beruhren wir nur kurz, da dieser Aufsatz fur unsre astronomischen Leser, die mit den über diesen Gegenstand hier befindlichen Auffätzen (*Monatliche Corresp.* B. XIX) bekannt sind, gerade nichts neues enthält. Nur uber das, was den verdienstvollen Verfasser zu dieser sehr umständlichen Erörterung veranlasst hat, glauben wir ein Paar Worte beyfugen zu mussen. *Delambre*, der nicht das Programm von *Gauss* selbst gesehen, sondern jene Abhandlung nur aus dem Auszug zu kennen scheint, den wir davon in diesen Blättern gegeben haben, macht es lezterem gewissermassen zum Vorwurf, sich bey Behandlung dieser Aufgabe nur der Analyse und nicht der Synthesis bedient zu haben. Dieser Vorwurf, der nur durch die Art unseres Auszuges, wo wir die Aushebung der End Ausdrücke für hinlänglich hielten, veranlasst werden könnte, ist ungerecht, indem *Gauss* im Eingang seines Programms die vollständige geometrische Construction des Problems gibt, und dort auch ausdrücklich bemerkt, dass die Aufgabe auf der Auflösung von drey sphärischen Dreyecken beruhe, was denn vollkommen hinlänglich war, um jeden Anfänger in der sphärischen Trigonometrie in Stand zu setzen, die synthetische Auflösung der Aufgabe zu finden. Die vollständige Uebersetzung dieses Programms, die in dem Berliner Jahrbuche für 1812 befindlich ist, wird diese Angabe beurkunden. Ueber das, was der verdiente Verfasser bey dieser Gelegenheit über die Vorzüglichkeit der synthetischen Methode bey manchen Aufgaben sagt, würde sich vieles sagen lassen. Wir sind weit entfernt, den Gebrauch der Analyse unbedingt bey allen Aufgaben zu empfehlen, da deren Verfahren allerdings manchmal eine Art von Dunkelheit zurück lässt; allein wenn, wie es *Gauss* that, eine allgemeine Uebersicht der Construction des Problems voraus geschickt wird, dann würden wir durchgängig den analytischen Weg vorziehen, da dieser in den meisten Fällen die kürzesten und allemal die allgemeinsten Resultate gewährt. Dass die Synthesis für den heutigen Zustand der Astronomie nicht mehr passend ist, kann wol nicht verkannt

kannt werden; einen sprechenden Beweis für diese Behauptung liefert England, dessen Geometer und Astronomen durch ihre Vorliebe für die alten geometrischen Methoden in dem ganzen Gebiete der physischen Astronomie wesentlich zuruck geblieben sind.

In der Abhandlung: "*Eclipse du soleil du 16 Juin 1806 observée et calculée par M. Van Beek-Calkoen, Directeur de l'observatoire de Utrecht*, beschaftigt sich letzterer mit der Langenbestimmung von Utrecht aus der angezeigten Sonnenfinsterniss. Die Länge von 11' 6,"4 die er dort findet, wird etwas vergrösert werden mussen, indem Munchen und Lilienthal, womit Utrecht hier verglichen wird, nach den neuesten Bestimmungen, respt. um 4 und 8" östlicher liegen, als sie hier angenommen sind.

Der Behauptung, die *Burckhardt* in der *Note historique sur les différents moyens employés par les Astronomes pour observer le soleil* in Hinsicht des ersten Entdeckers der gefarbten Gläser macht, können wir nicht beystimmen. Es wird hier diese Entdeckung dem P. *Scheiner* zugeschrieben, der sich nach Entdeckung der Sonnenflecken im Jahre 1611 ein Fernrohr mit gefarbtem Objectiv und Ocular habe verfertigen lassen, da doch wahrscheinlich diese Entdeckung schon 100 Jahr fruher von *Peter Appian* gemacht wurde, wie eine Stelle in seinem, im Jahre 1532 erschienenen *Astronomicum caesareum* ganz deutlich besagt. Dort heisst es (*Enunciatum tricesimum* am Schluss:) *Postremum est et quasi parergum, ut eclipses, quas fusissime descripsi, oculari quoque observatione contuendas doceam. Cum mul-*

 ti

ti ſint, qui varie variis videndi inſtrumentis utantur, omnibus tamen perperam. Alii enim in pelvi aqua referta, alii ſpeculis, alii ſimplici papiro perforata, alii aliter obſervare eclipſes ſolent. Tantum vero abeſt, ut hi veram defectus magnitudinem diſcernant, ut inſuper his rationibus graviſſime viſum percellant. Eclipſin itaque ſolarem contuiturus, vitrea non amplius quam duo fragmenta, qualibus feneſtrae muniuntur, ſpiſſiora, palmae latitudinem aequantia deſumat, bicolaria tamen, altero rubro, altero viridi, flavo, purpureo colore exiſtente. Colorum differentias, ipſa experientia ſtatim docebit. Exinde folium papiri candidioris, tenuiſſima acu perforatum, binis vitris inſerat, ceraque vel bitumine conglutinet. Tempore deinde eclipſis oculis praetendat, acieque recta per foramen in ſolem delinquentem collimet. Sic enim fiet ut ſolem nihilo ſecius, quam ſi lunam intueatur, innoxie cernat, quae quidem res in dies comprobari poteſt, maxime autem tunc, ubi Solem et Venerem, aut Solem et Mercurium conjungi corporaliter, ex ſuperioribus animadvertiſti. Nam ſic eandem conjunctionem per vitra ſuo tempore obſervabis, citra obſtaculum, citraque noxam viſus, planetam ſub ſolis corpore, quacumque tandem in parte lateat, manifeſto conſpicabis.

Dieſe Stelle laſst uber die frühere Erfindung der gefarbten Glaſer keinen Zweifel übrig, und da das Werk des *Appian* unter die bibliographiſchen Seltenheiten gehört, ſo glauben wir, daſs deren Anfuhrung, die fur das Geſchichtliche dieſes Gegenſtandes claſ-

classisch ist, allen Freunden astronomischer Literatur willkommen seyn werde.

Merkwürdig ist es, dass *Appian* zufällig gleich auf den ersten Versuch die vorzuglichste Farben-Zusammensetzung bey diesen Glasern, das heisst Roth und Grün, fand, deren man sich hauptsachlich heut-zutage bedient.

Durch die Untersuchung, die *Burckhardt* über den Cometen von 1701 liefert, erhält die Cometographie eine Bereicherung. *Pallu* zu *Pau* scheint die einzigen drey Beobachtungen dieses Cometen am 28 Oct., 31 Oct. und 1 Nov. gemacht zu haben, aus denen *Burckhardt* folgende Elemente ableitete:

Aufsteigender Knoten	9^S 28° 41'
Neigung	41 39
Perihelische Distanz	0, 592635
Perihelium	4^S 13° 41'
Zeit des Perihelium 1701	17 92 Octbr.
Bewegung	rückläufig.

Da die Beobachtungen dieses Cometen nur durch Alignements gegeben sind, so gibt *Burckhardt* bey dieser Gelegenheit eine bequemere Methode, den Ort des Cometen aus solchen Angaben zu berechnen. Wir werden vielleicht noch ein andermal auf diesen Gegenstand zurückkommen, da wir glauben, dass vorzuglich fur den Fall, wo mehrere Alignements angegeben sind, sich die Rechnung durch Einführung gewisser Gleichungen noch geschmeidiger machen lasst, denen die Bedingung, dass die Breite des Cometen dieselbe bleibt, unterliegt.

Eine andere Unterfuchung von *Burckhardt* über den Cometen von 1772, die durch die vermuthete Identität dieses mit dem von 1805 veranlasst wurde, bestätigt das schon früher von andern Astronomen gefundene Resultat, dass beyde nicht identisch sind.

Ein Vorschlag von demselben Verfasser, statt der zeitherigen Compensation im Pendel durch Zink und Stahl, Zink und Kupfer zu substituiren, ward durch den Wunsch eines berühmten Gelehrten veranlasst, dadurch den möglichen Einfluss der magnetischen Kraft auf den Gang der Uhr zu vermeiden. Einen wesentlichen Nutzen können wir uns von einer solchen veränderten Einrichtung nicht versprechen, denn wenn auch ein solcher Einfluss wirklich da seyn sollte, so könnte dieser doch nur constant seyn, und also periodische Störungen, die hier nur nachtheilig seyn könnten, nicht zur Folge haben.

Die am Schlusse dieses Bandes gegebene Anzeige von *Voyage de d'Entrecasteaux* cet. übergehen wir ganz mit Stillschweigen, da in einem der nächsten Hefte noch besonders eine Anzeige dieser interessanten Reise folgen soll.

XLV.

JACQUES JOSEPHE CLAUDE THULIS,

Director der kaiserlichen Sternwarte zu Marseille.

Schon früher theilten wir unsern Lesern das Portrait dieses verdienstvollen Mannes mit, der nun fur die Wissenschaften verloren ist; gehörte er auch gerade nicht unter die Zahl der ausgezeichneten Genies, durch die eine Wissenschaft einen neuen Schwung erhält, so waren seine Bemuhungen um Astronomie doch so anhaltend und verdienstlich, dass seine Manen mit Recht darauf Anspruche machen können, in einer dieser Wissenschaft gewidmeten Zeitschrift ein Paar Blätter geweiht zu erhalten.

Jacques Josephe Claude Thulis, geboren zu *Marseille* am 6 Jun. 1748, war der Sohn von *Pierre Thulis*, vormaligen Echevin daselbst, und *Catharine Didier*.

Er erhielt seine erste Erziehung in einer Pensions-Anstalt des Herrn *Barratier*, die nachher bey den Jesuiten vollendet wurde. Als er das Collegium ver-

verliess, beschäftigte er sich bis zum Jahre 1766 bey seinem Vater, wo er sich dann nach dem Orient einschiffte, um in *Cairo* in dem Handelshause zu arbeiten, was ersterer dort errichtet hatte. Nach einem Aufenthalt daselbst von beynahe sieben Jahren, kehrte er 1772 nach Frankreich zurück, wo ihn seine Neigung zu abstracten Wissenschaften veranlasste, den Handel zu verlassen und sich ganz jenen zu widmen. Das Studium der exacten Wissenschaften war seine Lieblingsbeschäftigung, und Mathematik, Physik und Chemie beschäftigten ihn abwechselnd, bis er sich im Jahre 1780 ganz der Astronomie widmete. Das Jahr 1786 entschied eigentlich über seinen astronomischen Beruf. In diesem Jahre hatte er das Glück, in *Marseille*, die persönliche Bekanntschaft des verewigten Herzogs ERNST von Sachsen-Gotha zu machen, und auf der von diesem Protector und Kenner der Astronomie zu *Hyeres* erbauten Sternwarte, die mit mehrern vortrefflichen englischen Instrumenten ausgerüstet wurde, war es, dass er sich zuerst mit der beobachtenden Astronomie vertrauter machte. In Gesellschaft dieses Fürsten und des Herausgebers dieser Zeitschrift machte er zu dieser Zeit eine Reise nach Italien, wo er die berühmtesten Sternwarten dieses Landes besuchte. Bald nach seiner Zurückkunft wurde er von dem damahligen Director der Sternwarte, *St. Jacques de Silvabelle*, und dem Adjunct *Mr. Bernard* eingeladen, die Sternwarte zu beziehen, um sich unter Anleitung jener würdigen Gelehrten ganz ungehindert mit Astronomie beschäftigen zu können.

Als

Als Revolutions-Auftritte im Jahre 1789 *Mr. Bernard* nothigten, sich von *Marseille* zu entfernen, übernahm er auf Befehl des damahligen See-Ministers, *Mr. de La Luzerne*, dessen Stelle, worin er im April 1793 bestatigt wurde, wo er von dem Wohlfahrts-Ausschusse ein Decret als *Directeur adjoint* erhielt. Nach dem im Jahr 1804 erfolgten Tode des Directors der Sternwarte wurde ihm diese Stelle auf kaiserlichen Befehl ubertragen.

Nach dem Tode von *St. Jacques de Silvabelle* erhielt er dessen Stelle im National-Institut, und schon fruher hatten ihn mehrere gelehrte Gesellschaften, die *Academie des belles lettres et sciences* und die *Société de Medécine* zu Marseille, ferner die *Société libre d'Emulation du Département de Var* und das *Lycée de Vaucluse* zu Mitgliedern aufgenommen. Auch zwey auslandische Academien nahmen ihn in ihre Mitte auf; im Jahr 1804 ward er Mitglied der Academie zu Göttingen, und im Jahre 1808 trat er in die Gesellschaft der Naturforscher zu Berlin. Zu *Marseille* war er einer der Stifter des *Lycée des belles lettres*, was an die Stelle der vormahligen *Académie des belles lettres, sciences et arts* trat.

Allgemein anerkannt sind seine wesentlichen Verdienste, die er sich wahrend der sturmischen Revolutions-Auftritte in *Marseille* um die Erhaltung der Sternwarte erwarb. Selbst wahrend der heftigsten Volks-Aufstande verliess er nie seinen Posten, und vertheidigte mehrmahls selbst mit Gefahr seines Lebens das ihm anvertraute Institut gegen stürmende Haufen.

Als

Als die *Minimen* die auf königlichen Befehl im Jahre 1714 fur den *P. Feuillée* erbaute Sternwarte verliessen, hatte man die Aufbewahrung der dortigen Instrumente vernachlässiget; und als im J. 1763 das Gouvernement die Sternwarte zu *St. Croix* (jetzige kaiserliche Sternwarte) wieder in Besitz nahm, war keines von den Instrumenten, die früher auf konigliche Kosten angeschafft worden waren, vorhanden, indem der vorherige Director dieser Sternwarte, *P. Laval*, bey seiner Versetzung nach Toulon im Jahre 1718 als Professor der Hydrographie alle Instrumente mitgenommen hatte, um die für ihn in Toulon errichtete Sternwarte auszurusten; und eben so nahm bey Aufhebung der Jesuiten der Nachfolger von *Laval*, *P. Pezenas*, alle Instrumente mit sich, und liess nur die mit dem königlichen Wappen bezeichneten zuruck, die aus den Fonds der königlichen Marine bezahlt worden waren. Seit einem Jahrhundert ist also unser *Thulis* der erste, der die ihm anvertrauten Instrumente zu sichern und zu erhalten wusste, so wie er auch seit 1698 der erste Director jener Sternwarte war, der diesen Platz bis an seinen Tod behauptete, und man kann wol sagen, neben seinen Instrumenten starb, wahrend dass alle seine Vorganger, *Laval*, *Pezenas* und *St. Jacques de Silvabelle*, die Sternwarte noch bey ihren Lebzeiten verliessen.

Den ganzen jetzigen verbesserten Zustand der kaiserlichen Sternwarte zu *Marseille* verdankt sie *Thulis*, der durch rege Betriebsamkeit immer Verbesserungen zu erreichen wusste. Er war es, der im Jahre 1796 eine Veranderung der Sternwarte veranlaste anlafste und dadurch eine bessere und zweckmäfsigere Aufstellung der Instrumente bezweckte, die von *Delambre*, als dieser im Jahr 1798 die dortige Sternwarte besuchte, vollkommen gebilliget wurde. So wufste *Thulis* einen alten vormals ganz unbrauchbaren, im vorigen Jahrhundert von *Léfevre* verfertigten zwey und ein halbfüfsigen Quadranten durch eine neue Aufhängung des Pendels nach *Ramsden's* Methode, und durch eine neue darauf angebrachte Eintheilung von *Le Noir* wieder brauchbar zu machen. Seinen Vorstellungen und wiederholten Bitten gelang es, von der *Académie des sciences et arts* zu *Marseille* eine vortreffliche Pendel-Uhr mit Compensations-Pendel von *Berthoud* für die Sternwarte zu erhalten, wodurch ein sehr wesentlicher Mangel ersetzt wurde, da vorher nur eine alte unbrauchbare Uhr, die vor einem halben Jahrhundert von einem sehr mittelmäfsigen Künstler in *Marseille* verfertigt worden, vorhanden war. Doch nicht genug, die Sternwarte durch seine Betriebsamkeit auf Kosten des Gouvernements und der Academie mit bessern Instrumenten zu bereichern, schaffte er sich selbst mehrere noch fehlende aus seinen eignen Mitteln an. Einen vortrefflichen Sextanten mit silbernem Gradboden verschrieb er sich von London, und mehrere auf der Sternwarte befindliche Fernröhre, Micrometer, Niveaus, Thermometer, Barometer, Hygrometer u. dgl. waren sein eigen. Auch war *Thulis* der erste, welcher bestimmte, gut geordnete Tagebucher fur seine Beobachtungen hielt, in denen man jederzeit alle Data und Elemente einer Beobachtung auffinden kann. Bey seinen Vorgängern

existirte

exiſtirte ſo etwas nicht, und man findet nur zerſtreute Beobachtungen von ihnen in der *Connaiſſance des tems* mitgetheilt, ohne je auf die Original-Angaben zurück kommen zu können, was bekanntlich allemahl ein ſehr weſentlicher Umſtand iſt.

Als die groſse Expedition nach *Aegypten* Statt fand, machte er ſich weſentlich um die Aſtronomen verdient, die ſich in *Toulon* und *Marſeille* einſchifften. Durch genaue Vergleichung ihrer Uhren auf der Sternwarte beſtimmte er bis zum Augenblick der Abreiſe ihren mittlern Gang, und man kann mit Recht behaupten, daſs die *Marſeiller* Zeit nach *Aegypten* übergetragen wurde, und daſs alle dort chronometriſch gemachte Längenbeſtimmungen auf dieſer beruhen. Auch trug er nicht wenig zu einer beſſern Begründung der Geographie Aegyptens durch die Menge correſpondirender Beobachtungen bey, die er, begünſtiget von dem ſchönen provençaler Himmel, während jenes Zeitraumes machte.

Jede dargebotene Gelegenheit, ſeinen Beobachtungen mehr Genauigkeit zu verſchaffen, wuſste er zu nutzen; ſeine Inſtrumente erlaubten ihm nicht, ein Haupt-Element aller Beobachtungen, die Breite ſeiner Sternwarte, mit vollkommner Schärfe zu beſtimmen, und er ergriff daher die günſtige Gelegenheit, die ſich ihm im Jahre 1795 darbot, als *Méchain* Spanien verlaſſen muſste und nach *Marſeille* floh, um dieſen berühmten Aſtronomen zu einer Breitenbeſtimmung ſeiner Sternwarte mittelſt des *Borda*iſchen Multiplications-Kreiſes zu veranlaſſen, wodurch denn dieſes Element mit groſser Schärfe beſtimmt wurde.

Die

Die Menge von Cometen, die auf der Marseiller Sternwarte entdeckt und beobachtet wurden, ist allen Astronomen bekannt. Nimmt man die Pariser Sternwarte aus, wo durch eine Menge von Mitarbeitern die Beobachtungen vervielfaltigt werden können, so gibt es ausserdem keine Sternwarte in der Welt, wo so viele neue Cometen am Himmel aufgefunden worden wären, als hier, wahrend *Thulis* die Direction der Sternwarte hatte. Durch seine Anleitung und Unterricht gelang es dem als glucklichen Cometen-Entdecker allen Astronomen so bekannten *Concierge* der Sternwarte, *Pons*, in dem Zeitraume von 1801 — 1809 zwölf neue Cometen aufzufinden. Mit der grossten Sorgfalt, und meistentheils langer als andere Astronomen, beobachtete *Thulis* diese Cometen, und die Bestimmung ihrer Bahnen beruht grosstentheils auf seinen Beobachtungen. Die Genauigkeit seiner Beobachtungen und die Art, wie er sie im Detail mittheilte, war vorzuglich, und wurde von den competentesten Richtern hierinnen, von *Gauss* und *Bessel*, allen andern Beobachtern als nachahmungswerth empfohlen.

Auf die Erhaltung der Instrumente und der Gebäude der Sternwarte verwendete *Thulis* immer die grösste Sorgfalt; und wahrend jener schwierigen Revolutionszeiten, wo ihm alle Fonds zu Bestreitung von Reparaturen verweigert wurden, machte er deren mehrere auf eigne Kosten, ohne je deren Ersatz zu verlangen. In einer Menge Verbesserungen, die er nach und nach mit der Sternwarte und den Instrumenten vornehmen wollte, setzte ihm der

Tod

Tod ein Ziel; schon hatte er sich vom *Bureau des longitudes* die Erlaubniss erbeten, ein vortreffliches achromatisches Objectiv zu einem bessern, durch die Axe beleuchteten Passagen-Instrument benutzen zu dürfen; und eben war er im Begriff, sich auf eigne Kosten einen Repetitions-Kreis mit fixer Axe, von *Reichenbach* in Munchen, kommen zu lassen, als die Krankheit, die sein Leben endigte, seine wissenschaftlichen Bemühungen hinderte. Unter seinen nachgelassenen Papieren fanden sich eine Menge astronomische Bemerkungen und Beobachtungen, und sehr interessant ist die zwanzigjährige Reihe seiner ununterbrochen gemachten meteorologischen Beobachtungen, die *Thulis* monatlich dem französischen Gouvernement und einigen andern Gelehrten mittheilte.

Wenn wir uns jetzt nur mit Aufzählung seiner wissenschaftlichen Verdienste beschäftigten, so verdient sein vortrefflicher moralischer Charakter hier nicht minder eine Erwähnung. Immer war es eine seiner hauptsachlichsten Beschäftigungen, das Loos der Unglücklichen zu erleichtern, und seine Wohlthätigkeit ist in *Marseille* allgemein anerkannt. Er war einer der Stifter der dortigen *Société de Bienfaisance* und verwaltete die Stelle eines Administrators dabey von ihrer Begrundung an bis zu Ende des Jahres 1808, wo seine Krankheit ihn zu Niederlegung dieser Verwaltung nöthigte.

Zweymahl war er, jedoch beydemahl kinderlos, verheirathet; das erstemal im Jahre 1782 mit Demoiselle *Elisabeth Ollive*, die er aber schon nach einer viermonatlichen Ehe verlor; und zum zweytenmahl

ver-

vermählte er ſich im Jahre 1787 mit Demoiſelle *Eliſabeth Martin*, Tochter eines Schweizer Kaufmanns zu Marſeille.

Schon im Monat May 1807 hatte *Thulis* einen Anfall von Schlagfluſs, von dem er jedoch wieder hergeſtellt wurde, aber ſeitdem doch immer kränklich blieb. Da er den Gebrauch ſeiner Fähigkeiten damahls wieder erhielt, ſo ſetzte er den ganzen Lauf ſeiner Beobachtungen und andere Beſchäftigungen mit gewohnter Thätigkeit fort, bis am 26. December 1808 ein zweyter Anfall von Schlag ſeine Sinne und Fahigkeiten lähmte, und ſeinen verdienſtvollen Arbeiten ein Ziel ſetzte. Ueber ein Jahr lang dauerte dieſer krankhafte Zuſtand, bis der Tod am 25. Januar 1810 Morgens gegen 2 Uhr ſeine Leiden endigte.

XLVI.

Fortgesetzte Nachrichten über die Fortsetzung der franzosischen Gradmessung bis zu den balearischen Inseln.

(S. Monatl. Corresp. B. XVI. Seite 434 f.)

Schon früher haben wir unsern Lesern theils einige historische Nachrichten über die weitere Ausdehnung der franzosischen Gradmessung durch Verbindung der spanischen Kusten mit den Inseln *Ivizu* und *Formentera* (*M. C.* B. XVI. S. 434 f.) theils die End-Resultate dieser merkwurdigen Operationen (*M. C.* B. XIX. S. 486) mitgetheilt, und wir halten uns daher auch nunmehr fur verbunden, noch eine kurze Notiz uber den geschichtlichen Theil dieser Operationen hier folgen zu lassen, um so mehr, da die Schwierigkeiten, die mit der Ausführung des Dreyecks zwischen *Iviza* und den spanischen Kusten sich verbanden, unendlich waren, und dann auch die mancherley Unfalle, die im Laufe dieser Arbeiten den einen Beobachter *Arago* betrafen, wahrhaft merkwürdig sind.

Wahrscheinlich werden wir das ganze scientifische Detail dieser Operationen erst im dritten Bande der *Base du système métrique* erhalten; was wir jetzt unsern Lesern daruber mittheilen, ist aus dem Bericht entlehnt, den *Biot* bey der letzten öffentli-

chen

chen Versammlung der physisch-mathematischen Classe des französischen Instituts über diesen Gegenstand vorlas.

Aus frühern Auffätzen ist es unsern Lesern bekannt, dass von französischer Seite die beyden Astronomen *Biot* und *Arago* mit der Fortsetzung der Gradmessung beauftragt wurden; als Mitarbeiter von spanischer Seite wohnten *Chaix* und *Rodriguez* den Operationen bey. Ersterer hat sich der gelehrten Welt vorzüglich als Mathematiker bekannt gemacht, und lezterer hatte sich schon seit mehreren Jahren in Frankreich aufgehalten, und dort Astronomie und höhere Mathematik studirt.

Die projectirte Verbindung mit den balearischen Inseln konnte nicht anders, als durch ein Dreyeck geschehen, dessen Basis auf der Küste von Spanien und der Gipfel auf der Insel *Iviza* lag, und dessen Seiten 75 — 82000 Toisen betrugen. Die beyden Dreyecks-Puncte auf der spanischen Seite waren der schon früher von *Méchain* zu diesem Endzweck erwählte Berg *Desierto de las Palmas* und dann ein anderer erhabener Gipfel Namens *Mongo*, nahe am *Cap St. Antoine*. *Biot* und *Rodriguez* reisten nach *Iviza*, um dort den vortheilhaftesten Punct auszusuchen, den sie in dem Berg *Campvey* fanden, einer isolirten Bergspitze, die in grossen Entfernungen am leichtesten wieder zu erkennen war. Bey dieser Untersuchung wurde zugleich auch die Verbindung mit der noch 25 Minuten südlicher liegenden kleinen Insel *Formentera* beschlossen. Um sich von der Möglichkeit dieser Operation sogleich durch eigne Ansicht zu überzeugen, begaben sich die Reisenden

auch

auch dorthin, und suchten den schicklichsten Punct dazu in dem bergigsten Theile dieser Insel aus. Gleich nach ihrer Rückkunft auf *Iviza* wurden die Reverberen auf den Gipfel von *Campvey* geschafft, und *Rodriguez* blieb mit vier Matrosen auf der Insel zurück, um die Besorgung der Reverberen und ihr pünctliches Anbrennen in jeder Nacht zu besorgen. Mit Entsagungen mancherley Art war dieses Geschäft verknupft; fast von aller gebildeten menschlichen Gesellschaft entfernt, musste sich *Rodriguez* entschliessen, den ganzen Winter in einer öden isolirten Gegend zuzubringen, und was noch mehr war, so musste er Monate lang in der Ungewissheit bleiben, ob auch seine Nachtwachen und Anstrengungen durch den Erfolg belohnt werden würden, indem damahls die Möglichkeit, ob die Reverberen auf *Iviza* an der spanischen Küste sichtbar seyn würden, noch ganz unentschieden war. *Biot* eilte nun nach Spanien zurück, allein beynahe wäre der Wunsch, seine Reise zu beschleunigen, verderblich fur ihn geworden, indem der Sturm sein Fahrzeug auf eine kleine sandige Insel *Espalmados* verschlug, deren ganze Bevölkerung in einer Fischer-Familie und fünf kranken Soldaten, die zu Vertheidigung eines dort befindlichen Thurms bestimmt waren, bestand.

Die Errichtung eines kleinen Gebäudes auf dem zweyten Dreyecks-Punct an der spanischen Kuste, dem *Mongo*, war mit unendlichen Schwierigkeiten verknupft. Der Berg war fast ganz unwegsam und die Hinaufschaffung der Reverberen und aller andern Materialien äusserst mühsam. Eine hölzerne Hutte

zerstörte

zerstörte der Sturm, und es musste ein kleines Gebände von Steinen aufgeführt werden. In dieser rauhen Wohnung brachten einige Matrosen den halben Winter zu, um das Anbrennen der Reverberen zu besorgen.

Gleich bey der Rückkunft nach Spanien eilte *Biot* auf den Gipfel *de las Palmas*, um dort vereinigt mit *Arago* den Winkel zwischen *Iviza* und dem *Mongo* zu beobachten. Seine Hoffnung, dass *Arago* schon früher die Signale auf *Iviza* entdeckt und gesehen haben würde, blieb unerfüllt, denn ungeachtet lezterer die Berge auf *Iviza* mehreremahl deutlich gesehen hatte, so war doch noch nie ein Lichtpunct bey Nacht sichtbar geworden. Zwey ganze Monate, von Mitte October bis Mitte December, dauerte die so beunruhigende Ungewissheit über die Möglichkeit der Sichtbarkeit des Signals auf *Iviza* fort, und schon war die Zeit verstrichen, wo auf *Iviza* die Breitenbestimmungen hätten angefangen werden sollen. Wir können die interessante Beschreibung, die *Biot* von ihrem langen Aufenthalt auf dieser Bergspitze macht, hier nicht ausheben; allein wer sich einen hohen isolirten Gipfel in der unfreundlichsten Jahrszeit denkt, wo jene Männer, entfernt von aller menschlichen Gesellschaft und allen gewohnten Bequemlichkeiten des Lebens, Monate lang, mit Aufopferung der meisten Nächte, in beständiger unruhiger ängstlicher Erwartung zubringen mussten, der wird gewiss ihre Ausdauer und ihren Eifer für das Beste der Wissenschaft, der sie allein zu jenen Aufopferungen vermögen konnte, zu schätzen und zu bewundern wissen.

Merkwürdig ist es, dass zwey so
achter, wie *Biot* und *Arago*, erst n
nätlichen Bemuhungen auf das ei
fielen, das Fernrohr des Kreise
erhabenste Bergspitze von *Iv*
wahrscheinlich befindlich sey
und dann den Kreis bis zur
zu lassen. Auf diese Art
das Signal auf *Iviza* w
im Felde des Fernrohr
wunschte Beobachtu
Mongo und dem P
erhalten.

Auf ähnlich
dieses ungeheu
nur noch di
den Dreyeck
in Catalon
zung der
sorgte
saire,
an d
den
K
l

...om Ein
...turm verhindert,
...on Sardinien verschlag
...en zwischen dieser Insel und
...staaten vermied das Schiff, dort zu
... ging an den Kusten von Africa in den
...lafen *Bougée*, drey Tagereisen von Algier
...ant, vor Anker. Leichter würde es ... für
...*rago* gewesen seyn, sich und seine Papiere zu retten; allein die Kisten mit den Instrumenten lagen
ihm zu sehr am Herzen, um diese aufgeben zu wollen, und deren Herausgabe war mit Schwierigkeiten
ten verknupft, da ihr bedeutendes Gewicht Gold
darinn vermuthen liess. Unglucklicherweise war der

Bekanntschaft *Arago* bey seinem er-
in Algier gemacht hatte, in einem
...det worden, und es blieb daher
übrig, als persönlich bey dem
...ndeln. *Arago* kleidete sich
durch Berge und mit tausend
Algier zu Lande, wo er
...dortigen französischen
...ommen wurde. Die
...eben, allein sechs
...ne günstige Gele-
...ich warten, die
Consuls selbst

von Marseille
zu drohen. Eine
...ihrigen, an Stärke weit
...anen nach Minorka zu ge-
...n die Kühnheit des Capitains,
...uf welchem sich *Arago* befand, com-
gelang es diesem, nach Gefahren und
...ern so vielfacher Art, glücklich mit seinen
und Instrumenten in *Marseille* anzulangen.

nug davon benachrichtiget, um sich nebst seinen Beobachtungen, die schon die nöthigen Elemente für zwey Längen-Grade enthielten, verkleidet nach Palma retten zu können. Zwey Tage blieb er auf dem Schiffe verborgen, wurde endlich entdeckt und sah sich genöthigt, seine Freyheit in *Algier* zu suchen, wo er Schutz bey dem dortigen französischen Consul fand, und sich auf einem Schiffe, welches nach Marseille bestimmt war, einschiffte. Im Angesichte dieses Hafens wurde das Schiff von einem spanischen Corsaren genommen und nach *Rosas* gebracht, wo *Arago*, der als deutscher Kaufmann in der Passagier-Liste eingetragen war, vielleicht hatte entkommen können, wäre er nicht unglücklicherweise von einem Matrosen erkannt worden und dadurch von neuem in Gefangenschaft gerathen. Auf die Reclamation des Deys von Algier ward das Schiff frey gegeben und nahm zum zweytenmahl seinen Weg nach Marseille; allein abermahls ward es vom Einlaufen in den Hafen durch einen Sturm verhindert, welcher es an die Küsten von Sardinien verschlug. Bey den Feindseligkeiten zwischen dieser Insel und den algierischen Staaten vermied das Schiff, dort zu landen, und ging an den Küsten von Africa in dem kleinen Hafen *Bougée*, drey Tagereisen von Algier entfernt, vor Anker. Leichter würde es nun für *Arago* gewesen seyn, sich und seine Papiere zu retten; allein die Kisten mit den Instrumenten lagen ihm zu sehr am Herzen, um diese aufgeben zu wollen, und deren Herausgabe war mit Schwierigkeiten verknüpft, da ihr bedeutendes Gewicht Gold darinn vermuthen liess. Unglücklicherweise war

der

der Dey, dessen Bekanntschaft *Arago* bey seinem ersten Aufenthalt in Algier gemacht hatte, in einem Volksaufstande getödtet worden, und es blieb daher kein ander Mittel übrig, als persönlich bey dem neuen Dey zu unterhandeln. *Arago* kleidete sich als Türke, und machte durch Berge und mit tausend Gefahren die Reise nach Algier zu Lande, wo er zum zweytenmahl von dem dortigen französischen Consul freundschaftlich aufgenommen wurde. Die Instrumente wurden zurück gegeben, allein sechs Monate lang muſste *Arago* auf eine günstige Gelegenheit zur Ueberfahrt nach Frankreich warten, die sich ihm endlich durch die Abreise des Consuls selbst darbot.

Schon im Angesichte des Hafens von Marseille schien ein neuer Unfall ihnen zu drohen. Eine englische Division, die der ihrigen an Stärke weit überlegen war, befahl ihnen nach Minorka zu gehen, und nur durch die Kühnheit des Capitains, der das Schiff auf welchem sich *Arago* befand, commandirte, gelang es diesem, nach Gefahren und Abentheuern so vielfacher Art, glücklich mit seinen Papieren und Instrumenten in *Marseille* anzulangen.

XLVII.

XLVII.

Auszug aus einem Schreiben des Herrn Profeſſor *Harding*.

Göttingen, den 16 März 1810.

.... Ich überſchicke Ihnen in der Anlage ein Paar Tafeln, welche die Hauptpuncte für ein Netz in Beziehung auf die Ecliptik enthalten, und die Einzeichnung deſſelben in meine Himmels-Karten erleichtern können. Vielleicht dürfte die Bekanntmachung derſelben durch die *Monatliche Correſpondenz* *) manchem Beſitzer dieſer Blätter nicht unangenehm ſeyn; jedoch überlaſſe ich es durchaus Ihrem Urtheile, ob Sie ſie würdig genug finden, um ihnen einen Platz in dieſer Zeitſchrift einzuräumen.

Um dieſe Tafeln möglichſt einzuſchränken, habe ich ſie nur in $\frac{1}{10}$ Minuten ausgedrückt, welches auch zu ihrem Zweck hinreichend iſt. Die Argumente der Tafel I. hätten ſich zum leichtern Gebrauch für die übrigen drey Quadranten freylich viel bequemer ſo ſetzen laſſen:

β	α 0°	180°	2°	178°	4°	176	6°	174°	8°	172°	10°	170°	
±	±	±	±	±	±	±	±	±	±	±	±	±	etc.
∓	∓	∓	∓	∓	∓	∓	∓	∓	∓	∓	∓	∓	
β	360	180	358	182	356	184	354	186	352	188	350	190°	

*) Abgedruckt in dieſem Hefte.

allein dann würden die Spalten eine etwas gröſsere Breite erfordert haben; und da ſich bey Tafel II. eine ſolche Einrichtung doch nicht anbringen läſst, ſo habe ich beyder Anwendung in leichte Regeln gefaſst und für jeden Quadranten durch ein Beyſpiel erläutert.

Zur zweyten Lieferung meiner Karten ſind nun endlich ſammtliche vier Platten fertig, und wird der Druck derſelben in dieſen Tagen angefangen werden. Es iſt mir äuſserſt unangenehm, daſs ich dieſe Blätter ſo ſpat folgen laſſen kann. Die Schuld davon hat lediglich ein Kupferſtecher, Herr *Sch — n* in Weimar, welcher mich volle neun Monate mit einer Platte aufgehalten hat. Ich habe dieſen ganz abandonnirt, und dagegen Herrn Kupferſtecher *Burk* zu Weimar angenommen, welcher ſehr geſchwind und gut arbeitet und immer ſein Wort halt, und den ich Ihnen ſehr empfehlen darf. Die dritte Lieferung meiner Karten ſoll nun ſogleich in Arbeit genommen werden, und darf ich alſo gewiſs hoffen, ſie noch vor dem Herbſte auszugeben. Ich werde dazu wol zwey Blätter aus der nordlichen Zone nehmen muſſen, obgleich die ſudliche noch nicht ganz beendiget iſt, die nach meinem Plane zuerſt erſcheinen ſollte. Die Urſache, warum ich ihn abändern muſs, iſt keine andere, als weil ich verſchiedene Lucken nicht ausfullen kann, welche die *Hiſt. cél.* in den ſudlichen Gegenden läſst, und unſres QuadrantenFernrohr viel zu ſchwach, auch die Atmoſphare nie heiter genug iſt, ſo daſs ich Sterne achter und neunter Gröſse damit tief am Horizonte beob-

beobachten, und also selbst zur Ergänzung dieser Lucken beytragen könnte. —

Es ist wahr, die Beobachtung solcher Zonen ist zu mühsam und zu Zeit raubend für einen Astronomen, der im Besitze der hierzu erforderlichen Instrumente ist, und dieser Umstand muss mich also abhalten, meine Bitte weiter anzubringen; ja ich gestehe, dass er mir immer den Muth genommen hat, Sie um die Beobachtung einer kleinen Zone von nur einer Stunde im Ophiuchus zu bitten, die zwar nicht sehr reich, aber doch dem siebenten Blatte meiner Karten so nöthig ist, dass ich es ohne dieselbe nicht stechen lassen mag, und eben deswegen noch immer zurück gelegt habe. *) Sollten aber Ew. — etwa zufällig einen oder den andern Stern am südlichen Himmel beobachtet haben, so wurde ich für die gutige Mittheilung derselben sehr dankbar seyn. Die Hoffnung, dass ich selbst einst mit schönen Instrumenten der hiesigen neuen Sternwarte die Position kleiner Sterne wurde bestimmen können, muss ich wol aufgeben denn wenn gleich jetzt resolvirt ist, den Bau mit Anfang des Fruhlings eifrig fortsetzen zu lassen, so durfte doch wol noch eine geraume Zeit vergehen, bevor die fixen Instrumente darin aufgestellt seyn werden. —

Uber

*) Ich habe die Beobachtung dieser Zone übernommen, und hoffe, bald dem Herrn Professor *Harding* einige Beyträge zu seinen vortrefflichen Stern-Karten, von denen ich so eben die zweyte Lieferung erhalten habe, geben zu können.

v. L.

Ueber einen veränderlichen Stern in der Jungfrau, der in seinem hellsten Lichte die sechste Grösse hat, und dann bis zum völligen Verschwinden abnimmt, hoffe ich nächstens schon, in Rücksicht der Periode seines Lichtes, etwas bestimmtes sagen zu können. Gegenwärtig ist er im Zunehmen, und hatte vor einigen Abenden schon siebte Grösse. Es würde mir sehr angenehm seyn, wenn Sie diesen Stern einmahl am Mittags-Fernrohr beobachten wollten. Seine Position ist beyläufig folgende:

$$\text{AR} = 12^h\ 27'\tfrac{1}{4} \quad \text{Decl.} = +\ 8^\circ\ 12'$$

Ich kenne noch einige andere kleine Sterne, deren Licht bedeutenden Veränderungen unterworfen ist.

XLVIII.

XLVIII.

Mathematisch-astronomische Aufgaben.

Wir liefern hier eine Fortsetzung der im *September-Hefte 1809* dieser Zeitschrift angefangenen neuen Rubrik.

Bey dem gänzlichen Mangel einer mathematischen Zeitschrift fur Deutschland glauben wir, dass es uns erlaubt seyn werde, auch manchmahl Aufgaben hier einzurücken, die ein bloss theoretisches Interesse haben; doch werden wir es uns zur Pflicht machen, immer dann auch wieder mit Gegenständen fur practische Astronomie abzuwechseln. Jetzt mögen folgende zwey Aufgaben hier einen Platz finden.

I. Aufgabe.

"In einem *unregelmassigen* Viereck diejenige Ellipse zu beschreiben, die den grössten möglichen Flachenraum umfasst."

II. Aufgabe.

Im Jahre 1716 im Fruhling an einem Nachmittag hat man an einem gewissen Orte drey Stäbe perpendicular in die Erde gesteckt. Der erste Stab A stand uber der Erde 9, B 7 und C 4 Fuss, und es

war

war die Weite zwiſchen A und B $7\frac{1}{2}$, zwiſchen B und C $9\frac{1}{2}$ und zwiſchen C und A $16\frac{5}{10}$ Fuſs. Man hat gefunden, daſs die Sonnen-Schatten von allen drey Stäben gerade in einem Punct zuſammen treffen, nämlich daſs deren Enden durch einen Punct gehen, und daſs dieſer Punct von dem oberſten Ende der drey Stäbe gleich weit entfernt ſey. Es iſt die Frage, was es fur ein Tag im Jahre geweſen, zu welcher Stunde der Schatten von jedem Stabe in dem Puncte eingetroffen, und wie groſs die Polhöhe des Ortes ſey?

XLIX.

XLIX.

Stern-Bedeckungen

beobachtet auf der kaiserlichen Sternwarte zu Marseille im Jahre 1809.

Tag der Beob.	Namen der Sterne	Eintritt	Austritt	
		h ′ ″	h ′ ″	
Jan. 11	β Scorp.	17 18 30,85 m. Z.	18 28 27,85 m. Z.	gut
Febr. 27	α^1 Cancri	8 41 59,75 —	. . . .	—
April 3	ν Scorp.	. . . .	16 24 22,68 —	gut
May 28	ν Scorp	11 8 14,03 —	. . . .	etwas zweifelhaft
Sept. 28	δ^1 Tauri	. . . .	9 13 38,28 —	zweifelhaft, wegen heftigen Sturms.
. . .	δ^2 Tauri	. . . .	9 46 12,93 —	
Oct. 25	δ^1 Tauri	18 41 25,61 —	. . . .	

Sternbedeckungen, beobachtet von *Flaugergues* zu Viviers.

1809 Dec. 19	δ^2 Tauri	5 52 20,0	6 48 58,5	
. . .	δ^1 Tauri	. . . .	6 19 54,5	
1810 Feb. 17	α^2 Cancri	8 33 25,9	. . . .	

Monds-

Monds-Örter

beobachtet von dem *Freyherrn von ZACH*

auf seiner Sternwarte bey Marseille.

1810	Mittl Zeit in Marseille	Beobachtete AR. ☾	Beobachtete Declination nördlich	Beobachtete Länge	Beobachtete Breite südlich	Berechnete Länge	Berechnete Breite	Fehler der Tafeln in der Länge	Fehler der Tafeln in der Breite
	h ′ ″	° ′ ″	° ′ ″	Z ° ′ ″	° ′ ″	Z ° ′ ″	° ′ ″	″	″
März 13	6 34 58,4	89 27 23,6	18 24 21,8	2 29 28 56,5	5 13 17 1	2 29 28 52,9	5 3 23,1	+ 3,6	− 6,0
— 14	7 22 13,0	102 17 7,8	17 43 23,7	3 11 44 37,4	5 14 18,8	3 11 44 41,8	5 14 12,3	− 4,4	+ 6,5
— 15	8 8 54,8	114 59 33,2	16 13 15,9	3 24 2 16,9	5 10 39,0	3 24 2 22,5	5 10 43,6	− 5,6	− 4,6
— 16	8 55 15,0	127 34 42,5	13 56 56,6	4 6 26 33,5	4 5 54 1[illegible]	4 6 26 37,1	4 52 47,5	− 3,6	+ 6,6
— 17	9 41 9,6	140 4 23,6	11 0 8,9	4 19 1 12,0	4 20 41,2	4 19 1 15,0	4 20 40,4	− 3,0	+ 0,8

Sternbedeckungen ebendaselbst.

Tag der Beob.	Namen der Sterne	Eintritt	Austritt
		h ′ ″	
1810 Jan. 27	λ Virginis	16 23 39,51 m. Z.	. . . .
März 16	A[1] Cancri	9 58 38,0 —	. . . .
März 17	h Leonis	10 5 26,09 —	. . . .

Die

Die geraden Aufsteigungen des Mondes wurden mit einem 2½ fufsigen Paſſagen - Inſtrument, die Declinationen mit einem funfzehn zolligen *Reichenbach*ſchen Multiplications - Kreiſe beobachtet. Die Monds - Oerter ſind aus den vom Freyhrn. *von Zach* zu Florenz herausgegebenen *Bürg*ſchen Monds-Tafeln berechnet.

INHALT.

INHALT.

Nachricht für den Buchbinder.

Die bey diesem Heft befindlichen Tafeln werden zwischen Seite 392 und 393 gebunden.

MONATLICHE
CORRESPONDENZ
ZUR BEFÖRDERUNG
DER
ERD- UND HIMMELS-KUNDE.

JUNIUS, 1810.

I.

Ueber die Bestimmung des Sonnen-Halbmessers und dessen jährliche und periodische Aenderungen.

(Fortsetzung zu B. XIX. S. 529.)

Meine ersten Untersuchungen über den Sonnen-Halbmesser sind den Astronomen aus dieser Zeitschrift (*Mon. Corresp.* B. XIX. S. 529 f.) bekannt. Das Interesse, welches mehrere ausgezeichnete Mathematiker an jenen Resultaten zu nehmen schienen, und der Wunsch, die sonderbaren periodischen und jährlichen Aenderungen im Sonnen-Halbmesser, die

 meine

meine Rechnungen gaben, entweder constatirt oder verschwinden zu sehen, veranlassten mich, den Gegenstand von neuem vorzunehmen, und die noch in meinen Händen befindlichen Beobachtungen von *Maskelyne* fur die Jahre 1787 — 98 nebst denen, die das *Libro Quinto* von *Piazzi* enthält, zu gleichem Zweck zu benutzen.

Da in Gemässheit der, aus meinen ersten Untersuchungen über dieses Element erhaltenen Resultate, der Zweck meiner neuen Rechnungen, theils die periodischen Aenderungen, theils die Differenz zwischen dem Aequatorial- und Polar-Sonnen-Halbmesser waren, so habe ich meine Resultate so geordnet, um am sichersten uber diese Phänomene entscheiden zu können, und lege diese meinen astronomischen Lesern auch in derselben Art vor, um sie selbst in Stand zu setzen, über das, was dadurch eigentlich bewiesen wird, ein Urtheil fällen zu konnen. In dem ersten Auffsatz hierüber habe ich, um eine zu grosse Menge blosser Zahlen-Angaben zu vermeiden, nur die mittlern Resultate für jedes Jahr gegeben; allein um die periodischen Aenderungen nebst allen Anomalien, die aus den Beobachtungen folgen, besser uberseh̃en zu lassen, setze ich jetzt fur die Aequatorial-Sonnen-Halbmesser die Resultate der einzelnen Monate her:

Aequa-

Aequatorial-Sonnen-Halbmesser in der mittlern Distanz aus zwölfjährigen Greenwicher Beobachtungen.

Jahr und Tag der Beobachtung			Halbmesser in der mittl. Distanz		Zahl der Beob-acht.
1787	May	19	15'	58,"55	12
	Jun.	15	15	57, 85	8
	Jul.	26	15	59, 15	7
	Aug.	10	16	0, 90	11
	Sept.	15	16	0, 00	6
	Oct.	16	16	0, 55	5
	Nov.	17	15	58, 55	12
1788	Febr.	14	15	59, 25	4
	April	23	15	59, 65	10
	May	15	15	59, 85	15
	Jun.	12	15	58, 50	10
	Jul.	17	15	58, 15	9
	Aug.	9	15	59, 20	6
	Oct.	10	15	59, 70	5
	Nov.	15	15	59, 50	9
	Dec.	18	15	58, 10	10
1789	Jan.	13	15	59, 20	6
	Febr.	11	15	59, 55	7
	März	17	16	0, 90	4
	April	15	15	59, 25	15
	May	15	15	58, 85	10
	Jun.	12	15	58, 65	7
	Jul.	19	15	58, 60	10
	Aug.	13	16	1, 70	6
	Sept.	14	16	1, 35	14
	Oct.	14	16	1, 20	10
	Nov.	10	15	59, 65	6
	Dec.	20	15	57, 35	4
1790	Jan.	22	15	58, 50	8
	Febr.	18	15	59, 70	7
	März	16	15	59, 65	5
	April	20	16	0, 60	6
	May	17	15	59, 10	11

Jahr und Tag der Beobachtung			Halbmesser in der mittl. Distanz		Zahl der Beobachtung
1790	Jun.	19	15′	58,″90	9
	Jul.	21	15	59, 70	7
	Aug.	18	16	0, 30	9
	Oct.	21	15	59, 60	7
	Nov.	16	16	0, 05	5
	Dec.	14	15	57, 50	6
1791	Jan.	10	15	59, 85	5
	Febr.	12	16	0, 50	5
	März	7	15	59, 80	8
	April	13	15	59, 55	8
	May	20	15	59, 75	9
	Jun.	8	15	57, 50	10
	Jul.	23	15	59, 25	6
	Aug.	15	15	59, 40	8
	Sept.	15	16	0, 15	9
	Oct.	20	15	59, 40	10
	Nov.	20	15	59, 75	7
	Dec.	14	15	59, 25	8
1792	Jan.	13	15	59, 70	6
	Febr.	20	15	59, 40	7
	März	22	15	59, 65	9
	May	7	16	0, 40	7
	Jun.	8	16	0, 80	9
	Jul.	20	16	0, 40	11
	Aug.	5	15	59, 95	6
	Sept.	16	16	1, 30	3
	Nov.	16	16	1, 10	6
	Dec.	14	15	59, 75	5
1793	Jan.	16	16	0, 15	6
	Febr.	14	16	0, 50	5
	März	17	16	0, 10	7
	April	13	15	59, 60	6
	Jul.	10	15	59, 35	12
	Aug.	6	15	59, 25	10
	Sept.	11	15	59, 65	6
	Oct.	25	16	0, 15	4
	Nov.	10	15	59, 05	7
	Dec.	18	15	58, 10	5

Jahr und Tag der Beobachtung			Halbmesser in der mittl. Distanz		Zahl der Beob-acht.
1794	Jan.	14	16'	0,"35	8
	Febr.	14	16	0, 50	8
	Marz	21	16	0, 30	7
	Jun.	20	15	58, 80	5
	Jul.	10	15	59, 25	10
	Aug.	19	15	59, 75	10
	Sept.	22	15	59, 65	7
	Nov.	28	16	1, 50	3
	Dec.	16	15	59. 60	8
1795	Febr.	11	15	59, 80	5
	April	19	16	0, 15	5
	Jun.	29	15	59, 30	3
	Jul.	19	16	0, 40	6
	Aug.	20	15	59, 75	7
	Sept.	14	15	59, 70	10
	Nov.	24	16	1, 40	6
	Dec.	24	15	59, 85	3
1796	Jan.	20	16	0, 50	6
	Marz	15	16	1, 25	8
	May	12	16	0, 05	10
	Jun.	7	15	59, 80	4
	Jul.	16	15	59, 65	8
	Nov.	29	16	0, 30	3
	Dec.	5	16	0, 15	4
1797	Jan.	19	16	0, 40	3
	Febr.	17	16	0, 70	7
	Marz	10	16	1, 40	9
	April	17	15	59, 50	3
	May	22	16	1, 30	7
	Jun.	16	15	59, 50	5
	Jul.	19	15	59, 75	8
	Aug.	18	15	59, 90	7
	Sept.	21	15	59, 75	4
	Oct.	20	16	0, 30	4
	Nov.	14	15	59, 70	8
	Dec.	14	15	58, 15	6

Jahr und Tag der Beobachtung			Halbmesser in der mittl. Distanz		Zahl der Beobachn.
1798	Jan.	15	15'	58,"70	10
	März	13	16	0, 60	4
	April	18	16	0, 10	10
	May	18	16	0, 35	10
	Jun.	12	15	59, 90	10
	Jul.	21	16	0, 60	7
	Aug.	19	16	0, 05	8
	Nov.	18	16	0, 30	4
	Dec.	18	15	58, 45	5

Fasst man diese Resultate für alle Monate un die einzelnen Jahre zusammen, so erhält man fo gendes Tableau:

Monate	Halbmesser		Jahre	Halbmesser	
Januar	15'	59,"70	1787	15'	59,"20
Februar		59, 99	1788		59, 10
März		60, 41	1789		59, 68
April		59, 80	1790		59, 33
May		59, 81	1791		59, 51
Junius		59, 00	1792		60, 24
Julius		59, 52	1793		59, 59
August		59, 98	1794		59, 96
Septemb.		60, 19	1795		60, 05
October		60, 10	1796		60, 02
Novemb.		60, 07	1797		59, 93
December		58, 75	1798		60, 03

Die erste Vergleichung dieser Grössen, mit de schon vorher (*Mon. Corresp.* B. XIX S. 531) a *Bradley's* und *Maskelyne's* Beobachtungen erha tenen Resultaten, zeigt die Uebereinstimmung be der. So wie in jenen, kommen auch hier period sche Aenderungen vor, und wenn sich auch manc

ma

nahl in den Resultaten der einzelnen Monate Ano-
nalien zeigen, so ist es doch im Ganzen unverkennbar, dass eine dreymonatliche Periode der Incre-
mente und Decremente des Sonnen-Halbmessers
statt findet, und dass dieser in den Monaten März,
April, May, September, October, November am
grössten, und in den Monaten December, Januar,
Februar, Junius, Julius und August am kleinsten ist.
Freylich beträgt die ganze Differenz zwischen dem
grössten und kleinsten Sonnen-Halbmesser nur 1,"4
in Bogen oder 0,"09 in Zeit; eine Grösse, die allerdings für eine einzelne Beobachtung kein mensch-
liches Auge und Ohr zu fassen vermag. Allein wenn
man bedenkt, dass die Summe von mehr als 2000
Beobachtungen, oder wenn man die einzelnen Fä-
den-Distanzen rechnet von 8 — 10000 Bestimmungen, mit wenigen Ausnahmen alle dieselben Resultate geben, so müssen da wol Beobachtungs-Fehler
ganz verschwinden und die übrig bleibende constante Differenz muss als wirklich vorhanden angesehen
werden.

Meine Erklärungsart dieser Differenz, die ich,
wie den Lesern bekannt ist, aus der Lage des Sonnen-Aequators hergeleitet habe, führt auf das anomalische Resultat einer Aequatorial-Abplattung des
Sonnenkörpers. Ohngeachtet nun auch eine solche
Configuration der Sonne, aus der Differenz der Ho-
rizontal- und Vertical-Halbmesser ebenfalls wahrscheinlich wird, so ist doch diese, bey der bedeutenden Rotations-Schnelligkeit des Sonnenkörpers, mit
bekannten Gesetzen zu wenig vereinbar, als dass
man jene Erscheinung als wirklich existent annehmen
möch-

möchte, und so sehr ich mich von dem wirklichen Daseyn jener periodischen Ungleichheiten überzeugt halte, so wenig wage ich es doch, irgend einen weitern Versuch uber deren Erklärung hier beyzufügen. Dies ist es auch, was mich abhält, eine specielle Tafel fur die elliptischen Sonnen-Halbmesser zu geben; will man bey sehr genauen Rechnungen diese periodischen Ungleichheiten berücksichtigen, so würde ich lieber rathen, im Allgemeinen zu dem mittlern Halbmesser fur die Monate März, April, May, September, October, November, 0,"4 zu addiren und fur die andern Monate dasselbe zu subtrahiren.

Eine zweyte Erscheinung in den Resultaten der Greenwicher Sonnen-Beobachtungen, die ein lebhaftes Interesse für mich hatte, war die daraus folgende jahrliche successive Minderung des Sonnen-Halbmessers. Die gegenwärtigen 12jährigen Beobachtungen geben ein ahnliches Resultat. Fasst man die 33jahrigen Resultate aus *Maskelyne*'s Beobachtungnn, die ich zu diesem Zweck benutzte, in drey Perioden zusammen, so sind die Resultate folgende:

1765 — 76	Sonnen-Halbmesser	= 961,"66
1776 — 87	. . . .	= 960, 22
1787 — 98	. . . .	= 959, 77

Nicht unbemerkt darf es bleiben, dass diese sämmtlichen Beobachtungen mit einerley Instrument gemacht wurden. Aus der kleinen Jahrreihe von *Bradley*'s Beobachtungen folgt eine ähnliche successive Abnahme.

Ehe

Ehe ich jedoch eine Vermuthung über diese merkwürdige Erscheinung äussere, lasse ich die Resultate aus *Piazzi's* Beobachtungen folgen. Leider konnte ich nur die kleine Zahl der Sonnen-Durchgänge benutzen, die im *Libro Quinto* vorkommen, da das *Libro Sesto* durch eine Irrung nicht in meine Hände gekommen ist.

Jahr und Tag der Beobachtung			Halbmesser in der mittl. Dist.		Zahl der Beobacht.
1792	Febr.	6	16'	1,"75	5
	März	26	16	2, 55	4
	April	14	16	2, 35	13
	May	15	16	0, 90	5
	Jun.	11	16	0, 30	3
	Jul.	18	16	1, 70	10
	Aug.	20	16	0, 30	13
1793	Jan.	24	16	2, 10	4
	May	21	16	0, 70	9
	Jul.	14	16	0, 38	21
	Aug.	9	16	0, 95	12
	Nov.	17	16	1, 40	13
	Dec.	6	16	0, 80	5

Die Zahl dieser Beobachtungen ist zu klein, um über die periodischen Ungleichheiten etwas entscheiden zu können; allein sichtbar werden sie auch hier. Denn eben so wie oben sind die Durchmesser in den Monaten Juny, July und August am kleinsten und im März und April am grössten. Das mittlere Resultat aus allen 116 *Piazzi*'schen Beobachtungen gibt für den Horizontal-Halbmesser 16' 1,"21; *Maskelyne* hat für die erste Epoche 16' 1,"66; *Bradley* 16' 1,"86; alles Resultate, die wiewohl ganz ungleichzeitig, doch sehr nahe mit einander übereinstimmen und folglich gegen eine reelle Abnahme des

Son-

Sonnen-Halbmessers beweisen. Ueberhaupt dürfte wol die Annahme, dass der Sonnen-Halbmesser, oder überhaupt der Sonnenkörper, einer wirklichen allmähligen Verminderung unterworfen sey, von Astronomen und Mathematikern schwerlich für zulässig angesehen werden, um so mehr da die beobachtete scheinbare Abnahme von 2" schon eine ungeheure Verminderung des Sonnenkörpers mit sich fuhren wurde. Mir scheint es daher, dass man die Erklärung dieser allmähligen Abnahme, die aus *Maskelyne*'s Beobachtungen folgt, in einem andern Grunde suchen musse, auf den ich durch den Umstand hingefuhrt wurde, dass die Halbmesser, die aus *Bradley*'s, *Maskelyne*'s und *Piazzi*'s Beobachtungen so nahe harmonirend mit einander folgen, fast alle auf die *ersten Beobachtungs-Jahre* jener Astronomen fallen. Sollte also nicht vielleicht der Grund der successiven Verminderung in dem Auge des Beobachters zu suchen seyn? Durch eine lange Jahrreihe von Beobachtungen und uberhaupt durch das Alter wird das Auge fur den Eindruck des Lichtes minder reizbar; die Irradiation kann dadurch vermindert werden, und offenbar mussen auch dann die Durchmesser himmlischer Objecte verkleinert erscheinen. Ich gebe diese Erklärungsart fur nichts als Vermuthung, da die *Maskelyne*'schen Beobachtungen bis jetzt die einzige sie begrundende Thatsache sind; allein der Umstand, dass *Bradley*'s und *Piazzi*'s erste Beobachtungen denselben Halbmesser, wie *Maskelyne*'s erstes Decennium geben, spricht dafür. Der Gegenstand ist für practische Astronomie so wichtig und so interessant, dass er einer nähern Aufmerksamkeit und

wei-

weitern Untersuchung gewiss werth ist. Leider sind so langjährige Beobachtungen eines Astronomen, wie zu diesen Untersuchungen erfordert werden, selten; allein der letzte Band von *Bradley* und die fortgesetzten Beobachtungen von *Piazzi* und *Maskelyne* müssen gewiss schon manche nähere Aufschlüsse hierüber liefern. Auch dürfte man vielleicht von zwey noch lebenden Astronomen, dem Freyherrn *von Zach* und *Delambre*, genaue Bestimmungen hierüber hoffen, da beyde seit zwanzig und mehr Jahren Sonnen-Beobachtungen machten. Ich werde es mir angelegen seyn lassen, alles zu sammeln, was auf die nähere und bessere Bestimmung dieses Gegenstandes irgend Bezug haben kann, und werde jeden Beytrag, den mir vielleicht andere Astronomen hierüber gefälligst mittheilen wollen, mit dem verbindlichsten Danke erkennen. Hierher würde ich vorzüglich *gute neuere* Beobachtungen von Sonnenflecken rechnen, da alle meine Bemühungen in dieser Hinsicht noch immer durch ungünstiges Wetter vereitelt wurden, und über die wahre Lage des Sonnen-Aequators noch bedeutende Ungewissheit herrscht.

Ich gehe nun auf den zweyten Gegenstand, auf die Bestimmung der Differenz der Horizontal- und Vertical-Halbmesser über. Die Resultate, die aus den oben angeführten zwölfjährigen Greenwicher Beobachtungen für die Vertical-Sonnen-Halbmesser erhalten werden, sind folgende:

Jahr

Jahr der Beobacht.	Halbmesser in der mittl. Dist.	Zahl der Beobacht.
1787	16′ 2,″42	72
1788	16 2, 34	102
1789	16 3, 20	91
1790	16 3, 03	66
1791	16 3, 10	57
1792	16 3, 30	48
1793	16 3, 22	49
1794	16 3, 13	72
1795	16 3, 22	60
1796	16 2, 40	61
1797	16 2, 25	50
1798	16 2, 19	53

Das arithmetische Mittel aus allen gibt

Vertical-Halbmesser = 962,″82

und hiernach Differenz der Horizontal- und Vertical-Halbmesser = 2,″96. Aus den Beobachtungen von 1765 — 86 folgte diese Differenz = 2,″5. *Piazzi's* Beobachtungen geben sie etwas kleiner. Bey der Reduction dieser Beobachtungen weichen meine Resultate von dem, was *Piazzi* (*Libro Quinto* S. 53) selbst daraus herleitet, aus dem Grunde ab, weil dort die Correction wegen Refraction mit falschen Zeichen angebracht ist. *Piazzi's* Beobachtungen sind so geordnet, dass sie resp. die Halbmesser in der mittlern Distanz im Apogaeum und Perigaeum geben; meine Resultate daraus sind folgende:

I.	Halbmesser in der mittl. Dist.	16′ 3,″16;	28	Beob.
II.	— im Apogaeum	15 46, 26;	23	—
III.	— im Perigaeum	16 19, 28;	20	—

Nach gehöriger Reduction folgt aus allen 71 Beobachtungen fur den Vertical-Halbmesser in der mittlern

ern Distanz 16′ 3,″01,′ und hiernach Differenz der Horizontal- und Vertical-Halbmesser = 1,″90.

Die Uebereinstimmung von *Piazzi's* und *Maskelyne's* Beobachtungen, lassen über die Existenz einer reellen Differenz zwischen den Aequatorial- und Polar-Sonnen-Halbmessern wol wenig Zweifel übrig. Auch *Bouvard's* Beobachtungen geben eine ähnliche Differenz. Sey nun diese Differenz begründet, worin sie irgend will, so scheint mir doch so viel ausgemacht zu seyn, dass man für scharfe astronomische Rechnungen und überhaupt für den ganzen jetzigen Zustand der practischen Astronomie, wo man ungern Decimalen von Bogen-Secunden vernachlässiget, Polar- und Aequatorial-Sonnen-Halbmesser nicht für gleich annehmen kann, sondern für beyde besondere Tafeln construiren muss.

Da ich aus drey und dreyssigjährigen *Maskelyne'schen* Beobachtungen für jeden dieser Halbmesser etwas mehr als 2000 Beobachtungen reducirt habe, so glaube ich, auf diese Tafeln gründen zu können, die vor den jetzt vorhandenen etwas Vorzügliches haben, indem noch keine auf einer solchen Menge von Beobachtungen beruht. Sämmtliche *Maskelyne'sche* Beobachtungen von 1765 — 98 geben

Aequatorial ☉ Halbmess. = 16′ 0,″55 aus 2034 Beob.
Polar ☉ Halbmesser = 16′ 2, 91 aus 2026 Beob.

und diese Werthe sind es, die den nachfolgenden Tafeln zum Grunde liegen.

Ich

Ich habe die Resultate der *Piazzi*'schen Bestimmungen hier aus einem doppelten Grunde nicht mit aufgenommen; einmal, weil deren Zahl weit kleiner ist und jene Grössen auch nur um 0,"1 — 0,"2 ändern könnte, und weil es mir dann auch in Gemässheit meiner oben beygebrachten Vermuthung uber die scheinbare successive Abnahme der Sonnen-Halbmesser passend schien, die *Maskelyn*'schen Bestimmungen unverändert den Tafeln zum Grunde zu legen, weil diese Resultate drey und dreyssigjähriger Beobachtungen wohl als die einer mittlern Gesichtsschärfe gelten können.

TAFEL I.

Aequatorial-Sonnen-Halbmesser.

Argument. Mittl. Anomalie der Sonne.

Gr.	0s Min.	0s Sec.	Is Min.	Is Sec.	IIs Min.	IIs Sec.	Gr.
0	15'	44,"7	15'	46,"8	15'	52,"6	30
1	15	44, 7	15	46, 9	15	52, 8	29
2	15	44, 7	15	47, 1	15	53, 0	28
3	15	44, 7	15	47, 2	15	53, 3	27
4	15	44, 8	15	47, 4	15	53, 5	26
5	15	44, 8	15	47, 5	15	53, 7	25
6	15	44, 8	15	47, 7	15	54, 0	24
7	15	44, 8	15	47, 8	15	54, 3	23
8	15	44, 8	15	48, 0	15	54, 6	22
9	15	44, 9	15	48, 2	15	54, 8	21
10	15	44, 9	15	48, 3	15	55, 1	20
11	15	45, 0	15	48, 5	15	55, 3	19
12	15	45, 0	15	48, 7	15	55, 6	18
13	15	45, 1	15	48, 9	15	55, 9	17
14	15	45, 1	15	49, 1	15	56, 2	16
15	15	45, 2	15	49, 3	15	56, 5	15
16	15	45, 3	15	49, 5	15	56, 7	14
17	15	45, 4	15	49, 7	15	56, 9	13
18	15	45, 5	15	49, 9	15	57, 2	12
19	15	45, 5	15	50, 1	15	57, 5	11
20	15	45, 6	15	50, 3	15	57, 8	10
21	15	45, 7	15	50, 5	15	58, 1	9
22	15	45, 8	15	50, 7	15	58, 4	8
23	15	45, 9	15	50, 9	15	58, 6	7
24	15	46, 0	15	51, 1	15	58, 9	6
25	15	46, 1	15	51, 4	15	59, 2	5
26	15	46, 3	15	51, 6	15	59, 5	4
27	15	46, 4	15	51, 8	15	59, 7	3
28	15	46, 5	15	52, 1	16	0, 0	2
29	15	46, 6	15	52, 3	16	0, 3	1
30	15	46, 8	15	52, 6	16	0, 6	0
	XIs		Xs		IXs		

TAFEL I.

Aequatorial-Sonnen-Halbmesser.

Argument. Mittl. Anomalie der Sonne.

Gr.	III s		IV s		V s		Gr.
	Sec.	Min.	Min.	Sec.	Min.	Sec.	
0	16'	0,"6	16'	8,"7	16'	14,"7	30
1	16	0,9	16	8,9	16	14,9	29
2	16	1,1	16	9,2	16	15,0	28
3	16	1,4	16	9,4	16	15,2	27
4	16	1,6	16	9,7	16	15,3	26
5	16	1,9	16	9,9	16	15,4	25
6	16	2,2	16	10,1	16	15,5	24
7	16	2,5	16	10,4	16	15,6	23
8	16	2,8	16	10,6	16	15,7	22
9	16	3,1	16	10,8	16	15,8	21
10	16	3,4	16	11,0	16	15,9	20
11	16	3,6	16	11,3	16	16,0	19
12	16	3,9	16	11,5	16	16,1	18
13	16	4,2	16	11,7	16	16,2	17
14	16	4,5	16	11,9	16	16,3	16
15	16	4,8	16	12,1	16	16,4	15
16	16	5,0	16	12,3	16	16,5	14
17	16	5,3	16	12,5	16	16,5	13
18	16	5,6	16	12,7	16	16,6	12
19	16	5,8	16	12,9	16	16,6	11
20	16	6,1	16	13,1	16	16,7	10
21	16	6,4	16	13,3	16	16,7	9
22	16	6,6	16	13,4	16	16,8	8
23	16	6,9	16	13,6	16	16,8	7
24	16	7,1	16	13,8	16	16,9	6
25	16	7,4	16	13,9	16	16,9	5
26	16	7,7	16	14,1	16	16,9	4
27	16	7,9	16	14,3	16	16,9	3
28	16	8,2	16	14,4	16	16,9	2
29	16	8,4	16	14,6	16	17,0	1
30	16	8,7	16	14,7	16	17,0	0
	VIII s		VII s		VI s		

TAFEL II.

Polar-Sonnen-Halbmesser.

Argum. Mittlere Anomalie der Sonne.

Gr.	0s		Is		IIs		Gr.
	Min.	Sec.	Min.	Sec.	Min.	Sec.	
0	15′	47,″0	15′	49,″1	15′	55,″0	30
1	15	47,0	15	49,2	15	55,2	29
2	15	47,0	15	49,4	15	55,4	28
3	15	47,0	15	49,5	15	55,7	27
4	15	47,1	15	49,7	15	55,9	26
5	15	47,1	15	49,8	15	56,1	25
6	15	47,1	15	50,0	15	56,4	24
7	15	47,1	15	50,1	15	56,7	23
8	15	47,1	15	50,3	15	57,0	22
9	15	47,2	15	50,5	15	57,2	21
10	15	47,2	15	50,6	15	57,5	20
11	15	47,3	15	50,8	15	57,7	19
12	15	47,3	15	51,1	15	58,0	18
13	15	47,4	15	51,3	15	58,3	17
14	15	47,4	15	51,5	15	58,6	16
15	15	47,5	15	51,7	15	58,9	15
16	15	47,6	15	51,9	15	59,1	14
17	15	47,7	15	52,1	15	59,3	13
18	15	47,8	15	52,3	15	59,6	12
19	15	47,8	15	52,5	15	59,9	11
20	15	47,9	15	52,7	16	0,2	10
21	15	48,0	15	52,9	16	0,5	9
22	15	48,1	15	53,1	16	0,8	8
23	15	48,2	15	53,3	16	1,0	7
24	15	48,3	15	53,5	16	1,3	6
25	15	48,4	15	53,8	16	1,6	5
26	15	48,6	15	54,0	16	1,9	4
27	15	48,7	15	54,2	16	2,1	3
28	15	48,8	15	54,5	16	2,4	2
29	15	48,9	15	54,7	16	2,7	1
30	15	49,1	15	55,0	16	3,0	0
	XIs		Xs		IXs		

TAFEL II.

Polar-Sonnen-Halbmesser.

Argum. Mittl. Anomalie der Sonne.

Gr.	IIIs Min.	IIIs Sec.	IVs Min.	IVs Sec.	Vs Min.	Vs Sec.	Gr.
0	16′	3,″0	16′	11,″1	16′	17,″1	30
1	16	3,3	16	11,3	16	17,3	29
2	16	3,5	16	11,6	16	17,4	28
3	16	3,8	16	11,8	16	17,6	27
4	16	4,0	16	12,1	16	17,7	26
5	16	4,3	16	12,3	16	17,8	25
6	16	4,6	16	12,5	16	17,9	24
7	16	4,9	16	12,8	16	18,0	23
8	16	5,2	16	13,0	16	18,1	22
9	16	5,5	16	13,2	16	18,2	21
10	16	5,8	16	13,4	16	18,3	20
11	16	6,0	16	13,7	16	18,4	19
12	16	6,3	16	13,9	16	18,5	18
13	16	6,6	16	14,1	16	18,6	17
14	16	6,9	16	14,3	16	18,7	16
15	16	7,2	16	14,5	16	18,8	15
16	16	7,4	16	14,7	16	18,9	14
17	16	7,7	16	14,9	16	18,9	13
18	16	8,0	16	15,1	16	19,0	12
19	16	8,2	16	15,3	16	19,0	11
20	16	8,5	16	15,5	16	19,1	10
21	16	8,8	16	15,7	16	19,1	9
22	16	9,0	16	15,8	16	19,2	8
23	16	9,3	16	16,0	16	19,2	7
24	16	9,5	16	16,1	16	19,3	6
25	16	9,8	16	16,3	16	19,3	5
26	16	10,1	16	16,5	16	19,3	4
27	16	10,3	16	16,7	16	19,3	3
28	16	10,6	16	16,8	16	19,3	2
29	16	10,8	16	17,0	16	19,4	1
30	16	11,1	16	17,1	16	19,4	0
	VIIIs		VIIs		VIs		

LI.

Literarischer Leichtsinn.

Es ist Zweck der *Monatl. Correspondenz*, und sie hat diesen schon oft so schön erfullt, Biographien und Lobreden auf berühmte und verdiente Männer zu geben, dass eine Ehrenrettung eines um die astronomischen und mathematischen Wissenschaften hochverdienten und unwürdig angetasteten Mannes nicht ausser ihrem Plane liegen kann. Ein eifriger Verehrer und Leser der *Monatl. Correspondenz* glaubt daher, dass beykommende literarische Rüge wol ein Plätzchen darin finden könnte.

Condorcet, ehemahliger beständiger Secretair der königl. Pariser Academie der Wissenschaften, erlaubt sich in seiner Lobrede auf *Huyghens* eine Behauptung, die theils unwahr ist, theils eine leichtsinnige ungegründete Behauptung enthält, die den guten Ruf eines so berühmten Gelehrten garstig befleckt. In den von *Condorcet* bearbeiteten *Eloges des académiciens de l'académie royale des sciences morts dépuis 1666 jusqu'en 1699. Eloge de Mr. Huyghens* S. 117 u. 118 heisst es: *L'honneur de decouvrir* *les autres Satellites de Saturne étoit reservé à l'illustre Cassini, Huyghens ne chercha pas même à les voir, on aura peine à croire par quel raison. Cet homme célèbre tenait encore à des prejugés antiques, que Descartes n'avoit pu déraciner absolument; il croyait que le nombre des Satellites ne devait pas surpasser celui des Planètes principales. On ne sait pas combien des idées superstitieuses de toutes espèces ont faits manquer des découvertes; le génie peut bien se trainer, malgré ces fers, mais il vole quand il a su les briser.**)

Wer *Huyghens* Schriften gelesen hat, wird sich allenfalls die Quelle dieser Behauptung erklären können, indem in der Dedication seines *Systema Saturnium* eine Stelle vorkommt, die vielleicht eine Veranlassung dazu geben konnte; allein da *Huyghens* späterhin seine Meynung über diesen Gegenstand sehr bestimmt ausdruckt und ganz von den Vermuthungen abgeht, die er früher aus Analogien gezogen hatte, so war es wol höchst ungerecht und voreilig, ihn nur nach jenen ersten Stellen zu beurtheilen. In seinem *Cosmotheoros* (*Hugenii Opera varia. Lugduni Batav.* 1724 *Vol. I. S.* 697) heisst es: *Saturniorum (lunarum) una nobis obtigit, quae caeteris clarior*

*) Es ist merkwürdig, dass in *Montucla* (Tom. II. S. 551) und in *Bailly* (Tom. II. S. 394. 231) ganz etwas Aehnliches in Hinsicht von *Huyghens* behauptet wird, und dass auch diese beyden Schriftsteller sich einer gleichen Ungerechtigkeit wie *Condorcet* gegen diesen berühmten Mann schuldig gemacht haben.

rior est, et ab extrema proxima. Quam anno 1655 telescopio nostro, non ultra duodecim pedes longo, primi deprehendimus. Reliquae diligentissimis Dominici Cassini observationibus patuerunt, vitreis orbibus utenti a Jos. Campano expolitis, primum 36 pedum; deinde totidem supra centenos. Tertiam enim quintamque vidimus anno 1672, ipso monstrante Cassino et postea saepius. Primam cum secunda, sibi repertas, significavit, missis litteris, anno 1684. Hae vero defficillime cernuntur, certoque affirmare nequeo mihi conspectas hactenus. Nec propterea quidquam vereor, clarissimo viro fidem habere, atque has quoque Saturno socias adscribere. Imo praeter harum numerum alias quoque, vel unam vel plures, latere suspicari licet; nec deest ratio.

Wie war es wol möglich, wird jeder Unbefangene fragen, daſs nach einer so bestimmt sprechenden Stelle dem beruhmten *Huyghens* pythagoräischer Unsinn Schuld gegeben werden konnte, wie es sein Biograph that. Sollte es möglich gewesen seyn, daſs der beruhmte Secretair eines beruhmten Instituts Biographien von Mannern schrieb, ohne deren Werke gelesen zu haben; oder war es ihm mehr um eine philosophische Tirade zu thun, auf die er in seinen Werken so oft Jagd macht, als um historische Treue und Wahrheit? Fast möchte man das Letztere glauben!

Ganz anders schildert einer unserer gröſsten Geometer diesen unsterblichen Mann in wenig Zugen, die mehr sagen, als *Condorcet*'s langes Geschwätz. *La Place* in seiner *Exposition du systéme du monde*

liv.

liv. V. chap. IV. p. 326 (sec. edit.) fällt über *Huyghens* Verdienste um die Wissenschaften folgendes Urtheil: *Très peu d'hommes ont aussi bien merité des sciences par l'importance et la sublimité de leurs recherches; l'application du pendule aux horloges est un des plus beaux présents, que l'on ait faits à l'Astronomie et à la Géographie qui sont redevables de leurs progrès rapides à cette heureuse invention et à celle du télescope dont il perfectionna considérablement la pratique et la théorie. Il réconnut au moyen des excellents objectifs, qu'il parvint à construire, que les singulières apparences de Saturne sont produites par un anneau fort mince, dont cette planète est environnée. Son assiduité à les observer, lui fit découvrir un des Satellites de Saturne. La géometrie et la mécanique lui doivent un grand nombre de découvertes et si ce rare genie eut eu l'idée de combiner ses théorêmes sur la force centrifuge, avec ses belles recherches sur les developpées et avec les loix de Keppler, il eut enlevé à Newton la théorie du mouvement curviligne, et celle de la pesanteur universelle.*

Einsender benutzt diese Gelegenheit, um eine ähnliche Uebereilung, deren sich *Bailly* durch eine ungegrundete Behauptung gegen *Newton* schuldig gemacht hat, zu rugen. In der *Histoire de l'Astronomie ancienne*, greift *Bailly* S. 509 f. mehrere Puncte der *Newton*'schen Chronologie, allein mit schlechtem Erfolge, an, indem die angefuhrten Gründe mehr fur als wider seine Behauptungen sprechen. Der gelehrte *Trembley* hat dies sehr umständlich gezeigt (*Mémoires de l'Académie royale des scien-*

sciences etc. etc. à Berlin 1797 *Classe des belles lettres* S. 118 *fol.*) wo er nach einer sehr gründlichen Darstellung des eigentlichen Gegenstandes der Streitfrage und des Ungrundes der *Bailly*'schen Behauptungen mit den Worten schliesst: *Il résulte de ce que je viens de dire, que les arguments par lesquels M. Bailly à attaqué Newton ne sont pas justes, et que plusieurs d'entre eux se tournent contre lui. J'ai cru devoir relever la manière légère et inexacte avec laquelle M. Bailly à cru pouvoir critiquer Newton, et faire voir avec quelles précautions son livre doit être lu.*

Es ist zu bedauern, wenn achtungswürdige Gelehrte sich solche Unrichtigkeiten aus Leichtsinn, Parteygeist oder aus Nationalstolz zu Schulden kommen lassen. Man beschuldigt die französische Nation dieses Fehlers mehr als andere, und ihre eigenen Landsleute klagen sie deshalb an. So druckte neuerlich der schätzbare *Esménard* seinen Unwillen darüber im *Mercure de France No. CCCCL. Mars* 1810 *pag.* 42 aus, wo er sagt: *Quel homme de lettres ayant quelque élévation et quelque noblesse dans le caractère, ne gemit point de ces haines furieuses qui passant des factions politiques dans les discussions littéraires environnent d'allarmes la solitude du génie et corrompent les plus aimables productions de l'esprit! serait il vrai que cette horrible dégradation de la littérature fut particulière à notre patrie à l'époque même où d'autres genres de gloire s'élèvent si haut dans l'histoire des nations? Mr. de Chateaubriand qui a beaucoup voyagé parait avoir*

acquit

acquit cette triste conviction, quelle idée doivent prendre de nous les étrangers, dit il, en lisant ces critiques moitié furibondes moitié bouffonnes, d'ou la décence, l'urbanité, la bone foi sont bannies. Ces jugements ou l'on n'apperçoit que la haine l'envie, l'esprit de parti et mille petites passions honteuses. . . . . En France on dirait qu'un succés littéraire est une calamité pour toutes ceux qui se mêlent d'écrire . . . . Dans aucun tems, dans aucun pays l'homme n'eut été jugé avec une légeté si déplorable. . .

LII.

A. von Humboldt's und *Aimé Bonpland's* Reiſe. Aſtronomiſcher Theil. Ausgearbeitet von *Jabbo Oltmanns.*

Auch unter dem beſondern Titel:

Unterſuchungen über die Geographie des neuen Continentes, gegründet auf die aſtronomiſchen Beobachtungen und barometriſchen Meſſungen *Alexanders von Humboldt* und anderer Reiſenden. Von *Jabbo Oltmanns.* Erſter Theil. Paris, 1810. 8.

Das vorliegende Werk, welches die vermehrte deutſche Ausgabe des bis jetzt nur in franzöſiſcher Sprache erſchienenen *Recueil d'obſervations aſtronomiques, d'opérations trigonométriques etc.* iſt, war für uns in mehr als einer Hinſicht eine angenehme Erſcheinung. Wahrend daſs die franzöſiſche Ausgabe hauptſachlich nur die Reſultate der *Humboldt'*ſchen Beobachtungen enthält, findet man hier ſo ziemlich alles vereiniget, was nur irgend zur beſſern Begrundung der Geographie des neuen Continents beytragen kann. Mit dem muſterhaften Fleiſs und der gewiſſenhaften Genauigkeit, die wir in allen geographiſchen Unterſuchungen des verdienten Ver-

acquit cette triste conviction, quell
prendre de nous les étrangers, dit
critiques moitié furibondes moiti
la décence, l'urbanité, la bon
Ces jugements ou l'on n'appero
vie, l'esprit de parti et m
teuses. . . . . En Fran
littéraire est une calam
mêlent d'écrire . . . .
eun pays l'homme
si déplorable.

... alle,
...aphie interes-
...o sehr eine so au-
... die *Humboldt*'sche war,
...ie französische ist, verdien-
...ch nothwendig wegen ihres be-
...s gerade für den gröfsten Theil
... literarischen Publicums unzugänglich
...ussen. Dieses Bedürfniss wird durch vor-
...e Ausgabe ersetzt, die zwar auch in Hinsicht
. Druck und Papier sehr viel typographische Schön-
...eit hat; allein durch sorgfältigere Benutzung des
Raumes in einem mäfsigen Octav Bande nicht allein den ganzen Inhalt der vier ersten Lieferungen
des *Recueil*, sondern noch ausserdem von S. 324 bis
495 eine Menge der interessantesten Untersuchungen
über Domingo, Porto-Rico, Iamaica und über alle
Antillen überhaupt enthält.

Schon

...haben wir in verschiedenen Hef-
... (Mon. Corresp. B. XVIII. Aug.
...ft B. XXI. Jan. und März-
...dem hauptsächlichsten In-
...gen des Recueil bekannt
...s daher bey gegenwär-
...anzösischen Ausgabe
... Vermeidung von
...ehen zu kön-
...n, dritten
...ungen in Spa-
...eln, über die In-
...na, Neu-Andalusien,
... de Dragos, Cabo de tres
...enezuela, Caraccas, die Step-
..., Rio Apure, Orinoco, Atabapo,
...ssiquiare, das Innere der Guayana, Pro-
... Barcelona und endlich über die Geogra-
...on Cuba und deren Umgebungen, gesagt ist,
...monirt mit wenigen Ausnahmen die wir bestimmter angeben werden, vollkommen mit dem
Inhalt des *Recueil*, und wir brauchen daher diesen
Theil nur ganz im Allgemeinen zu berühren. Eigenthümlich ist in der deutschen Ausgabe die Einleitung, wo *von Humboldt* Rechenschaft von den
zu seinen Beobachtungen gebrauchten Instrumenten
gibt, und dann die critischen Untersuchungen über
die Geographie beynahe aller Antillen. Einer Erwähnung bedarf es, dass der Inhalt der dritten Lieferung des *Recueil*, die das barometrische Nivellement
in sich fasst, in diesem Theile der deutschen Ausgabe
nicht mit enthalten ist. Das Werk selbst ist den beyden

Verfassers zu finden gewohnt sind, ist aus den Journalen älterer und neuerer Reisenden alles zusammengetragen und benutzt, was nur irgend zu einer Berichtigung dienen konnte; und es kann wol keine Frage darüber seyn, dass diese deutsche Ausgabe, die als der Inbegriff der zuverlässigsten geographischen Bestimmungen für das neue Continent gelten kann, wesentliche Vorzüge vor der französischen hat. Noch kömmt ein anderer Umstand hinzu, der dieser Ausgabe in unsern Augen einen erhöhten Werth gibt. Anerkannt ist es wol, dass die *Humboldt*'schen Beobachtungen die Geographie von Süd-Amerika so wesentlich berichtiget haben, dass deren Resultate für Kartenzeichner und überhaupt für alle, die sich um die Fortschritte der Geographie interessiren, unentbehrlich sind; allein so sehr eine so ausgezeichnete Expedition, wie die *Humboldt*'sche war, eine Prachtausgabe wie die französische ist, verdiente, so hatte diese doch nothwendig wegen ihres bedeutenden Preises gerade für den grössten Theil des eigentlich literarischen Publicums unzugänglich bleiben müssen. Dieses Bedürfniss wird durch vorliegende Ausgabe ersetzt, die zwar auch in Hinsicht von Druck und Papier sehr viel typographische Schönheit hat; allein durch sorgfältigere Benutzung des Raumes in einem mässigen Octav Bande nicht allein den ganzen Inhalt der vier ersten Lieferungen des *Recueil*, sondern noch ausserdem von S. 324 bis 495 eine Menge der interessantesten Untersuchungen über Domingo, Porto-Rico, Jamaica und über alle Antillen überhaupt enthält.

Schon

Schon früher haben wir in verschiedenen Heften dieser Zeitschrift (*Mon. Corresp.* B. XVIII. *Aug. Heft* B. XIX. *Jun. Heft* B. XXI. *Jan.* und *März-Heft*) unsere Leser mit dem hauptsächlichsten Inhalt der ersten vier Lieferungen des *Recueil* bekannt gemacht, und wir glauben, uns daher bey gegenwärtiger Anzeige für den mit der französischen Ausgabe identischen Theil der deutschen, zu Vermeidung von Wiederholungen, auf jene Hefte beziehen zu können. Alles was hier im ersten, zweyten, dritten und vierten Buche über die Beobachtungen in Spanien und auf den canarischen Inseln, uber die Inseln an den Küsten von Cumana, Neu-Andalusien, Tabago, Trinidad, Bocca de Dragos, Cabo de tres puntas, ferner über Venezuela, Caraccas, die Steppen von Calabozo, Rio Apure, Orinoco, Atabapo, Rio Negro, Cassiquiare, das Innere der Guayana, Provinz Neu-Barcelona und endlich über die Geographie von Cuba und deren Umgebungen, gesagt ist, harmonirt mit wenigen Ausnahmen die wir bestimmter angeben werden, vollkommen mit dem Inhalt des *Recueil*, und wir brauchen daher diesen Theil nur ganz im Allgemeinen zu berühren. Eigenthümlich ist in der deutschen Ausgabe die Einleitung, wo *von Humboldt* Rechenschaft von den zu seinen Beobachtungen gebrauchten Instrumenten gibt, und dann die critischen Untersuchungen über die Geographie beynahe aller Antillen. Einer Erwähnung bedarf es, dass der Inhalt der dritten Lieferung des *Recueil*, die das barometrische Nivellement in sich fasst, in diesem Theile der deutschen Ausgabe nicht mit enthalten ist. Das Werk selbst ist den beyden,

den vorzüglichsten Astronomen, die Deutschland in practischer und theoretischer Hinsicht jetzt aufzuweisen hat, dem Freyherrn *von Zach* und Professor *Gauss* gewidmet. Ersterer war, wie *Humboldt* in der Einleitung sagt, hauptsächlich mit Veranlassung zu seinen astronomisch-geographischen Beschäftigungen in Sud-Amerika.

Da das Instrument, mit dem eine Beobachtung gemacht wurde, einen sehr wesentlichen Einfluss auf die allgemeine Beurtheilung der Genauigkeit dieser hat, so lassen wir hier ein Verzeichniss der Instrumente, deren sich *Humboldt* zu seinen Sud-Amerikanischen Bestimmungen bediente, folgen.

1) Ein zehnzolliger *Ramsden*'scher Sextant mit silbernem Limbus, nebst kunstlichem Horizont, von *Carrocher*; der Nonius gab 20".
2) Ein zwolfzolliger *Bird*'scher Quadrant; der Nonius und die Micrometer-Schraube gaben 2".
3) Ein zweyzolliger *Snuffbox*-Sextant von *Troughton*, mit Fernrohr und kunstlichem Horizont.
4) Ein dreyfussiges Fernrohr von *Dollond*, nebst einem kleinern von *Carrochez*.
5) Eine Langen-Uhr von *Louis Berthoud*.
6) Ein Vice-Taschen-Chronometer, von *Seyffert*.
7) Ein *Mayer-Borda*'scher zwölfzolliger Reflexions-Kreis, der aber wegen geringer Brauchbarkeit in Spanien, so wie ein anfangs mit genommener achtzolliger Theodolit von *Hurter* in Frankreich, zuruckblieb.

Ausser-

Ausserdem hatte sich noch *Humboldt* mit Declinatorium und Inclinatorium, mit Barometern, Thermometern, Hygrometer, Cyanometer, Taschen Compass, Messketten u. s. w. versehen, um so ziemlich jede Art von physisch-mathematischen Beobachtungen machen zu können.

Um die Genauigkeit von Sextanten-Bestimmungen überhaupt, und namentlich des mitgenommenen künstlichen Horizontes von *Carrochez* zu prüfen, beobachtete der Verfasser vom 24 September bis 6 October theils mit einem siebenzolligen Sextanten von *Troughton*, theils mit dem in Amerika gebrauchten *Ramsden*'schen Sextanten, die Breite der kaiserlichen Sternwarte in Paris. Die Resultate sind sehr befriedigend, indem die Bestimmungen der einzelnen Tage nicht über 6" und das mittlere Resultat aus allen nur 0,"65 von der wahren Breite abweicht. Wenn auch eine solche Uebereinstimmung zum Theil auf Rechnung des Zufalls kömmt, so beweist sie doch allemahl fur die grosse Geschicklichkeit des Beobachters und für die Zuverlässigkeit seiner sud-amerikanischen Bestimmungen. Wenn übrigens in den hier ohne alle Auswahl (ein gewiss sehr lobenswerthes und zur Nachahmung zu empfehlendes Verfahren) mitgetheilten Original-Beobachtungen manchmahl Sprünge sich zeigen, so kann dies wol bey niemand Verwunderung erregen, der die ungünstigen schwierigen Umstände kennt, unter denen oft diese Beobachtungen gemacht werden mussten. Welcher Astronom getraut sich wol, nach einem auf einem Maulthier, oder in einem engen Canot in tropischer Sonnenwärme zurück gelegten acht

bis

bis zehnstündigen Wege dann noch in der Nacht bey rauchenden Pechfackeln und bey dem Geschwirr stechender Musquitos, so viele und so brauchbare Beobachtungen zu liefern, als es *Humboldt* that.

Bey Erwähnung des Ganges des *Berthoud*'schen Chronometers wird der schon früher in dieser Zeitschrift (B. XIX. *Jun. Heft*) erwähnte Gegenstand, uber eine mögliche allmählige Acceleration oder Retardation, die im Gange des Chronometers durch eine stärkere Bewegung hervorgebracht werden könne, zur Sprache gebracht. Wir sind weit entfernt, uns ein entscheidendes Urtheil hierüber anzumaſsen, und wir wünschen nur, daſs durch die getheilten Meinungen über diese Frage, deren Entscheidung fur chronometrische Längen-Bestimmungen unstreitig von wesentlicher Wichtigkeit ist, weitere Versuche und Erfahrungen darüber veranlaſst werden möchten. Nach unserer individuellen Uberzeugung scheint uns allerdings eine durch Bewegung bewirkte allmählige Aenderung im Gange des Chronometers nicht wahrscheinlich zu seyn. Schon in der Construction eines Chronometers glauben wir Grunde gegen eine solche Annahme zu finden. Durch den eigenthumlichen Bau des Balanciers ist ja eben die störende Wirkung einer regelmäſsigen, wenn auch starken, Bewegung aufgehoben, und das Tragen eines guten Chronometers selbst bey schnellem Fahren und Reiten, darf und wird keinen Einfluſs auf dessen Gang haben. Allein wird die Bewegung so unregelmäſsig und stoſsend, daſs der Balancier deren Wirkung nicht mehr compensiren kann, dann tritt auch in dem ganzen Zustande des Chronometers eine plötz-

plötzliche Aenderung ein; er *schlägt* und verändert da seinen Gang auf einmahl. Uebrigens hat aber die Entscheidung dieser Frage auf die *von Humboldt* gemachten chronometrischen Bestimmungen gerade keinen wesentlichen Einfluss, indem die hier gemachte Bemerkung, dass durch seine Wiederkehr auf dieselben Puncte die etwa durch chronometrische Sprünge verloren gegangenen Secunden genau erörtert werden können, vollkommen gegrundet ist.

In einer Vorerinnerung von *Oltmanns* gibt dieser eine allgemeine Rechenschaft von dem Verfahren, dem er bey Reduction der *Humboldt*'schen und anderen Beobachtungen gefolgt ist, was unsern Lesern aus fruhern Auffätzen so vollständig bekannt ist, um hier keiner weitern Anmerkung zu bedurfen. Dass ein genaues, gut ausgearbeitetes Verzeichniss aller vorhandenen geographischen Ortsbestimmungen etwas sehr wunschenswerthes ist, und dass die Resultate, die in der *Connaissance des temps* hierüber mitgetheilt werden, noch manches zu wünschen übrig lassen, sind Bemerkungen, denen wir vollkommen beypflichten. Was die in Weimar herauskommende Sammlung aller bekannten geographischen Orts-Bestimmungen anbetrifft, so hat unseres Wissens, der Legations-Rath *Stieler* in Gotha jetzt keinen wesentlichen Antheil mehr an deren Bearbeitung.

Nach diesen Vorerinnerungen können wir auf die Anzeige des Werkes selbst übergehen. In Gemassheit unserer im Eingang gemachten Bemerkung eilen wir uber den Inhalt und die Resultate der vier ersten Bücher schnell hinweg, da diese identisch mit dem

des

des französischen *Recueil* sind, um uns bey den, dieser deutschen Ausgabe eigenthumlichen Untersuchungen länger verweilen zu können.

Nur bey S. 147 bis 161 ist die hier gegebene *Darstellung der Geographie der sud-amerikanischen Küsten von Puerto de Espanna bis zum Golf von Darien* neu. Der Verfasser theilt eines Theils die Resultate einiger von *Feuillée* und *Herrera* berechneten Beobachtungen, theils einige, in der Gegend von Carthagena von Don *J. F. Fidalgo* gemachte Bestimmungen mit, die zu einer bessern Situirung der seither auf den meisten Karten verzeichneten Küsten von Tierra firma dienen können. Die Orts-Bestimmungen selbst waren folgende:

Namen der Orte	Nördl. Breit.			Westl. Länge		
Santa Marta	11°	19'	39"	76°	28'	45"
Südl Spitze der Insel Baru . .	10	9	30	77	57	35
Cap Nord de Tierra Bomba .	10	25	0	77	51	5
Cap Sud de Tierra Bomba . .	10	23	37	77	52	5
Baxo de la Salmadino . . .	10	23	0	77	55	35
Nordöstl. Cap der Insel Rosario	10	11	40	78	4	5
Cerro de Tigua	9	55	50	77	52	35
Titipan N. O. Cap d. J. Bernardina	9	51	50	78	8	35
Tolu	9	35	40	. .	. .	. .
Bocoa del sinu Zapote . . .	9	29	0	77	32	35
Isla fuerta	9	24	0	78	29	5
Baxo et Morro hermoso . .	10	58	0	77	18	35
Punta Galeia	10	48	0	77	40	55

Das ganze vierte Buch der vorliegenden deutschen Ausgabe, welches *Untersuchungen uber die Geographie der mittel-amerikanischen Inseln* überschrieben ist, enthalt das meiste Neue und Eigenthumliche, was in der französischen Ausgabe theils gar nicht theils minder vollständig vorkommt. Das ganze Buch zerfallt in vier Abschnitte. 1. *Grosse Antillen*; die

Geo-

Geographie von Cuba, Santo Domingo, Puerto-Rico und Jamaica wird hier unterſucht und berichtiget. II. *Kleinere antilliſche Inſeln, die von Porto-Rico in einem Halbkreiſe bis nach Trinidad ſich erſtrecken.* III. *Kleinere antilliſche Inſeln, welche ſich von Trinidad längs der Küſte von Tierra Firma bis nach Carthagena de Indias ſich erſtrecken.* IV. *Die lucayiſchen Eilande mit ihren Umgebungen.*

In der vierten Lieferung des *Recueil* würde die Geographie von Cuba abgehandelt, und wir haben unſern Leſern das Hauptſächlichſte davon im *März*-Heft dieſes Jahrganges mitgetheilt; allein noch mehr Details über die Umgebungen finden wir hier. Von S. 226 — 296 wo ſich der Verfaſſer theils mit der Fundamental-Beſtimmung der Havana, theils mit der Geographie von Cuba ſelbſt beſchaftigt, folgt der deutſche Text ganz dem franzöſiſchen; allein dann enthalt die vorliegende Ausgabe für die Umgebungen von Cuba, theils nach *Ferrer*, theils nach ſpaniſchen Seekarten, noch einige Zuſätze, die wir hier als Fortſetzung zu den im *März*-Hefte S. 248 mitgetheilten geographiſchen Orts-Beſtimmungen ausheben.

Umgebungen von Cuba

an der Sud-Seite.

Namen der Orte	Weſtl. Länge			Nördl. Breite		
Cayo de Don Chriſtoval	84°	21'	0"	22°	10'	0"
Cayo Flamingo	84	3	32	22	0	0
Los Piedras de Diego Perez	84	3	2	21	58	10
Cayo de Piedras	83	37	12	21	56	40

Von

An der Nord - Seite:

Namen der Orte	Westl. Länge			Nördl. Breite		
Cayo Verde	84°	0'	30"	22°	5'	6"
Cayo Confites	84	4	53	22	11	44
Cayo de Lobos	79	56	43	22	24	50
Cayo Guyancho	80	25	0	22	44	0
Punta del Diamante	79	39	0	22	10	0
Tributario de la Minerva . .	80	21	0	22	21	30
Isla Aquile (Ostspitze) . . .	81	40	15	23	28	0
Cayo del Agua (Mitte) . . .	82	22	30	23	57	0
Cayo del Sal	82	34	0	23	39	8
Baxo Nicolas	82	48	15	23	14	45
westl. Klippen des Plaza de los Roques	82	42	0	23	51	30
Cruz del Padre (Mitte)	83	24	0	23	14	0

Die beyden auch hier befindlichen Supplements über die wahren Längen von Laucaster und Neuyork, haben wir schon mit der vierten Lieferung des *Recueil* angezeigt, und können sie daher jetzt übergehen.

Alles was nun über die Geographie sämmtlicher Antillen folgt, ist fur unsere Leser neu; und wenn auch einiges davon über Domingo ebenfalls in den folgenden Heften des *Recueil* geliefert wird, zo ziehen wir es doch vor, die vollstandige Anzeige davon hier zu geben, da das Ganze in der deutschen Ausgabe in einer grössern Ausdehnung bearbeitet ist.

Die genaue Bestimmung des *Cap François* auf St. Domingo ist das erste Erforderniss zu einer bessern Begründung der Geographie dieser Insel, indem alle andere chronometrisch erhaltene Längen sich auf jenen Punct beziehen. Die ersten astronomischen Beobachtungen, welche dort gemacht wurden, scheinen die des Pater *Laval* zu seyn, die denn aber

so

so stark fehlerhaft sind, dass blosse Schiffer-Schätzungen mehr Genauigkeit geben. Eben so war auch das Resultat, was aus einer von *D. Juan* im J. 1745 dort beobachteten Jupiters-Trabanten-Finsterniss folgt, zu einer bessern Bestimmung des *Cap François* nicht geeignet. Die ersten zuverlässigen astronomischen Beobachtungen wurden von *Borda*, *Fleurieu* und *Pingré* dort gemacht. Aus dem von diesen Academikern dort im Jahre 1769 beobachteten Venus-Vorübergang findet der Verfasser die Länge dieses Caps 74° 38′ 10,″3. In einer Abhandlung von *Ferrer* über die Geographie eines Theils von Amerika setzt dieser die Länge 8 Minuten westlicher, und *L'Evaque*, der das Resultat aus dem Venus-Vorübergang für ungewiss hält, stimmte dieser Annahme bey, die aber hier aus sehr triftigen Gründen verworfen wird.

Alles was für die Geographie von Domingo nur irgend Brauchbares existirt, ist hier mit dem grössten Fleiss gesammelt und benutzt. Der Verfasser untersucht alle ältere und neuere Beobachtungen von *Bouttin*, *Cevallos*, *Herrera*, *Borda*, *Puysegur*, *Ferrer* und anderer, und bestimmt daraus die Lage einer Menge Vorgebirge und anderer ausgezeichneten Puncte von Domingo. Der Orts-Bestimmung der Stadt St. Domingo ist ein eigner Artikel gewidmet, wo die im Jahre 1780 von den beyden spanischen Officieren *Luis Argnetas* und *Joseph Sartorio* dort gemachten Beobachtungen untersucht und von neuem berechnet werden. Die Resultate aller dieser Erörterungen liefern wir nachher im Zusammenhang. Den Beschluss dieses Abschnitschnittes macht die Bestimmung mehrerer kleiner, in der Nähe von Domingo gelegenen Inseln. Die Orts-Bestimmungen, die wir diesen Untersuchungen verdanken, sind folgende:

Namen der Orte	Länge im Bogen			Breite nordlich		
Cap François	74°	38′	10″	19°	46′	20″
— Engano	70	45	52	.	.	.
— Rafael	71	18	47	.	.	.
— Samana	71	33	48	19	16	26
— Cabron	71	38	29	19	21	52
— das alte	72	21	30	19	40	30
— la Roche	72	31	7	19	37	45
Landspitze Isabella	73	36	50	19	58	43
— — Lagrange	74	9	6	19	54	35
Haut fond de Lagrange . . .	74	6	38	20	0	30
Bay von Acul (am Eingange)	74	47	48	19	47	40
— à Chouchou (östl. Spitze)	74	56	20	19	50	48
Landspitze Icaque	75	3	8	19	54	15
— — Carenage	75	12	0	19	56	0
Port de Paix	75	13	45	19	55	0
Ostspitze des Port à l'Ecu . . .	75	30	40	19	55	0
Landspitze Jean Rabel . . .	75	37	12	19	55	10
Mole Saint Nicolas	75	49	48	19	49	20
Pointe du Mole	75	52	39	19	49	52
Cap aux Foux	75	54	31	19	45	23
Pointe de la Plateforme . . .	75	42	17	19	35	5
Port à Piment	75	23	45	19	35	1
Spitze la Pierre	75	10	23	19	25	15
Cap Saint Marc	75	15	7	19	2	18
Port au Prince bey Fort de l'Islet	74	47	26	18	33	42
Fort von Leogane	75	4	55	18	32	10
Baake von klein Goave . . .	75	14	34	18	26	51
Petit Goave	75	18	4	18	27	0
Bay von Miragoane	75	32	32	18	26	45
Ostspitze d. Bec du Marsouin .	75	55	20	18	34	54
Landspitze Jeremie	76	33	37	18	39	57
Cap Dame-Marie	76	53	47	18	37	20
Pointe des Irois	76	55	55	18	22	23
Bay Tiburon	76	51	39	18	17	50
Cap Tiburon	76	54	15	18	19	25
Pointe du vieux Boucand . .	76	47	59	18	15	59
Baake von Chardonniere . .	76	35	14	18	16	16
Pointe à Gravois	76	22	31	18	1	3
Pointe Abacou (Cap Bocca) .	76	9	43	18	2	42
Cayes	76	10	34	18	11	10
Spitze Pascal	76	0	47	18	12	17

Fort

Namen der Orte.	Länge im Bogen			Breite nördlich		
Fort Saint Louis	75°	59'	24"	18°	14'	27"
Le Diamant	75	48	4	18	13	45
Cap Bayenette	75	17	34	18	12	0
Cap Jacmelle	75	2	37	18	12	40
Ostspitze des Morne rouge	74	32	44	18	16	30
Cap Beata	73	53	37	.	.	.
Santo Domingo	72	19	52	18	28	40

Umgebungen der Insel St. Domingo.

Ostspitze der Insel Tortuga	75	3	10	20	3	33
Ankerplatz Basseterre auf Tortuga	75	7	15	20	1	40
Westspitze von Tortuga	75	21	7	20	40	48
Nordostspitze von Gonave	75	21	7	18	49	10
Oestliche Spitze	75	12	42	18	42	40
Westliche Spitze	75	44	48	18	52	40
Die nordlichste von den Arcadins	75	3	41	18	47	35
Die südlichste	75	4	43	18	46	14
Recif du Rochelois	75	37	2	18	37	48
Nordspitze der Insel Caymito	76	9	23	18	39	25
Brisans de Baleines	76	56	35	18	29	54
Nordwest-Spitze } der Insel	76	8	9	18	6	10
Ost-Spitze } à Vache	75	59	24	18	2	53
Caye à l'eau	76	3	27	18	8	41
Caye d'Orange	75	57	51	18	12	57
Caye à Ramiers	75	53	37	18	13	37
Alta Vela	73	59	0	17	28	11

Die Bestimmung der Stadt *Porto Rico* auf der Insel gleiches Namens ist hier ebenfalls sehr sorgfältig untersucht. Die Beobachtungen, die hierzu benutzt werden konnten, sind theils eine, von *Churrucca* am 21 Oct. 1793 beobachtete Bedeckung des Aldebaran und dann mehrere von *Ferrer* genommene Monds-Distanzen, nebst dessen chronometrischer Verbindung von Porto-Rico mit dem Cap Samana. Jene Sternbedeckung hat durch die Differenz der Resultate, die mehrere Astronomen daraus herleiteten, eine Art von Celebrität erhalten. *La Lande* fand daraus Länge von Porto Rico 4St. 33'. 22". *Wurm*

4St

4St. 34′ 7,″6, *Triesnecker* 4St 33′ 58,″2. Der Verfasser berechnet diese Bedeckung mit seiner bekannten Genauigkeit von neuen, und findet nach sorgfältiger Bestimmung des Breitenfehlers aus der Vergleichung mit den gleichzeitigen, zu Paris, Palermo und Seeberg gemachten Beobachtungen, die Länge von Porto-Rico 4St. 34′ 22,″9. Die Untersuchung, welche der Verfasser mit den von *Ferrer* beobachteten Monds-Abstanden vornimmt, ist wegen Ermangelung der *Ferrer*'schen Original-Beobachtung etwas hypothetisch, doch kann es nicht verkannt werden, dass durch die hier fur die Zeit der beobachteten Monds-Abstande aus Greenwicher Beobachtungen hergeleitete Bestimmung des Fehlers der Monds- und Sonnen-Tafeln die Genauigkeit des Resultats wesentlich gewonnen hat. Ausser der Stadt Porto-Rico wird noch die Lage sechs anderer Puncte auf und in der Nahe dieser Inseln aus *Ferrer*'s und *Fleurieu*'s Beobachtungen hergeleitet; die Resultate selbst waren folgende:

Namen der Orte	Westl. Länge			Nordl. Breite		
Hauptstadt Porto Rico . . .	68°	33′	30″	18°	29′	10″
Cabeza de San Juan	68	3	30	18	26	0
Nord-West Cap	69	32	33	18	31	18
Cabo de Pennas Blancas . . .	69	34	15	18	28	44
Aguada de S Carlos	69	32	45	18	27	20
Casa de Muertos	68	58	30	17	50	9
Desecheo, (eine kleine Insel, in der Nähe von Porto-Rico	69	54	16	18	23	48

Für die Geographie von Jamaica ist bis jetzt noch nicht viel geschehen. Einige Beobachtungen von *Macfarlane*, *Puysegur* und *Humboldt* sind die einzigen, die hier benutzt werden konnten. Die Länge von Kingston wurde aus einem Mercurs-Vorbergang

gang und aus einer Monds-Finsterniss, die *Macfarlane* dort beobachtete, hergeleitet. Eine Monds-Culmination gab die von Fort-Royal. Aus *Humboldt*'s Beobachtungen konnte die Lage einiger Umgebungen von Jamaica, wie Pedros Keys, Klippenriff auf der Vibora-Bank, Kaiman-Inseln u. s. w. hergeleitet werden.

Sämmtliche Ortsbestimmungen enthält folgende Tafel:

Namen der Orte	Westl. Länge			Nördl Breite		
Kingston	79°	2'	30"	. . . .		
Port Royal	79	5	30	. . . .		
Cap Morant	78	35	23	17°	57'	45"
Cap Portland	79	18	35	. . . .		
Las Ranas (Morant Keys) . .	78	23	35	17	18	10
Navaza	77	28	0	18	22	19
Pedros Keys	80	31	36	. . . .		
Klippenriff auf der Vibora Bank	80	43	49	16	50	0
Kaimanbrack (östl. Cap) . .	82	7	37	19	40	0
Kaiman grande (östl. Cap) . .	82	59	4	19	19	0

Die Geographie der kleinen antillischen Inseln, welche sich von Porto-Rico in einem Halbkreis bis nach la Trinidad erstrecken, beschäftiget den Verfasser im nächsten Abschnitt. Sehr richtig ist die hier vorausgeschickte Bemerkung, wie nothwendig es ist, um sich nicht in einem Heer geographischer Bestimmungen zu verirren, genau zu untersuchen, welche Puncte durch absolute Beobachtungen, und welche nur durch Relevements, Zeit-Uebertragung oder ähnliche Methoden bestimmt worden sind, indem natürlicherweise diese eine Veränderung erhalten müssen, sobald der Ort, auf den sie sich beziehen, eine

eine andere Bestimmung erhält. Der grössere Theil von Orts-Angaben fur diese kleinern Antillen bezieht sich auf die Lage von Fort-royal auf Martinique, und der Verfasser lasst es sich daher hauptsächlich angelegen seyn, diesen Ort genau zu bestimmen. An ältern und neuern Materialien hierzu fehlte es gerade nicht, indem *Feuillée* und die beyden bekannten Expeditionen, der *Isis* und *Flore*, sich lange dort aufhielten und eine Menge astronomischer Beobachtungen machten. Schwerer schien es, die dort von verschiedenen Astronomen gemachten Beobachtungen mit einander zu vereinigen, indem wenigstens die Resultate, die man zeither daraus hergeleitet hatte, bedeutend von einander abwichen; allein bey der von *Oltmanns* vorgenommenen genauen Reduction und Berechnung aller Beobachtungen verschwinden diese Differenzen zum grossern Theil, und wir glauben, dass die Lange von Fort-Royal, die nicht allein aus Jupiters-Satelliten-Verfinsterungen, sondern auch aus Monds-Culminationen hergeleitet werden konnte, als gut bestimmt anzusehen ist. Ein anderer, in der Nähe von Fort-Royal liegender Punct, die Stadt *Cul de Sac Robert*, wurde ebenfalls durch zahlreiche astronomische Beobachtungen bestimmt, und auf diese beyden werden die übrigen Puncte bezogen, die aus *Fleurieu*'s, *Borda*'s und *Pingre*'s Operationen eine Bestimmung erhielten.

Übersicht der Geographie der Insel Martinique.

Namen der Orte.	Westl. Länge			Nördl. Breite		
Fort Royal, (neue Bastion) .	63°	26'	0"	14°	35'	49"
St. Pierre (Batterie v. St. Marthe)	63	32	54	14	44	:::
Cul de Sac Robert	63	14	37	14	40	::
Morne aux boeufs	63	32	51	14	41	55
Pointe du Prêcheur	63	39	25	14	49	9
Landspitze Macouba	.	.	.	14	54	30
Cap Ferre	63	10	18	14	27	15
Pointe des Salines	63	15	20	14	23	30
Piton du Vauclain	63	15	10	14	33	48
Insel Diamant	63	24	22	14	26	10
Cap Salomon	63	29	2	14	29	40

Mit ähnlicher Sorgfalt hat der Verfasser alle vorhandene Beobachtungen gesammelt und untersucht, die zu einer bessern Begrundung der Geographie der östlichen caraibischen und lucayischen Inseln nebst ihren Umgebungen dienen konnten. Zwey Tableau's, die wir hier folgen lassen, enthalten die schätzbaren Resultate dieser Untersuchungen.

Übersicht der Geographie der östlichen caraibischen Eylande.

Namen der Orte	Länge im Bogen			Breite nördlich		
Jungfern-Inseln.						
S. Thomas (Hafen)	67°	23'	21"	18°	20'	30"
S. Croix (der Hafen	67	8	44	17	44	8
Ost-Cap der Insel St. Croix	67	2	0	17	46	15
Ost-Cap der Insel St. Johann	67	24	0	18	17	0
Spanishtown (Vierge Gourde)	68	45	39	18	31	7
Hut-Insel (Sombrero)	65	51	1	18	38	4
Hunds-Insel (die westlichste)	65	43	57	18	19	15
Schlangen-Inseln (West-Spitze)	65	30	2	18	14	30
St. Martin (Nord-West-Spitze)	65	34	42	18	4	26
St. Bartholomaeus	66	20	30	17	53	30:
Saba (die Mitte)	65	41	4	17	39	30
St. Eustache, (die Rhede)	65	25	0	17	29	0
St. Christophe [Nord-West-Sp.	65	13	33	17	25	59
St. Christophe [Basseterre.	65	9	30	17	19	30

Newis

Namen der Orte.		Länge im Bogen			Breite nördlich		
Newis		. . . .			17°	10'	0"
Antigua	Fort Hamilton	64°	15'	0"	17	4	30
	Landſpitze Johnſon	64	19	0	16	59	0
	Landſpitze Carlisle	64	15	40	16	58	0
Montſerrat	Süd-Oſt-Spitze	64	23	12	16	42	15
	Nord-Oſt-Spitze	64	33	40	16	47	35
Guadalupe	Baſſeterre	64	5	15	15	59	30
	Pointe de la grande Anſe .	64	0	10	. . . . .		
	Pointe du vieux Fort . .	64	5	0	15	57	48
	Pointe des Irois	64	6	20	16	0	22
	Pointe des vieux habitans	. . . .			16	4	30
	Pointe de Malandure . .	64	10	40	. . . .		
	Gros-Morne	64	11	34	16	20	18
Kleine Inſel Goyave		64	9	40	. . . .		
Les Saintes (Nord-Weſt-Spitze der weſtlichſten Inſel) . .		64	1	40	15	51	25
St. Dominique	Roſeau	63	52	3	15	18	23
	Cachacrou . . .	63	52	11	15	15	19
	le Morne eſpagnol	63	56	53	15	28	56
	le Capucin . . .	63	46	30	15	37	30
Martinique	Fort royal	63	26	0	24	35	49
	St. Pierre	63	32	54	14	44	0
	Cul de Sac Robert . . .	63	14	37	14	40	0
	Morne aux Boeufs . . .	63	32	51	14	41	55
	Pointe du Prêcheur . . .	63	39	15	14	49	0
	Landſpitze Macuba . . .	. . . .			14	54	30
	Landſpitze Ferré	63	10	18	14	27	15
	Landſpitze Salines . . .	63	15	20	14	23	30
	Piton du Vauclain . . .	63	15	10	14	33	48
	Cap Salomon	63	29	2	14	29	40
Diamant-Inſel		63	24	22	14	26	10
Barbados	Maskelyn. Sternwarte	61	56	33	13	5	15
	Willoughby Fort	61	56	48	13	5	0
La Grenade	Fort royal . . .	64	8	15	. . . .		
	Nord-Oſt-Spitze	63	51	0	. . . .		
	Süd-Weſt-Spitze	64	11	45	. . . .		
Tabago,	Nord-Oſt-Spitze .	62	47	30	11	10	13
	Sud-Weſt-Spitze .	63	9	0	11	6	0
La Trinidad (San Andres de Puerto de Espanna)		63	58	15			

Über-

Übersicht der Geographie der lucayischen Inseln mit ihren Umgebungen.

Namen der Orte	Länge im Bogen			Breite nördlich		
Gold-Key						
Südöstliche Grenze	71°	55'	30"	20°	13'	50"
Nordöstliche Grenze	71	52	45	20	31	0
Westliche Grenze	72	24	7	20	29	24
Mouchoir-Carré						
Klippen an der Nord-Ost Grenze	72	56	40	20	4	10
Zehn Faden Tiefe auf der Bank	73	22	5	20	53	0
Ost-Nord-Ost Grenze	73	17	45	21	0	0
Isles Turques						
Süd-Spitze des Sand-Keys	73	35	7	21	11	10
Grosse Saline	73	30	15	21	31	45
Südwestl. Gr. der Untiefe	73	40	15	21	7	30
Isles Cayques.						
Südöstliche Gränze der Untiefen	73	57	0	21	1	0
Brisans de S. Philippe	73	47	5	21	44	15
Booby Rocks	74	24	25	21	57	30
Caye des Providenciers (Nord-West-Spitze)	74	45	15	21	50	46
Klippen an der Nord-Küste der Petite Cayque	74	50	45	21	44	30
Petite Cayque (S. W. Sp.)	74	52	45	21	36	17
(N. W. Sp.)	.	.	.	21	42	19
Caye Françoise	74	36	39	21	30	40
Ilet de Sabel	74	32	5	21	18	45
Insel Mogane						
Nord-West-Spitze der Insel	75	34	55	22	28	40
Süd-West-Spitze	75	37	41	22	21	40
Klippen an der Ost-Seite	75	6	15	22	18	0
Insel Klein-Inague						
Oestliche Spitze der Insel	75	21	43	21	29	0
Westliche Spitze	75	32	22	21	30	0
Nördliche Spitze	75	25	33	21	33	15
Südliche Spitze	75	30	44	21	25	32
Insel Gross-Inague.						
Nordöstliche Spitze	75	27	27	21	20	13
Nordwestliche Spitze	75	5	45	21	9	0
Westliche Spitze	75	7	43	21	3	41

The

Namen der Orte	Länge im Bogen			Breite nördlich		
The Hogsties						
Oestliche Insel	76°.	16'	19"	21°	38'	50"
Die westliche	76	17	39	21	44	40
Isles Plates (die westlichste)	76	4	0:	22	42	39
Insel Sumana	76	14	43:	23	9	10
Isle-au-Chateau (Mitte)	76	45	45	22	7	45
Mirad per os (d. nörd. Theil)	76	56	20	22	8	6
Glücks-Insel	76	45	7	22	29	49
Eine kleine Insel an der West-Spitze von Krooked	76	46	34	22	48	49
Insel Krooked (Ost-Spitze)	76	16	0	22	39	0
Insel Watelin						
Südwestliche Spitze	77	2	17	23	56	0
Südöstliche Spitze	76	57	17	23	56	31
Nord-West-Spitze	76	58	59	24	5	0
San Salvador del Christoval Colon el grande						
Südöstliche Spitze	77	51	0	24	0	0
Nördlichste Spitze	78	11	30	24	39	0

Ein Beytrag zur Kenntnifs des Flächen-Inhalts der Antillen, den der Verfasser aus dieser Zeitschrift (*Mon. Corresp.* 1807 Decbr. Heft) entlehnt hat, beschliesst den ersten Band dieses für die Geographie des neuen Continents so wichtigen Werks.

Wir glauben, dafs der Verfasser den grofsen Werth, den wir auf seine Arbeit setzen, nicht verkennen wird; allein eben weil dies Werk in seiner Art wirklich classisch ist, finden wir uns veranlast, über die Art der Reduction noch ein Paar Wünsche beyzufügen, die übrigens etwas Wesentliches nicht betreffen.

Was die Correctheit des Drucks anlangt, so kommen zwar allerdings Druckfehler auch in diesem Bande vor, doch ist der Fleifs, der auch hierauf ver-

wen-

wendet worden, nicht zu verkennen. Da bey einem Werke dieser Art grosse Correctheit allerdings erforderlich ist, so durfte es zweckmassig seyn, wenn der Verfasser am Schluss des Ganzen eine Uebersicht aller etwanigen Correcturen lieferte. Der Druck ist sehr schön, und kleine Anomalien, wie verschiedene Ausdruckungen von Bruch-Secunden durch Decimale und oft durch ¼ sollten wol wegfallen.

Endlich scheint uns auch mehr Gleichförmigkeit in der Art, die Beobachtungen darzustellen, wunschenswerth zu seyn. Bey Sternen ist meistentheils die Culminations-Zeit am Chronometer, manchmahl nur die gerade Aufsteigung des Sterns gegeben. Dann werden bey Breiten-Bestimmungen manchmahl der Abstand des Sterns vom Meridian, manchmahl die Höhen-Aenderungen bis zur Culmination, manchmahl die Mittagshöhen, manchmahl die Breiten unmittelbar angegeben. Das alles sind Kleinigkeiten, die irgend einen wesentlichen Einfluss durchaus nicht haben, und die wir bey jedem andern geographischen minder vorzüglichen Werke als dem vorliegenden gar nicht erwähnen würden. Da der Zweck einer detaillirten Mittheilung der Original-Beobachtungen doch der ist, das Nachrechnen und die Uebersicht zu erleichtern, so wurden wir die Angabe der Culminations-Zeit an der Uhr, nebst dem Stundenwinkel, für die zweckmässigste Darstellung halten.

LIII.

Nachtrag

zu der barometrischen Höhen-Bestimmung des Schneeberges auf dem Fichtel-gebirge.

(Mon. Corresp. 1810 Febr. Heft S. 124.)

Unsere Leser erinnern sich aus dem *Februar*-Heft dieser Zeitschrift der Höhenbestimmung von Weissenstadt und dem Schneeberg, die wir aus des Hrn. Professors *Bürg* barometrischen Beobachtungen hergeleitet haben. Da wir die absoluten Höhen beyder Orte über der Meeresfläche aus Mangel an nahem correspondirenden Beobachtungen, theils aus Panser Barometer-Standen, theils mit Zuziehung der mittlern Barometer-Höhe am Gestade des Meeres berechnen mussten, so äusserten wir damahls den Wunsch, von einem andern Orte, dessen absolute Höhe bekannt sey, gleichzeitige Beobachtungen zu erhalten. Der gütigen Mittheilung des Hrn. Prof. *David* verdanken wir die Erfüllung dieses Wunsches. Wir lassen die Stelle seines Briefes, worin er der beygefügten Barometer-Beobachtungen erwähnt, hier folgen:

.... Zu Hrn. Professor *Bürg's* Barometer-Beobachtungen im Fichtelgebirge folgen hier meine correspondirenden, die ich im Schödel-Wirthshause gemacht gemcht habe, nebst denen, die jährlich im Stife Tepl angestellt werden. Tepl ist 328 Toisen höher als die See bey Hamburg, aus vielen correspondirenden Beobachtungen mit Prag berechnet; Schödel-Wirthshaus ist 24, 3 Toisen niedriger als Stift Tepl. Ich theile lieber die Beobachtungen aus diesen zwey Orten, als von Prag mit, weil ich aus allen meinen Höhen Berechnungen gefunden, daſs die Resultate stets weniger übereinstimmen, je verschiedener die Temperaturen an beyden Beobachtungs-Orten waren.

Die Beobachtungen sind mit Hebe-Barometern nach messingenen Scalen im Pariser Fusmaſs gemacht; die Thermometer nach Réaumur.

Schodel-Wirthshaus, 1807 am 12. Aug.

Morgens	5 U.	Barom.	26" 3,'''33	Temperat. des Quecksilb / der freyen Luft	+17,°8 / +12
—	7 U.	.	26" 3,'''50	. . . . .	+17,°9 / +15
—	12 U.	.	26" 3,'''17	. . . . .	+18° / +18, 7
Nachm.	3 U.	.	26" 3,'''18	. . . . .	+19° / +20, 2

Am 13. August.

Morgens	6 U.	.	26" 3,'''00	Temperat. des Quecksilb / der freyen Luft	+17,°8 / +15, 7
—	7 U.	.	26" 3,'''00	. . . . .	+18,°1 / +17, [illegible]
—	12 U.	.	26" 3,'''25	. . . . .	+18,°0 / +20, 3
Nachm.	3 U.	.	26" 3,'''17	. . . . .	+20° / +22, 7

Ein vortheilhafter Umstand war es, daſs der Barometer an diesen Tagen so wenig variirte und der Himmel heiter war.

1807

1807. Beobachtungen im Stifte Tepl

am 12. August.

		Barometer		Temperatur
Morgens	5 U.	26" 1,'''81	Temperatur des Quecksilb.	+15,9
			— der freyen Luft	+8
—	12 U	26" 1,'''50	. . . . .	+16,9
				+17,6
Nachm.	3 U.	26" 1,'''00	. . . . .	+16,4
				+18
—	9 U.	26" 1,'''00	. . . . .	+15,9
				+14,0

Am 13. August.

		Barometer		Temperatur
Morgens	5 U.	26" 1,'''17	Temperatur des Quecksilb	+15,7
			— der freyen Luft	+[illegible]
—	12 U.	25" 1,'''58	. . . . .	+16,9
				+18,7
Nachm.	3 U.	26" 1,'''42	. . . . .	+16,9
				+[illegible]
—	9 U.	26" 1,'''10	. . . . .	+16,9
				+17,3

Die Vergleichung dieser Beobachtungen mit den *Burg*'schen und deren Berechnung nach unsern *Tables barométriques* gab folgende Resultate:

I. *Vergleichung zwischen Weissenstadt und Schodel-Wirthshaus.*

Schödel-Wirthsh. höher als Weissenstadt aus der Beobacht. am 12. Aug.	=	4,18 Tois.
. . . . . 13. .	=	4,52 .
im Mittel		4,33 Tois.
Schödel-Wirthsh. Höhe üb. d. Meere		303,70 .
folglich Seehöhe von Weissenstadt		299,35 Tois.

Aus den Beobachtungen des Prof. *Bürg* fanden wir (*M. C.* Febr. S. 124) Höhe d. Schneeb. ub. Weissenst.	212,00 .
hiernach Seehöhe des Schneeberges	511,35 Tois.

II. Ver-

II. *Vergleichung zwischen Stift Tepl und dem Schneeberg.*

hneeberg höher als Stift Tepl		
s der Beobachtung am 12. August	=	183, 8 Tois.
13. —	=	186, 5 .
13. —	=	183, 0 .
im Mittel		184, 50 Tois.
Höhe von Tepl über dem Meere		328, 00 .
See-Höhe des Schneeberges		512, 50 .
aus der ersten Vergleichung		511, 35 .
mittleres Resultat		511, 93 Tois.

as wir als die Höhe des Schneeberges über der eeresflache jetzt annehmen. Nach diesem Resul- t, was wegen der schönen Uebereinstimmung al- : Hohen aus allen einzelnen Beobachtungen beyder ergleichungs - Puncte wol für zuverlässig gelten nn, ist der höchste Punct des Fichtelberges, noch n beynahe 200 Fuss niedriger als der Brocken, tt dass sonst jene Bergkuppen für weit höher gal- n.

LIV.

Correspondenz - Nachrichten aus dem österreichischen Kaiserstaat.

Die neuesten, mir bekannt gewordenen geographischen, statistischen, mathematischen und naturhistorischen Werke österreichischer Gelehrten sind folgende: Triest und seine Umgebungen, von *J. Kollmann*. Wien, Triest und Agram, bey Jos. Geistinger. 1808 230 S. in 12. Topographisches Post-Lexicon aller Ortschaften der k. k. Erblander. Mit höchster Bewilligung der k. k. Finanz-Hofstelle, herausgegeben von *Christian Crusius*, controlirendem Officier der k. k. Postwägen-Haupt-Expedition. Des vierten Theils, welcher Ungarn sammt den einverleibten Provinzen und Siebenbürgen in sich enthält, funfter und letzter Band, von *T* — *Z*. Mit einem Anhange der in dem vierten Theile dieses Werkes nicht an ihrem Platze stehenden Ortschaften und einem Verzeichnisse der vorzuglichsten lateinischen Ortsnamen, mit Hinweisung auf ihre deutsche und ungarische Bedeutung. Wien, gedruckt bey Matthias Andr. Schmidt 1809. IV und 407 S. gr. 8. Auch unter dem Titel: Topographisches Post-Lexicon von Ungarn und den dazu gehorigen Provinzen und Siebenbürgen. Funfter u. letzter Band. Geographisch-statistisches Wörterbuch des österreichischen Kaiserstaates, oder alphabetische Darstellung der Provinzen,

Städ-

Städte, merkwürdigen Flecken, Dörfer, Schlösser, Berge, Flusse, Seen, Grotten u. s. w. des österreichischen Kaiserthums. Mit möglichst-genauer Angabe ihrer Lage, Grösse, Bevölkerung, Producte, Fabriken, Gewerbe, Handel, Bildungs-Anstalten u. s. w. Nach den neuesten und besten Quellen für Geschaftsmänner, Kaufleute, Zeitungsleser, Reisende und fur Alle, die sich in der Erd- und Staatskunde der österreichischen Monarchie zu unterrichten wunschen, bearbeitet von *Karl Georg Rumi*, correspondirendem Mitgliede der Gesellschaft der Wissenschaften zu Göttingen. Mit einer Karte. Wien 1809, im Verlage bey Ant. Doll. 452 S. gr. 8. Preis 4 Fl. *Közonséges Geographia mellyben a' Foldnek mathemathematikai, természeti és leginkább politikai állapotja a' leg ujabbváltozások után eloadatik. Irta Ferenczy János. Pesten.* (Allgemeine Geographie, in welcher der mathematische, physicalische und vorzuglich politische Zustand der Erde nach den neuesten Veränderungen angegeben wird. Geschrieben von *Johann Ferenczy*. Pesth, bey Joseph Eggenberger. 1809 8. Preis 1 Fl. 30 Kr. *Calendarium titulare, sive Schematismus inclyti regni Hungariae, partiumque eidem adnexarum. Cum Schematismo literario, ejusque indice subnexo pro anno 1809. Budae, typis regiae Universitatis Hungar.* 4. Preis 2 Fl. *A' tsillagós Égnek és a' Fold Kerekségének leirása. Kiadta Varga Márton.* (Beschreibung des gestirnten Himmels und des Erdenrunds. Herausgegeben von *Martin Varga.*) Grosswardein bey Tichy 1809 Preis 1 Fl. 30 Kr. *Terminologia botanica curante J.*

Schuster, M. D. Budae typis regiae Univers. Hung. 1808. 118 S. 8.

Die "Briefe über Polen, Oesterreich, Sachsen, Bayern, Italien, Etrurien, den Kirchenstaat und Neapel, an die Comtesse *Constanze de S* — von *E. T. von Uklanski*, königl. preussischem Regierungsrathe, geschrieben auf einer Reise vom Monat May 1807 bis zum Monat Februar 1808" (erster Theil, Nurnberg bey Friedr. Campe 1808 386 S. 8) enthalten über Oesterreich und Galizien vieles Wahre und Interessante, aber auch vieles Schiefe und Einseitige.

In den vaterländischen Blättern für den österreichischen Kaiserstaat 1809 Nro. IX — XXIX kommen folgende topographische, geographische und statistische Aufsätze vor: Zaleszcziky in Ostgalizien, aus dem Reise-Tagebuche des Superintendenten Bredeczky in Lemberg. Uebersicht, wie viel ganze Stucke Leinewand die Stadt Trautenau in Böhmen in den letzten 24 Jahren, von 1784 bis inclus. 1807 in und ausser Landes verkauft hat, mit dem beygesetzten Geldbetrage. Ueber Wiens Reinigungs-Anstalten, vorzuglich bey schlimmer Witterung. Nautische Schule in Zengg. Populations-Stand samtlicher galizischen Kreisstädte nach der im May 1808 beendigten Conscription. Stimmen des Auslandes uber den österreichischen Kaiserstaat. Die orientalische Gesellschaft in Wien. Chronik der Bildungs-Anstalten in dem österreichischen Kaiserstaate. Das Kuhländchen. Die Vereinfachung des militärischen Verpflegungsgeschaftes in Oesterreich. Ueber die Theilung adelicher Güter in Galizien. Schutzpocken-Im-

Impfung in Böhmen. K. k. Taubstummen-Institut zu Wien. Die Tropfsteinhöhle zu Blasenstein in der Pressburger Gespannschaft, von Caroline Pichler. Ueber die richtigste Angabe des Flächen-Inhalts und der bewohnten Oerter von Ungarn. Der ungarische Landtag (Reichstag) im Jahre 1808. Uebersicht der Bienenzucht in den k. k. Militär-Grenzen mit Ende des Militärjahres 1808. Ueber Oesterreichs Landes-Vertheidigung. Ueber die Naturschönheiten des österreichischen Kaiserthumes, von Dr. Franz Sartori. Stiftung edler Böhmen für verdiente Krieger. Beyträge zur Geschichte des Bergbaues im Herzogthume Salzburg. Bemerkungen auf einer Reise durch Oesterreich ob und unter der Ens, Salzburg, Steyermark, Karnthen, Krain, Görz und Triest. Oesterreichisches Kriegsmanifest gegen Frankreich. Bemerkungen uber das k. k. Frachtamt in Wien. — Die neun und zwanzigste Nummer dieser Zeitschrift ist die letzte, die wir erhalten haben. Sie ist vom 28 April datirt. Wir heben aus den angefuhrten Nummern folgende topographische und statistische Data aus. Die Kreisstadt Zaleszcziky in Galizien zählt 360 Hauser und 1306 Einwohner. Der Zaleszcziker Kreis grenzt östlich an Russland, namentlich an den District, in welchem Kamieniec Podolsky liegt; auch berührt der Zaleszcziker Kreis die Grenze des türkischen Reichs. Dieser Kreis ist einer der fruchtbarsten Districte von Galizien, obgleich selbst in diesem Kreise unbebaute Plätze liegen. Jede Gattung von Getreide wuchert hier in üppiger Kraft, vorzuglich gedeiht Mais. Eine beynahe ausschliesslich diesem Kreise gehörige Frucht ist der Anies, welcher in die übrigen

übrigen Theile Galiziens zum Behufe des Branntweins verführt wird. Als besondere Erzeugnisse dieses Kreises dürfen die hier trefflich gedeihenden Wassermelonen, so wie auch der Spargel nicht übersehen werden. Der Tabacksbau ist in diesem Kreise sehr beträchtlich, die Viehzucht nicht minder. — Populationsstand sämtlicher galizischer Kreisstädte nach der im May 1808 beendigten Conscription: Mislenice hat 286 Häuser, 1975 Einwohner. Krakau 1779 H., 25736 E. Kielce 368 H., 2324 E. Radom 208 H., 1505 E. Lublin 876 H., 7082 E. Siedlce 266 H., 2145 E. Biala 343 H., 2718 E. Zamosk 841 H, 6545 E. Zolkiew 661 H., 2166 E. Lemberg 2515 H., 41493 E. Zloczow 1107 H., 6168 E. Przemysl 737 H., 7358 E. Rzeszow 364 H., 4604 E. Tarnow 340 H., 4312 E. Bochnia 310 H., 3109 E. Neu-Sandec 441 H., 3629 E. Jaslo 224 H., 1493 E. Sanok 218 H., 1520 E. Sambor 1153 H., 6374 E. Scry 800 H., 5474 E. Stanislow 850 H., 6192 E. Brzezan 793 H., 4377 E. Tarnopol 1080 H., 7093 E. Zaleszcziky 360 H., 5416 E. Czernowitz 820 H., 5414 Einw. Summe der Häuserzahl in den galizischen Kreisstädten 17940. Summe der Einwohnerzahl 163790. Summe der ganzen Bevölkerung des Landes: 861705 Häuser, 5176024 Einwohner. — Im Jahre 1807 wurden in Böhmen 5087 Kinder vaccinirt, an den Menschenblattern starben noch 5169 Kinder. — Unter die Naturschönheiten des österreichischen Kaiserstaates gehörte vorzüglich: der Königs- oder Bartholomäus-See in Berchtesgaden, der Traun- oder Gmunder-See bey dem Städtchen Gmunden, der Atter-See bey Kammern, der Mond-See in Oesterreich

reich ob der Ens, der Altaufser-See, der Leopold-steiner-See in Steyermark, das Lavanthal in Karnthen, die Gegend um und an dem Oetfcher in Oesterreich unter der Ens, der Waldbachstrub, der Radstädter Taurn, das Ensthal in Obersteyermark, der Rosenberg bey Gratz, das herrliche Weingebirge Luttenberg in Steyermark, das Marzthal in Steyermark u. s. w. — Die k. k. Familien-Herrschaft Mannersdorf zeichnet sich durch eine Veredlung der Schafzucht aus, welche selbst jener zu Holitsch den Vorzug streitig macht. Der Centner Wolle ist im Jahre 1807 bis zu 350 Gulden verkauft worden. Sehenswerth ist daselbst die leonische Draht- und Borden-Fabrik der Compagnie Steininger. Alle Gattungen von Flitterwaare werden hier verfertiget, und zu jeder sind eigene sinnreiche Maschinen vorhanden. Das vorzuglichste Fabricat ist Kupferdraht, der vergoldet oder versilbert wird, oder durch Anflug von Zink die Farbe des Messings erhalt. Die Fabrik bezieht ihr Kupfer zum Theil aus dem Bannat, zum Theil aus dem admontischen Bergwerke zu Kahlwang in Steyermark. Der Absatz ihrer Waare geht meistens nach Ungarn und nach der Turkey. Das Steingutgeschirr zu Sumarein zeichnet sich weder durch die Farbe, die ins Gelbliche fallt, noch durch die Form aus, hat aber wegen der niedern Preise starken Absatz. Die Fabrik hat Verkehr nach Oesterreich und Ungarn. In Bruck haben die Engländer Tyler und Royce eine merkwürdige Spinn-Maschinen-Fabrik angelegt. In Schwadorf ist eine Maschinen-Spinnerey-Fabrik. Zu Ebergassing ist die merkwürdige k. k. Stuckboh-

rerey

rerey und eine der grössten Papiermühlen des Landes, die 130 Arbeiter beschaftiget und jährlich uber 30000 Ries Papier erzeugt. Zu Ebreichsdorf ist eine Cotton-Manufactur, deren Arbeits-Personale im Ganzen sich uber 20,000 Köpfe beläuft. Zu Gumpoldskirchen befindet sich ein Seiden-Filatorium, eine Knopf- und leonische Drath-Fabrik, in Mödling eine Baumwollen-Waaren-Manufactur, in Petersdorf eine orientalische Waaren-Fabrik, zu Guntramdorf eine grosse Leinwand-Druckerey, zu Pottendorf und Testorf zwey grosse Spinn-Fabriken.

LV.

LV.

Traité de Topographie d'Arpentage et de Nivellement; par L. Puiſſant, Profeſſeur des Mathématiques à l'école impériale militaire etc. etc. à Paris 1807.

Wir glauben die Anzeige dieſes ſchon vor einigen Jahren herausgekommenen Werks hier noch nachholen zu müſſen, da wir unſere Leſer mit dem Inhalt des erſten Bandes (*Mon. Correſp.* B. XVI. S. 443) bekannt gemacht haben. Zwar ſind beyde Werke, wie ſchon die verſchiedenen Titel zeigen, gerade nicht als zuſammen gehörig erſchienen, allein es iſt dies in der That der Fall, indem beyde zuſammen *ein Ganzes* ausmachen. Das Urtheil, was wir im Allgemeinen uber das fruhere Werk *Traité de Géodéſie* fallten, paſst vollkommen auch auf das vorliegende; nur der kleinere Theil iſt in beyden eigenthümliche Arbeit des Verfaſſers, der weit gröſsere Compilation aus Abhandlungen von *La Place*, *Legendre*, *Delambre*. Doch ſind wir weit entfernt, dies dem Verfaſſer zum Vorwurf zu machen, da wir im Gegentheil das Zweckmäſsige dieſes Buchs und den vielfachen Nutzen, den es haben kann, vollkommen anerkennen, und die Ausarbeitung eines ähnlichen Werks mit einigen Modificationen für Deutſchland wunſchten.

Wir

Wir beschränken uns auch diesmahl nur auf eine allgemeine Inhalts-Anzeige, da ein näheres Detail zu viel analytische Erörterungen erfordern würde, die sich nicht für diese Blätter eignen.

Das ganze Werk zerfällt in fünf Abschnitte, von denen der erste in neun Capiteln, theils einige Gegenstände der höhern Geodesie, theils die numerische Entwickelung der vorzüglichsten geodätischen Formeln enthält. Die zuerst mitgetheilten Ausdrücke für Correction der Excentricität, Reduction auf das Centrum u. s. w. sind weder neu noch vorzüglicher. Sehr elegant ist die hier gegebene Auflösung des bekannten Problems, aus der gegebenen Länge und Breite des einen Punctes, nebst dem Azimuth und der Distanz von dem andern, dessen geographische Länge zu bestimmen. Durch blosse Differenzirungen des Ausdrucks, der die trigonometrische Relation zwischen jenen Grössen gibt, werden alle hierher gehörige Ausdrücke mit vieler Leichtigkeit hergeleitet. Die Bedeutung V, V' Complemente des Azimuths, ist anfangs zu geben vergessen. Einige von dem Ingenieur-Géographe *Plessis* entwickelte Ausdrücke für die Breite des Fusspunctes, und den in Secunden ausgedrückten Werth eines terrestrischen Bogens, sind neu und genauer als die zeitherigen. *Le Gendre*'s scharfsinnige Untersuchungen über die Auflösung sphäroidischer Dreyecke, sind den Mathematikern schon früher durch die *Mémoires de l'institut* von 1806 und *Base du système métrique* bekannt geworden. Der Zweck dieser Untersuchungen ist der, zu finden, in wie fern die für ein elliptisches Sphäroid nicht ganz richtige

tige Voraussetzung, dass eine auf dessen Oberfläche gezogene, nicht in einerley Meridian befindliche Linie in einer Ebene liegt, auf die geodätischen Resultate einen wesentlichen Einfluss haben kann. Der Verfasser behandelt die Frage auf eine eigenthümliche analytische Art, und findet eben so wie *Le Gendre* und *Delambre*, dass jene Voraussetzung vollkommen erlaubt ist, indem in dem grössten Dreyeck, was bey der französischen Gradmessung vorkommt, die Differenz des sphärischen und sphäroidischen Winkels noch nicht $\frac{1}{80}$ einer Secunde beträgt.

Unter der Ueberschrift: *Expression de divers rayons de corbure rélatifs à l'ellipsoide de revolution*, kömmt auch die Auflösung der Aufgabe vor, "den Radius einer Kugel zu finden, deren Oberfläche mit der des Sphäroids am nächsten zusammen trifft." Das Resultat ist ganz identisch mit dem, was früher *Prony* (*Connaiss. des tems 1808*) und wir (*Mon. Corresp.* B. XVI, S. 424) auf andern Wegen gefunden haben. Der Beweis von ein Paar trigonometrischen Formeln von *Prony*, und die Bestimmung der relativen Aenderungen zwischen Länge, Breite, Azimuth und den Coordinaten eines Punctes auf dem Sphäroid beschliessen das erste Capitel.

Trigonometrische und barometrische Höhen-Bestimmungen sind der Gegenstand des zweyten Capitels, über das wir schnell hinweg eilen, da das Hauptsächlichste davon schon bey der frühern Anzeige erwähnt worden ist. Ob der Inhalt des II. Capitels, wo die analytische Theorie des einfachen Pendels

dels, und die Methode, aus beobachteten Pendel-Längen die Gestalt der Erde zu bestimmen, entwichelt wird, in ein Elementarwerk gehört, wollen wir nicht weiter untersuchen; allein so viel ist gewiss, dass es den meisten, die sich dem practischen Theile der Geodesie widmen, an analytischen Kenntnissen fehlen wird, um dem Verfasser hier folgen zu können. Bey der nach *Poisson* gegebenen Auflösung des Probleme *Mouvement du Pendule dans la supposition d'un fil extensible* darf es nicht unbemerkt bleiben, dass in der einen Hauptgleichung das von der Fliehkraft abhängige Glied $-\frac{r d\varphi^2}{dt^2}$ irrigerweise vernachläfsiget worden ist. (*Mon. C.* B. XIX S. 304) Bey der Anwendung der Theorie auf die Bestimmung der Gestalt der Erde werden dieselben Beobachtungen, wie in *La Place* (*Mécaniq. célest.* Tom. II S.) nebst der dort zu Bestimmung der wahrscheinlichsten Ellipse gegebenen Methode, benutzt. Eine Bemerkung hätte es wohl verdient, dass jetzt fur Untersuchungen dieser Art, die vorzuglichste Methode die der *moindres Carrées* ist.

In den letzten sechs Capiteln dieses Abschnittes wird die Anwendung und numerische Entwickelung aller vorherigen geodatischen Formeln gegeben. Die Triangulirung der Insel *Elba*, an der der Verfasser Antheil nahm, gibt hierzu die schicklichste Gelegenheit. Alle Beobachtungen werden mitgetheilt, und die ganze Rechnung, von den Winkel-Reductionen an bis zur geographischen Ortsbestimmung, mit vieler Deutlichkeit durchgeführt, so dass jeder Anfänger hier eine sehr zweckmäfsige und befriedigende

Ueber-

Ueberſicht von dem ganzen Gang ſolcher Operationen erhält. Ungern vermiſſen wir eine Angabe, was für eines Verfahrens ſich der Verfaſſer bedient hat, um den Kreis bey jeder Beobachtung in die Ebene der drey Puncte eines Winkels zu bringen; da dies gerade eine der ſchwierigſten Operationen bey terreſtriſchen Winkel-Beobachtungen iſt, und die, wie wir anderswo gezeigt haben (*Mon. C.* B. XIX S. 328) da, wo man Genauigkeit von Secunden verlangt, nicht vernachlaſſigt werden darf.

Der zweyte Abſchnitt enthält in drey Capiteln eine *Analyſe des projections de la Sphère et construction des cartes géographiques.* In Hinſicht analytiſcher Eleganz läſst dieſe Entwickelung, die ganz auf die allgemeinen Gleichungen von Linie und Fläche begrundet iſt, wenig zu wünſchen ubrig. Der Verfaſſer entwickelt im erſten Capitel die allgemeinen Gleichungen fur ſtereographiſche Projectionen; Polar- Central- Aequatorial- dann auch orthographiſche Projectionen, werden hier einzeln unterſucht. Mit der Anwendung dieſer Theorie auf Zeichnung von Welt- und Landkarten beſchaftiget ſich das zweyte Capitel, und den Projectionen durch Abwickelung von Kegel- und Cylinder-Flächen iſt das dritte gewidmet.

Nicht ganz richtig ſcheint es zu ſeyn, wenn es im Anfange heiſst, daſs fur kleinere Diſtricte orthographiſche Projectionen gebraucht wurden, da dieſe beynahe ganz aus der Geographie verwieſen ſind. Unverkennbar iſt die Vorliebe, mit der hier die ſtereographiſchen Projectionen behandelt worden ſind, und wir möchten faſt glauben, daſs hauptſachlich die

die analytische Eleganz, mit der sich deren Eigenschaften darstellen lassen, den Verfasser zu dieser bestimmt habe, indem ausserdem über die wesentlichen Vorzüge, die bey Karten-Zeichnungen die Abwickelungs-Projectionen gewähren, die Meynungen der Mathematiker und Geographen wol nicht getheilt seyn können. Auch hat uns das dritte Capitel, was von den letztern Projectionen handelt, weit weniger als die beyden ersten befriediget. *Murdoch*, ein Hauptschriftsteller hierüber, ist nur obenhin genannt, *Bonne* gar nicht. Bey *Flamsteed*'s Projection, die hier hauptsächlich empfohlen wird, hätte es wohl bemerkt werden sollen, dass dieses die *Bonne*'sche mit unendlich grossen Halbmessern der Parallel-Kreise ist, und dass diese, wie schon früher *Albers* bemerkt (*Mon. C.* B. XI S. 14) und *Mollweide* bewiesen hat, (*Mon. C* B. XIII S. 144) die Länder ihrem wahren Flächen-Inhalt nach darstellt. Ueberhaupt ist das ganze Capitel über die Projectionen durch Abwickelungen sehr unvollständig, und *Mayers* classisches Werk, nebst den einzelnen in dieser Zeitschrift befindlichen Aufsätzen von *Mollweide* und *Albers*, enthält weit mehr über diese Materie. Die Vorschriften des zweyten Capitels, über die Anwendung der stereographischen Projectionen zu Zeichnung von Landkarten, enthalten manches neue und practisch brauchbare. Die hier S. 141 erwähnte Schwierigkeit, Kreisbogen von sehr grossen Radien zu beschreiben, sind nicht so wesentlich, und es gibt der Hülfsmittel hierzu gar mancherley. (v. *Mayer's pract. Geom.* B. IV § 18.)

Was

Was der Verfasser über Seekarten sagt, ist allzu kurz, und vorzuglich hätte wol die sinnreiche *Mercator*'sche Projection, die noch allen heutigen Seekarten zum Grunde liegt, eine umständlicherr Erwahnung verdient.

Der Inhalt des dritten Abschnittes: *Opérations géodesiques de Détail et questions rélatives à l'arpentage*, ist dem Titel des Werks mehr angemessen, als es bey einigen Capiteln des vorhergehenden der Fall war, indem hier das eigentlich Practische des Feldmessens abgehandelt wird. Dass hier in Hinsicht des detaillirten Aufnehmens einer Gegend durch Messtisch, Boussole und durch die Methode der Coordinaten, nur die Hauptsätze beygebracht sind, mögen wir nicht tadeln, da das Specielle solcher Vermessungen und aller dabey vorkommenden Vorschriften ein eignes Werk verlangt, was wir Deutsche in des Hofrath *Mayers* practischer Geometrie schon besitzen. Bey der Methode, eine Gegend durch Coordinaten aufzunehmen, hätte das von dem Hauptmann *Fallon* in Vorschlag gebrachte Spiegel-Signal (*M. C.* B. V S. 289) einer Erwähnung verdient, da dies unstreitig das vorzuglichste Instrument ist, was zu dieser Art von Aufnahmen gebraucht werden kann. Manches Interessante enthalt das zweyte Capitel dieses Abschnittes, wo von Berechnung des Flachen-Inhalts die Rede ist. Fur die meisten hier vorkommenden Falle sind die analytischen Ausdrucke gegeben und zum Theil durch numerische Beyspiele erläutert. Die § 60 behandelte Aufgabe zeigt, wie viel sich bey einer zweckmäfsigen Anwendung mit einem Instrument, was blos rechte Winkel gibt,

machen

machen läſst. Was hier ferner auf fünf Seiten über Polygonometrie geſagt wird, kann natürlicherweiſe dieſen reichhaltigen Gegenſtand nicht erſchöpfen, doch ſind einige der Hauptſätze über Relationen der Seiten und Winkel in einem Vieleck gut und deutlich entwickelt. Das letzte Capitel dieſes Abſchnittes beſchäftiget ſich mit Theilung der Figuren. Natürlich konnte auch dieſer Gegenſtand, mit deſſen detaillirter Entwickelung ſich ganze Bücher anfüllen laſſen würden, in einem Werke, wie das vorliegende, nur im Allgemeinen abgehandelt werden; doch ſind die Aufgaben zweckmäſsig gewählt, und wir glauben, daſs jeder, der dieſe gehörig gefaſst hat, ſich in allen vorkommenden ähnlichen Fällen zu helfen wiſſen wird. Mehr Aufgaben wie die S. 204 würden für Lernende von Intereſſe geweſen ſeyn.

Sehr umſtändlich wird im vierten Abſchnitt die *Théorie et pratique du nivellement* abgehandelt. Der Verfaſſer ſchickt die Hauptgleichungen über das Gleichgewicht und den Druck flüſſiger Körper voraus, und geht dann auf die verſchiedenen Arten von Inſtrumenten, deren man ſich hauptſächlich zum Waſſerwagen bedient, über. Auſser der eigentlichen Waſſerwage wird hier hauptſächlich das *Niveau à bulle d'air et à lunette*, von *Chèzy* beſchrieben. Letzteres iſt allerdings unter die vorzüglichſten Inſtrumente dieſer Art zu zählen, und kömmt im Weſentlichen mit der längſt bekannten *Liesganig*'ſchen Waſſerwage überein. Die verſchiedenen Aufgaben, die beym wirklichen Nivelliren vorkommen können, ſind im dritten Capitel erörtert, und zur gröſsern Deutlichkeit mit Beyſpielen erläutert. Das

vierte

vierte Capitel: *Du calcul des terrasses*, enthält manches, was man in deutschen Lehrbüchern vergebens sucht, und was für Ingenieurs, die mit Chaussee-Brückenbau und ähnlichen Geschäften zu thun haben, von wesentlichem Interesse ist. Es wird hier die Ausmittelung des cubischen Inhalts von Erdmassen gelehrt, die weggeschafft oder aufgeschüttet werden sollten; eine Aufgabe, die nicht immer ganz leicht ist, und nur durch ein vorläufiges genaues Nivellement gelöst werden kann. Jeder Baumeister sollte dieses Capitel studiren, denn nur durch Kenntnisse dieser Art wird er mit Sicherheit Plane zu Anlegung von Strassen, Canälen u. s. w. entwerfen und deren Ausführbarkeit im voraus richtig beurtheilen lernen. Mehrere gut gezeichnete Figuren und ein vollständiges Beyspiel für diese Berechnungsart, können Anfängern zum Leitfaden dienen.

Im fünften und letzten Abschnitt *Redactions des cartes et des desseins, et idée de la confection des mémoires descriptives*, werden die zweckmässigsten Instrumente, die zu Reduction von Karten gebraucht werden können, beschrieben. Die beyden zu diesem Endzweck hier detaillirt angegebenen Instrumente, der *Pantographe* und *Micrographe* gewähren unstreitig beym Copiren manche Vortheile; allein fast immer führt ihr Gebrauch so viel Nachtheile und Unbequemlichkeiten mit sich, dass wir das Copiren durch Quadrate in den allermeisten Fällen vorziehen würden.

Die im dritten Capitel gegebene Anweisung, nach welcher Methode bey Vermessungen zugleich

 auch

auch topographisch-statistische Notizen zu sammeln sind, kann als Leitfaden dienen. Nur möchten wir diese Vorschrift darin tadeln, dass sie zu weit ausgedehnt ist und Gegenstände umfasst, die wie die im §. III. *Historique militaire* Nachforschungen erfordern, die wol meistentheils ausser dem Gesichtskreise der Männer liegen, die mit diesen Geschäften beauftragt sind.

Ein Anhang enthält hauptsächlich eine neue analytische Behandlung des Problems, aus einem Dreyecks-Netz geographische Orts-Bestimmungen herzuleiten, von *Henry*. Das Resultat führt auf die Formeln von *Du Séjour*, die hier auf einem allerdings eleganten, aber etwas weitläufigen Wege, aus der allgemeinen Gleichung für die kürzeste Linie auf einem Sphäroid hergeleitet werden. Mehrere Hülfstafeln für geodätische Rechnungen schliessen dieses brauchbare Werk.

LVI.

LVI.

Auszug aus einigen Schreiben des Hrn. J. Oltmanns.

Paris, vom 10 Jan. und 12 May 1810.

. . . . Im *Junius*-Hefte der *Monatlichen Corresp.* habe ich Ihre mühsame Arbeit über den Sonnen-Durchmesser gelesen; Sie wünschen, neuere Beobachtungen von *Maskelyne* zu erhalten: bis 1807 incl. kann ich Ihnen die Sonnen-Durchgänge mittheilen, die ich aus den Diarien abschreibe, welche ich von der Sternwarte geliehen habe. Der Monds-Durchmesser ist gewiss noch weniger genau bekannt, wie ich aus centralen Stern-Bedeckungen bemerkt habe. Wenn es im Monde so hohe Berge gibt, so lassen sich auch hohe Plateaus denken, die den Durchmesser um mehrere Secunden ändern können, und diese Aenderung mag freylich von der Libration noch mehr oder weniger modificirt werden. In der letzten öffentlichen Sitzung hat *Delambre* in seiner *Analyse des travaux de la première Classe* der Arbeit von *La Place* und *Bouvard* über die Schwankung des Mondes erwähnt, aber nur in sehr allgemeinen Ausdrücken, weil sie dem Secretariat noch nicht übergeben worden ist. Er bemerkt bloss, dass *Bouvard's* Resultate vollkommen mit denen von *Mayer* übereinstimmen. Ich werde Ihnen diese Analyse

 über-

überſenden. *Burckhardt* hat unter mehrern andern Abhandlungen eine "*ſur pluſieurs moyens propres à perfectionner les tables de la lune*" geleſen. Neunhundert Beobachtungen gaben ihm vorlaufig für die eine Ungleichheit, welche von der mittlern Anomalie ☽ + dem Argument der periodiſchen Ungleichheit von 180 Jahren abhangt, den Coefficienten 4,"7. Ein anderes *Memoire* von eben dieſem Aſtronomen betrifft den *Halley*'ſchen Cometen, der 1759 wieder erſchien und auch 1835 erwartet wird. Er findet, daſs die Anziehung der Erde ſeinen Umlauf um ſechzehn Tage andern werde.

Biot's neue Beobachtungen der Pendel-Länge auf Dünkirchen und Formentera geben die Erd-Abplattung $= \frac{1}{308}$. *Prony* hat dem National-Inſtitut eine ſtark convergirende Reihe mitgetheilt, um ohne Logarithmen, Barometer-Meſſungen zu berechnen.

Vom zweyten Bande meiner geographiſchen Unterſuchungen uber die Geographie des neuen Continents ſind bis jetzt 18 Bogen gedruckt.

Von *Biot* iſt ſo eben ein intereſſantes Werk erſchienen, "*Recherches ſur les refractions extraordinaires qui ont lieu près de l'horizon.*" Da es aber einen Theil der *Memoires* ausmachen ſoll, ſo zeifle ich daran, ob es bereits im Buchhandel iſt. Das Werk iſt voll Theorie und Beobachtungen mit Repetir-Kreiſen.

Von *Kruſenſtern's* Reiſe iſt nur ein einziges Exemplar in Paris, und man uberſetzt es jetzt. Ich bin ſehr neugierig auf den Atlas. *Eſpinoſa* ſoll ein Werk in zwey Octav Banden *bekannt gemacht haben*: "*Memorias ſobre las Obſervaziones aſtronomicas*

micas, que han servito de fundamento à las Cartas de publicadas por la Direccion de trabajos hydrograficos cet.

Von meinen geographischen Untersuchungen sind nun 26 Bogen des zweyten Bandes gedruckt. Wahrscheinlich folgt ein dritter. Im zweyten werden Sie die *Malaspina*'schen von der Nord-West-Küste Amerika's finden. Ohngefehr sechzig Orts-Bestimmungen.

Bouvard beschäftiget sich jetzt mit Uranus-Tafeln, natürlicherweise nach Decimal-Eintheilung. Die Jupiters-Trabanten-Tafeln sind aber noch nicht erschienen.

Von Humboldt, *Arago* und *Matthieu* setzen ihre Declinations-Beobachtungen der *Maskelyne*'schen Sterne noch fort. Der ganze Kreis, dessen sie sich hierbey bedienen, ist fur Prof. *Placidus Heinrich* bestimmt, und gewiss einer der schönsten, die *Fortin* gemacht hat. Sie haben denselben jetzt in die Nord-Seite der Sternwarte gebracht, um noch die Breite damit zu beobachten, ehe sie ihn absenden.

So eben erhalte ich die Nachricht, dass ich mit *Gauss* und *Ideler* zum Mitglied der Berliner Academie der Wissenschaften erwählt worden, und als Professor der theoretischen Astronomie dahin berufen bin; doch bleibe ich diesen Sommer noch hier in Paris.

LVII.

Auszug aus einem Schreiben des Prof. *David*.

Prag, am 12. April 1810.

Ich habe mit dem *Reichenbach*'ſchen Kreiſe ein Paar Sterne tief am Horizonte beobachtet; ich glaube, ſie durften bey Ihrer Unterſuchung der Atmoſphäre einigen Dienſt leiſten, und theile ſolche deswegen mit.

Die Abweichung des η im groſsen Hund nahm ich deswegen ausſchlieſslich nach *Piazzi* an, weil er dieſen Stern bey ſeiner Polhöhe in einer Höhe beobachtet hat, wo die Strahlenbrechung nach dem Geſetze wirkt, das man dafür angenommen hat.

Mittl. Abweich. des η d. 24 März 1810	28°	56′	23,″28
Abirrung	+		15, 87
Nutation	+		9, 82
ſcheinbare	28°	56′	48,″97
Prags Breite	50	5	18
Scheitelabſtand	79°	2′	6,″97
am 24 März beobacht. Scheitelabſtand	78	57	24, 76
Beob. Strahlenbr.		4′	42,″2
Frh. *v. Zachs* Taf. Vol. I.		4′	46, 9

Barom	27″ 3‴
inner Therm	+ 5,°5
äuſserer	+ 3, 5
Mittel	4,°5

Der ſechsfache Scheitel-Abſtand gibt genau die Raum-Secunde, wie der vierfache.

Die

Die Angaben der Abweichung für *Deneb* sind in der *Connaiss.* 1809 S. 458 sehr übereinstimmend; ich beobachtete diesen Stern, der bey der Prager Polhöhe noch niedriger unter dem Pole steht, als die *Capella*.

Mit jährl. Zunahme 12,"56 ist nach der *Connaiss.* 1809 die Abweich.

(mittlere) 1800	44°	34′	20,"7
den 27 März 1810	44	36	29, 26
Aberration und Nutat.	—		8, 346
Scheinbare	44°	36′	20,"9
Complem.	45	23	39
der Breite —	39	54	42
Scheitel-Abst.	85°	18′	21″
Am 26 März beob. Scheitel-Abstand	85	7	59

Barom 27″ 9,‴92; inner. Therm + 3°; äusserer — − 1°; Mittel + 1°	beob. Strahlenbr.	10′	22″
	Tafeln	10	22, 6

Der vierfache Scheitel-Abstand stimmt genau mit dem zweyfachen.

Den 9. April ist das Abweichungs-Complement um 1″ grösser,

und der Scheitel-Abstand	85°	18′	22″
der beobachtete an diesem Tage aber	85	8	47

Barom. 27″ 1,‴33	Strahlenbr.	9′	35″
inner. u. auss. Therm. jeder 9½°.	Tafeln	9	42, 2

Das

Das Mittel aus den zwey doppelten Scheitel-Abständen, die sich nur um 1½" von einander entfernen, stimmt genau mit dem aus dem vierfachen; die Beobachtungen am 26 März und 9 April sind genau und zuverläßig; ich glaube daher, die starke Veränderung der Strahlenbrechung bloss auf die Veränderung der Temperatur und der Atmosphäre zu schreiben.

LVIII.

Berichtigung.

Im vierten Bande der *A. G. E.* S. 440 ist die Rede von einem Astronomen *Fr. Junctinus*, welcher im sechzehnten Jahrhundert zu Florenz lebte; es wird dort eine merkwurdige Beobachtung von der Conjunction der zwey Planeten Jupiter und Saturn angefuhrt, welche er zu *Auranga* angestellt hatte. Allein leider blieb der Ort der Beobachtung sehr ungewiss, indem man nirgends eine bestimmte Angabe über das Wort *Auranga* auffinden konnte, und *Lalande's* damahlige Vermuthung, dass es *Orange* sey, blieb unwahrscheinlich, da diese Stadt auf Lateinisch *Arausio* *) heisst. Nach einigen Nachforschungen erfahren wir, dass *Junctinus* kein Carmeliter war, wie es am angezeigten Orte der *A. G. E.* heisst (wahrscheinlich nach irgend einem Gelehrten-Lexicon); sondern er war Hof-Capellan (Aumonier) bey dem Prinzen *François de Valois Duc d'Anjou*, dabey Doctor der Theologie und Canonicus; Kein Wunder also, dass er in Frankreich beobachtete, und

*) In *Abrahami Ortelii Antuerpiani* Thesaurus Geographicus heisst es von dieser Stadt: "*Arausio* αραυσιου Sidonio et Ptolomaeo. Plinius Secundanorum cognominat. *Col. Arausio secundanor. Coh. XXXIII. volunt*" legitur in antiquo lapide. Galliae Narbonensis urbs, quae hodie Orange dicitur, Poldo teste et aliis.

und *Auranga* ist kein anderer Ort, als *Avranches* (auf Lateinisch *Abrincata*) in der vormahligen Normandie. Der Jesuit *Ximenes*, der in seinem Werke *del vecchio et nuovo Gnomone Fiorentino*, u. s. w. eine kleine Geschichte der Astronomie in Toscana gibt, spricht wohl von diesem *Junctinus*, gibt aber nur sehr unvollständige Nachrichten von ihm und erwähnt nicht einmahl seiner wichtigsten Werke. Nach *Lalande's Bibliographie astronomique* waren diese folgende:

Speculum astrologiae, auctore Fr. J u n c t i n o. *Tabulae astronomicae resolutae, de supputandis siderum motibus secundum observ. Copernici, Prutenicarumque tabularum.* 1573. *Lugd.* 4.

F r a n c i s c u s J u n c t i n u s in sphaeram Jo. de Sacro Bosco. Lugd. Bat. 1578. 8.

F r a n c i s c i J u n c t i n i Florentini Tractatio de cometarum causis et effectibus. 1580. *Lips.* 8.

F r a n c i s c i J u n c t i n i Opera astronomica. Speculum astrologiae. Tomo II. continentur: commentarius in sphaeram Jo. de Sacro Bosco, et Theoric. Purbachii; Canones cum tabulis eclipsium Purbachii; Tabulae resolutae astronomicae. Tractatus de utilitate sphaerae; Compendium de stellarum fixarum observationibus; Tractatus de solis et lunae eclipsibus; Annotationes de cometis 1581. *Lugd. fol.*

LIX.

LIX.

Astronomische Anzeige.

Unsern astronomischen Lesern wird die Anzeige einer neuen Lieferung der vortrefflichen *Harding*'schen Himmels-Karten gewiss erwünscht seyn, und wir eilen daher, diese zu ihrer Bekanntschaft zu bringen. Die jetzt erschienenen Blätter sind Nro. III. . VIII. und XV. dieses Stern-Atlasses. Sie enthalten die Sternbilder *Fuhrmann*, *Orion*, *Einhorn*, *Zwillinge*, *kleiner Hund*, *Wassermann*, *Antinous*, *Schütze*, *Steinbock*, *Luftpumpe*, *nördliche Krone*, *Schlangenträger*, *Bootes*, *Jungfrau*, *Wage*, *Krebs*, *Sextant*. Eine nähere Anzeige dieser Lieferung erhalten unsere Leser in einem der nächsten Hefte.

INHALT.

REGIS-

REGISTER

zum XXI. Band.

A.

Ame-

B.

Bailly,

C.

Cap

D.

E.

F.

Fort

Guan-

H.

Hunds-

Kabka-

Lac

L.

M.

Malan-

K.

Lacta.

L.

M.

Malan-

Moli-

N.

Nuka-

Panfi-

Pla-

Que-

Q.

R.

Saba

S.

Santa

T.

U.

V.

Vibora-

W.

X.

Z.

Lightning Source UK Ltd.
Milton Keynes UK
UKHW020221090119
334943UK00006B/961/P